아~름다운 샘
A~ssam

최상위권 유형별
문제기본서 하이 하이

Hi High

수학 Ⅰ

KB033587

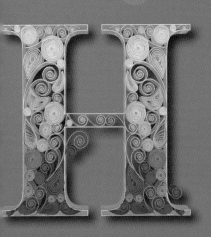

수학의 최고 실력

역시! 믿고 보는 아샘 하이하이와 함께...

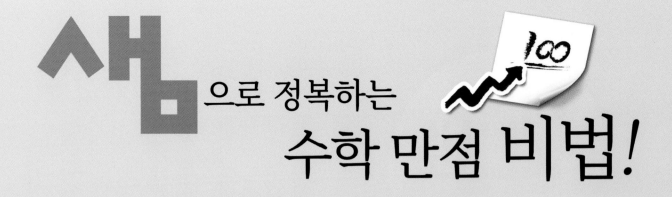

샘으로 정복하는 수학 만점 비법!

수학의 샘으로 기본기를 충실히!

수학 기본서 '수학의 샘'은 자세한 개념 설명으로 수학의
원리를 쉽게 이해할 수 있는 교재입니다. 최고의 기본서
수학의 샘으로 수학의 기본기를 충실히 다질 수 있습니다.

Hi Math로 학교 시험에 대한 자신감을!

충분한 기본 문제, 학교 시험에 자주 출제되는
문제를 수록하여 구성한 교재입니다.
유형별 문제기본서 '아샘 Hi Math'로 학교 시험에
대한 자신감을 가질 수 있습니다.

Hi High로 최고난도 문제에 대한 자신감을!

중간 난이도 수준의 문제부터 심화 문제까지
충분히 수록하여 구성한 교재입니다.
출제빈도가 높은 최상위권 유형을 충분히 연습하여
학교 시험 100점을 자신하게 됩니다.

◎ **대표저자**: 이창주(前 한영고, EBS·강남구청 강사, 7차 개정 교과서 집필위원), 이명구(한영고, 수학의 샘, 수학의 뿌리-3점짜리 시리즈, 전국 모의고사 집필위원)

◎ **편집 및 연구**: 박상원, 정준교, 윤원석, 전신영, 박호형, 강은홍, 장혜진, 정흥래

◎ **일러스트 출처**: 1쪽_좌, 2쪽_상, 3쪽_상, 4쪽_상, 본문_좌측 상단, 본문_우측 상단   designed by freepik.com

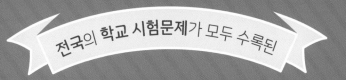

전국의 학교 시험문제가 모두 수록된

중간·기말고사 대비 실전모의고사
아샘 내신FINAL

실전모의고사 10회분씩 수록

고1 수학

1학기 중간고사
1학기 기말고사
2학기 중간고사
2학기 기말고사

고2 수학 I

중간고사
기말고사

고2 수학 II

중간고사
기말고사

고난도 문항
해설 동영상강의
무료 제공

Hi High

수학 I

"아름다운 샘 Hi High는?"

개념기본서 「수학의 샘」, 문제기본서 「Hi Math」와 연계된 교재

개념기본서 「수학의 샘」, 문제기본서 「Hi Math」에서 공부한 개념과 문제들로 쌓은 실력으로 보다 수준 높은 문제 연습을 할 수 있는 교재입니다. 단원의 구성과 순서가 동일하여 「수학의 샘」, 「Hi Math」와 연계하여 공부할 수 있습니다.

최고 수준의 수학 실력에 도달할 수 있는 문제기본서

난이도 있는 문제들을 풀면서 수학 실력을 향상시키기를 원하는 학생을 위한 교재입니다. 학교 시험에 잘 나오는 문제들을 시작으로 하여 깊이 있는 유형 문제 연습을 거쳐 최고 수준의 심화 문제 연습도 가능합니다.

변별력 있는 문제들을 충분히 연습할 수 있는 문제기본서

이 교재의 구성은 [샘이 꼭 내는 기본 문제] – [유형 문제] – [1등급 문제] – [최고난도 문제]입니다. 특히, [1등급 문제], [최고난도 문제] 코너에서는 높은 수학적 사고력을 요하는 문제들을 충분히 연습할 수 있습니다.

내신 1등급, 모의고사 1등급을 책임지는 문제기본서

학교 시험 및 모의고사 등에 출제되는 고난도 문제 유형들을 분석하고 분류하여 수록하였습니다. 상위권 변별력 문제를 충분히 실어 깊이 있는 내신 고득점 및 모의고사 문제까지 완벽하게 대비할 수 있도록 하였습니다.

> 수학적 사고력을 높여 수학 성적 1등급을 목표로 하는 상위권 학생들을 위하여
> **응용 · 심화 문제들을 다양하게 연습할 수 있는 문제**
> **내신 · 모의고사 1등급을 완벽 대비할 수 있는 문제**
> 들을 엄선하여 어떤 시험에서도 자신감을 가질 수 있도록 만든 문제기본서입니다.

Hi High의 구성

● **개념 정리**

각 단원의 중요 개념, 공식을 한눈에 볼 수 있도록 정리하였습니다. 알아두면 유용한 공식이나 개념, 문제 풀이에 직접적으로 도움이 될 만한 문제 해결 팁 등을 개념플러스에서 추가하여 제시하였습니다.

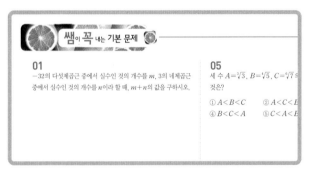

● **쌤이 꼭 내는 기본 문제**

각 단원에서 출제 빈도가 높아 꼭 풀고 가야 하는 기본 유형의 문제들을 선별하였습니다. 선생님이 강조하여 가르치는 대표 문제들을 풀고 갈 수 있습니다.

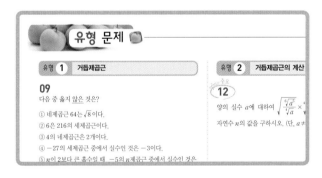

● **유형 문제**

수학적 사고력을 향상시킬 수 있도록 문제 유형을 통합적으로 제시하고 보다 깊이 있는 문제 연습을 할 수 있습니다. 꼭 풀어 보고 기억해 두어야 할 문제에는 '중요' 표시를 하였습니다.

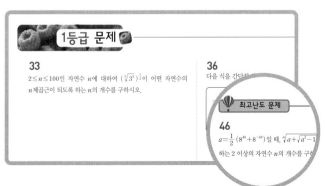

● **1등급 문제**

시험에서 1등급을 결정지을 수 있는 변별력 있는 문제들을 선별하여 수록하였습니다. 수학적 사고력과 응용력을 높일 수 있는 문제들을 다양하게 연습할 수 있도록 하였습니다. 특히, '최고난도 문제'도 풀어 볼 수 있도록 하였습니다.

차례

01 지수

01 지수

1 거듭제곱근

(1) 거듭제곱근

실수 a에 대하여 n이 2 이상의 자연수일 때, $x^n=a$를 만족시키는 수 x를 a의 n제곱근이라고 한다. 또 a의 제곱근, 세제곱근, 네제곱근, $\cdots$을 통틀어 a의 거듭제곱근이라고 한다.

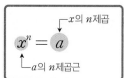

(2) 실수 a에 대하여 a의 n제곱근 중에서 실수인 것은 다음과 같다.

n＼a	$a>0$	$a=0$	$a<0$
n이 홀수	$\sqrt[n]{a}$ (1개)	0 (1개)	$\sqrt[n]{a}$ (1개)
n이 짝수	$\sqrt[n]{a}$, $-\sqrt[n]{a}$ (2개)	0 (1개)	없다. (0개)

참고 a의 n제곱근은 $x^n=a$를 만족시키는 수 x이고, n제곱근 a는 $\sqrt[n]{a}$이다.

2 거듭제곱근의 성질

$a>0$, $b>0$이고, m, n이 2 이상의 자연수일 때

(1) $\sqrt[n]{a}\sqrt[n]{b}=\sqrt[n]{ab}$

(2) $\dfrac{\sqrt[n]{a}}{\sqrt[n]{b}}=\sqrt[n]{\dfrac{a}{b}}$

(3) $(\sqrt[n]{a})^m=\sqrt[n]{a^m}$

(4) $\sqrt[m]{\sqrt[n]{a}}=\sqrt[mn]{a}=\sqrt[n]{\sqrt[m]{a}}$

(5) $(\sqrt[n]{a})^n=a$

(6) $\sqrt[np]{a^{mp}}=\sqrt[n]{a^m}$ (단, p는 자연수이다.)

3 지수의 확장

(1) $a\neq0$이고, n이 양의 정수일 때 ➡ $a^0=1$, $a^{-n}=\dfrac{1}{a^n}$

(2) $a>0$이고, m, n $(n\geq2)$이 정수일 때 ➡ $a^{\frac{1}{n}}=\sqrt[n]{a}$, $a^{\frac{m}{n}}=\sqrt[n]{a^m}$

(3) $a>0$, $b>0$이고, x, y가 실수일 때

① $a^x a^y=a^{x+y}$

② $a^x\div a^y=a^{x-y}$

③ $(a^x)^y=a^{xy}$

④ $(ab)^x=a^x b^x$

4 거듭제곱근의 대소 비교

(1) 밑을 같게 할 수 없을 때에는 지수를 같게 하여 밑을 비교한다.

지수는 분수로 고쳐서 각 분모의 최소공배수를 이용하여 통분하고, 이때 밑이 큰 쪽이 큰 수이다.

(2) 밑을 같게 할 수 없을 때에는 지수를 비교한다.

① $0<(밑)<1$ ➡ 지수가 작은 쪽이 큰 수

② $(밑)>1$ ➡ 지수가 큰 쪽이 큰 수

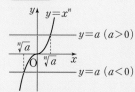
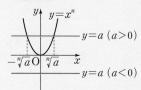

쌤이 꼭 내는 기본 문제

01

-32의 다섯제곱근 중에서 실수인 것의 개수를 m, 3의 네제곱근 중에서 실수인 것의 개수를 n이라 할 때, $m+n$의 값을 구하시오.

02

$\sqrt[4]{(-3)^4}+\sqrt[5]{-32}+\sqrt[3]{\sqrt{64}}$를 간단히 하시오.

03

5의 세제곱근 중에서 실수인 것을 a라 할 때, $a^{16}\times(a^5)^{-2}$의 값을 구하시오.

04

$(2^{\sqrt{2}})^{2\sqrt{2}}\times 8^{\frac{1}{3}}\times 2^{-2}$의 값은?

① 1   ② 2   ③ 4
④ 8   ⑤ 16

05

세 수 $A=\sqrt[3]{3}$, $B=\sqrt[4]{5}$, $C=\sqrt[6]{7}$ 의 대소 관계를 바르게 나타낸 것은?

① $A<B<C$ ② $A<C<B$ ③ $B<A<C$
④ $B<C<A$ ⑤ $C<A<B$

06

$x+x^{-1}=7$일 때, $x^{\frac{1}{2}}+x^{-\frac{1}{2}}$의 값은? (단, $x>0$)

① 2   ② $\sqrt{6}$ ③ $2\sqrt{2}$
④ 3   ⑤ 4

07

$a^{2x}=7$일 때, $\dfrac{a^{3x}-a^{-x}}{a^x+a^{-x}}$ 의 값을 구하시오. (단, $a>0$)

08

$2^x=3^y=5^z=a$, $\dfrac{1}{x}+\dfrac{1}{y}+\dfrac{1}{z}=2$일 때, 상수 a의 값을 구하시오.

(단, $xyz\neq 0$)

유형 1 거듭제곱근

09
다음 중 옳지 <u>않은</u> 것은?

① 네제곱근 64는 $\sqrt{8}$ 이다.
② 6은 216의 세제곱근이다.
③ 4의 네제곱근은 2개이다.
④ -27의 세제곱근 중에서 실수인 것은 -3이다.
⑤ n이 2보다 큰 홀수일 때, -5의 n제곱근 중에서 실수인 것은 $-\sqrt[n]{5}$ 이다.

10
-64의 세제곱근 중에서 실수인 것을 a, 81의 네제곱근 중에서 양수인 것을 b라 하자. $a+b$가 실수 x의 세제곱근일 때, x의 값은?

① -4 ② -2 ③ -1
④ 1 ⑤ 2

11
두 집합 $A=\{2, 3, 4, 5\}$, $B=\{-3, -2, -1, 0, 1\}$에 대하여 $a \in A$, $b \in B$일 때, $\sqrt[a]{b}$ 가 실수가 되도록 하는 순서쌍 (a, b)의 개수를 구하시오.

유형 2 거듭제곱근의 계산

12
양의 실수 a에 대하여 $\sqrt{\dfrac{\sqrt[6]{a^5}}{\sqrt[4]{a}}} \times \sqrt[4]{\dfrac{\sqrt{a}}{\sqrt[3]{a}}} = \sqrt[12]{a^n}$ 이 성립할 때, 자연수 n의 값을 구하시오. (단, $a \neq 1$)

13
$\dfrac{\sqrt[6]{36} + \sqrt[3]{81}}{\sqrt[3]{4} + \sqrt[3]{9} \times \sqrt[3]{3}}$ 을 간단히 하면?

① $\sqrt[3]{2}$ ② $\sqrt[3]{3}$ ③ $\sqrt{3}$
④ 2 ⑤ 3

14
두 양수 a, b에 대하여 $\sqrt{\sqrt{a}+\sqrt{b}}=4$, $ab=64^2$일 때, $\sqrt[4]{a}+\sqrt[4]{b}$ 의 값은?

① 3 ② $4\sqrt{2}$ ③ 6
④ 8 ⑤ $8\sqrt{2}$

유형 ③ 지수법칙

15

$\left\{\left(\dfrac{8}{125}\right)^{-\frac{1}{3}}\right\}^{\frac{3}{2}} \times \left(\dfrac{8}{5}\right)^{\frac{1}{2}}$의 값은?

① $\sqrt{2}$　　　　② 2　　　　③ $\sqrt{5}$

④ $2\sqrt{2}$　　　　⑤ 5

16

다음 〈보기〉에서 옳은 것만을 있는 대로 고른 것은?

┤ 보기 ├

ㄱ. $16^{-0.25}=\dfrac{1}{2}$　　　　ㄴ. $\sqrt[3]{5\sqrt[4]{5\sqrt{5}}}=5^{\frac{11}{24}}$

ㄷ. $(\sqrt{3})^{3\sqrt{3}}=(3\sqrt{3})^{\sqrt{3}}$

① ㄱ　　　　② ㄴ　　　　③ ㄱ, ㄴ

④ ㄴ, ㄷ　　　　⑤ ㄱ, ㄴ, ㄷ

17 중요

$\sqrt{\left(\sqrt{2^{\sqrt{2}}}\right)^{\sqrt{2}}}=2^k$일 때, 상수 k의 값을 구하시오.

18

두 실수 a, b에 대하여 $2^a=c$, $2^b=d$일 때, 다음 중 $\left(\dfrac{1}{4}\right)^{\frac{1}{2}a-b}$과 같은 것은?

① $\dfrac{d^2}{c}$　　　　② $\dfrac{c^2}{d}$　　　　③ $\dfrac{1}{cd^2}$

④ $-c^2d$　　　　⑤ $-2cd^2$

19 중요

세 수

$$A=\sqrt{2^{\sqrt{2}}},\ B=2^{\frac{1}{\sqrt{2}}},\ C=(\sqrt{2})^{\sqrt{2}}$$

의 대소 관계를 바르게 나타낸 것은?

① $A=B=C$　　② $A=C<B$　　③ $A=B<C$

④ $A<B=C$　　⑤ $A<B<C$

20

$f(x)=\dfrac{1+x+x^2+\cdots+x^{10}}{x^{-2}+x^{-3}+\cdots+x^{-12}}$일 때, $f(\sqrt[6]{2})$의 값은?

(단, $x\neq0$)

① $\sqrt{2}$　　　　② 2　　　　③ $2\sqrt{2}$

④ 4　　　　⑤ $3\sqrt{2}$

유형 4 지수법칙과 곱셈 공식

21

$a^{\frac{1}{2}}+a^{-\frac{1}{2}}=4$일 때, $a+a^{-1}$의 값을 구하시오. (단, $a>0$)

22

$\sqrt{x}+\dfrac{1}{\sqrt{x}}=3$일 때, $\dfrac{x^{\frac{3}{2}}+x^{-\frac{3}{2}}+7}{x^2+x^{-2}+3}$의 값은? (단, $x>0$)

① $\dfrac{1}{5}$ ② $\dfrac{2}{5}$ ③ $\dfrac{1}{2}$

④ $\dfrac{2}{3}$ ⑤ $\dfrac{4}{5}$

23

$x=2^{\frac{1}{3}}-2^{-\frac{1}{3}}$일 때, $2x^3+6x$의 값을 구하시오.

24

$\dfrac{1}{1-5^{\frac{1}{8}}}+\dfrac{1}{1+5^{\frac{1}{8}}}+\dfrac{2}{1+5^{\frac{1}{4}}}+\dfrac{4}{1+5^{\frac{1}{2}}}$를 간단히 하면?

① -5 ② -4 ③ -3

④ -2 ⑤ -1

25

$4^x=5$일 때, $\dfrac{8^x+8^{-x}}{2^x+2^{-x}}=\dfrac{b}{a}$이다. $a+b$의 값을 구하시오.

(단, a, b는 서로소인 자연수이다.)

26

$\dfrac{a^x+a^{-x}}{a^x-a^{-x}}=3$일 때, $(a^x+a^{-x})(a^x-a^{-x})$의 값은?

(단, $a>0$, $a\neq1$)

① $\dfrac{1}{2}$ ② $\dfrac{2}{3}$ ③ 1

④ $\dfrac{3}{2}$ ⑤ 2

유형 5 지수법칙의 응용

27

두 양수 a, b에 대하여 $ab=27$, $a^{\frac{x}{3}}=b^y=81$일 때, $\dfrac{3}{x}+\dfrac{1}{y}$의 값은?

① $\dfrac{1}{2}$ 　② $\dfrac{3}{4}$ 　③ $\dfrac{4}{3}$

④ 2 　⑤ 3

28

$80^x=2$, $\left(\dfrac{1}{10}\right)^y=4$, $a^z=8$을 만족시키는 세 실수 x, y, z에 대하여 $\dfrac{1}{x}+\dfrac{2}{y}-\dfrac{1}{z}=1$이 성립할 때, 양수 a의 값을 구하시오.

29

$x=\dfrac{1}{2}(2^n-2^{-n})$에 대하여 $\sqrt{1+x^2}-x=8$일 때, 실수 n의 값은?

① -3 　② -2 　③ -1

④ 1 　⑤ 2

유형 6 지수법칙의 활용

30

용액 1 L 속에 존재하는 수소 이온(H^+)의 그램 이온수가 10^{-m}일 때, 이 용액의 수소 이온 농도를 $pH=m$으로 정의한다. $pH=6$인 용액 1 L 속에 존재하는 수소 이온의 그램 이온수는 $pH=6.4$인 용액 1 L 속에 존재하는 수소 이온의 그램 이온수의 k배라 할 때, 상수 k의 값을 구하시오.

(단, $10^{0.3}=2$로 계산한다.)

31

과거 n년 동안의 매출액이 a원에서 b원으로 변했을 때, 연평균 성장률은

$$\text{(연평균 성장률)}=\left(\dfrac{b}{a}\right)^{\frac{1}{n}}-1$$

로 나타낼 수 있다. 다음은 두 회사 A, B의 매출액을 나타낸 표이다.

[단위: 억 원]

회사	2018년 말	2028년 말
A회사	100	200
B회사	121	484

2018년 말부터 2028년 말까지 10년 동안 B회사의 연평균 성장률은 A회사의 연평균 성장률의 k배라 할 때, $100k$의 값을 구하시오. (단, $2^{\frac{11}{10}}=2.14$로 계산한다.)

32

어떤 바이러스는 그 수가 2배로 늘어나는 데 t시간이 걸린다고 한다. 이 바이러스 한 마리가 16시간 후에 8마리로 늘어난다고 할 때, 한 마리의 바이러스가 32시간 후에는 몇 마리가 되는가?

① 32마리 　② 64마리 　③ 128마리

④ 256마리 　⑤ 512마리

33

$2 \leq n \leq 100$인 자연수 n에 대하여 $\left(\sqrt[3]{3^5}\right)^{\frac{1}{2}}$이 어떤 자연수의 n제곱근이 되도록 하는 n의 개수를 구하시오.

34

실수 a와 2 이상의 자연수 m에 대하여 $N(a, m)$을

$$N(a, m) = (a의 \ m제곱근 \ 중에서 \ 실수인 \ 것의 \ 개수)$$

로 정의할 때, 〈보기〉에서 옳은 것만을 있는 대로 고른 것은?

┤ 보 기 ├
ㄱ. $N(4, 2) = 2$
ㄴ. $a < 0$이면 $N(a, m) = 0$
ㄷ. $a > 0$이면 $N(a, m) + N(a, m+1) = 3$

① ㄱ   ② ㄱ, ㄴ   ③ ㄱ, ㄷ
④ ㄴ, ㄷ   ⑤ ㄱ, ㄴ, ㄷ

35

$P_n = 3^{\frac{1}{n(n+1)}}$에 대하여 $P_1 \times P_2 \times P_3 \times \cdots \times P_{2019} = 3^k$일 때, 상수 k의 값은? (단, n은 자연수이다.)

① $\dfrac{2018}{2019}$ ② $\dfrac{2019}{2020}$ ③ 1

④ $\dfrac{2020}{2019}$ ⑤ $\dfrac{2019}{2018}$

36

다음 식을 간단히 하시오.

$$\frac{1}{2^{-100}+1} + \frac{1}{2^{-99}+1} + \cdots + \frac{1}{2^{-1}+1} + \frac{1}{2^0+1}$$
$$+ \frac{1}{2^1+1} + \cdots + \frac{1}{2^{99}+1} + \frac{1}{2^{100}+1}$$

37

$a = \sqrt{3}$에 대하여 $x = a^a$, $y = (a^a)^a$, $z = a^{a^a}$일 때, 세 실수 x, y, z의 대소 관계를 바르게 나타낸 것은?

① $x < y < z$ ② $x < z < y$ ③ $y < x < z$
④ $y < z < x$ ⑤ $z < x < y$

38

두 실수 a, b에 대하여
$3^{a+b} = 4$, $2^{a-b} = 5$일 때, $3^{a^2-b^2}$의 값을 구하시오.

39

세 실수 a, b, c에 대하여

$$a+b+c=-1, \quad 3^a+3^b+3^c=\frac{13}{3}, \quad 3^{-a}+3^{-b}+3^{-c}=\frac{11}{2}$$

일 때, $9^a+9^b+9^c$의 값은?

① $\dfrac{103}{9}$ ② $\dfrac{136}{9}$ ③ $\dfrac{169}{9}$

④ $\dfrac{68}{3}$ ⑤ $\dfrac{85}{3}$

40

두 실수 a, b에 대하여 $100^a=4$, $100^b=5$일 때, $25^{\frac{2-a-b}{2(1-a)}}$ 의 값은?

① $8\sqrt{5}$ ② $10\sqrt{5}$ ③ $12\sqrt{5}$

④ $14\sqrt{5}$ ⑤ $16\sqrt{5}$

41

두 수 $\sqrt{\dfrac{2^a \times 5^b}{2}}$, $\sqrt[3]{\dfrac{2^a \times 5^b}{5}}$ 이 모두 자연수일 때, $a+b$의 최솟값을 구하시오. (단, a, b는 자연수이다.)

42

세 수 $\sqrt{\dfrac{n}{2}}$, $\sqrt[3]{\dfrac{n}{3}}$, $\sqrt[5]{\dfrac{n}{5}}$ 이 모두 자연수가 되도록 하는 최소의 정수 n을 $n=2^a \times 3^b \times 5^c$ (a, b, c는 자연수) 꼴로 나타낼 때, $a+b+c$의 값을 구하시오.

43

두 실수 x, y에 대하여

$(2^x+2^{-x})(2^y+2^{-y})=100$, $(2^x-2^{-x})(2^y-2^{-y})=50$일 때, $(2^{x+y}+2^{-x-y})(2^{x-y}+2^{-x+y})$의 값은?

① 1800 ② 1825 ③ 1850

④ 1875 ⑤ 1900

44

$f(x)=\dfrac{3^x-3^{-x}}{3^x+3^{-x}}$ 에 대하여 $f(2\alpha)=\dfrac{3}{5}$, $f(2\beta)=\dfrac{4}{5}$일 때, $f(\alpha+\beta)f(\alpha-\beta)$의 값은?

① $-\dfrac{3}{2}$ ② $-\dfrac{1}{5}$ ③ $-\dfrac{1}{7}$

④ $\dfrac{3}{2}$ ⑤ $\dfrac{9}{2}$

45

원유가 가득 들어 있는 어느 원유 저장 탱크의 밑바닥에 균열이 생기는 사고가 발생하여 원유가 유출되기 시작하였다. 사고가 발생한 지 t시간 후 원유 저장 탱크의 밑바닥으로부터 원유의 표면까지의 높이를 x m라 하면

$$kt=\pi\left(x^{\frac{5}{2}}-35x^{\frac{3}{2}}+300\sqrt{10}\right)\ (k는\ 상수)$$

인 관계가 성립한다. 사고 발생 1시간 후에 원유 저장 탱크의 밑바닥으로부터 원유의 표면까지의 높이가 10 m가 되었고 이후 같은 속도로 원유가 계속 유출되었다고 한다. 원유가 모두 유출되는 것은 사고가 발생한 지 몇 시간 후인가?

① 6시간 후 ② 7시간 후 ③ 8시간 후
④ 9시간 후 ⑤ 10시간 후

46

$a=\dfrac{1}{2}(8^{40}+8^{-40})$일 때, $\sqrt[n]{a+\sqrt{a^2-1}}$의 값이 정수가 되도록 하는 2 이상의 자연수 n의 개수를 구하시오.

47

자연수 n에 대하여 직선 $x=2^{\frac{1}{4}}$이 두 직선 $y=4^{\frac{1}{n}}x$, $y=2^{\frac{1}{n}}x$와 만나는 점을 각각 A_n, B_n이라 하고, 직선 $x=3\times2^{\frac{1}{4}}$이 두 직선 $y=2^{\frac{1}{n}}x$, $y=4^{\frac{1}{n}}x$와 만나는 점을 각각 C_n, D_n이라 하자.

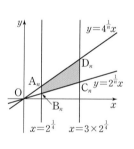

사각형 $A_nB_nC_nD_n$의 넓이를 $f(n)$이라 할 때, $\dfrac{f(5)}{f(10)}$의 값은?

① $2^{\frac{1}{6}}\left(2^{\frac{1}{6}}+1\right)$ ② $2^{\frac{1}{8}}\left(2^{\frac{1}{8}}+1\right)$ ③ $2^{\frac{1}{10}}\left(2^{\frac{1}{10}}+1\right)$

④ $2^{\frac{1}{12}}\left(2^{\frac{1}{12}}+1\right)$ ⑤ $2^{\frac{1}{14}}\left(2^{\frac{1}{14}}+1\right)$

02 로그

02 로그

1 로그의 정의

$a>0$, $a\neq1$일 때, 양수 N에 대하여
$$a^x=N$$
을 만족시키는 실수 x는 오직 하나 존재한다.
이와 같은 실수 x를
$$x=\log_a N$$
으로 나타내고, 이것을 a를 밑으로 하는 N의 로그라고 한다.
여기서 N을 $\log_a N$의 진수라고 한다.

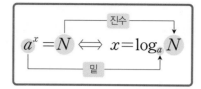

2 로그의 성질과 밑의 변환 공식

$a>0$, $a\neq1$, $b>0$, $b\neq1$, $c>0$, $c\neq1$, $M>0$, $N>0$일 때
(1) $\log_a 1=0$, $\log_a a=1$
(2) $\log_a MN=\log_a M+\log_a N$
(3) $\log_a \dfrac{M}{N}=\log_a M-\log_a N$
(4) $\log_a M^k=k\log_a M$ (단, k는 실수이다.)
(5) $\log_{a^m} b^n=\dfrac{n}{m}\log_a b$ (단, $m\neq0$)
(6) $\log_a b=\dfrac{\log_c b}{\log_c a}$ ← 로그의 밑의 변환 공식
(7) $\log_a b=\dfrac{1}{\log_b a}$
(8) $a^{\log_c b}=b^{\log_c a}$, $a^{\log_a b}=b$

참고 $a>0$, $a\neq1$, $b>0$, $b\neq1$, $c>0$, $c\neq1$, $M>0$일 때
① $\log_a a^k=k$ (단, k는 실수이다.)   ② $\log_a \dfrac{1}{M}=-\log_a M$
③ $\log_a b\times\log_b a=1$ ④ $\log_a b\times\log_b c\times\log_c a=1$

3 로그의 정수 부분과 소수 부분

$a>1$이고 양수 M과 정수 n에 대하여 $a^n\leq M<a^{n+1}$일 때,
$$\log_a a^n\leq\log_a M<\log_a a^{n+1}\quad\therefore n\leq\log_a M<n+1$$
➡ $\log_a M=n.\times\times\times$이므로 $\log_a M$의 정수 부분은 n, 소수 부분은 $\log_a M-n$
이다.

 개념 플러스

▪ 로그가 정의될 조건
$\log_a N$이 정의되기 위해서는
(1) 밑은 1이 아닌 양수이어야 한다.
⇨ $a>0$, $a\neq1$
(2) 진수는 양수이어야 한다.
⇨ $N>0$

▪ 착각하기 쉬운 로그의 성질
$a>0$, $a\neq1$, $M>0$, $N>0$일 때
(1) $\log_a(M+N)\neq\log_a M+\log_a N$
(2) $\log_a(M-N)\neq\log_a M-\log_a N$
(3) $\log_a M\times\log_a N\neq\log_a M+\log_a N$
(4) $\dfrac{\log_a M}{\log_a N}\neq\log_a M-\log_a N$
(5) $(\log_a M)^k\neq k\log_a M$ (단, k는 실수)
(6) $(\log_a M)^k\neq\log_a M^k$ (단, k는 실수)

▪ $a^{\log_c b}=b^{\log_c a}$의 증명
(단, a, b, c는 양수이고, $c\neq1$)
$a^{\log_c b}=m$이라 하고 양변에 밑이 c인 로그를 취하면
$\log_c a^{\log_c b}=\log_c m$, $\log_c b\times\log_c a=\log_c m$
$\therefore \log_c a\times\log_c b=\log_c b^{\log_c a}$
$=\log_c m$
즉, $b^{\log_c a}=m$이므로
$a^{\log_c b}=b^{\log_c a}$

▪ 여러 가지 로그 문제
(1) 이차방정식 $px^2+qx+r=0$의 두 근을 $\log_a\alpha$, $\log_a\beta$라 하면
$\log_a\alpha+\log_a\beta=\log_a\alpha\beta=-\dfrac{q}{p}$,
$\log_a\alpha\times\log_a\beta=\dfrac{r}{p}$
(2) $a^x=b^y=c^z=k$가 주어지면 x, y, z를 다음과 같이 나타낸다.
⇨ $x=\log_a k$, $y=\log_b k$, $z=\log_c k$

쌤이 꼭 내는 기본 문제

01

$\log_5(\log_4(\log_3 x))=0$을 만족시키는 x의 값을 구하시오.

02

$\log_{x-3}(-x^2+8x-12)$가 정의되도록 하는 정수 x의 개수를 구하시오.

03

$\log_2(\log_{\sqrt5}25)$의 값은?

① 1   ② 2   ③ 5
④ 10   ⑤ 32

04

$\dfrac{1}{2}\log_3 12-2\log_3 2+\log_3 18$ 의 값을 구하시오.

05

$\log_a 3\times\log_3 5\times\log_5 b=12$일 때, $\log_{a^2}\sqrt b$ 의 값은?

① 2   ② 3   ③ 4
④ 6   ⑤ 8

06

$7^{2\log_7 4+4\log_7 3-3\log_7 6}$의 값을 구하시오.

07

두 양수 a, b에 대하여 $a^x=b^y=3$일 때, $\log_{ab}b^3$을 x, y로 나타내면? (단, $ab\neq1$)

① $\dfrac{x}{x+y}$ ② $\dfrac{y}{x+y}$ ③ $\dfrac{3x}{x+y}$
④ $\dfrac{3y}{x+y}$ ⑤ $\dfrac{3xy}{x+y}$

08

두 양수 a, b에 대하여 $a^4b^5=1$일 때, $\log_a a^5b^4$의 값을 구하시오.
(단, $a\neq1$)

유형 1 로그의 정의

09

$\log_{\sqrt{3}} a = 4$이고 $\log_{\frac{1}{3}} 27 = b$일 때, $\log_a b^2$의 값을 구하시오.

10

$x = \log_4 12$일 때, $2^x + 2^{-x}$의 값은?

① $\dfrac{\sqrt{3}}{8}$ ② $\dfrac{\sqrt{6}}{6}$ ③ $2\sqrt{3}$

④ $\dfrac{13\sqrt{3}}{6}$ ⑤ $2\sqrt{6}$

11

$\log_{|x-2|} (10 + 3x - x^2)$이 정의되도록 x의 값을 정할 때, 정수 x의 개수는?

① 1   ② 2   ③ 3

④ 4   ⑤ 5

유형 2 로그의 성질

중요
12

$\log_2 5\sqrt{3} + \log_2 \dfrac{24}{5} - \log_2 3\sqrt{3}$의 값은?

① 2   ② $\log_2 5$ ③ $\log_2 6$

④ 3   ⑤ 5

13

$P = \log_2 \left(1 - \dfrac{1}{2}\right) + \log_2 \left(1 - \dfrac{1}{3}\right) + \log_2 \left(1 - \dfrac{1}{4}\right) + \cdots$
$$+ \log_2 \left(1 - \dfrac{1}{32}\right)$$

이라 할 때, $\left(\dfrac{1}{2}\right)^P$의 값을 구하시오.

14

두 양수 a, b에 대하여

$$ab = 27, \ \log_3 \dfrac{b}{a} = 5$$

일 때, $4\log_3 a + 9\log_3 b$의 값을 구하시오.

유형 ③ 로그의 밑의 변환과 여러 가지 성질

15

$\dfrac{1}{3}\log_2 36 - \log_4 \sqrt[3]{3^4} + \log_{\frac{1}{8}} 16$의 값은?

① $-\dfrac{2}{3}$　　　② $-\dfrac{1}{3}$　　　③ $\dfrac{1}{3}$

④ $\dfrac{2}{3}$　　　⑤ 1

16

$(\log_3 2 + \log_9 4)(\log_2 9 - \log_4 27)$의 값을 구하시오.

17

두 양수 $x,\ y$에 대하여

$\log_2 x + 3\log_2 y - \dfrac{1}{\log_3 2} = \log_2 x^4 - \log_2 81$일 때,

$\dfrac{x}{y}$의 값은?

① $\dfrac{1}{3}$　　　② $\dfrac{1}{2}$　　　③ 1

④ 2　　　⑤ 3

18

1보다 큰 두 양수 $a,\ b$에 대하여 $\log_a 8 = \log_{\sqrt{b}} 4$가 성립할 때,

$\log_a \sqrt{b} + \log_{ab} \sqrt[3]{a^2 b^2}$의 값은?

① $\dfrac{2}{3}$　　　② 1　　　③ $\dfrac{4}{3}$

④ $\dfrac{5}{3}$　　　⑤ 2

19

$\log_a \dfrac{1}{a} < \log_a x < \log_a 1$일 때,

$A = (\log_a x)^2,\ B = \log_a x^2,\ C = \log_{\frac{1}{a}} x$의 대소 관계를 바르게 나타낸 것은? (단, $a > 0,\ a \neq 1,\ x > 0$)

① $A < B < C$　　② $A < C < B$　　③ $B < A < C$

④ $B < C < A$　　⑤ $C < A < B$

20

이차방정식 $x^2 - 2x - 22 = 0$의 두 근을 $\log_5 a,\ \log_5 b$라 할 때,

$\log_a \sqrt{b} + \log_b \sqrt{a}$의 값을 구하시오.

| 유형 **4** | 조건식을 이용한 로그의 표현 | | 유형 **5** | 로그의 정수 부분과 소수 부분 |

21

$\log_5 2 = a$, $\log_5 3 = b$일 때, $\log_{12}\sqrt{24}$를 a, b로 나타내면?

① $\dfrac{2(3a+b)}{2a+b}$ ② $\dfrac{3a+b}{2(2a+b)}$ ③ $\dfrac{2(2a+b)}{3a+b}$

④ $\dfrac{2a+b}{2(3a+b)}$ ⑤ $\dfrac{3a+b}{3(2a+b)}$

22

$2^a = x$, $4^b = y$, $8^c = z$일 때, $\log_x y^3 z^4$을 a, b, c로 나타내면?

(단, $abc \neq 0$)

① $\dfrac{b+c}{a}$ ② $\dfrac{2b+4c}{a}$ ③ $\dfrac{3b+4c}{a}$

④ $\dfrac{3b+6c}{a}$ ⑤ $\dfrac{6b+12c}{a}$

23

$\log_{10}\left(1-\dfrac{1}{3}\right) = a$, $\log_{10}\left(1-\dfrac{1}{9}\right) = b$일 때,

$\log_{10}\left(1-\dfrac{1}{81}\right)$을 a, b로 나타내면?

① $-2a+4b+1$ ② $-a+6b+1$

③ $4a-b+1$ ④ $6a-b+1$

⑤ $6a-4b+1$

24

$\log_3 13$의 정수 부분을 a, 소수 부분을 b라 할 때, $2^a + 3^b$의 값은?

① $\dfrac{59}{9}$ ② 6 ③ $\dfrac{49}{9}$

④ 5 ⑤ $\dfrac{41}{9}$

25

$\log_2 9 = n + \alpha$ (n은 정수, $0 \leq \alpha < 1$)일 때, $\dfrac{n - 2^\alpha}{n + 2^\alpha}$의 값은?

① $\dfrac{1}{11}$ ② $\dfrac{2}{11}$ ③ $\dfrac{3}{11}$

④ $\dfrac{4}{11}$ ⑤ $\dfrac{5}{11}$

26

$\log_5 10$의 정수 부분을 x, 소수 부분을 y라 할 때, $\dfrac{5^y - 5^{-y}}{5^x - 5^{-x}}$의

값은 $\dfrac{b}{a}$이다. $a+b$의 값을 구하시오.

(단, a, b는 서로소인 자연수이다.)

유형 6 조건을 이용하여 식의 값 구하기

27

$3^a=4^b=5^c=60$일 때, $\dfrac{1}{a}+\dfrac{1}{b}+\dfrac{1}{c}$의 값은?

① 0   ② 1   ③ 2

④ 3   ⑤ 4

28

$5^x=3^y=\sqrt{15^z}$일 때, $\dfrac{1}{x}+\dfrac{1}{y}-\dfrac{2}{z}$의 값은? (단, $xyz\neq0$)

① 0   ② 1   ③ 2

④ 3   ⑤ 4

중요

29

세 양수 a, b, c가 다음 조건을 만족시킨다.

(가) $a^x=b^y=c^z=256$ (나) $abc=16$

$\dfrac{1}{x}+\dfrac{1}{y}+\dfrac{1}{z}$의 값을 구하시오.

유형 7 로그의 활용

30

고속철도의 최고소음도 $L\,(\text{dB})$을 예측하는 모형에 따르면 한 지점에서 가까운 선로 중앙 지점까지의 거리를 $d\,(\text{m})$, 열차가 가까운 선로 중앙 지점을 통과할 때의 속력을 $v\,(\text{km/h})$라 할 때, 다음과 같은 관계식이 성립한다고 한다.

$$L=80+28\log_{10}\frac{v}{100}-14\log_{10}\frac{d}{25}$$

가까운 선로 중앙 지점 P까지의 거리가 $75\,\text{m}$인 한 지점에서 속력이 서로 다른 두 열차 A, B의 최고소음도를 예측하고자 한다. 열차 A가 지점 P를 통과할 때의 속력이 열차 B가 지점 P를 통과할 때의 속력의 0.9배이고, 두 열차 A, B의 예측 최고소음도를 각각 L_A, L_B라 할 때, L_B-L_A의 값은?

① $14-28\log_{10}3$ ② $28-56\log_{10}3$ ③ $28-28\log_{10}3$

④ $56-84\log_{10}3$ ⑤ $56-56\log_{10}3$

31

지반의 상대밀도를 구하기 위하여 지반에 시험기를 넣어 조사하는 방법이 있다. 지반의 유효수직응력을 S, 시험기가 지반에 들어가면서 받는 저항력을 R라 할 때, 지반의 상대밀도 $D\,(\%)$는 다음과 같이 구할 수 있다고 한다.

$$D=-98+66\log_{10}\frac{R}{\sqrt{S}}$$

(단, S와 R의 단위는 metric ton/m^2이다.)

지반 A의 유효수직응력은 지반 B의 유효수직응력의 1.44배이고, 시험기가 지반 A에 들어가면서 받는 저항력은 시험기가 지반 B에 들어가면서 받는 저항력의 1.5배이다. 지반 B의 상대밀도가 65 %일 때, 지반 A의 상대밀도는?

(단, $\log_{10}2=0.3$으로 계산한다.)

① 81.5 %   ② 78.2 %   ③ 74.9 %

④ 71.6 %   ⑤ 68.3 %

32

모든 실수 x에 대하여 $\log_{(k-3)^2}(kx^2+kx+2)$가 정의되도록 하는 정수 k의 개수는?

① 1   ② 3   ③ 5

④ 7   ⑤ 9

33

다음 조건을 만족시키는 세 정수 a, b, c에 대하여 $a+b+c=k$ 라 할 때, k의 최댓값과 최솟값의 합을 구하시오.

(가) $1 \leq a \leq 5$
(나) $\log_2(b-a)=3$
(다) $\log_2(c-b)=2$

34

$(\log_6 3)^3 + \log_6 27 \times \log_6 2 + (\log_6 2)^3$의 값은?

① 1   ② 2   ③ 3

④ 4   ⑤ 5

35

$f(n)=\log_2\left(\dfrac{1}{n+3}+1\right)$에 대하여

$f(1)+f(2)+f(3)+\cdots+f(2^{100}-4)$의 값은?

① 92   ② 94   ③ 96

④ 98   ⑤ 100

36

두 자연수 x, y에 대하여 $\log_3 x + \log_9 y^2 = \log_3(2x+y+2)$ 일 때, $2x+y$의 최댓값은?

① 11   ② 12   ③ 13

④ 14   ⑤ 15

37

$2^x = \sqrt{\log_2 9 + \log_4 9}$, $2^y = \sqrt{\log_3 4 - \log_{27} 4}$ 일 때,
$x + y$의 값을 구하시오.

38

1보다 큰 자연수 n에 대하여 $f(n)$을

$$f(n) = \begin{cases} \log_2(\log_4 n) & (\log_4 n \text{이 유리수일 때}) \\ 0 & (\log_4 n \text{이 유리수가 아닐 때}) \end{cases}$$

으로 정의할 때, $f(2) + f(3) + f(4) + \cdots + f(100)$의 값은?

① 0 ② 1 ③ $\log_2 \dfrac{45}{2}$

④ $\log_2 \dfrac{45}{4}$ ⑤ $\log_2 \dfrac{55}{4}$

39

세 양수 a, b, c에 대하여 $a^2 + b^2 = c^2$일 때,

$$\log_{b+c} a + \log_{c-b} a = k(\log_{b+c} a \times \log_{c-b} a)$$

를 만족시키는 상수 k의 값을 구하시오.

40

$a > 1$, $b > 1$일 때, $\log_{a^3} b^2 + \log_{b^4} a^3$의 최솟값은?

① 1 ② $\sqrt{2}$ ③ $\sqrt{3}$

④ 2 ⑤ $\sqrt{5}$

41

두 실수 x, y가 다음 조건을 만족시킬 때, $4x + y$의 최솟값은?

> (가) $x > 1$, $y > 1$
> (나) $\log_{10}(x + y) = \log_{10} x + \log_{10} y$

① 8 ② 9 ③ 10

④ 11 ⑤ 12

42

자연수 x에 대하여 두 함수 f, g를

$$f(x)=[\log_2 x], \quad g(x)=\log_2 x-[\log_2 x]$$

로 정의할 때, 〈보기〉에서 옳은 것만을 있는 대로 고른 것은?

(단, $[x]$는 x보다 크지 않은 최대의 정수이다.)

┤ 보기 ├
ㄱ. $f(10)=f(12)$
ㄴ. $g(6)<g(20)$
ㄷ. $g(a)=g(5)$를 만족시키는 두 자리의 자연수 a의 개수는 4이다.

① ㄱ   ② ㄱ, ㄴ   ③ ㄱ, ㄷ
④ ㄴ, ㄷ   ⑤ ㄱ, ㄴ, ㄷ

43

1이 아닌 세 양수 a, b, c에 대하여

$a^x=(\sqrt{b})^y=(\sqrt[3]{c})^z=32$, $abc=1024$일 때, $\dfrac{1}{x}+\dfrac{2}{y}+\dfrac{3}{z}$의 값을 구하시오.

최고난도 문제

44

자연수 k에 대하여 $f(k)$가 다음과 같다.

$$f(k)=\begin{cases} \log_3 k & (k\text{가 홀수}) \\ \log_2 k & (k\text{가 짝수}) \end{cases}$$

20 이하의 두 자연수 m, n에 대하여 $f(mn)=f(m)+f(n)$을 만족시키는 순서쌍 (m, n)의 개수는?

① 220   ② 230   ③ 240
④ 250   ⑤ 260

45

자연수 n에 대하여 $\log_3 n$의 정수 부분을 $f(n)$이라 할 때, $f(2n)=f(n)+1$을 만족시키는 두 자리의 자연수 n의 개수를 구하시오.

03 상용로그

03 상용로그

① 상용로그

10을 밑으로 하는 로그를 상용로그라 하고, 보통 밑 10을 생략하여
$$\log N \ (N>0)$$
과 같이 나타낸다.

② 상용로그의 정수 부분과 소수 부분

양수 N에 대하여
$$\log N = n + \alpha \ (n은 정수, \ 0 \le \alpha < 1)$$
로 나타낼 때, n을 $\log N$의 정수 부분, α를 $\log N$의 소수 부분이라고 한다.

> **참고** $[x]$가 x보다 크지 않은 최대의 정수를 나타낼 때,
> ① $\log N$의 정수 부분: $[\log N] = n$
> ② $\log N$의 소수 부분: $\log N - [\log N] = \alpha$

③ 상용로그의 정수 부분과 소수 부분의 성질

(1) 정수 부분의 성질
  ① 정수 부분이 n자리인 수의 상용로그의 정수 부분은 $(n-1)$이다.
  ② 소수점 아래 n째 자리에서 처음으로 0이 아닌 숫자가 나타나는 수의 상용로그의 정수 부분은 $-n$이다.

(2) 소수 부분의 성질
  숫자의 배열이 같고 소수점의 위치만 다른 수들의 상용로그의 소수 부분은 모두 같다.

> **참고** 상용로그의 소수 부분에 대한 조건이 주어지면 다음을 이용한다.
> ① 두 상용로그의 소수 부분이 같다. ➡ (두 상용로그의 차)=(정수)
> ② 두 상용로그의 소수 부분의 합이 1이다. ➡ (두 상용로그의 합)=(정수)

④ 상용로그의 실생활에의 활용

처음 양이 A이고, 매년 $a\%$씩 증가할 때, k년 후의 양은
$$A\left(1 + \frac{a}{100}\right)^{k}$$
임을 이용하여 식을 세우고 양변에 상용로그를 취한 후, 주어진 상용로그의 값을 대입하여 해결한다.

개념 플러스

◀ 양수 A에 대하여
$\log A = n + \alpha$ (n은 정수, $0 \le \alpha < 1$)라 할 때,
$\log \dfrac{1}{A}$의 정수 부분과 소수 부분은
(i) $\alpha = 0$이면
$$\log \frac{1}{A} = -\log A = -n - \alpha$$
$\therefore$ (정수 부분)$=-n$, (소수 부분)$=0$
(ii) $0 < \alpha < 1$이면
$$\log \frac{1}{A} = -\log A = -n - \alpha$$
$$= (-n-1) + (1-\alpha)$$
$\therefore$ (정수 부분)$=-n-1$,
(소수 부분)$=(1-\alpha)$

◀ 정수 부분과 소수 부분의 성질의 활용
$A > 1$, $B > 1$일 때,
(1) 정수 부분의 성질
  $\log A$의 정수 부분이 n이다.
  $\iff \log A = n + \alpha$
  　　　　　(단, n은 정수, $0 \le \alpha < 1$)
  $\iff n \le \log A < n+1$
  $\iff [\log A] = n$
  　(단, $[x]$는 x보다 크지 않은 최대의 정수)
  $\iff 10^n \le A < 10^{n+1}$
  $\iff A$는 정수 부분이 $(n+1)$자리인 수이다.
(2) 소수 부분의 성질
  $\log A$와 $\log B$의 소수 부분이 같다.
  $\iff \log A - \log B = $(정수)
  $\iff \log A - [\log A] = \log B - [\log B]$
  　(단, $[x]$는 x보다 크지 않은 최대의 정수)
  $\iff \dfrac{A}{B} = 10^m$ (단, m은 정수)
  $\iff A$와 B의 숫자의 배열이 같다.

◀ 실수 a^k의 최고 자리의 숫자를 구하는 방법은 다음과 같다.
① $\log a^k$의 소수 부분 α를 구한다.
② $\log N \le \alpha < \log(N+1)$을 만족시키는 한 자리의 자연수 N의 값을 구한다.
➡ a^k의 최고 자리의 숫자는 N이다.

쌤이 꼭 내는 기본 문제

01

$\log 1.35 = 0.1303$일 때, $\log 0.00135$의 값은?

① -3.1303 ② -2.8697 ③ -1.8697

④ 0.01303 ⑤ 0.3909

02

$\log 2 = 0.30$, $\log 3 = 0.48$일 때, $\log_4 \sqrt{6}$의 값은?

① 0.55 ② 0.60 ③ 0.65

④ 0.70 ⑤ 0.75

03

양수 x에 대하여 $\log x$의 정수 부분을 $f(x)$라 할 때,
$$\dfrac{f(5555)+f(3333)}{f(333)+f(222)+f(111)}$$의 값을 구하시오.

04

$\dfrac{[\log 62500]+[\log 6.25]}{[\log 0.000625]}$의 값을 구하시오.

(단, $[x]$는 x보다 크지 않은 최대의 정수이다.)

05

$\log 200$의 소수 부분을 α라 할 때, 1000^α의 값을 구하시오.

06

$\log 4.41 = 0.6444$일 때, 〈보기〉에서 옳은 것만을 있는 대로 고른 것은?

┌─── 보기 ───┐

ㄱ. $\log 441$의 정수 부분은 2이다.

ㄴ. $\log 44100$의 소수 부분과 $\log 4.41$의 소수 부분은 같다.

ㄷ. $\log 0.000441$의 값은 -4.6444이다.

└──────────┘

① ㄱ   ② ㄴ   ③ ㄱ, ㄴ

④ ㄴ, ㄷ   ⑤ ㄱ, ㄴ, ㄷ

07

$\log 2 = 0.3010$일 때, 2^{30}은 몇 자리의 정수인가?

① 8자리   ② 9자리   ③ 10자리

④ 11자리   ⑤ 12자리

08

$\log x$의 정수 부분이 3이고, $\log x$의 소수 부분과 $\log \sqrt{x}$의 소수 부분의 합이 1일 때, $\log x$의 소수 부분을 구하시오.

유형 **1** 상용로그의 값

09

$\log 6.21 = 0.7931$일 때, 다음 중 옳지 <u>않은</u> 것은?

① $\log 621 = 2.7931$

② $\log 0.0621 = -1.2069$

③ $\log 62.1 = 1.7931$

④ $\log 62100 = 5.7931$

⑤ $\log 0.00621 = -2.2069$

10

$\log 2.46 = 0.3909$, $\log 6.31 = 0.8000$일 때, $\log (246 \times 0.631)$의 값은?

① 1.8909 ② 1.9909 ③ 2.0909

④ 2.1909 ⑤ 2.2909

11

$\log 25.6 = 1.4082$일 때, $\log x = 2.4082$, $\log y = -2.5918$이라고 한다. $\log_2 (x + 10^5 y)$의 값을 구하시오.

유형 **2** 상용로그의 계산

12

$\log \sqrt{10x} = 1.271$이라 할 때, $\log \sqrt[3]{x} - \log \sqrt[4]{x^3}$의 값은?

① -0.5875 ② -0.5895 ③ -0.6290

④ -0.6395 ⑤ -0.6425

13

$\log 2 = a$, $\log 3 = b$라 할 때, $\log_{12} 54$를 a, b로 나타내면?

① $\dfrac{a+3b}{a+2b}$ ② $\dfrac{3a+b}{a+2b}$ ③ $\dfrac{2a+3b}{a+3b}$

④ $\dfrac{a+3b}{2a+b}$ ⑤ $\dfrac{3a+b+1}{a+b}$

14

$10^{2.7093}$의 값을 구하시오. (단, $\log 5.12 = 0.7093$으로 계산한다.)

유형 3 상용로그의 정수 부분

15

양수 x에 대하여 $\log x$의 정수 부분을 $f(x)$라 할 때, $f(1)+f(3)+f(5)+\cdots+f(199)$의 값을 구하시오.

16

$\log x$의 정수 부분이 1이고, $\log y$의 정수 부분이 2라고 한다. 두 자연수 x, y에 대하여 $x+y$의 서로 다른 값의 개수는?

① 900   ② 987   ③ 989

④ 991   ⑤ 999

17

중요

다음 조건을 만족시키는 실수 x를 모두 곱한 값을 M이라 할 때, $\log M$의 값을 구하시오.

(단, $[x]$는 x보다 크지 않은 최대의 정수이다.)

> (가) $[\log x]=6$
> (나) $\log x^2-[\log x^2]=\log \dfrac{1}{x}-\left[\log \dfrac{1}{x}\right]$

유형 4 상용로그의 정수 부분과 소수 부분

18

$\log 500$의 정수 부분을 n, 소수 부분을 α라 할 때, $n+5^{\frac{1}{\alpha}}$의 값을 구하시오.

19

자연수 n에 대하여 $\log n$의 소수 부분을 $f(n)$이라 할 때, 집합
$$A=\{f(n)\mid 1\le n\le 150, \ n은 \ 자연수\}$$
의 원소의 개수를 구하시오.

20

양수 A에 대하여
$\log A=f(A)+g(A)$ ($f(A)$는 정수, $0<g(A)<1$)라 할 때,
좌표평면에서 두 점 $(f(A), g(A))$, $\left(f\left(\dfrac{1}{A}\right), g\left(\dfrac{1}{A}\right)\right)$의 중점의
좌표는?

① $\left(-\dfrac{1}{2}, -\dfrac{1}{2}\right)$ ② $\left(-\dfrac{1}{2}, \dfrac{1}{2}\right)$ ③ $(0, 0)$

④ $\left(\dfrac{1}{2}, -\dfrac{1}{2}\right)$ ⑤ $\left(\dfrac{1}{2}, \dfrac{1}{2}\right)$

중요
21

양수 A에 대하여 $\log A = n + \alpha$ (n은 정수, $0 \le \alpha < 1$)라 하자. 이차방정식 $ax^2 - (3a-1)x + a + 1 = 0$의 두 근이 n, α일 때, A의 값은? (단, $a > 1$)

① $10\sqrt[3]{10}$ ② $10\sqrt{10}$ ③ $100\sqrt[3]{10}$

④ $100\sqrt{10}$ ⑤ $100\sqrt[3]{100}$

22

양수 x에 대하여 $\log x$의 정수 부분을 $\ll x \gg$, 소수 부분을 $< x >$로 정의할 때, 〈보기〉에서 옳은 것만을 있는 대로 고른 것은?

┤ 보기 ├
ㄱ. $< 2014 > + 1 = < 201.4 > + 2$
ㄴ. $\ll x \gg = 5$이면 x는 정수 부분이 6자리인 수이다.
ㄷ. $< x > = < \frac{1}{x} >$이면 $< \frac{1}{x} > = 0$이다.

① ㄱ   ② ㄴ   ③ ㄱ, ㄷ

④ ㄴ, ㄷ   ⑤ ㄱ, ㄴ, ㄷ

23

자연수 n에 대하여 $\log n$의 정수 부분과 소수 부분을 각각 $f(n)$, $g(n)$이라 할 때, 〈보기〉에서 옳은 것만을 있는 대로 고른 것은?

┤ 보기 ├
ㄱ. $f(n) = g(n)$이기 위한 필요충분조건은 $n = 1$이다.
ㄴ. $10^{f(50)} \times 10^{g(50)} = 50$
ㄷ. $f(10n)g(10n) = f(n)g(n) + g(n)$

① ㄱ   ② ㄴ   ③ ㄱ, ㄴ

④ ㄴ, ㄷ   ⑤ ㄱ, ㄴ, ㄷ

유형 5   상용로그의 정수 부분의 성질

24

$\log 2 = 0.3010$, $\log 3 = 0.4771$일 때, $\left(\frac{1}{12} \right)^{20}$은 소수점 아래 몇 째 자리에서 처음으로 0이 아닌 숫자가 나타나는가?

① 20째 자리   ② 21째 자리   ③ 22째 자리

④ 23째 자리   ⑤ 24째 자리

중요
25

7^{100}이 85자리의 정수일 때, 7^{30}은 몇 자리의 정수인가?

① 25자리   ② 26자리   ③ 27자리

④ 28자리   ⑤ 29자리

26

3^{50}은 a자리의 정수이고, 일의 자리의 숫자는 b이고, 최고 자리의 숫자는 c라고 한다. $a + b + c$의 값을 구하시오.
(단, $\log 2 = 0.3010$, $\log 3 = 0.4771$, $\log 7 = 0.8451$로 계산한다.)

유형 6 상용로그의 소수 부분의 성질

27

$10 < x < 100$이고, $\log x$와 $\log \dfrac{1}{x}$의 소수 부분이 같을 때, $\log x$의 값은?

① $\dfrac{1}{2}$　　　　② 1　　　　③ $\dfrac{3}{2}$

④ 2　　　　⑤ $\dfrac{5}{2}$

28

양수 N에 대하여

　　$\log N = f(N) + g(N)\,(f(N)$은 정수, $0 \le g(N) < 1)$

이라 하자. 다음 조건을 만족시키는 모든 x의 값의 곱을 X라 할 때, $\log X$의 값을 구하시오. (단, $g(x) \neq 0$)

> (가) $f(x) = 4$
> (나) $g(x^2) = g(x^{-1})$

29

정수 부분이 두 자리인 두 양의 실수 a, b가 다음 조건을 만족시킨다.

> (가) $\log a + \log b$의 값은 정수이다.
> (나) $\log a - \log b = 0.2$

a의 최고 자리의 숫자를 구하시오.

　　　　　(단, $\log 2 = 0.3010$, $\log 3 = 0.4771$로 계산한다.)

유형 7 상용로그의 활용

30

어떤 물질의 양이 반으로 줄어드는 데 걸리는 시간을 반감기라고 한다. 반감기가 h년인 어떤 물질의 현재 질량이 a g일 때, t년 후에 남아 있는 물질의 질량 m g 사이에는

　　$m = a \times 2^{-\frac{t}{h}}$

인 관계식이 성립한다. 현재 질량이 A g인 물질의 질량이 M g이 되려면 몇 년이 지나야 하는가?

① $\dfrac{h}{\log 2} \times \log \dfrac{M}{A}$ 년　　② $\dfrac{h}{\log 2} \times \log \dfrac{A}{M}$ 년

③ $\dfrac{h}{\log 2} \times \dfrac{\log A}{\log M}$ 년　　④ $\dfrac{\log 2}{h} \times \log \dfrac{M}{A}$ 년

⑤ $\dfrac{\log 2}{h} \times \log \dfrac{A}{M}$ 년

31

총인구에서 65세 이상 인구가 차지하는 비율이 20 % 이상인 사회를 초고령화 사회라고 한다. 2000년 어느 나라의 총인구는 1000만 명, 65세 이상 인구는 50만 명이었다. 이 나라의 총인구는 매년 전년도보다 0.3 %씩 증가하고, 65세 이상 인구는 매년 전년도보다 4 %씩 증가한다고 가정할 때, 처음으로 초고령화 사회가 되는 시기는?

(단, $\log 1.003 = 0.0013$, $\log 1.04 = 0.0170$, $\log 2 = 0.3010$으로 계산한다.)

① 2008년 ~ 2010년　　② 2018년 ~ 2020년

③ 2028년 ~ 2030년　　④ 2038년 ~ 2040년

⑤ 2048년 ~ 2050년

32

두 자연수 a, b가 다음 조건을 만족시킬 때, b의 값은?

(가) a^{100}은 70자리의 자연수이다.
(나) a^{b}은 15자리의 자연수이다.

① 18   ② 19   ③ 20
④ 21   ⑤ 22

33

두 양수 x, y에 대하여 $x-y$, xy의 상용로그의 정수 부분이 각각 4, 3일 때, $\dfrac{1}{y}-\dfrac{1}{x}$의 값의 범위에 있는 모든 자연수의 개수를 구하시오. (단, $x>y$)

34

양수 x에 대하여 $\log x$의 정수 부분을 $f(x)$라 할 때, $f(n+10)=f(n)+1$을 만족시키는 100 이하의 자연수 n의 개수를 구하시오.

35

A는 세 자리의 자연수이고, B는 900보다 큰 세 자리의 자연수이다. $\log B$의 소수 부분이 $\log A$의 소수 부분의 2배일 때, A의 값을 구하시오.

36

$10<x<100$에서 $\log \sqrt{x}$의 소수 부분이 $\log \dfrac{1}{x}$의 소수 부분의 5배라고 한다. $\log x=\dfrac{q}{p}$일 때, $p+q$의 값을 구하시오.

(단, p, q는 서로소인 자연수이다.)

37

양수 x에 대하여

$$\log x = f(x) + g(x) \ (f(x)\text{는 정수}, \ 0 \le g(x) < 1)$$

라 할 때, 〈보기〉에서 옳은 것만을 있는 대로 고른 것은?

┤ 보 기 ├

ㄱ. $f(\sqrt[3]{2015}) = 2$

ㄴ. $g(2) + g(6) = g(12) + 1$

ㄷ. 두 양수 a, b에 대하여 $f(ab) = f(a) + f(b)$이면
$g(ab) = g(a) + g(b)$

① ㄱ   ② ㄱ, ㄴ   ③ ㄱ, ㄷ

④ ㄴ, ㄷ   ⑤ ㄱ, ㄴ, ㄷ

38

양수 x에 대하여

$$\log x = f(x) + g(x) \ (f(x)\text{는 정수}, \ 0 \le g(x) < 1)$$

라 하자. 두 양수 a, b가 $f(a) = f(b) + 2$, $g(a) = g(b) - \log 3$ 을 만족시킬 때, $3a + \dfrac{25}{b}$의 최솟값을 구하시오.

39

양수 x에 대하여 $\log 10x^2$의 소수 부분을 $f(x)$라 하자.

$1 \le a \le 100$일 때, $f(a) = f(2)$를 만족시키는 a의 개수는?

(단, $a \ne 2$)

① 1   ② 3   ③ 5

④ 7   ⑤ 9

40

양수 x에 대하여 $f(x) = \log x - [\log x]$로 정의하자. 다음 조건을 만족시키는 양수 a에 대하여 $\log a^9$의 값을 구하시오.

(단, $[x]$는 x보다 크지 않은 최대의 정수이다.)

㈎ $\log a - f(a) = 3$

㈏ $f(a) + f(\sqrt{a}) = 1$

41

자연수 x에 대하여 $\log x$의 소수 부분을 $f(x)$라 하자.

50의 양의 약수의 집합을 $\{a_1, a_2, a_3, \cdots, a_n\}$이라 할 때, $f(a_1) + f(a_2) + f(a_3) + \cdots + f(a_n)$의 값은?

① $\log 5$ ② $2\log 5$ ③ $3\log 5$

④ $5\log 5$ ⑤ $6\log 5$

42

양수 N에 대하여

$$\log N = f(N) + g(N) \ (f(N)\text{은 정수}, \ 0 \le g(N) < 1)$$

이라 하자. $1 < a < 10$인 a에 대하여 $g(a^3) + g(\sqrt{a}) = 1$일 때, 모든 a의 값의 곱은?

① $10^{\frac{2}{7}}$ ② $10^{\frac{6}{7}}$ ③ 10

④ $10^{\frac{10}{7}}$ ⑤ $10^{\frac{12}{7}}$

43

두 양수 x, y에 대하여

$$\log x=6+\alpha\left(0<\alpha<\frac{1}{4}\right),\ \log y=1+\beta\left(\frac{1}{2}<\beta<1\right)$$

이다. $\dfrac{x^2}{y}$은 정수 부분이 n자리인 수일 때, n의 값을 구하시오.

44

지질학에서는 암석의 연대를 측정하는 방법의 하나로 포타슘−40 이 방사선 분해과정을 거쳐 일정한 비율로 아르곤−40으로 바뀌는 점을 이용한 포타슘−아르곤 연대측정법을 사용한다. 암석이 생성되어 t년이 되었을 때, 포타슘−40과 아르곤−40의 양을 각각 $P(t)$, $A(t)$라 하면

$$2^t=\left\{1+8.3\times\frac{A(t)}{P(t)}\right\}^c\ (c는\ 상수)$$

이 성립한다. 이 방법으로 암석의 연대를 측정할 때, 현재 포타슘−40의 양이 아르곤−40의 양의 20배인 어떤 암석이 생성된 것은 k년 전이라고 한다. k의 값은?

(단, $\log 1.415=0.15$, $\log 2=0.30$으로 계산한다.)

① $\dfrac{1}{3}c$　　　　② $\dfrac{1}{2}c$　　　　③ $2c$

④ $3c$　　　　⑤ $4c$

최고난도 문제

45

양수 N에 대하여

$$\log N=f(N)+g(N)\ (f(N)은\ 정수,\ 0\le g(N)<1)$$

이라 할 때, 양수 x는 다음 조건을 만족시킨다.

> (가) $f(x):f(x^2):f(x^3)=1:3:5$
> (나) $g(x)+g(x^2)+g(x^3)=2$

$\log x=\dfrac{q}{p}$라 할 때, $p+q$의 값을 구하시오.

(단, p, q는 서로소인 자연수이다.)

46

양수 x에 대하여 $\log x$의 정수 부분을 $f(x)$라 하자. 20 이하의 두 자연수 a, b가 $f(ab)=f(a)f(b)+2$를 만족시킬 때, $a+b$의 최솟값은?

① 19　　　　② 20　　　　③ 21
④ 22　　　　⑤ 23

04 지수함수와 로그함수

04 지수함수와 로그함수

① 지수함수

$a>0$, $a\neq1$일 때, 실수 x에 대하여 a^x을 대응시키는 함수 $y=a^x$을 a를 밑으로 하는 지수함수라고 한다.

② 지수함수 $y=a^x$ $(a>0,\ a\neq1)$의 성질

(1) 정의역은 실수 전체의 집합이고, 치역은 양의 실수 전체의 집합이다.
(2) 그래프는 점 $(0,1)$을 지나고 그래프의 점근선은 x축이다.
(3) $a>1$일 때, x의 값이 증가하면 y의 값도 증가한다.
　　$0<a<1$일 때, x의 값이 증가하면 y의 값은 감소한다.

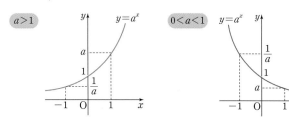

③ 로그함수

$a>0$, $a\neq1$일 때, 양의 실수 x에 대하여 $y=a^x$의 역함수 $y=\log_a x$를 a를 밑으로 하는 로그함수라고 한다.

④ 로그함수 $y=\log_a x$ $(a>0,\ a\neq1)$의 성질

(1) 정의역은 양의 실수 전체의 집합이고, 치역은 실수 전체의 집합이다.
(2) 그래프는 점 $(1,0)$을 지나고 그래프의 점근선은 y축이다.
(3) $a>1$일 때, x의 값이 증가하면 y의 값도 증가한다.
　　$0<a<1$일 때, x의 값이 증가하면 y의 값은 감소한다.

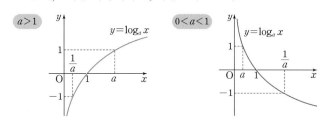

참고　지수함수 $y=a^x$, 로그함수 $y=\log_a x$의 평행이동과 대칭이동 (단, $a>0$, $a\neq1$)

x축의 방향으로 m만큼, y축의 방향으로 n만큼 평행이동	x축에 대하여 대칭이동	y축에 대하여 대칭이동	원점에 대하여 대칭이동	
$y=a^{x-m}+n$	$y=-a^x$	$y=a^{-x}=\left(\dfrac{1}{a}\right)^x$	$y=-a^{-x}=-\left(\dfrac{1}{a}\right)^x$	$\leftarrow y=a^x$
$y=\log_a(x-m)+n$	$y=-\log_a x$	$y=\log_a(-x)$	$y=-\log_a(-x)$	$\leftarrow y=\log_a x$

개념 플러스

◀ 지수함수, 로그함수를 나타내는 여러 가지 표현

지수함수	임의의 실수 x, y에 대하여 ① $f(x+y)=f(x)f(y)$ ② $f(x-y)=\dfrac{f(x)}{f(y)}$ ③ $f(nx)=\{f(x)\}^n$ (단, n은 실수)
로그함수	임의의 양수 x, y에 대하여 ① $f(xy)=f(x)+f(y)$ ② $f\left(\dfrac{x}{y}\right)=f(x)-f(y)$ ③ $f(x^n)=nf(x)$ (단, n은 실수) ④ $f\left(\dfrac{1}{x}\right)=-f(x)$

◀ 지수함수 $y=a^{f(x)}$, 로그함수 $y=\log_a f(x)$의 최대·최소 (단, $a>0$, $a\neq1$)

$a>1$	$f(x)$가 최대일 때 최댓값, $f(x)$가 최소일 때 최솟값을 갖는다.
$0<a<1$	$f(x)$가 최대일 때 최솟값, $f(x)$가 최소일 때 최댓값을 갖는다.

◀ 로그함수 $y=\log_a x$ $(a>0, a\neq1)$는 지수함수 $y=a^x$의 역함수이므로 로그함수 $y=\log_a x$의 그래프는 지수함수 $y=a^x$의 그래프와 직선 $y=x$에 대하여 대칭이다.

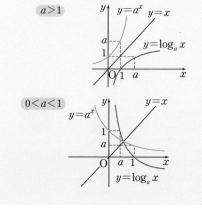

쌤이 꼭 내는 기본 문제

01

지수함수 $f(x)=2^x$의 그래프가 그림과 같다. $f(a)=m$, $f(b)=n$이고 $mn=64$일 때, $a+b$의 값은?

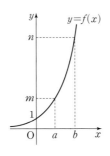

① 2   ② 3
③ 4   ④ 5
⑤ 6

02

다음 세 수의 대소 관계를 바르게 나타낸 것은?

$$A=\sqrt[3]{\dfrac{1}{16}},\ B=\sqrt[4]{\dfrac{1}{32}},\ C=\sqrt[5]{\dfrac{1}{64}}$$

① $A<B<C$ ② $A<C<B$ ③ $B<A<C$
④ $C<A<B$ ⑤ $C<B<A$

03

지수함수 $y=2^x$의 그래프를 x축의 방향으로 2만큼, y축의 방향으로 -3만큼 평행이동한 함수의 그래프가 점 $(7, a)$를 지날 때, a의 값을 구하시오.

04

$-2 \le x \le 1$에서 정의된 함수 $y=\left(\dfrac{2}{3}\right)^x$의 최댓값을 M, 최솟값을 m이라 할 때, Mm의 값을 구하시오.

05

〈보기〉의 함수의 그래프 중에서 함수 $f(x)=\log_3 (x-1)$의 그래프를 평행이동하여 일치시킬 수 있는 것만을 있는 대로 고른 것은?

┤ 보기 ├
ㄱ. $y=\log_3 3x$ ㄴ. $y=3\log_3 x$
ㄷ. $y=\dfrac{1}{3}\log_3 (x+1)^3$

① ㄱ   ② ㄴ   ③ ㄱ, ㄴ
④ ㄱ, ㄷ   ⑤ ㄱ, ㄴ, ㄷ

06

함수 $f(x)=\log_6 x$의 역함수 $y=g(x)$에 대하여 $g(\alpha)=\dfrac{1}{3}$, $g(\beta)=\dfrac{1}{2}$일 때, $g(\alpha+\beta)$의 값을 구하시오.

07

함수 $y=\log_{\frac{1}{3}} (x^2-2x+4)$는 $x=a$일 때, 최댓값 b를 갖는다. $a+b$의 값을 구하시오.

08

그림과 같이 세 곡선 $y=\log_2 x$, $y=\log_4 x$, $y=\log_8 x$와 직선 $x=k$가 만나는 점을 각각 A, B, C라 할 때, $\dfrac{\overline{\mathrm{AB}}}{\overline{\mathrm{BC}}}$의 값을 구하시오. (단, $k>1$)

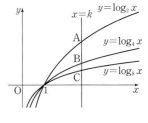

유형 1 지수함수

09

함수 $f(x)=2^{ax+b}$이고 $f(1)=2$, $f(2)=16$일 때, a^2+b^2의 값을 구하시오. (단, a, b는 상수이다.)

10 중요

함수 $f(x)=a^x$ $(0<a<1)$에 대하여 $f(2)+f(-2)=11$일 때, $f(2)-f(-2)$의 값은?

① $-3\sqrt{13}$ ② $-3\sqrt{11}$ ③ $-\sqrt{13}$
④ $3\sqrt{11}$ ⑤ $3\sqrt{13}$

11

집합 $A=\left\{(x,y)\,\middle|\,y=\left(\dfrac{1}{2}\right)^x,\ x\text{는 실수}\right\}$에 대하여 〈보기〉에서 옳은 것만을 있는 대로 고른 것은?

| 보기 |

ㄱ. $(a,b)\in A$이면 $\left(a+1,\dfrac{b}{2}\right)\in A$

ㄴ. $(a,b)\in A$이면 $(2a,2b)\in A$

ㄷ. $(a,b)\in A$이면 $(-2a,\sqrt{b})\in A$

① ㄱ ② ㄴ ③ ㄷ
④ ㄱ, ㄴ ⑤ ㄱ, ㄷ

12 중요

세 수 $A=\sqrt{2}$, $B=\left(\dfrac{1}{4}\right)^{-\frac{1}{3}}$, $C=\sqrt[5]{8}$의 대소 관계를 바르게 나타낸 것은?

① $A<B<C$ ② $A<C<B$ ③ $B<A<C$
④ $B<C<A$ ⑤ $C<B<A$

13

그림은 지수함수 $y=3^x$의 그래프를 y축에 대하여 대칭이동한 후, x축의 방향으로 a만큼, y축의 방향으로 b만큼 평행이동한 그래프와 그 점근선을 나타낸 것이다. $a-b$의 값을 구하시오.

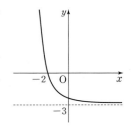

14

그림과 같이 두 곡선 $y=2^{x-3}$, $y=2^{x+1}$ 위의 두 점 A, B와 x축 위의 두 점 C, D를 이어 만든 사각형 ABCD가 정사각형일 때, 점 D의 x좌표를 구하시오.

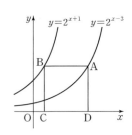

유형 ② **지수함수의 최대·최소**

15

$1 \leq x \leq 2$에서 함수 $y=9^x-2\times3^{x+1}+a$의 최댓값이 18일 때, 상수 a의 값은?

① -11 ② -9 ③ -7

④ -5 ⑤ -3

16

함수 $y=a^{-x^2+2x+1}$의 최솟값이 $\dfrac{1}{4}$일 때, 상수 a의 값은?

(단, $0<a<1$)

① $\dfrac{1}{32}$ ② $\dfrac{1}{16}$ ③ $\dfrac{1}{8}$

④ $\dfrac{1}{4}$ ⑤ $\dfrac{1}{2}$

17
중요

함수 $y=4^x+4^{-x}-2(2^x+2^{-x})+3$의 최솟값을 구하시오.

유형 ③ **지수함수의 그래프의 응용**

18

그림과 같이 곡선 $y=\left(\dfrac{1}{2}\right)^x$과 한 꼭짓점이 만나도록 정사각형을 원점에서 x축의 양의 방향으로 계속 그려나간다. n번째 정사각형의 넓이를 S_n이라 할 때, $8(S_1+S_2+S_3)$의 값을 구하시오.

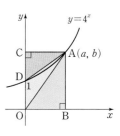

19
중요

그림과 같이 지수함수 $y=4^x$의 그래프 위의 점 $A(a, b)$에서 x축, y축에 내린 수선의 발을 각각 B, C라 하자.

점 $D(0, 1)$에 대하여 삼각형 ADO와 삼각형 AOB의 넓이의 비가 $1:2$일 때, 삼각형 ACD의 넓이는?

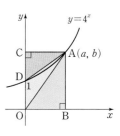

(단, $a>0$이고, O는 원점이다.)

① $\dfrac{1}{4}$ ② $\dfrac{1}{2}$ ③ $\dfrac{\sqrt{2}}{2}$

④ $\dfrac{3}{2}$ ⑤ $\dfrac{3\sqrt{2}}{2}$

20

그림과 같이 한 변은 x축 위에 있고, 한 꼭짓점은 곡선 $y=3^x$ 위에 있는 두 직사각형 A, B의 넓이가 서로 같다고 한다. 두 직사각형 A, B의 x축 위의 한 꼭짓점의 좌표를 각각 $(a, 0)$, $(b, 0)$이라 할 때, $b-a$의 값을 구하시오.

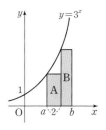

21

그림과 같이 지수함수 $y=2^x$의 그래프 위의 두 점 $A(n, 2^n)$, $B(n+1, 2^{n+1})$에서 x축에 내린 수선의 발을 각각 C, D, y축에 내린 수선의 발을 각각 E, F라 하자. 사각형 ACDB와 사각형 ABFE의 넓이의 비가 2 : 5일 때, n의 값은?

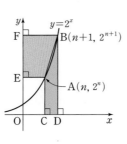

① $\dfrac{9}{4}$ ② $\dfrac{5}{2}$ ③ $\dfrac{11}{4}$

④ 3 ⑤ $\dfrac{13}{4}$

22

그림과 같이 지수함수 $y=2^x$의 그래프 위에 점 $P(\alpha, 2^\alpha)$, 함수 $y=-2^{-x}$의 그래프 위에 점 $Q(\beta, -2^{-\beta})$이 있다. $\beta-\alpha=2$일 때, 두 점 P, Q에서 x축, y축과 각각 평행한 직선을 그어 만들어지는 직사각형 PRQS의 넓이의 최솟값은?

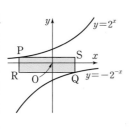

① 1 ② 2 ③ 4

④ 8 ⑤ 16

유형 **4** 로그함수

23

로그함수 $f(x)=\log_2 x$에 대하여 $f(f(x))=2$를 만족시키는 x의 값은? (단, $x>1$)

① 2 ② 4 ③ 8

④ 16 ⑤ 32

24

그림은 함수 $y=\log_3 x$의 그래프이다. 이 그래프를 이용하여 $\log_2 (3^a+3^b)$의 값을 구하시오.

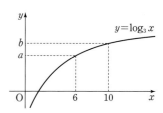

25

두 함수 $f(x)=2x+1$, $g(x)=\log_2 x$에 대하여 $(f \circ g)^{-1}(1)+f(g^{-1}(-1))$의 값은?

① 1 ② 2 ③ 3

④ 4 ⑤ 5

26

집합 G를 $G=\{(x,y)\,|\,y=\log_2 x,\ x>0\}$으로 정의할 때, 〈보기〉에서 옳은 것만을 있는 대로 고른 것은?

보기

ㄱ. $(a,b)\in G$이면 $(a^2, 2b)\in G$
ㄴ. $(a,b)\in G$, $(c,d)\in G$이면 $(a+c, bd)\in G$
ㄷ. $(6\times 2^b, \log_2 3a)\in G$이면 $(a, b+1)\in G$

---

① ㄱ   ② ㄴ   ③ ㄱ, ㄷ

④ ㄴ, ㄷ   ⑤ ㄱ, ㄴ, ㄷ

27

다음 세 수 A, B, C의 대소 관계를 바르게 나타낸 것은?

$$A=2\log_5\sqrt{5},\ B=\log_{\frac{1}{3}}\frac{1}{2},\ C=\log_{\frac{1}{9}}2$$

① $A<B<C$ ② $A<C<B$ ③ $B<C<A$

④ $C<A<B$ ⑤ $C<B<A$

중요
28

지수함수 $y=2^x$의 그래프를 직선 $y=x$에 대하여 대칭이동한 다음 x축의 방향으로 2만큼, y축의 방향으로 3만큼 평행이동한 그래프가 점 $(k,6)$을 지날 때, k의 값은?

① 4   ② 6   ③ 8

④ 10   ⑤ 12

유형 5   **로그함수의 최대·최소**

중요
29

$3\leq x\leq 27$에서 함수 $y=(\log_3 x)^2-3\log_3 x+1$의 최댓값을 M, 최솟값을 m이라 할 때, $M+m$의 값을 구하시오.

30

$x>1$에서 함수 $y=\log_4 x^5+\log_x\sqrt{2}$는 $x=a$일 때, 최솟값 b를 갖는다. $b\log_2 a$의 값은?

① $\dfrac{\sqrt{5}}{5}$ ② $\dfrac{1}{2}$ ③ 1

④ $\dfrac{\sqrt{5}}{2}$ ⑤ $\sqrt{5}$

31

함수 $y=2^{\log x}\times x^{\log 2}-4(2^{\log x}+x^{\log 2})$은 $x=a$에서 최솟값 b를 가진다. $a+b$의 값을 구하시오. (단, $x>1$)

유형 6 로그함수의 그래프의 응용

32

그림과 같이 로그함수 $y=\log_2 x$의 그래프 위의 세 점 A, B, C에서 x축에 내린 수선의 발을 각각 A_x, B_x, C_x라 하고, y축에 내린 수선의 발을 각각 A_y, B_y, C_y라 하자. $\overline{A_yB_y}=\overline{B_yC_y}=1$ 일 때, $\overline{A_xB_x} : \overline{B_xC_x}$는?

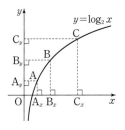

① $1:1$ ② $1:\sqrt{2}$ ③ $1:2$

④ $1:2\sqrt{2}$ ⑤ $1:4$

33

그림과 같이 로그함수 $y=\log_a x$의 그래프 위의 두 점 A, C를 이은 선분이 한 변의 길이가 2인 정사각형 ABCD의 대각선이다. 선분 AB는 x축과 평행하고, 함수 $y=\log_b x$의 그래프가 점 B를 지날 때, b의 값을 구하시오.

(단, $1<a<b$이고, 점 A의 y좌표는 2이다.)

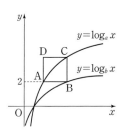

34

함수 $y=\log_2 4x$의 그래프 위의 두 점 A, B와 로그함수 $y=\log_2 x$의 그래프 위의 점 C에 대하여 선분 AC가 y축에 평행하고, 삼각형 ABC가 정삼각형이다. 점 B의 좌표를 (p, q)라 할 때, $p^2 \times 2^q$의 값을 구하시오.

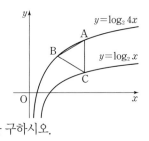

35

로그함수 $y=\log_3 x$의 그래프 위의 서로 다른 두 점 A, B가 다음 조건을 만족시킬 때, 삼각형 OBA의 넓이는?

(단, O는 원점이다.)

> (가) 선분 AB의 중점이 x축 위에 있다.
> (나) 선분 AB를 $3:1$로 외분하는 점이 y축 위에 있다.

① $\dfrac{\sqrt{3}}{3}$ ② $\dfrac{\sqrt{2}}{2}$ ③ 1

④ $\sqrt{2}$ ⑤ $\sqrt{3}$

36

그림과 같이 함수 $y=|\log_3 x|$의 그래프와 직선 l이 세 점 P, Q, R에서 만나고, 두 점 P, Q의 x좌표는 각각 k, $2k$이다. 점 P를 지나고 x축에 평행한 직선을 m이라 할 때, 두 점 Q, R에서 직선 m에 내린 수선의 발을 각각 Q', R'이라 하자. 삼각형 $PR'R$의 넓이가 삼각형 $PQ'Q$의 넓이의 9배라 할 때, k^4의 값은?

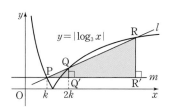

① $\dfrac{1}{3}$ ② $\dfrac{1}{2}$ ③ 1

④ 2 ⑤ 3

유형 7 지수함수와 로그함수의 관계

37

그림은 지수함수 $f(x)=2^x$의 그래프와 $y=f(x)$의 역함수 $y=f^{-1}(x)$의 그래프이다. 점 C의 좌표를 (a, b)라 할 때, $a-b$의 값은?
(단, 점선은 x축 또는 y축에 평행하다.)

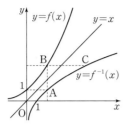

① 12   ② 14
③ 16   ④ 18
⑤ 20

38

함수 $y=f(x)$의 그래프는 함수 $y=\log_2(x-1)$의 그래프와 직선 $y=x$에 대하여 대칭이다.
점 $P(2, b)$는 곡선 $y=f(x)$ 위에, 점 $Q(a, b)$는 곡선 $y=\log_2(x-1)$ 위에 있을 때, $a+b$의 값을 구하시오.

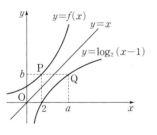

39

그림과 같이 1보다 큰 두 자연수 a, b에 대하여 두 함수 $y=a^x$, $y=\log_b x$의 그래프와 직선 $x=1$이 만나는 점을 각각 A, C라 하고, 두 함수 $y=a^x$, $y=\log_b x$의 그래프와 직선 $y=1$이 만나는 점을 각각 B, D라 하자. 사각형 ABCD의 넓이가 5이고, 직선 AD의 기울기가 -1보다 클 때, $5a+2b$의 값을 구하시오.

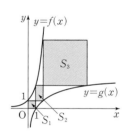

40

그림과 같이 두 곡선 $f(x)=3^x$, $g(x)=\log_2 x$ 위의 점을 지나고 x축 또는 y축에 평행한 직선을 이용하여 세 개의 직사각형을 만들었다. 이 세 직사각형의 넓이를 각각 S_1, S_2, S_3이라 할 때, $S_1+S_2+S_3$의 값을 구하시오.

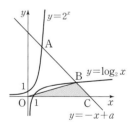

41

그림과 같이 직선 $y=-x+a$가 두 곡선 $y=2^x$, $y=\log_2 x$와 만나는 점을 각각 A, B라 하고, x축과 만나는 점을 C라 할 때, 세 점 A, B, C가 다음 조건을 만족시킨다.

> (가) $\overline{AB} : \overline{BC}=3 : 1$
> (나) 삼각형 OCB의 넓이는 40이다.

점 A의 좌표를 (p, q)라 할 때, $p+q$의 값을 구하시오.
(단, a는 상수이고, O는 원점이다.)

42

함수 $f(x)=2^x-1$에 대하여 〈보기〉에서 옳은 것만을 있는 대로 고른 것은?

┤ 보기 ├

ㄱ. $x>1$이면 $\dfrac{f(x)}{x}>1$

ㄴ. $0<x<1$이면 $0<\dfrac{f(x)}{x}<1$

ㄷ. $x<0$이면 $\dfrac{f(x)}{x}<0$

① ㄱ   ② ㄷ   ③ ㄱ, ㄴ
④ ㄴ, ㄷ   ⑤ ㄱ, ㄴ, ㄷ

43

0이 아닌 실수 전체의 집합에서 정의된 함수 $y=f(x)$에 대하여 $f(2x)+2f\left(\dfrac{2}{x}\right)=4^x$이 성립할 때, $f(4)$의 값을 구하시오.

44

두 실수 a, b가 $a^2<a<b<b^2$을 만족시킬 때, 〈보기〉에서 옳은 것만을 있는 대로 고른 것은?

┤ 보기 ├

ㄱ. $a^a>a^{\frac{1}{a}}$ ㄴ. $b^{\frac{1}{b}}>b^{-b}$

ㄷ. $\left(\dfrac{a}{b}\right)^b<a^{-b}$

① ㄱ   ② ㄱ, ㄴ   ③ ㄱ, ㄷ
④ ㄴ, ㄷ   ⑤ ㄱ, ㄴ, ㄷ

45

1이 아닌 두 양수 a, $b\,(a>b)$에 대하여 두 함수 $f(x)=a^x$, $g(x)=b^x$이라 하자. $x>0$일 때, 〈보기〉에서 옳은 것만을 있는 대로 고른 것은?

┤ 보기 ├

ㄱ. $f(x)>g(x)$

ㄴ. $f(x)<g(-x)$이면 $a>1$이다.

ㄷ. $f(x)=g(-x)$이면 $f\left(\dfrac{1}{x}\right)=g\left(-\dfrac{1}{x}\right)$이다.

① ㄱ   ② ㄴ   ③ ㄱ, ㄷ
④ ㄴ, ㄷ   ⑤ ㄱ, ㄴ, ㄷ

46

두 함수 $f(x)=-x^2+2x+1$, $g(x)=a^x\,(a>0,\ a\neq1)$이 있다. $-1\leq x\leq2$에서 두 함수 $y=f(g(x))$, $y=g(f(x))$의 최댓값이 같아지도록 하는 모든 a의 값의 합은?

① $\dfrac{3\sqrt{2}}{2}$ ② $\dfrac{4\sqrt{2}}{3}$ ③ $\sqrt{2}$

④ $\dfrac{2\sqrt{2}}{3}$ ⑤ $\dfrac{\sqrt{2}}{2}$

47

그림과 같이 지수함수 $y=2^x$의 그래프 위의 한 점 A를 지나고 x축에 평행한 직선이 함수 $y=15\times2^{-x}$의 그래프와 만나는 점을 B라 하자. 점 A의 x좌표를 a라 할 때, $1<\overline{AB}<100$을 만족시키는 2 이상의 자연수 a의 개수를 구하시오.

(단, 점 A의 x좌표는 점 B의 x좌표보다 크다.)

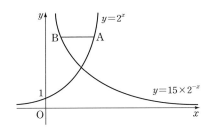

48

실수 전체의 집합에서 정의된 함수 f가 다음 조건을 만족시킨다.

(가) $-2\leq x\leq0$일 때, $f(x)=|x+1|-1$
(나) 모든 실수 x에 대하여 $f(x)+f(-x)=0$
(다) 모든 실수 x에 대하여 $f(2-x)=f(2+x)$

$-10\leq x\leq10$에서 두 함수 $y=f(x)$, $y=\left(\dfrac{1}{2}\right)^x$의 그래프가 만나는 점의 개수는?

① 2   ② 3   ③ 4
④ 5   ⑤ 6

49

$0<a<b<1$일 때, 〈보기〉에서 옳은 것만을 있는 대로 고른 것은?

┤ 보기 ├
ㄱ. $\log_b a>1$
ㄴ. $\log_{(b+1)}(a+1)=k$이면 $k<k^2$이다.
ㄷ. 임의의 두 양수 c, d에 대하여 $\log_a c=\log_b d$이면 $c<d$이다.

① ㄱ   ② ㄱ, ㄴ   ③ ㄱ, ㄷ
④ ㄴ, ㄷ   ⑤ ㄱ, ㄴ, ㄷ

50

정의역이 $\{x\,|\,1\leq x\leq81\}$인 함수
$$y=(\log_3 x)(\log_{\frac{1}{3}}x)+2\log_3 x+10$$
의 최댓값을 M, 최솟값을 m이라 할 때, $M+m$의 값을 구하시오.

51

$\dfrac{1}{3}\leq x\leq3$에서 함수 $f(x)=9x^{-2+\log_3 x}$의 최댓값을 M, 최솟값을 m이라 할 때, $M+m$의 값을 구하시오.

52

네 점 A$(3, -1)$, B$(5, -1)$, C$(5, 2)$, D$(3, 2)$를 연결하여 만든 직사각형이 있다. 함수 $y=\log_a(x-1)-4$의 그래프가 직사각형 ABCD와 만나기 위한 상수 a의 최댓값을 M, 최솟값을 N이라 할 때, $\left(\dfrac{M}{N}\right)^{12}$의 값을 구하시오.

53

그림과 같이 곡선 $y=2\log_2 x$ 위의 한 점 A를 지나고 x축에 평행한 직선이 곡선 $y=2^{x-3}$과 만나는 점을 B라 하자. 점 B를 지나고 y축에 평행한 직선이 곡선 $y=2\log_2 x$와 만나는 점을 D라 하고, 점 D를 지나고 x축에 평행한 직선이 곡선 $y=2^{x-3}$과 만나는 점을 C라 하자. $\overline{AB}=2$, $\overline{BD}=2$일 때, 사각형 ABCD의 넓이를 구하시오.

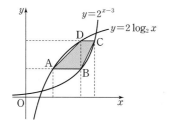

최고난도 문제

54

그림과 같이 함수 $y=\log_2 x$의 그래프와 직선 $y=mx$가 만나는 점을 각각 A, B라 하고, 함수 $y=2^x$의 그래프와 직선 $y=nx$가 만나는 점을 각각 C, D라 하자. 사각형 ABDC는 등변사다리꼴이고 삼각형 OBD의 넓이는 삼각형 OAC의 넓이의 4배일 때, $m+n$의 값을 구하시오. (단, O는 원점이다.)

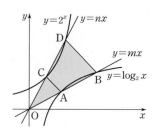

55

정의역이 $\{x \mid 1 \le x < 100\}$인 함수 f를 $f(x)=\log x-[\log x]$라 하자. 함수 $y=f(x)$의 그래프와 직선 $y=2-\dfrac{x}{n}$가 서로 다른 두 점에서 만나도록 하는 자연수 n의 개수를 구하시오.

(단, $[x]$는 x보다 크지 않은 최대의 정수이다.)

05 지수함수의 활용

05 지수함수의 활용

1 지수방정식

지수에 미지수가 있는 방정식은 다음과 같이 푼다.

(1) 밑을 같게 할 수 있는 경우 ($a^{f(x)}=a^{g(x)}$ 꼴)

방정식에서 양변의 밑을 a로 같게 할 수 있으면 $a^{f(x)}=a^{g(x)}$ 꼴로 정리한 다음 지수가 같거나 밑을 1로 만드는 값을 찾는다.

➡ $f(x)=g(x)$ 또는 $a=1$

(2) 밑을 같게 할 수 없는 경우 ($a^{f(x)}=b^{g(x)}$ 꼴)

방정식에서 각 항의 밑을 같게 할 수 없으면 $a^{f(x)}=b^{g(x)}$ 꼴로 정리한 다음 양변에 상용로그를 취하여 $\log a^{f(x)}=\log b^{g(x)}$을 푼다.

(3) 지수가 같은 경우 ($a^{f(x)}=b^{f(x)}$ 꼴)

방정식의 지수를 같게 하여 $a^{f(x)}=b^{f(x)}$ 꼴로 정리할 수 있으면 밑이 같거나 지수가 0이 되는 값을 찾는다.

➡ $a=b$ 또는 $f(x)=0$

(4) $a^x=t$로 치환하는 경우

방정식의 항이 3개 이상일 때, $a^x=t$ $(t>0)$로 치환하여 t에 대한 방정식을 푼다.

(5) 지수방정식의 연립방정식

a^x, b^y의 꼴이 반복되는 경우 $a^x=X$, $b^y=Y$ $(X>0,\ Y>0)$로 치환하여 X, Y에 대한 연립방정식을 푼다.

2 지수부등식

지수에 미지수가 있는 부등식은 다음과 같이 푼다.

(1) 밑을 같게 할 수 있는 경우

부등식에서 양변의 밑을 a로 같게 할 수 있으면

① $a>1$일 때, $a^{f(x)}<a^{g(x)}$ 꼴로 정리한 다음 $f(x)<g(x)$를 푼다.

② $0<a<1$일 때, $a^{f(x)}<a^{g(x)}$ 꼴로 정리한 다음 $f(x)>g(x)$를 푼다.

(2) 밑을 같게 할 수 없는 경우

부등식에서 각 항의 밑을 같게 할 수 없으면 $a^{f(x)}<b^{g(x)}$ 꼴로 정리한 다음 양변에 상용로그를 취하여 $\log a^{f(x)}<\log b^{g(x)}$을 푼다.

(3) $a^x=t$로 치환하는 경우

부등식의 항이 3개 이상일 때, $a^x=t$ $(t>0)$로 치환하여 t에 대한 부등식을 푼다.

참고 모든 실수 x에 대하여 지수부등식 $pa^{2x}+qa^x+r>0$이 성립하면 $a^x=t$로 치환한 t에 대한 이차부등식 $pt^2+qt+r>0$이 $t>0$에서 항상 성립한다.

개념 플러스

◀ $a^{f(x)}=b^{g(x)}$ $(a>0,\ b>0)$ 꼴이면

(i) $a=b$인 경우

(ii) $a\neq b$, $f(x)\neq g(x)$인 경우

(iii) $f(x)=g(x)$인 경우

에 따라서 방정식을 푼다.

◀ a^x+a^{-x} 꼴이 반복하여 쓰인 지수방정식은 $a^x+a^{-x}=t$로 치환하여 먼저 t의 값을 구한다. $a^x>0$, $a^{-x}>0$이므로 산술평균과 기하평균의 관계에 의하여

$$a^x+a^{-x}\geq 2\sqrt{a^x\times a^{-x}}=2$$

(단, 등호는 $a^x=a^{-x}$일 때 성립)

이므로 $t\geq 2$ 이다.

◀ **지수방정식과 이차방정식의 근**

방정식 $p(a^x)^2+qa^x+r=0$의 두 근을 α, β라 하면 이차방정식의 근과 계수의 관계에 의하여

$$a^\alpha+a^\beta=-\frac{q}{p},\ a^\alpha\times a^\beta=a^{\alpha+\beta}=\frac{r}{p}$$

◀ 지수에 미지수가 있는 부등식을 풀 때에는 밑이 1보다 큰지 작은지에 따라 부등호의 방향이 달라짐에 유의해야 한다.

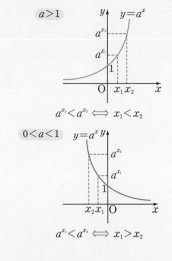

$a^{x_1}<a^{x_2}\iff x_1<x_2$

$a^{x_1}<a^{x_2}\iff x_1>x_2$

쌤이 꼭 내는 기본 문제

01

방정식 $8^{2x+1}=\sqrt[3]{2}$를 만족시키는 x의 값을 구하시오.

02

방정식 $4^x+2^{x+3}-128=0$의 해를 구하시오.

03

연립방정식 $\begin{cases} x-y=-1 \\ 9^x-3^y=54 \end{cases}$를 만족시키는 $x,\, y$에 대하여 $x+y$의 값을 구하시오.

04

방정식 $3^{2x}-8\times3^x+9=0$의 두 근을 α, β라 할 때, $\alpha+\beta$의 값은?

① 1   ② 2   ③ 3

④ 4   ⑤ 5

05

부등식 $\left(\dfrac{1}{5}\right)^{1-2x}\le5^{x+4}$을 만족시키는 모든 자연수 x의 값의 합은?

① 11   ② 12   ③ 13

④ 14   ⑤ 15

06

곡선 $y=f(x)$와 직선 $y=g(x)$가 그림과 같을 때, 부등식 $\left(\dfrac{1}{2}\right)^{f(x)}<\left(\dfrac{1}{2}\right)^{g(x)}$의 해는?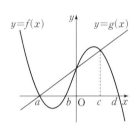

① $x<a$ 또는 $x>d$

② $x<a$ 또는 $0<x<c$

③ $a<x<b$ 또는 $c<x<d$

④ $a<x<b$ 또는 $x>d$

⑤ $a<x<0$ 또는 $x>c$

07

부등식 $9^x-3^{x+2}+15<0$의 해가 $\alpha<x<\beta$일 때, $3^\alpha\times3^\beta$의 값을 구하시오.

08

연립부등식 $\begin{cases} 4^x-5\times2^{x+1}+16<0 \\ \left(\dfrac{1}{2}\right)^{3x+2}<\left(\dfrac{1}{2}\right)^{2x} \end{cases}$의 해가 $a<x<b$일 때, $a+b$의 값을 구하시오.

유형 1 지수방정식

중요
09

방정식 $\left(\dfrac{1}{3}\right)^{-3x}=3^{x^2-4}$의 모든 근의 곱은?

① 0   ② -3 ③ -4

④ -7 ⑤ -8

10

방정식 $(x-1)^{2(x+2)}=(x-1)^{x^2+1}$의 모든 근의 합을 구하시오.

(단, $x>1$)

11

방정식 $2^x=3^{x-1}$의 근을 α라 할 때, 다음 중 옳은 것은?

(단, $\log 2=0.3010$, $\log 3=0.4771$로 계산한다.)

① $-1<\alpha<0$ ② $0<\alpha<1$ ③ $1<\alpha<2$

④ $2<\alpha<3$ ⑤ $3<\alpha<4$

유형 2 치환을 이용한 지수방정식

12

방정식 $9^x-3^{x+3}+140=0$의 두 근을 α, β라 할 때, $9^\alpha+9^\beta$의 값을 구하시오.

13

x에 대한 방정식 $a^{2x}-a^x=2$의 해가 $x=\dfrac{1}{7}$이 되도록 하는 상수 a의 값을 구하시오. (단, $a>0$, $a\neq1$)

중요
14

방정식 $2^x+2^{2-x}=5$를 만족시키는 모든 x의 값의 합은?

① -2 ② -1 ③ 0

④ 1   ⑤ 2

15

연립방정식 $\begin{cases} 2^x - 2^y = 2 \\ 4^x - 4^y = 12 \end{cases}$ 의 해를 $x = \alpha$, $y = \beta$라 할 때, $\alpha^2 + \beta^2$의 값을 구하시오.

16 중요

방정식 $4^x + 4^{-x} - 3(2^x + 2^{-x}) + 4 = 0$의 해는?

① $x = -2$　　　② $x = -1$　　　③ $x = 0$

④ $x = 1$　　　⑤ $x = 2$

17

방정식 $3^{2x} - 2^{2y} = 17$을 만족시키는 두 양의 정수 x, y에 대하여 $x + y$의 값을 구하시오.

유형 3　지수방정식과 이차방정식의 근

18

x에 대한 방정식 $2^{2x+1} - 5 \times 2^x + k = 0$의 두 근의 합이 -1일 때, 상수 k의 값은?

① $\dfrac{1}{4}$　　　② $\dfrac{1}{2}$　　　③ $\dfrac{3}{4}$

④ 1　　　⑤ 2

19 중요

방정식 $3^{2x} - 3 \times 3^x + 2 = 0$의 두 근을 α, β라 할 때, $3^{3\alpha} + 3^{3\beta}$의 값은?

① 4　　　② 8　　　③ 9

④ 12　　　⑤ 15

20

곡선 $y = 3^{2x} - 3^{x+1}$과 직선 $y = k$가 서로 다른 두 점에서 만나도록 하는 모든 정수 k의 값의 합을 구하시오.

유형 4 지수부등식

21

부등식 $\left(\dfrac{1}{3}\right)^{x^2-2} > \left(\dfrac{1}{9}\right)^{x+3}$ 을 만족시키는 정수 x의 개수를 구하시오.

22 중요

다음 부등식을 동시에 만족시키는 x의 값의 범위가 $a \le x \le b$일 때, $a+b$의 값은?

$$\frac{1}{81} \le 3^x \le \frac{1}{9}, \quad \left(\frac{1}{2}\right)^{x+1} \le 64 \le \left(\frac{1}{4}\right)^x$$

① -7 ② -6 ③ -5

④ -4 ⑤ -3

23

부등식 $x^{x^2} \le x^{x^3}$ 을 만족시키는 x의 값의 범위는? (단, $x>0$)

① $0<x<1$ ② $0<x\le1$ ③ $0<x<3$

④ $0<x\le3$ ⑤ $1<x<3$

유형 5 치환을 이용한 지수부등식

24 중요

부등식 $\left(\dfrac{1}{4}\right)^x - 10\left(\dfrac{1}{2}\right)^x + 16 \le 0$ 을 만족시키는 x의 최댓값을 M, 최솟값을 m이라 할 때, $M+m$의 값을 구하시오.

25

부등식 $2^{4x+2} - 5 \times 2^{2x} + 1 < 0$의 해가 $\alpha < x < \beta$일 때, $\alpha+\beta$의 값은?

① -2 ② -1 ③ 0

④ 1 ⑤ 2

26

부등식 $4^{x+1} + 2^{x+2} \le 2^{x+3} - 1$의 해를 구하시오.

27

x에 대한 부등식 $16a^{2x}-17a^x+1<0$의 해가 $0<x<4$일 때, 상수 a의 값을 구하시오. (단, $0<a<1$)

28 (중요)

모든 실수 x에 대하여 이차부등식
$x^2-2(2^a+1)x-3(2^a-5)>0$이 성립하도록 하는 실수 a의 값의 범위는?

① $a<0$ ② $a<1$ ③ $a<2$
④ $a>1$ ⑤ $a>2$

29

두 집합
$$A=\{x\,|\,x^2+4x+a<0\},$$
$$B=\{x\,|\,4^x-5\times2^{x+1}+16<0\}$$
에 대하여 $A\cap B=B$가 성립하도록 하는 정수 a의 최댓값은?

① -21 ② -20 ③ -6
④ -5 ⑤ -4

유형 **6** **지수방정식과 지수부등식의 활용**

30

어느 방사성 물질은 일정한 비율로 붕괴되어 50년이 지날 때마다 그 질량이 절반으로 감소한다고 한다. 이 방사성 물질의 질량이 $2048\,\text{g}$에서 $\dfrac{1}{8}\,\text{g}$으로 감소하는 데에는 몇 년이 걸리겠는가?

① 500년   ② 550년   ③ 600년
④ 650년   ⑤ 700년

31 (중요)

아열대 해역에 서식하는 수명이 짧은 어류의 성장 정도를 알아보는 방법 중의 하나는 길이 (cm)를 측정하는 것이다. 이 해역에 서식하는 어떤 물고기의 연령 t에 따른 길이 $f(t)$를 근사적으로 추정하면 다음과 같다고 한다.
$$f(t)=20\{1-a^{-0.7(t+0.4)}\}$$
이 물고기의 길이가 $16\,\text{cm}$ 이상이 되기 위한 최소 연령은?

(단, a는 $a>1$인 상수이고, $\log_a 5=1.4$로 계산한다.)

① 1.2   ② 1.6   ③ 2.2
④ 2.6   ⑤ 3.2

32

방정식 $12^{x-7}=(24\sqrt{3})^{6-2x}$의 해를 구하시오.

33

방정식 $(2^x-4)^3-(2^{-x}-2)^3=(2^x-2^{-x}-2)^3$을 만족시키는 모든 실수 x의 값의 합은?

① $\dfrac{1}{5}\log_2(3+\sqrt{2})$ ② $\log_2\dfrac{2}{3}(1+\sqrt{2})$

③ $\log_2(3+\sqrt{2})$ ④ $\log_2 2(1+\sqrt{2})$

⑤ $2\log_2(1+\sqrt{2})$

34

방정식 $2^{\log 10x}\times x^{\log 2}-\dfrac{1}{2}(2^{\log 10x}+16\times x^{\log 2})+4=0$의 두 근을 α, β라 할 때, $10\alpha+\beta$의 값을 구하시오. (단, $\alpha<\beta$)

35

x에 대한 방정식 $2^{2x}-(a+6)\times 2^x-2a(a-6)=0$의 서로 다른 두 근이 모두 양수가 되도록 하는 정수 a의 개수는?

① 1   ② 3   ③ 5

④ 7   ⑤ 9

36

두 실수 a, b에 대하여 x에 대한 방정식 $a\times 4^x+2^{x-a}+b=0$이 서로 다른 두 실근을 갖는다. 〈보기〉에서 옳은 것만을 있는 대로 고른 것은? (단, $a\neq 0$)

┤ 보기 ├

ㄱ. $ab>0$ ㄴ. $a<0$ ㄷ. $\dfrac{1}{4^{a+1}}>ab$

① ㄱ   ② ㄱ, ㄴ   ③ ㄱ, ㄷ

④ ㄴ, ㄷ   ⑤ ㄱ, ㄴ, ㄷ

37

x에 대한 방정식 $9^x=4\times 3^x-k$가 오직 하나의 실근을 갖도록 하는 실수 k의 최댓값을 구하시오.

38

모든 실수 x에 대하여 부등식 $10^{x^2+2\log a} \geq a^{-2x}$이 성립하도록 하는 양수 a의 최댓값을 구하시오.

39

두 이차함수 $y=f(x)$, $y=g(x)$의 그래프가 그림과 같고,
$$f(a)=g(a)=f(c)=g(e)=0,$$
$$f(0)=g(b)=f(d)=g(d)=1$$
이다.

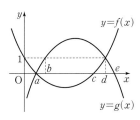

연립부등식 $\begin{cases} 2^{f(x)}<2 \\ 2^{f(x)}>2^{g(x)} \end{cases}$ 의 해는?

① $0<x<a$
② $x<a$ 또는 $x>d$
③ $a<x<c$
④ $a<x<d$ 또는 $x>e$
⑤ $b<x<d$

40

부등식 $2^{x+1}+3\times2^{-x}+4^{1-x}<9$의 해의 집합은?

① $\{x\,|\,0<x<2\}$
② $\{x\,|\,0<x<1$ 또는 $x>2\}$
③ $\{x\,|\,1<x<4\}$
④ $\{x\,|\,1<x<2$ 또는 $x>4\}$
⑤ $\{x\,|\,x>1\}$

41

$-3 \leq x \leq 2$에서 x에 대한 부등식 $4^x-5\times2^{x+2} \geq 4^a-5\times2^{a+2}$
이 항상 성립하도록 하는 모든 정수 a의 값의 합을 구하시오.

42

모든 실수 x에 대하여 부등식 $k\times2^x \leq 4^x-2^x+4$가 성립하도록 하는 실수 k의 값의 범위는?

① $k \geq -1$
② $-4 \leq k<3$
③ $-1 \leq k \leq 4$
④ $k \leq 3$
⑤ $k \geq 0$

43

A라는 조건을 만족하는 환경에서 고여 있는 물은 시간이 지남에 따라 물의 오염도가 높아진다고 한다. 이 조건에서 고여 있는 물의 t주가 지난 후의 오염도 p는 다음과 같다고 한다.

$$p = \frac{1}{1 + k \times 10^{-\frac{1}{12}t}} \quad \text{(단, } k \text{는 상수이다.)}$$

이 환경에서 처음 고인 물의 오염도가 0.1이었다고 한다. n주 후의 물의 오염도가 0.64 이상이 된다고 할 때, 자연수 n의 최솟값은?

(단, $\log 2 = 0.3010$으로 계산한다.)

① 11   ② 13   ③ 15

④ 17   ⑤ 19

44

어떤 과일을 물에 담가 두면 과일의 표면에 묻은 잔류 농약이 일정한 비율로 줄어들어 2시간이 지나면 $a\,\%$만 남게 된다고 한다. 처음 잔류 농약이 0.1 mg인 과일을 물에 담가 두고, 6시간이 지난 후에 측정하였더니 0.01 mg이었다. 잔류 농약에 대한 안전 기준치가 0.001 mg 이하라고 할 때, 이 과일을 안전하게 섭취하려면 최소한 섭취하기 몇 시간 전에 이 과일을 물에 담가 두어야 하는지 구하시오.

45

방정식 $4^x - 2^{x+1} + \dfrac{1}{9^y} - \dfrac{6}{3^y} = 15$를 만족시키는 두 실수 x, y에 대하여 x의 최댓값을 α, y의 최솟값을 β라 할 때, $\alpha\beta$의 값은?

① $-3 \log_3 6$ ② $-2 \log_3 6$ ③ $-4 \log_2 6$

④ $-3 \log_2 6$ ⑤ $-2 \log_2 6$

46

x에 대한 방정식

$$9^x + 9^{-x} - n(3^x + 3^{-x}) + 18 = 0$$

이 서로 다른 네 개의 실근을 갖도록 하는 자연수 n의 값을 구하시오.

06 로그함수의 활용

06 로그함수의 활용

1 로그방정식

로그에 미지수가 있는 방정식은 다음과 같이 푼다.

$$(단, a>0, a\neq1, f(x)>0, g(x)>0)$$

(1) 밑이 같은 경우

로그방정식에서 양변의 밑을 a로 같게 할 수 있으면 $\log_a f(x)=\log_a g(x)$ 꼴로 정리한 다음 $f(x)=g(x)$를 푼다.

(2) 밑이 같지 않은 경우

로그방정식에서 밑이 다를 때에는 로그의 성질이나 밑의 변환 공식을 이용하여 밑을 같게 한 후 푼다.

(3) $\log_a x=t$로 치환하는 경우

로그방정식에서 $\log_a x$ 꼴이 반복될 때 $\log_a x=t$로 치환하여 t에 대한 방정식을 푼다.

(4) 양변에 로그를 취하는 경우

로그방정식에서 지수에 $\log_a x$를 포함하는 경우는 양변에 a를 밑으로 하는 로그를 취하여 방정식을 푼다.

개념 플러스

◀ **여러 가지 로그방정식의 풀이**

(1) $\log_a f(x)=b$ 꼴 $\Rightarrow f(x)=a^b$

(2) $x^{\log_a f(x)}=g(x)$ 꼴 $\Rightarrow$ 양변에 밑이 a인 로그를 취한다.

(3) $a^{\log_b x}$, $x^{\log_b a}$ 꼴을 포함한 방정식 $\Rightarrow a^{\log_b x}=x^{\log_b a}$임을 이용한다.

◀ $a^{\log x}=b \Longleftrightarrow \log a^{\log x}=\log_a b$
$\Longleftrightarrow \log x=\log_a b$

◀ **로그방정식과 이차방정식의 근**

방정식 $a(\log_k x)^2+b\log_k x+c=0$의 두 근을 α, β라 하면 근과 계수의 관계에 의하여

$$\log_k \alpha + \log_k \beta = \log_k \alpha\beta = -\frac{b}{a},$$

$$\log_k \alpha \times \log_k \beta = \frac{c}{a}$$

2 로그부등식

로그에 미지수가 있는 부등식은 다음과 같이 푼다.

$$(단, a>0, a\neq1, f(x)>0, g(x)>0)$$

(1) 밑이 같은 경우

로그부등식에서 양변의 밑을 a로 같게 할 수 있으면

① $a>1$일 때 $\log_a f(x)<\log_a g(x)$ 꼴로 정리한 다음 $f(x)<g(x)$를 푼다.

② $0<a<1$일 때 $\log_a f(x)<\log_a g(x)$ 꼴로 정리한 다음 $f(x)>g(x)$를 푼다.

(2) 밑이 같지 않은 경우

로그부등식에서 밑이 다를 때에는 로그의 성질이나 밑의 변환 공식을 이용하여 밑을 같게 한 후 푼다.

(3) $\log_a x=t$로 치환하는 경우

로그부등식에서 $\log_a x$ 꼴이 반복될 때 $\log_a x=t$로 치환하여 t에 대한 부등식을 푼다.

(4) 양변에 로그를 취하는 경우

로그부등식에서 지수에 $\log_a x$를 포함하는 경우는 양변에 a를 밑으로 하는 로그를 취하여 부등식을 푼다.

◀ 로그의 진수에 미지수가 있는 부등식을 풀 때에는 밑이 1보다 큰지 작은지에 따라 부등호의 방향이 달라짐에 유의해야 한다.

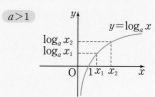

$$\log_a x_1 < \log_a x_2 \Longleftrightarrow x_1 < x_2$$

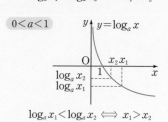

$$\log_a x_1 < \log_a x_2 \Longleftrightarrow x_1 > x_2$$

◀ **로그부등식의 응용**

(1) 모든 양의 실수 x에 대하여

$a(\log_k x)^2+b\log_k x+c>0$

$\Rightarrow a>0$, $b^2-4ac<0$

$a(\log_k x)^2+b\log_k x+c<0$

$\Rightarrow a<0$, $b^2-4ac<0$

(2) 이차방정식 $a(\log_k x)^2+b\log_k x+c=0$이 실근을 갖는다. $\Rightarrow b^2-4ac\geq0$

01

방정식 $\log_2(4+x)+\log_2(4-x)=3$을 만족시키는 모든 x의 값의 곱은?

① -10　　　② -8　　　③ -6

④ -4　　　⑤ -2

02

방정식 $\log_{\frac{1}{3}}(\log_5(\log_2 x))=0$을 만족시키는 정수 x의 값을 구하시오. (단, $x>2$)

03

방정식 $(\log_3 x)^2+4\log_9 x-3=0$을 만족시키는 모든 x의 값의 곱은?

① $\dfrac{1}{9}$　　　② $\dfrac{1}{3}$　　　③ $\dfrac{5}{9}$

④ $\dfrac{7}{9}$　　　⑤ 1

04

방정식 $\log_2 x \times \log_2 \dfrac{x}{10}-\log_2 x=8$의 두 근을 α, β라 할 때, $\alpha\beta$의 값을 구하시오.

05

부등식 $\log_2 x+\log_2(x-4)\le 5$를 만족시키는 모든 자연수 x의 값의 합을 구하시오.

06

두 함수 $y=f(x)$와 $y=g(x)$의 그래프가 그림과 같을 때, 부등식 $\log_{\frac{1}{2}}f(x)\le\log_{\frac{1}{2}}g(x)$의 해는?

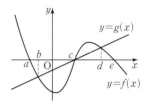

① $a\le x\le b$

② $b<x\le d$

③ $c<x\le d$

④ $c<x\le e$

⑤ $d\le x<e$

07

부등식 $(\log_{\frac{1}{3}}x)^2-3\log_{\frac{1}{3}}x-4\le 0$의 해가 $\alpha\le x\le\beta$일 때, $\alpha\beta$의 값을 구하시오.

08

연립부등식 $\begin{cases}\log_8(\log_4(\log_2 x))\le 0 \\ \log_{\frac{1}{4}}(\log_{\sqrt{3}}x)\ge -1\end{cases}$ 을 만족시키는 정수 x의 개수를 구하시오.

09

방정식 $\log_3(x+3)-\log_9(x+7)=1$의 해를 구하시오.

10

방정식 $[\log_2 x]+\log_2 x=\dfrac{9}{2}$의 해는?

(단, $[x]$는 x보다 크지 않은 최대의 정수이다.)

① $x=4\sqrt{2}$ ② $x=5\sqrt{2}$ ③ $x=6\sqrt{2}$

④ $x=7\sqrt{2}$ ⑤ $x=8\sqrt{2}$

중요

11

$x>0$일 때, 방정식 $(2x)^{\log 2}=(3x)^{\log 3}$의 해는?

① $x=\dfrac{1}{2}$ ② $x=\dfrac{1}{3}$ ③ $x=\dfrac{1}{4}$

④ $x=\dfrac{1}{5}$ ⑤ $x=\dfrac{1}{6}$

12

방정식 $\left(\log_{\frac{1}{4}} x\right)^2+2\log_{\frac{1}{2}} x-32=0$의 두 근을 α, β $(\alpha<\beta)$라 할 때, $\log_2 \dfrac{\beta}{\alpha}$의 값을 구하시오.

중요

13

방정식 $\log_3 x+2\log_x 3-3=0$의 모든 근의 합은?

① 12   ② 15   ③ 18

④ 24   ⑤ 32

14

방정식 $\log_3 3x\times\log_3 \dfrac{x}{3}=8$의 해는?

① $x=\dfrac{1}{27}$ 또는 $x=27$ ② $x=\dfrac{1}{9}$ 또는 $x=9$

③ $x=\dfrac{1}{3}$ 또는 $x=3$ ④ $x=3$ 또는 $x=9$

⑤ $x=9$ 또는 $x=27$

15

방정식 $3^{\log x} \times x^{\log 3} - 5(3^{\log x} + x^{\log 3}) + 9 = 0$의 모든 근의 합을 구하시오.

중요
16

방정식 $x^{\log x} - \dfrac{100}{x} = 0$의 모든 근의 곱은?

① $\dfrac{1}{100}$　　② $\dfrac{1}{10}$　　③ 1

④ 10　　⑤ 100

17

연립방정식 $\begin{cases} 3^x = 9^y \\ \log_2 8x \times \log_2 4y = -1 \end{cases}$ 의 해를 $x = \alpha, y = \beta$라 할 때, $\alpha + \beta$의 값은?

① $\dfrac{1}{4}$　　② $\dfrac{3}{8}$　　③ $\dfrac{1}{2}$

④ $\dfrac{5}{8}$　　⑤ $\dfrac{3}{4}$

유형 **3** 로그방정식의 응용

18

x에 대한 방정식 $(\log_3 x)^2 + k \log_3 x - 3 = 0$의 두 근의 곱이 $\dfrac{1}{9}$ 일 때, 실수 k의 값은?

① -3　　② -1　　③ 1

④ 2　　⑤ 3

19

x에 대한 방정식 $\log_2 x \times \log_2 \dfrac{16}{x} = \dfrac{m}{16}$ 의 해가 존재하도록 하는 실수 m의 최댓값을 구하시오.

중요
20

x에 대한 방정식 $\log_2 x + \log_2 (8-x) - k = 0$이 서로 다른 두 실근을 갖도록 하는 자연수 k의 개수는?

① 1　　② 2　　③ 3

④ 4　　⑤ 5

| 유형 **4** 로그부등식 | 유형 **5** 치환을 이용한 로그부등식 |

21
부등식 $2\log_{\frac{1}{3}}(x-4)>\log_{\frac{1}{3}}(x-2)$의 해가 $a<x<b$일 때, ab의 값을 구하시오.

22 중요
부등식 $\log_8(\log_2 x - 3)\leq\dfrac{2}{3}$를 만족시키는 정수 x의 개수는?

① 114   ② 116   ③ 118
④ 120   ⑤ 122

23
부등식 $\log_x 25 > 2$를 만족시키는 정수 x의 개수는?

① 1   ② 2   ③ 3
④ 4   ⑤ 5

24
부등식 $(\log_2 4x)(\log_2 8x)<2$를 만족시키는 해가 $\alpha<x<\beta$일 때, $\alpha\beta$의 값은?

① $\dfrac{1}{32}$ ② $\dfrac{1}{16}$ ③ $\dfrac{1}{8}$
④ $\dfrac{1}{4}$ ⑤ $\dfrac{1}{2}$

25
두 집합
$$A=\{x\mid 4^x-(a+1)2^x+a\leq 0\},$$
$$B=\{x\mid (\log_2 x)^2-3\log_2 x+2\leq 0\}$$
에 대하여 $A\cap B=B$가 성립할 때, 실수 a의 최솟값은?

① 8   ② 10   ③ 12
④ 14   ⑤ 16

26 중요
부등식 $\log_4 x^2+\log_{\sqrt{x}} 8\leq 7$을 만족시키는 자연수 x의 개수를 구하시오.

27

부등식 $x^{\log_{\frac{1}{2}}x}\geq\frac{1}{2}$ 의 해를 구하시오.

28

연립부등식 $\begin{cases} (\log_3 x)^2-\log_3 x^4+3\leq 0 \\ \log_2|x-4|<3 \end{cases}$ 을 만족시키는 정수 x의 개수를 구하시오.

29

모든 양의 실수 x에 대하여 부등식

$$(\log_3 x)^2+2\log_3 a \times \log_3 x+4\log_3 a>0$$

이 성립할 때, 자연수 a의 최댓값을 구하시오.

유형 6　로그방정식과 로그부등식의 활용

30

소리의 세기가 I (W/cm²)인 음원으로부터 r (cm)만큼 떨어진 지점에서 측정된 소리의 상대적 세기 P(데시벨)는

$$P(I, r)=10\left(12+\log\frac{I}{r^2}\right)$$

로 나타난다고 한다. 음원으로부터 측정 지점까지의 거리를 10배로 늘리면 소리의 상대적 세기는 몇 데시벨 감소하는지 구하시오.

31

어느 경제학자에 의하면 일반적으로 근로자의 노동에 대한 시간당 금전적 가치를 V, 시간당 임금을 W, 시간당 생활비를 C, 세율을 t라 할 때, 다음과 같은 식이 성립한다고 한다.

$$V=\frac{W(100-t)}{100C}$$

매년 시간당 임금과 생활비는 각각 8 %, 3 %씩 증가하고 세율은 변동이 없을 때, 시간당 금전적 가치가 현재의 2배 이상이 되는 것은 몇 년 후부터인가?

(단, $\log 1.03=0.0128$, $\log 1.08=0.0334$, $\log 2=0.3010$으로 계산한다.)

① 9년 후　　　② 11년 후　　　③ 13년 후
④ 15년 후　　　⑤ 17년 후

32

물에 섞여 있는 중금속은 여과기를 한 번 통과할 때마다 20 %씩 감소한다고 한다. 중금속의 양을 처음 양의 2 % 이하로 줄이려면 여과기를 최소한 몇 번 통과시켜야 하는가?

(단, $\log 2=0.3010$으로 계산한다.)

① 17번　　　② 18번　　　③ 19번
④ 20번　　　⑤ 21번

33

방정식 $\log_2 x^2 + \log_2 y^2 = \log_{\sqrt{2}}(x+y+3)$을 만족시키는 두 양의 정수 x, y에 대하여 $x^2 + 2y^2$의 최솟값은?

① 3   ② 9   ③ 15

④ 21   ⑤ 27

34

$\alpha\beta = 32$, $\alpha^{\log_4 \beta} = 8$일 때, $\beta^2 - \alpha^2$의 값은? (단, $0 < \alpha < \beta$)

① 48   ② 50   ③ 52

④ 54   ⑤ 56

35

방정식 $2^{2x} - a \times 2^x + 8 = 0$의 두 근과 방정식 $(\log_2 x)^2 - \log_2 x + b = 0$의 두 근이 같을 때, 두 상수 a, b에 대하여 $a+b$의 값을 구하시오.

36

이차방정식 $x^2 + px + q = 0$의 두 실근 α, β에 대하여

$$\log_2 (\alpha + \beta) = \log_2 \alpha + \log_2 \beta - 1$$

이 성립할 때, $q - p$의 최솟값은? (단, p, q는 실수이다.)

① 18   ② 24   ③ 30

④ 36   ⑤ 42

37

$1 < x < 100$, $1 < y < 100$인 두 자연수 x, y에 대하여 $2\log_x y + 3 = 2\log_y x$가 성립할 때, 순서쌍 (x, y)의 개수는?

① 6   ② 8   ③ 10

④ 12   ⑤ 14

38

x에 대한 방정식 $\log_a x + \log_a (2-x) = \log_a |a-1|$이 실근을 갖도록 a의 값을 정할 때, 자연수 a의 개수는? (단, $a \neq 1$)

① 0   ② 1   ③ 2

④ 3   ⑤ 4

39

두 자연수 a, b에 대하여 부등식 $|\log_2 a - \log_2 10| + \log_2 b \leq 1$을 만족시키는 순서쌍 (a, b)의 개수는?

① 15   ② 17   ③ 19

④ 21   ⑤ 23

40

$2 \leq x \leq 16$에서 $\log_2 x + \dfrac{12}{\log_2 x} - \log_x y = 6$을 만족시키는 y의 최댓값을 M, 최솟값을 m이라 할 때, $\dfrac{M}{m}$의 값을 구하시오.

41

부등식 $x^{\log_{\frac{1}{3}} x} \leq a x^2$이 모든 양수 x에 대하여 항상 성립하도록 양수 a의 값을 정할 때, a의 최솟값을 구하시오.

42

이차방정식 $(3 + \log_2 a)x^2 + 2(1 + \log_2 a)x + 1 = 0$이 서로 다른 두 실근을 가질 때, 다음 중 a의 값이 될 수 있는 것은?

① $\dfrac{1}{8}$ ② $\dfrac{1}{4}$ ③ $\dfrac{1}{2}$

④ 2   ⑤ 4

43

모든 양수 x에 대하여 부등식

$$\log_2 \frac{x}{a} \times \log_2 \frac{x^3}{a} + 3 \geq 0$$

이 성립하도록 하는 실수 a의 최댓값과 최솟값의 곱을 구하시오.

44

특정 환경의 어느 웹사이트에서 한 메뉴 안에 선택할 수 있는 항목이 n개 있는 경우, 항목을 1개 선택하는 데 걸리는 시간 T(초)가 다음 식을 만족시킨다.

$$T = 2 + \frac{1}{3} \log_2 (n+1)$$

메뉴가 여러 개인 경우, 모든 메뉴에서 항목을 1개씩 선택하는 데 걸리는 전체 시간은 각 메뉴에서 항목을 1개씩 선택하는 데 걸리는 시간을 모두 더하여 구한다. 예를 들어 메뉴가 3개이고 각 메뉴 안에 항목이 4개씩 있는 경우, 모든 메뉴에서 항목을 1개씩 선택하는 데 걸리는 전체 시간은 $3\left(2 + \frac{1}{3} \log_2 5\right)$초이다.

메뉴가 10개이고 각 메뉴 안에 항목이 n개씩 있는 경우, 모든 메뉴에서 항목을 1개씩 선택하는 데 걸리는 전체 시간이 30초 이하가 되도록 하는 n의 최댓값은?

① 7   ② 8   ③ 9
④ 10   ⑤ 11

 최고난도 문제

45

3보다 큰 자연수 n에 대하여 $f(n)$을 다음 조건을 만족시키는 가장 작은 자연수 a라 하자.

> (가) $a \geq 3$
> (나) 두 점 $(2, 0)$, $(a, \log_n a)$를 지나는 직선의 기울기는 $\frac{1}{2}$보다 작거나 같다.

$f(4) + f(5) + f(6) + \cdots + f(20)$의 값을 구하시오.

46

좌표평면에서 자연수 n에 대하여 다음 조건을 만족시키는 삼각형 OAB의 개수를 $f(n)$이라 할 때, $f(1) + f(2)$의 값을 구하시오. (단, O는 원점이다.)

> (가) 점 A의 좌표는 $(-2, 3^n)$이다.
> (나) 점 B의 좌표를 (a, b)라 할 때, a와 b는 자연수이고 $b \leq \log_2 a$를 만족시킨다.
> (다) 삼각형 OAB의 넓이는 15 이하이다.

07 삼각함수의 뜻

07 삼각함수의 뜻

1 일반각의 뜻

동경 OP가 나타내는 한 각의 크기를 $a°$라 할 때,
$$\angle XOP = 360° \times n + a° \ (n은 \ 정수)$$
로 나타내어지는 각 XOP의 크기를 동경 OP가 나타내는 일반각이라고 한다.

참고 일반각으로 나타낼 때, $a°$는 보통 $0° \le a° < 360°$ 또는 $-180° < a° \le 180°$인 것을 택한다.

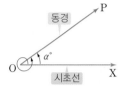

2 호도법

(1) 1라디안: 반지름의 길이가 r인 원에서 길이가 r인 호에 대한 중심각의 크기
(2) 호도법: 라디안을 단위로 하여 각의 크기를 나타내는 방법
(3) 육십분법과 호도법 사이의 관계
  ① 1라디안 $= \dfrac{180°}{\pi}$
  ② $1° = \dfrac{\pi}{180}$ 라디안

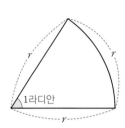

3 부채꼴의 호의 길이와 넓이

반지름의 길이가 r, 중심각의 크기가 θ인 부채꼴의 호의 길이를 l, 넓이를 S라 하면
(1) $l = r\theta$
(2) $S = \dfrac{1}{2}r^2\theta = \dfrac{1}{2}rl$

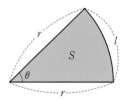

4 삼각함수

동경 OP가 나타내는 각 θ에 대하여
(1) $\sin\theta = \dfrac{y}{r}$
(2) $\cos\theta = \dfrac{x}{r}$
(3) $\tan\theta = \dfrac{y}{x} \ (x \ne 0)$

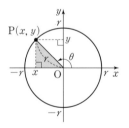

5 삼각함수 사이의 관계

(1) $\tan\theta = \dfrac{\sin\theta}{\cos\theta}$ (2) $\sin^2\theta + \cos^2\theta = 1$

개념 플러스

◀ **두 동경의 위치 관계**
두 동경의 크기가 각각 a, β일 때, 두 동경의 위치에 따른 관계식은 다음과 같다.
(단, n은 정수)

두 동경의 위치 관계	a, β의 관계식
일치	$a - \beta = 2n\pi$
일직선상에 있고 방향이 반대	$a - \beta = 2n\pi + \pi$
x축에 대하여 대칭	$a + \beta = 2n\pi$
y축에 대하여 대칭	$a + \beta = 2n\pi + \pi$
직선 $y=x$에 대하여 대칭	$a + \beta = 2n\pi + \dfrac{\pi}{2}$

◀ 각의 크기를 호도법으로 나타낼 때에는 단위인 라디안을 생략하고 실수처럼 쓴다.

◀ 부채꼴의 호의 길이와 넓이는 중심각의 크기에 정비례하므로
$2\pi : \theta = 2\pi r : l$ ∴ $l = r\theta$
$2\pi : \theta = \pi r^2 : S$
∴ $S = \dfrac{1}{2}r^2\theta = \dfrac{1}{2}rl$

◀ 각 사분면에서 값이 양수인 삼각함수를 좌표평면 위에 나타내면 다음과 같다.

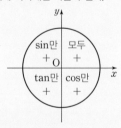

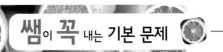

쌤이 꼭 내는 기본 문제

01

〈보기〉에서 옳은 것만을 있는 대로 고른 것은?

┌ 보기 ┐

ㄱ. $\dfrac{\pi}{3}=60°$ ㄴ. $225°=\dfrac{5}{4}\pi$

ㄷ. $-\dfrac{7}{6}\pi=-210°$ ㄹ. $\pi=3.14°$

① ㄱ, ㄴ   ② ㄴ, ㄷ   ③ ㄱ, ㄴ, ㄷ
④ ㄱ, ㄴ, ㄹ   ⑤ ㄱ, ㄷ, ㄹ

02

$0<\theta<2\pi$이고 각 θ의 동경과 각 5θ의 동경이 일치할 때, 모든 θ의 값의 합은?

① π ② 2π ③ 3π
④ 4π ⑤ 5π

03

중심각의 크기가 $\dfrac{2}{3}\pi$이고 넓이가 $12\pi\,\mathrm{cm}^2$인 부채꼴의 둘레의 길이를 구하시오.

04

둘레의 길이가 20인 부채꼴의 최대 넓이를 구하시오.

05

원점 O와 점 P$(-4, 3)$에 대하여 동경 OP가 나타내는 각의 크기를 θ라 할 때, $5\sin\theta+4\tan\theta$의 값을 구하시오.

06

다음 중 $\sin\theta\cos\theta>0$, $\cos\theta\tan\theta<0$을 동시에 만족시키는 θ의 값이 될 수 없는 것은?

① $\dfrac{8}{7}\pi$ ② $\dfrac{7}{6}\pi$ ③ $\dfrac{5}{4}\pi$

④ $\dfrac{7}{5}\pi$ ⑤ $\dfrac{5}{3}\pi$

07

$\sin x+\cos x=\sqrt{2}$일 때, $\dfrac{1}{\sin x}+\dfrac{1}{\cos x}$의 값을 구하시오.

08

이차방정식 $3x^2-x+k=0$의 두 근이 $\sin\theta$, $\cos\theta$일 때, 실수 k의 값을 구하시오.

09

〈보기〉에서 옳은 것만을 있는 대로 고른 것은?

> ┤ 보 기 ├
>
> ㄱ. 1라디안 $= \dfrac{180°}{\pi}$
>
> ㄴ. $120° = \dfrac{2}{3}\pi$
>
> ㄷ. $-200°$는 제3사분면의 각이다.
>
> ㄹ. 1라디안은 호의 길이와 반지름의 길이가 같은 부채꼴의 중심각의 크기이다.

① ㄱ   ② ㄱ, ㄷ   ③ ㄴ, ㄷ

④ ㄴ, ㄹ   ⑤ ㄱ, ㄴ, ㄹ

10

동경 OP가 나타내는 한 각의 크기가 그림과 같고 동경 OP가 나타내는 일반각의 크기를 θ라 할 때, $-3\pi < \theta < 3\pi$를 만족시키는 각 θ의 개수를 구하시오.

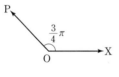

각 θ가 제3사분면의 각일 때, 각 $\dfrac{\theta}{2}$는 제 몇 사분면의 각인가?

① 제 1, 3사분면   ② 제 1, 4사분면

③ 제 2, 3사분면   ④ 제 2, 4사분면

⑤ 제 3, 4사분면

12

각 θ를 나타내는 동경과 각 6θ를 나타내는 동경이 일직선 위에 있고 방향이 반대일 때, $\sin\left(\theta + \dfrac{2}{15}\pi\right)$의 값은? $\left(\text{단, } 0 < \theta < \dfrac{\pi}{2}\right)$

① $\dfrac{\sqrt{3}}{4}$ ② $\dfrac{1}{2}$ ③ $\dfrac{\sqrt{3}}{3}$

④ $\dfrac{\sqrt{2}}{2}$ ⑤ $\dfrac{\sqrt{3}}{2}$

$0 < \theta < 2\pi$인 각 θ에 대하여 각 3θ를 나타내는 동경과 각 5θ를 나타내는 동경이 x축에 대하여 대칭일 때, 각 θ의 개수를 구하시오.

14

시초선이 일치하고 크기가 α, β인 두 각을 나타내는 동경이 직선 $y = -x$에 대하여 대칭일 때, 다음 중 옳은 것은?

(단, n은 정수이다.)

① $\alpha - \beta = 2n\pi$ ② $\alpha - \beta = 2n\pi + \pi$

③ $\alpha + \beta = 2n\pi + \dfrac{\pi}{2}$ ④ $\alpha + \beta = 2n\pi + \pi$

⑤ $\alpha + \beta = 2n\pi + \dfrac{3}{2}\pi$

유형 3 부채꼴의 호의 길이와 넓이

15

반지름의 길이가 2인 부채꼴의 둘레의 길이가 2π일 때, 이 부채꼴의 넓이 S와 중심각의 크기 θ를 각각 구하시오.

16

그림과 같이 지름의 길이가 1인 원 O 위의 점 P에 대하여 $\angle PAB=\theta$일 때, 부채꼴 POB의 둘레의 길이는?

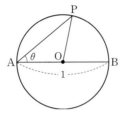

① $1-\theta$ ② $2-\theta$

③ $\frac{1}{2}+\theta$ ④ $1+\theta$

⑤ $2+\theta$

★중요 17

둘레의 길이가 10인 부채꼴의 넓이가 최대일 때, 이 부채꼴의 중심각의 크기는?

① 1 ② 2 ③ 3

④ 4 ⑤ 5

18

그림과 같은 부채꼴 AOB에서 반지름의 길이를 10 % 줄이고, 호 AB의 길이를 10 % 늘인 부채꼴의 넓이는 어떤 변화가 있는가?

① 3 % 줄어든다. ② 1 % 줄어든다.

③ 변화가 없다. ④ 1 % 늘어난다.

⑤ 3 % 늘어난다.

★중요 19

넓이가 $4a^2$으로 일정한 부채꼴의 둘레의 길이의 최솟값은?

(단, $a>0$)

① $2a$ ② $2\sqrt{2}a$ ③ $4a$

④ $4\sqrt{2}a$ ⑤ $8a$

20

그림과 같은 부채꼴 AOB에서 호 AB의 길이는 $\frac{4}{3}\pi$, $\overline{AH}\perp\overline{OB}$, $\angle AOH=\frac{\pi}{3}$일 때, 색칠한 부분의 넓이를 구하시오.

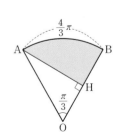

유형 4 삼각함수의 정의

21
원점과 점 $P(5, -12)$를 이은 선분을 동경으로 하는 각의 크기를 θ라 할 때, $13(\sin\theta - \cos\theta) + 10\tan\theta$의 값은?

① -41　　　② -31　　　③ -21

④ -11　　　⑤ 0

22
제2사분면 위의 점 P가 직선 $y = -\sqrt{3}x$ 위에 있다. 동경 OP가 나타내는 각의 크기를 θ라 할 때, $\sin\theta + \cos\theta + \tan\theta$의 값을 구하시오. (단, O는 원점이다.)

23
그림과 같이 원 $x^2 + y^2 = 4$와 직선 $y = \dfrac{1}{\sqrt{3}}x$가 만나는 두 점을 각각 P, Q라 하고 선분 OP가 x축의 양의 방향과 이루는 각의 크기를 α, 선분 OQ가 y축의 양의 방향과 이루는 각의 크기를 β라 할 때, $\sin\alpha + \cos\beta$의 값은? (단, O는 원점이다.)

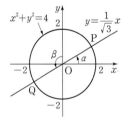

① -1　　　② $\dfrac{1-\sqrt{3}}{2}$　　　③ 0

④ 1　　　⑤ $\dfrac{1+\sqrt{3}}{2}$

유형 5 삼각함수의 값의 부호

24
$\sin\theta\tan\theta > 0$, $\sin\theta + \tan\theta < 0$을 동시에 만족시키는 각 θ의 동경이 존재할 수 있는 사분면은?

① 제1사분면　　　② 제2사분면　　　③ 제3사분면

④ 제4사분면　　　⑤ 제1, 4사분면

25
각 θ가 제3사분면의 각일 때, $|\cos\theta| + \sqrt{(1-\cos\theta)^2}$을 간단히 하면?

① $1 - 2\cos\theta$　　　② $2\cos\theta - 1$　　　③ $\cos\theta$

④ -1　　　⑤ 1

26
$\dfrac{\sqrt{\sin\theta}}{\sqrt{\cos\theta}} = -\sqrt{\tan\theta}$를 만족시키는 각 θ에 대하여
$$|\sin\theta| - \sqrt{\cos^2\theta} + |1 + \sin\theta| + \sqrt{(1-\cos\theta)^2}$$
을 간단히 하면? (단, $\sin\theta \neq 0$)

① $2 - 2\sin\theta$　　　② $2 - 2\cos\theta$　　　③ 2

④ $2 + 2\sin\theta$　　　⑤ $2 + 2\cos\theta$

유형 6 삼각함수 사이의 관계

27

$\dfrac{1}{2}\left(\dfrac{1+\sin\theta}{\cos\theta}+\dfrac{\cos\theta}{1+\sin\theta}\right)$를 간단히 하면?

① $\sin\theta$　　　　② $\cos\theta$　　　　③ $\tan\theta$

④ $\dfrac{1}{\sin\theta}$　　　　⑤ $\dfrac{1}{\cos\theta}$

28

〈보기〉에서 옳은 것만을 있는 대로 고르시오.

┌─ 보기 ├──────────────────────

　ㄱ. $\cos^2\theta-\sin^4\theta=1-2\sin^2\theta$

　ㄴ. $(\sin\theta-\cos\theta)^2+(\sin\theta+\cos\theta)^2=2$

　ㄷ. $\tan^2\theta-\sin^2\theta=\tan^2\theta\sin^2\theta$

└────────────────────────────

29

$\sin\theta+\cos\theta=\dfrac{4}{3}$일 때, $\dfrac{\sin^2\theta}{\cos\theta}+\dfrac{\cos^2\theta}{\sin\theta}$의 값은?

① $\dfrac{20}{21}$　　　　② $\dfrac{26}{21}$　　　　③ $\dfrac{32}{21}$

④ $\dfrac{38}{21}$　　　　⑤ $\dfrac{44}{21}$

30

자연수 n에 대하여 $f(n)=\sin^n\theta+\cos^n\theta$일 때, 다음 중 $2f(6)$과 같은 것은?

① $2f(4)-1$　　　② $2f(4)+3$　　　③ $3f(4)-1$

④ $3f(4)+3$　　　⑤ $4f(4)-1$

31

이차방정식 $2x^2+kx+1=0$의 두 근이 $\sin\theta$, $\cos\theta$일 때, $k\tan\theta$의 값을 구하시오. (단, $k>0$)

32

이차방정식 $2x^2+\sqrt{2}\,x-\dfrac{1}{2}=0$의 두 근이 $\sin\theta$, $\cos\theta$일 때, $\tan\theta$, $\dfrac{1}{\tan\theta}$을 두 근으로 하고 이차항의 계수가 1인 이차방정식을 구하시오.

33

그림과 같이 반지름의 길이가 2 m인 반원 모양의 잔디밭에 폭 1 m인 자갈 길을 만들었을 때, 자갈길의 넓이는?

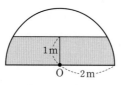

① $\left(\sqrt{2}+\dfrac{\pi}{3}\right)\text{m}^2$ ② $\left(\sqrt{3}+\dfrac{\pi}{3}\right)\text{m}^2$ ③ $\left(\sqrt{3}+\dfrac{2}{3}\pi\right)\text{m}^2$

④ $\left(2\sqrt{2}+\dfrac{\pi}{3}\right)\text{m}^2$ ⑤ $\left(2\sqrt{3}+\dfrac{\pi}{3}\right)\text{m}^2$

34

그림과 같이 한 변의 길이가 20인 정사각형 PQRS가 있다. 두 점 P, Q를 각각의 중심으로 하고 반지름의 길이가 20인 사분원을 그릴 때, 색칠한 부분의 넓이를 구하시오.

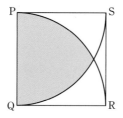

35

$0<\theta<\dfrac{\pi}{2}$인 각 θ에 대하여 각 20θ가 제1사분면의 각일 때, $\sin 20\theta = \sin \theta$를 만족시키는 각 θ의 개수는?

① 1   ② 2   ③ 3

④ 4   ⑤ 5

36

$0<\theta<2\pi$인 각 θ에 대하여 각 θ를 나타내는 동경과 각 3θ를 나타내는 동경이 x축에 대하여 대칭일 때, 이를 만족시키는 θ를 θ_1, θ_2, $\cdots$, θ_n이라 하자. $\sin^2\theta_1+\sin^2\theta_2+\cdots+\sin^2\theta_n$의 값을 구하시오.

37

그림과 같은 직각삼각형 ABC의 꼭짓점 C와 빗변 AB를 삼등분하는 점 D, E 사이의 거리가 각각 $\sin x$, $\cos x$일 때, 선분 AB의 길이를 구하시오.

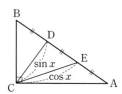

38

반지름의 길이가 2인 두 원 O, O′이 있다. 그림과 같이 두 원의 중심 O, O′을 연결한 선분과 이루는 각의 크기가 30°인 두 원 O, O′의 접선을 각각 l, l'이라 하자. 두 직선 l, l'에 동시에 접하는 원의 반지름의 길이가 2일 때, 선분 OO′의 길이를 구하시오.

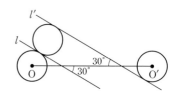

39

원 $x^2+y^2=6$과 직선 $y=\left|\dfrac{\sqrt{2}}{2}x\right|$

의 두 교점을 각각 P, Q라 하자.
두 동경 OP, OQ가 나타내는 각의
크기를 각각 α, β라 할 때,

$\dfrac{2}{\cos\alpha}+\dfrac{\sqrt{2}}{\tan\beta}$ 의 값을 구하시오.

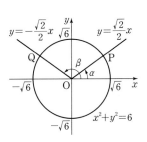

40

원점 O와 곡선 $y=\dfrac{4}{x}$ ($x>0$) 위의 점 P에 대하여 동경 OP가

나타내는 각을 θ라 할 때, $\sin\theta\cos\theta$의 최댓값을 구하시오.

41

직선 $2x+y\sin\theta+\cos\theta=0$이
그림과 같을 때, 직선
$y=x\sin\theta+\tan\theta\cos\theta$가 지나지 않는
사분면을 구하시오.

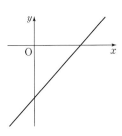

42

x에 대한 이차방정식 $2x^2+x\cos\theta+3\cos\theta\tan\theta=0$이 서로
다른 부호의 실근을 가지고 음수인 근의 절댓값이 양수인 근보다
크도록 θ의 값을 정할 때, 다음 중 θ의 값이 될 수 있는 것은?

① $-\dfrac{3}{4}\pi$ ② $-\dfrac{1}{5}\pi$ ③ $\dfrac{2}{7}\pi$

④ $\dfrac{5}{8}\pi$ ⑤ $\dfrac{10}{9}\pi$

43

모든 실수 x에 대하여 이차부등식 $kx^2-2kx+2-k>0$이 성립
할 때, 〈보기〉에서 옳은 것만을 있는 대로 고른 것은?

(단, k의 단위는 라디안이다.)

┤ 보기 ├

ㄱ. $\cos k>0$ ㄴ. $\sin k>0$

ㄷ. $\sin 2k>0$ ㄹ. $\cos 2k>0$

① ㄱ, ㄴ ② ㄱ, ㄹ ③ ㄴ, ㄷ

④ ㄱ, ㄴ, ㄷ ⑤ ㄱ, ㄴ, ㄹ

44

자연수 n에 대하여 A_n을 $A_n=3+(-1)^n$이라 하자. 좌표평면

위의 점 P_n의 좌표를 $\left(A_n\cos\dfrac{2n\pi}{3},\ A_n\sin\dfrac{2n\pi}{3}\right)$라 할 때, 다음

중 점 P_{2021}과 같은 점은?

① P_1 ② P_2 ③ P_3

④ P_4 ⑤ P_5

45

그림과 같이 한 변의 길이가 1인 정사각형 ABCD가 있다. 변 CD 위의 점 E에 대하여 선분 DE를 지름으로 하는 원과 직선 BE가 만나는 점 중 E가 아닌 점을 F라 하자. ∠EBC=θ라 할 때, 점 E를 포함하지 않는 호 DF를 이등분하는 점과 선분 DF의 중점을 지름의 양 끝점으로 하는 원의 반지름의 길이를 $r(\theta)$라 하자.

$r(\theta)$는? $\left(\text{단},\ 0<\theta<\dfrac{\pi}{4}\right)$

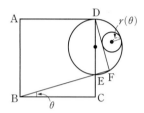

① $\dfrac{(1-\tan\theta)(1+\cos\theta)}{4}$ ② $\dfrac{(1-\tan\theta)(1-\sin\theta)}{4}$

③ $\dfrac{(1-\tan\theta)(1-\cos\theta)}{4}$ ④ $\dfrac{(1-\tan\theta)(1-\sin\theta)}{8}$

⑤ $\dfrac{(1-\tan\theta)(1-\cos\theta)}{8}$

46

그림과 같이 선분 P_0P_1을 지름으로 하는 반원이 있다.

$\angle P_0P_1P_2 = 1°$,
$\angle P_1P_2P_3 = 2°$, $\cdots$

$\angle P_{k-1}P_kP_{k+1} = (2^{k-1})°$ $(k=1, 2, 3, \cdots)$

를 만족시키도록 반원 위에 점 P_2, P_3, P_4, $\cdots$을 잡을 때, $\overline{P_3P_4}=30$이라고 한다. 이 반원의 반지름의 길이는?

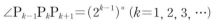

① $15\cos 4°$ ② $\dfrac{15}{\cos 4°}$ ③ $15\cos 7°$

④ $\dfrac{15}{\cos 7°}$ ⑤ $15\cos 10°$

47

그림에서 두 삼각형 ABC와 CDE는 각각 한 변의 길이가 a인 정삼각형이다. 반지름의 길이가 $\sqrt{3}$인 원이 두 삼각형 ABC와 CDE의 둘레를 외접하면서 시계 방향으로 한 바퀴 돌아 처음 출발한 자리로 왔을 때, 원의 중심 P가 움직인 거리는 $23+\dfrac{8\sqrt{3}}{3}\pi$이다. a의 값을 구하시오.

(단, 세 점 B, C, E는 일직선상에 있다.)

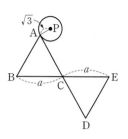

48

두 점 A, B를 지름의 양 끝점으로 하고 반지름의 길이가 10인 원 O 위를 움직이는 두 점 P, Q가 있다. 두 선분 OP, OQ는 각각 선분 OA, OB에서 동시에 출발하여 점 O를 중심으로 시계 방향으로 회전한다. 각각 일정한 속도로 한 바퀴 도는 데 선분 OP는 30초, 선분 OQ는 60초가 걸린다. 원의 내부가 처음에는 흰색이나, 두 선분 OP, OQ가 회전하면서 지나간 부분은 흰색은 검은색으로, 검은색은 흰색으로 바뀐다. 두 선분 OP, OQ가 출발한 지 800초 후의 검은색 부분의 넓이를 구하시오.

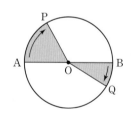

08 삼각함수의 그래프

08 삼각함수의 그래프

① $y=\sin x$, $y=\cos x$의 그래프

(1) **정의역**: 실수 전체의 집합
(2) **치역**: $\{y\,|-1\le y\le 1\}$
(3) 주기가 2π인 주기함수이다.
(4) $y=\sin x$의 그래프는 원점에 대하여 대칭이고 $y=\cos x$의 그래프는 y축에 대하여 대칭이다.

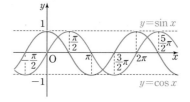

② $y=\tan x$의 그래프

(1) **정의역**: $x\ne n\pi+\dfrac{\pi}{2}$ (n은 정수)인 실수 전체의 집합
(2) **치역**: 실수 전체의 집합
(3) 주기가 π인 주기함수이다.
(4) 그래프는 원점에 대하여 대칭이다.
(5) 점근선의 방정식: $x=n\pi+\dfrac{\pi}{2}$ (n은 정수)

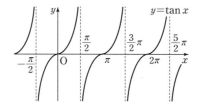

③ 일반각에 대한 삼각함수의 성질

(1) $2n\pi+\theta$ (n은 정수)의 삼각함수
$\sin(2n\pi+\theta)=\sin\theta$, $\cos(2n\pi+\theta)=\cos\theta$, $\tan(2n\pi+\theta)=\tan\theta$
(2) $-\theta$의 삼각함수
$\sin(-\theta)=-\sin\theta$, $\cos(-\theta)=\cos\theta$, $\tan(-\theta)=-\tan\theta$
(3) $\pi\pm\theta$의 삼각함수
$\sin(\pi\pm\theta)=\mp\sin\theta$, $\cos(\pi\pm\theta)=-\cos\theta$,
$\tan(\pi\pm\theta)=\pm\tan\theta$ (복부호 동순)
(4) $\dfrac{\pi}{2}\pm\theta$의 삼각함수
$\sin\left(\dfrac{\pi}{2}\pm\theta\right)=\cos\theta$, $\cos\left(\dfrac{\pi}{2}\pm\theta\right)=\mp\sin\theta$,
$\tan\left(\dfrac{\pi}{2}\pm\theta\right)=\mp\dfrac{1}{\tan\theta}$ (복부호 동순)

④ 삼각방정식

① 주어진 방정식을 $\sin x=k$ (또는 $\cos x=k$, $\tan x=k$)의 꼴로 고친다.
② 삼각함수 $y=\sin x$ (또는 $y=\cos x$, $y=\tan x$)의 그래프와 직선 $y=k$의 교점의 x좌표를 구한다.

⑤ 삼각부등식

① 부등호를 등호로 바꾸어 삼각방정식을 푼다.
② 삼각함수의 그래프를 이용하여 주어진 부등식을 만족시키는 미지수의 값의 범위를 구한다.

개념 플러스

◀ **주기함수**
함수 $y=f(x)$의 정의역에 속하는 임의의 실수 x에 대하여
$$f(x+p)=f(x)$$
인 0이 아닌 상수 p가 존재할 때, $y=f(x)$를 주기함수라 하고, 이러한 상수 p의 값 중에서 최소인 양수를 그 함수의 주기라고 한다.

◀ **삼각함수의 최댓값, 최솟값, 주기**
함수 $y=a\sin b(x-m)+n$,
$y=a\cos b(x-m)+n$
$\Rightarrow$ 최댓값: $|a|+n$,
　최솟값: $-|a|+n$,
　주기: $\dfrac{2\pi}{|b|}$
함수 $y=a\tan b(x-m)+n$
$\Rightarrow$ 최댓값, 최솟값은 없다.
　주기: $\dfrac{\pi}{|b|}$

◀ $\dfrac{\pi}{2}\times n+\theta$ (n은 정수)의 삼각함수
① 각 $\dfrac{\pi}{2}\times n+\theta$에서 θ는 예각이라 생각하고 제 몇 사분면의 각인지 구하여 부호를 정한다.
② (i) n이 짝수일 때,
　　$\sin\Rightarrow\sin$, $\cos\Rightarrow\cos$, $\tan\Rightarrow\tan$
　(ii) n이 홀수일 때,
　　$\sin\Rightarrow\cos$, $\cos\Rightarrow\sin$, $\tan\Rightarrow\dfrac{1}{\tan}$

예 $0\le\theta<\dfrac{\pi}{2}$일 때,
・$\sin\left(\dfrac{\pi}{2}\times 2+\theta\right)=-\sin\theta$
・$\cos\left(\dfrac{\pi}{2}\times 3+\theta\right)=\sin\theta$

◀ 삼각방정식에서 x의 값은 삼각함수의 그래프의 대칭성을 이용하면 편리하다.
① $\sin x=k$의 해

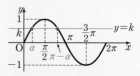

② $\cos x=k$의 해

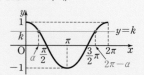

쌤이 꼭 내는 기본 문제

01

다음 함수 중 모든 실수 x에 대하여 $f(x+2)=f(x)$를 만족시키는 것은?

① $f(x)=\sin 2x$ ② $f(x)=\cos x$

③ $f(x)=\tan 2x$ ④ $f(x)=\sin \pi x$

⑤ $f(x)=\cos \dfrac{\pi}{2} x$

02

함수 $y=\sin 2x$의 그래프를 평행이동 또는 대칭이동하여 일치시킬 수 있는 그래프의 식만을 〈보기〉에서 있는 대로 고른 것은?

┌─ 보기 ┐

ㄱ. $y=\sin (2x-\pi)$ ㄴ. $y=\sin 3x+1$

ㄷ. $y=\sin \left(2x-\dfrac{\pi}{2}\right)+2$ ㄹ. $y=-\sin 2x-3$

① ㄱ, ㄴ   ② ㄴ, ㄹ   ③ ㄷ, ㄹ

④ ㄱ, ㄷ, ㄹ   ⑤ ㄴ, ㄷ, ㄹ

03

함수 $y=2\cos \left(\dfrac{x}{2}-\dfrac{\pi}{4}\right)+2$의 최댓값, 최솟값, 주기를 각각 a, b, c라 할 때, $a+b+c$의 값을 구하시오.

04

그림의 그래프가 나타내는 식이 $y=a\sin (bx+c)$일 때, 세 상수 a, b, c에 대하여 abc의 값을 구하시오.

(단, $a>0$, $b>0$, $-\pi<c<\pi$)

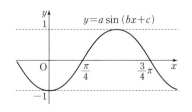

05

$\sin \dfrac{7}{3}\pi \cos \dfrac{13}{6}\pi + \cos \left(-\dfrac{7}{6}\pi\right)\tan \dfrac{4}{3}\pi$의 값을 구하시오.

06

함수 $y=\cos^2 x-2\sin x-1$의 최댓값을 M, 최솟값을 m이라 할 때, $M-m$의 값을 구하시오.

07

방정식 $2\sin x=\sqrt{3}$의 두 근을 α, β $(\alpha<\beta)$라 할 때, $\tan (\beta-\alpha)$의 값을 구하시오. (단, $0\leq x\leq 2\pi$)

08

부등식 $2\sin^2 x-3\cos x>0$의 해가 $a<x<b$일 때, $a+b$의 값을 구하시오. (단, $0\leq x<2\pi$)

유형 1 함수 $y=\sin x$, $y=\cos x$의 그래프

09

다음 중 함수 $f(x)=-4\sin(2x-\pi)+2$의 그래프에 대한 설명으로 옳지 <u>않은</u> 것은?

① 주기는 π이다.　　　　② 최댓값은 6이다.

③ 최솟값은 2이다.　　　　④ $f(\pi)=2$

⑤ 직선 $x=\dfrac{3}{4}\pi$에 대하여 대칭이다.

10

함수 $y=\sin\dfrac{\pi}{2}x$의 그래프와 x축 사이에 직사각형 ABCD가 그림과 같이 내접하고 있다.
$\overline{\mathrm{BC}}=\dfrac{4}{3}$일 때, 선분 CD의 길이를 구하시오.

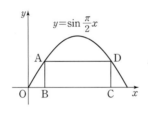

⭐중요 11

함수 $f(x)=a\cos\dfrac{x}{2}+b$의 최댓값이 4이고 $f\left(\dfrac{2}{3}\pi\right)=\dfrac{5}{2}$일 때, 두 상수 a, b의 곱 ab의 값은? (단, $a>0$)

① $\dfrac{3}{2}$　　　　② 2　　　　③ $\dfrac{5}{2}$

④ 3　　　　⑤ $\dfrac{7}{2}$

12

두 함수 $y=a\sin x$와 $y=\dfrac{3}{4}\cos ax$의 그래프가 그림과 같을 때, 양수 a의 값을 구하시오.

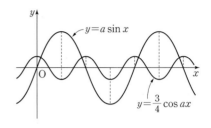

⭐중요 13

그림은 함수 $y=\sin x$의 그래프이다. 이 그래프를 이용하여 $\cos(a+b+c+d+e+f)$의 값을 구하면?

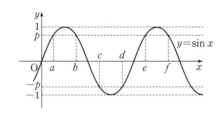

① 0　　　　② 1　　　　③ -1

④ p　　　　⑤ $-p$

14

그림은 함수 $y=\cos a(x+b)+1$의 그래프이다. 두 상수 a, b에 대하여 ab의 값을 구하시오. (단, $a>0$, $0<b<\pi$)

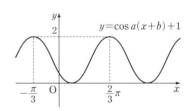

유형 2 함수 $y=\tan x$의 그래프

15
함수 $f(x)=a\tan bx$의 주기가 $\dfrac{\pi}{4}$이고, $f\left(\dfrac{\pi}{16}\right)=5$일 때,
두 상수 a, b에 대하여 ab의 값은? (단, $b>0$)

① 5   ② 10   ③ 15

④ 20   ⑤ 25

16
함수 $f(x)=a\tan(bx+c)+d$의 그래프는 주기가 $\dfrac{\pi}{2}$이고
$y=a\tan bx$의 그래프를 x축의 방향으로 $\dfrac{\pi}{4}$만큼, y축의 방향
으로 -1만큼 평행이동한 것이다. $f\left(\dfrac{\pi}{3}\right)=\sqrt{3}-1$일 때, $abcd$
의 값은? (단, a, b, c, d는 상수이고, $b>0$이다.)

① -2π ② $-\pi$ ③ π

④ 2π ⑤ 3π

17
그림은 함수 $f(x)=a\tan(bx+c)$의 그래프이다. 세 상수
a, b, c에 대하여 abc의 값을 구하시오.

(단, $a>0$, $b>0$, $-\pi<c<0$)

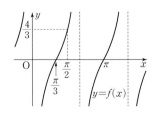

유형 3 절댓값을 포함한 삼각함수

18
다음 중 함수 $y=\sin x-|\sin x|$의 그래프에 대한 설명으로 옳지
않은 것은?

① 주기는 2π이다.   ② 최댓값은 0이다.

③ 최솟값은 -2이다.   ④ 원점에 대하여 대칭이다.

⑤ 직선 $x=\dfrac{\pi}{2}$에 대하여 대칭이다.

19
〈보기〉에서 두 함수의 그래프가 일치하는 것만을 있는 대로 고른
것은?

┤ 보 기 ├
ㄱ. $y=|\cos x|$, $y=\sin|x|$
ㄴ. $y=|\sin x|$, $y=\left|\cos\left(x+\dfrac{\pi}{2}\right)\right|$
ㄷ. $y=\cos|x|$, $y=|\sin(x-\pi)|$

① ㄱ   ② ㄴ   ③ ㄷ

④ ㄱ, ㄴ   ⑤ ㄴ, ㄷ

20
그림은 함수 $y=|\tan ax|+b$의 그래프이다. 두 상수 a, b에
대하여 ab의 값을 구하시오. (단, $a>0$)

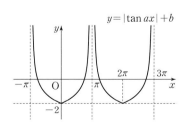

유형 4 일반각에 대한 삼각함수의 성질

21 (중요)

$$\frac{\sin\left(\frac{\pi}{2}-\theta\right)}{\sin\left(\frac{\pi}{2}+\theta\right)\cos^2\theta}+\frac{\sin(\pi+\theta)\tan^2(\pi-\theta)}{\cos\left(\frac{3}{2}\pi+\theta\right)}$$ 의 값은?

① -1 ② 0 ③ 1

④ 2 ⑤ 3

22

A, B, C가 삼각형 ABC의 세 내각의 크기를 나타낼 때, 〈보기〉에서 옳은 것만을 있는 대로 고른 것은?

┤ 보기 ├
ㄱ. $\sin(B+C)=\sin A$ ㄴ. $\cos(B+C)=\cos A$
ㄷ. $\cos\left(\dfrac{B}{2}+\dfrac{C}{2}\right)=\sin\dfrac{A}{2}$

① ㄱ   ② ㄴ   ③ ㄱ, ㄷ
④ ㄴ, ㄷ   ⑤ ㄱ, ㄴ, ㄷ

23

그림과 같이 좌표평면 위의 단위원을 10등분하여 각 분점을 차례로 P_0, P_1, P_2, $\cdots$, P_9라 하자. $\angle P_0OP_1=\theta$라 할 때,
$$\sin\theta+\sin 2\theta+\sin 3\theta+\cdots+\sin 10\theta$$
의 값을 구하시오.

(단, O는 원점이고, 점 P_0의 좌표는 $(1, 0)$이다.)

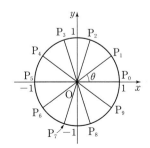

유형 5 sin, cos, tan를 포함한 식의 최대·최소

24

함수 $y=-3\sin^2 x+3\cos x+2$의 최댓값을 M, 최솟값을 m이라 할 때, $M+m$의 값을 구하시오.

25 (중요)

함수 $y=-\cos^2\left(x+\dfrac{\pi}{2}\right)+\cos(x-\pi)$가 $x=a$에서 최솟값 b를 가질 때, ab의 값은? (단, $0 \le x \le \pi$)

① $-\dfrac{5}{12}\pi$ ② $-\dfrac{\pi}{4}$ ③ 0

④ $\dfrac{\pi}{4}$ ⑤ $\dfrac{5}{12}\pi$

26

$a>0$이고 함수 $y=a\cos^2\theta+a\sin\theta+2$의 최댓값이 7일 때, 상수 a의 값은?

① 1 ② 2 ③ 3
④ 4 ⑤ 5

27

실수 전체의 집합에서 정의된 함수 $y=-|\cos\theta-4|+1$의 최댓값을 M, 최솟값을 m이라 할 때, $M+m$의 값을 구하시오.

28

함수 $y=\dfrac{2\tan x+3}{\tan x+2}$의 최댓값과 최솟값을 각각 M, m이라 할 때, $M+m$의 값을 구하시오. $\left(\text{단, }0\le x\le\dfrac{\pi}{4}\right)$

29

$\pi<x<\dfrac{3}{2}\pi$에서 정의된 함수

$$y=\tan^2 x+\dfrac{1}{\tan^2 x}+2\tan x+\dfrac{2}{\tan x}+3$$

의 최솟값을 구하시오.

유형 **6** 삼각방정식

30

방정식 $2\sin^2 x+\cos x-1=0$의 모든 근의 합은?

(단, $0\le x\le 2\pi$)

① 2π ② $\dfrac{5}{2}\pi$ ③ 3π

④ $\dfrac{7}{2}\pi$ ⑤ 4π

31

$0\le x<2\pi$일 때, 방정식 $\sqrt{3}\tan x=2\sin x$의 모든 근의 합은?

① $\dfrac{\pi}{3}$ ② $\dfrac{\pi}{2}$ ③ π

④ 2π ⑤ 3π

32

방정식 $\tan\alpha=2$, $\tan\beta=-2$를 만족시키는 모든 α, β의 값의 합은? (단, $0\le\alpha<2\pi$, $0\le\beta<2\pi$)

① π ② 2π ③ 3π

④ 4π ⑤ 5π

33

$\dfrac{\pi}{6} \le x < \dfrac{3}{2}\pi$에서 방정식 $2\cos\left(x+\dfrac{\pi}{6}\right)+\sqrt{3}=0$의 두 근을 α, β $(\alpha<\beta)$라 할 때, $\dfrac{\alpha\beta}{\pi^2}$의 값은?

① $\dfrac{5}{36}$ ② $\dfrac{2}{3}$ ③ $\dfrac{8}{9}$

④ $\dfrac{35}{36}$ ⑤ 1

34

$0 \le x \le \dfrac{3}{2}\pi$에서 방정식 $\cos(\pi\cos x)=0$의 해를 θ_1, θ_2, θ_3이라 할 때, $\theta_1+\theta_2+\theta_3$의 값은?

① $\dfrac{5}{3}\pi$ ② 2π ③ $\dfrac{7}{3}\pi$

④ $\dfrac{8}{3}\pi$ ⑤ 3π

⭐중요
35

방정식 $4\cos^2 x - 4\sin x + a = 0$이 실근을 가질 때, 실수 a의 값의 범위는 $\alpha \le a \le \beta$이다. $\alpha+\beta$의 값을 구하시오.

유형 **7** 삼각부등식

36

$\pi \le \theta \le 2\pi$일 때, 부등식 $\dfrac{1}{2} \le \cos\theta < \dfrac{\sqrt{2}}{2}$의 해를 구하시오.

⭐중요
37

부등식 $2\sin^2 x - \cos x - 1 < 0$의 해가 $0 \le x < \alpha$ 또는 $\beta < x < 2\pi$일 때, $\dfrac{\beta}{\alpha}$의 값은? (단, $0 \le x < 2\pi$)

① 2 ② 3 ③ 4

④ 5 ⑤ 11

38

$\dfrac{\pi}{2} < x < \pi$일 때, 세 변의 길이가 1, 2, $2\sin x$인 삼각형이 둔각삼각형이 되도록 하는 x의 값의 범위는?

① $\dfrac{\pi}{2} < x < \dfrac{2}{3}\pi$ ② $\dfrac{\pi}{2} < x < \dfrac{5}{6}\pi$

③ $\dfrac{2}{3}\pi < x < \dfrac{5}{6}\pi$ ④ $\dfrac{2}{3}\pi < x < \pi$

⑤ $\dfrac{5}{6}\pi < x < \pi$

39

부등식 $2\cos\left(2x-\dfrac{\pi}{3}\right)<\sqrt{3}$의 해를 구하시오. (단, $0\leq x\leq\pi$)

40

부등식 $\tan\left(x+\dfrac{\pi}{3}\right)<1$의 해가 $\alpha<x<\beta$일 때, $\alpha+\beta$의 값은?

(단, $0\leq x<\pi$)

① $\dfrac{\pi}{3}$ ② $\dfrac{2}{3}\pi$ ③ π

④ $\dfrac{13}{12}\pi$ ⑤ $\dfrac{5}{4}\pi$

41

부등식 $\sin^{2}\left(x+\dfrac{\pi}{2}\right)+2\sin x+k\leq0$이 모든 실수 x에 대하여 항상 성립하도록 하는 실수 k의 값의 범위를 구하시오.

유형 **8** 삼각방정식의 실근의 개수

42

방정식 $\sin\pi x-\dfrac{1}{5}x=0$의 실근의 개수는?

① 7   ② 8   ③ 9
④ 10   ⑤ 11

43

방정식 $2\cos\pi x=\dfrac{1}{3}|x-1|$의 실근의 개수는?

① 8   ② 9   ③ 10
④ 11   ⑤ 12

44

두 함수 $f(x)=\dfrac{1}{4}x^{2}$, $g(x)=\sqrt{1-\cos^{2}2\pi x}$에 대하여 방정식 $f(x)=g(x)$의 실근의 개수는?

① 13   ② 14   ③ 15
④ 16   ⑤ 17

45

그림은 두 삼각함수 $y=f(x)$, $y=g(x)$의 그래프이다. 다음 중
옳은 것은?

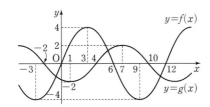

① $g(x)=\dfrac{1}{2}f(x-4)$ ② $g(x)=2f(x-4)$

③ $g(x)=\dfrac{1}{2}f(x+4)$ ④ $g(x)=2f(x+4)$

⑤ $g(x)=\dfrac{1}{2}f(x)$

46

$\left(\cos^2\dfrac{\pi}{10}+\cos^2\dfrac{2\pi}{10}+\cos^2\dfrac{3\pi}{10}+\cdots+\cos^2\dfrac{9\pi}{10}\right)-\cos^2\dfrac{\pi}{2}$의
값을 구하시오.

47

그림과 같은 삼각형 ABC에서 ∠BAC를 이등분하는 직선이
선분 BC와 만나는 점을 D라 하면 ∠ADC=45°가 된다. 선분
BC를 연장한 반직선 BC 위의 한 점을 E라 하고 ∠ABC=α,
∠ACE=β라 할 때, $\sin^2\alpha+\sin^2\beta$의 값을 구하시오.

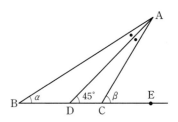

48

$\pi<\alpha<2\pi$, $\pi<\beta<2\pi$인 서로 다른 두 각 α, β가
$\sin\alpha=\cos\beta$를 만족시킬 때, 〈보기〉에서 항상 옳은 것만을 있
는 대로 고른 것은?

┤ 보기 ├
ㄱ. $\sin(\alpha+\beta)=1$ ㄴ. $\cos^2\alpha+\cos^2\beta=1$
ㄷ. $\tan\alpha+\tan\beta=1$

① ㄱ   ② ㄴ   ③ ㄷ
④ ㄱ, ㄴ   ⑤ ㄴ, ㄷ

49

$0\leq x\leq\dfrac{\pi}{2}$일 때, 삼각함수 $y=2\sin^2 x+a\cos x+3$의 최댓값

이 $\dfrac{49}{8}$가 되도록 하는 양수 a의 값은?

① 2   ② 3   ③ 4
④ 5   ⑤ 6

50

$0 \le x \le \pi$에서 방정식 $2 \sin x \cos x - \sin x - 2 \cos x + 1 = 0$의 두 근을 α, β $(\alpha < \beta)$라 할 때, $\beta - \alpha$의 값을 구하시오.

51

$0 < x < \dfrac{3}{2} \pi$에서 $\cos 2x = p$를 만족시키는 x의 값의 합을 k라 하면 $\cos k = \dfrac{1}{2}$이다. $2\left(\cos \dfrac{k}{2} - \sin \dfrac{k}{2} \right)$의 값은?

(단, $-1 < p < 0$)

① $\sqrt{3} + 1$ ② $\sqrt{3} - 1$ ③ 0
④ $1 - \sqrt{3}$ ⑤ $-\sqrt{3} - 1$

52

다음 중 $\alpha + \beta = \dfrac{\pi}{2}$일 때, $-1 < \sin \alpha + \cos \beta \le \sqrt{3}$을 만족시키는 α의 값의 범위에 속하지 않는 것은? (단, $0 \le \alpha < 2\pi$)

① $0 \le \alpha \le \dfrac{\pi}{3}$ ② $\dfrac{\pi}{3} < \alpha < \dfrac{2}{3}\pi$

③ $\dfrac{2}{3}\pi \le \alpha \le \pi$ ④ $\pi < \alpha < \dfrac{7}{6}\pi$

⑤ $\dfrac{11}{6}\pi < \alpha < 2\pi$

53

$0 < x < 2\pi$에서 방정식 $2\cos^2 x - \cos x - 1 - k = 0$이 서로 다른 4개의 실근을 갖도록 하는 실수 k의 값의 범위가 $\alpha < k < \beta$일 때, $\beta - \alpha$의 값을 구하시오.

54

이차함수 $f(x) = x^2 + x \cos \theta + \sin \theta - 1$의 그래프와 x축의 교점의 x좌표가 모두 -1보다 크고 1보다 작을 때, θ의 값의 범위를 구하시오. (단, $0 \le \theta \le 2\pi$)

55

함수 $y = f(x)$가 다음 조건을 만족시킨다.

> ㈎ 모든 실수 x에 대하여 $f(x + \pi) = f(x)$이다.
>
> ㈏ $0 \le x \le \dfrac{\pi}{2}$일 때, $f(x) = \sin 4x$
>
> ㈐ $\dfrac{\pi}{2} < x \le \pi$일 때, $f(x) = -\sin 4x$

함수 $y = f(x)$의 그래프와 직선 $y = \dfrac{x}{\pi}$가 만나는 점의 개수는?

① 4 ② 5 ③ 6
④ 7 ⑤ 8

56

실수 전체에서 정의된 함수 $y=f(x)$가 임의의 실수 x에 대하여 $f(\sin x)=-\cos 2x$를 만족시킬 때, 방정식 $f(\cos x)=\dfrac{4}{5\pi}x$ 의 실근의 개수는?

① 1 ② 3 ③ 5
④ 7 ⑤ 9

57

좌표평면에서 원 $x^2+y^2=1$ 위의 두 점 P, Q가 점 A(1, 0)에서 동시에 출발하여 시계 반대 방향으로 매초 $\dfrac{2}{3}\pi$, $\dfrac{4}{3}\pi$의 속력으로 원 위를 따라 각각 움직인다. 출발 후 100초가 될 때까지 두 점 P, Q의 y좌표가 같아지는 횟수는?

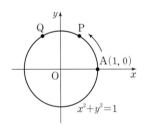

① 132 ② 133 ③ 134
④ 135 ⑤ 136

최고난도 문제

58

실수 x에 대하여 $\dfrac{\sin x+1}{-\cos x-3}$의 최댓값을 M, 최솟값을 m이라 할 때, $M+m$의 값은?

① $-\dfrac{3}{4}$ ② $-\dfrac{1}{4}$ ③ 0
④ $\dfrac{1}{4}$ ⑤ $\dfrac{3}{4}$

59

그림과 같이 $\overline{AB}=2$, $\overline{AC}=3$, $A=30°$ 인 삼각형 ABC의 변 BC 위의 점 P에서 두 직선 AB, AC 위에 내린 수선의 발을 각각 M, N이라 할 때, $\dfrac{\overline{AB}}{\overline{PM}}+\dfrac{\overline{AC}}{\overline{PN}}$ 의 최솟값을 구하시오.

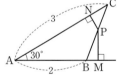

09 삼각함수의 활용

09 삼각함수의 활용

1 사인법칙

삼각형 ABC에서 세 각의 크기 A, B, C와 세 변의 길이 a, b, c 및 외접원의 반지름의 길이 R 사이에는 다음 관계가 성립한다.

$$\frac{a}{\sin A} = \frac{b}{\sin B} = \frac{c}{\sin C} = 2R$$

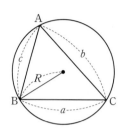

2 코사인법칙

삼각형 ABC에서

(1) 제일 코사인법칙

$$a = b\cos C + c\cos B$$
$$b = c\cos A + a\cos C$$
$$c = a\cos B + b\cos A$$

(2) 제이 코사인법칙

$$a^2 = b^2 + c^2 - 2bc\cos A$$
$$b^2 = c^2 + a^2 - 2ca\cos B$$
$$c^2 = a^2 + b^2 - 2ab\cos C$$

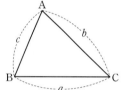

3 삼각형의 넓이

삼각형 ABC의 넓이를 S라 하면

(1) $S = \dfrac{1}{2}ab\sin C$

$\quad = \dfrac{1}{2}bc\sin A$

$\quad = \dfrac{1}{2}ca\sin B$

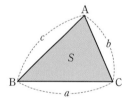

(2) 세 변의 길이와 내접원의 반지름의 길이 r를 알 때

$$S = \frac{1}{2}r(a+b+c)$$

(3) 세 변의 길이(또는 세 각의 크기)와 외접원의 반지름의 길이 R를 알 때

$$S = \frac{abc}{4R} = 2R^2\sin A\sin B\sin C$$

4 평행사변형의 넓이

평행사변형 ABCD에서 이웃하는 두 변의 길이가 a, b이고, 그 끼인각의 크기가 θ일 때, 평행사변형 ABCD의 넓이 S는

$$S = ab\sin\theta$$

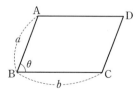

개념 플러스

◀ 사인법칙의 변형

(1) $a = 2R\sin A$, $b = 2R\sin B$,
$\quad c = 2R\sin C$

(2) $\sin A = \dfrac{a}{2R}$, $\sin B = \dfrac{b}{2R}$,

$\quad \sin C = \dfrac{c}{2R}$

(3) $a : b : c = \sin A : \sin B : \sin C$

◀ 제이 코사인법칙의 변형

$\cos A = \dfrac{b^2+c^2-a^2}{2bc}$

$\cos B = \dfrac{c^2+a^2-b^2}{2ca}$

$\cos C = \dfrac{a^2+b^2-c^2}{2ab}$

◀ 헤론의 공식

삼각형의 세 변의 길이가 a, b, c일 때, 넓이 S는

$$S = \sqrt{s(s-a)(s-b)(s-c)}$$

(단, $2s = a+b+c$)

◀ $S = \dfrac{abc}{4R} = 2R^2\sin A\sin B\sin C$의 증명

삼각형 ABC의 넓이를 S라 하면

$S = \dfrac{1}{2}ab\sin C$

사인법칙에 의하여 $\sin C = \dfrac{c}{2R}$

$\therefore S = \dfrac{1}{2}ab\sin C = \dfrac{1}{2}ab \times \dfrac{c}{2R} = \dfrac{abc}{4R}$

또 사인법칙에 의하여

$a = 2R\sin A$, $b = 2R\sin B$, $c = 2R\sin C$

$\therefore S = \dfrac{abc}{4R}$

$\quad = \dfrac{2R\sin A \times 2R\sin B \times 2R\sin C}{4R}$

$\quad = 2R^2\sin A\sin B\sin C$

◀ 사각형의 넓이

사각형 ABCD에서 두 대각선의 길이가 p, q이고, 두 대각선이 이루는 각의 크기가 θ일 때, 사각형의 넓이 S는

$$S = \frac{1}{2}pq\sin\theta$$

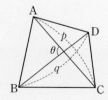

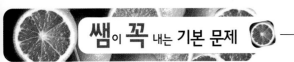

01

삼각형 ABC에서 ∠A=45°, ∠B=30°, $\overline{BC}$=4일 때, 변 AC 의 길이를 구하시오.

02

그림과 같이 반지름의 길이가 12인 원에 내접하는 삼각형 ABC에 대하여 ∠A=30°일 때, 상수 a의 값을 구하시오.

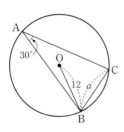

03

그림과 같은 삼각형 ABC에서 ∠A=75°, ∠B=45°이고, $\overline{AB}=5\sqrt{6}$, $\overline{AC}=10$일 때, a의 값은?

① $5\sqrt{3}$ ② $5(1+\sqrt{3})$ ③ $6\sqrt{3}$

④ $6(1+\sqrt{3})$ ⑤ $10\sqrt{3}$

04

삼각형 ABC에서 $\overline{AC}=8$, $\overline{BC}=6$, ∠C=60°일 때, 변 AB의 길이를 구하시오.

05

삼각형 ABC에서 $\sin A : \sin B : \sin C = 4 : 5 : 6$일 때, $\sin A$의 값을 구하시오.

06

그림과 같은 삼각형 ABC에서 $a \sin A = b \sin B$가 성립할 때, 삼각형 ABC는 어떤 삼각형인가?

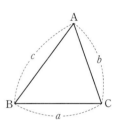

① $a=b$인 이등변삼각형

② $b=c$인 이등변삼각형

③ 정삼각형

④ ∠A=90°인 직각삼각형

⑤ ∠B=90°인 직각삼각형

07

삼각형 ABC에서 $\cos A = \dfrac{3}{5}$이고 $\overline{CA}=6$, $\overline{AB}=10$일 때, 삼각형 ABC의 넓이를 구하시오.

08

등변사다리꼴 ABCD의 두 대각선이 이루는 예각의 크기가 30° 이고 넓이는 8일 때, 등변사다리꼴 ABCD의 대각선의 길이를 구하시오.

09

그림과 같은 삼각형 ABC에서
$\angle C=45°$, $\overline{AB}=\sqrt{10}$, $\overline{AC}=\sqrt{2}$
일 때, $\sin A$의 값은?

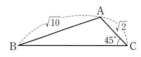

① $\dfrac{\sqrt{5}}{5}$　　② $\dfrac{2\sqrt{5}}{5}$　　③ $\dfrac{3\sqrt{5}}{5}$

④ $\dfrac{4\sqrt{5}}{5}$　　⑤ $\sqrt{5}$

10

반지름의 길이가 $\sqrt{5}$인 원에 내접하는 삼각형 ABC에서
$$5\sin(A+B)\sin C=4$$
인 관계가 성립할 때, 변 AB의 길이를 구하시오.

11

그림과 같은 삼각형 ABC에서
$\overline{AB}=10$, $\overline{AC}=8$, $\overline{BM}=\overline{CM}$이고
$\angle BAM=\alpha$, $\angle CAM=\beta$라 할 때,
$\dfrac{\sin\beta}{\sin\alpha}$의 값을 구하시오.

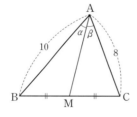

12

삼각형 ABC에서 $\sin A : \sin B : \sin C=3:6:5$일 때,
$\dfrac{b+2c}{2a+b}$의 값을 구하시오. (단, $a=\overline{BC}$, $b=\overline{CA}$, $c=\overline{AB}$)

13

삼각형 ABC에서 $(a+b):(b+c):(c+a)=5:7:6$일 때,
$\dfrac{\sin^2 C}{\sin A \sin B}$의 값은? (단, $a=\overline{BC}$, $b=\overline{CA}$, $c=\overline{AB}$)

① $\dfrac{1}{6}$　　② $\dfrac{3}{8}$　　③ $\dfrac{1}{2}$

④ $\dfrac{5}{3}$　　⑤ $\dfrac{8}{3}$

14

어떤 등대의 높이를 재기 위하여 측량
을 하였다. A지점에서 등대의 꼭대기
C를 바라본 각의 크기가 $30°$이었고,
등대를 향해 8 m만큼 다가간 후 B지점
에서 다시 등대의 꼭대기를 바라본 각의 크기가 $45°$이었을 때,
등대의 높이는? (단, 등대의 폭은 무시한다.)

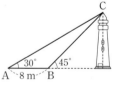

① $2\sqrt{3}$ m　　② 4 m　　③ $2(\sqrt{3}+1)$ m

④ $4\sqrt{3}$ m　　⑤ $4(\sqrt{3}+1)$ m

유형 ③ 코사인법칙

15

그림과 같은 삼각형 ABC에서
$\angle B=30°$, $\angle C=45°$, $\overline{AC}=4$일 때,
a의 값은?

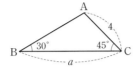

① $2\sqrt{2}-\sqrt{6}$　　② $2\sqrt{6}-2$

③ $\sqrt{2}+\sqrt{6}$　　④ $2\sqrt{6}+2$

⑤ $2\sqrt{2}+2\sqrt{6}$

16

그림과 같이 선분 AB를 지름으로 하는
반원 O에서 호 AB 위의 한 점을 P라 하면
$\overline{AB}=2\sqrt{3}$, $\overline{AP}=3$이다.
$\angle PAB=\theta$라 할 때, $\cos 2\theta$의 값을 구하시오.

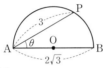

17 중요

그림과 같이 원에 내접하는 사각형
ABCD에서 $\overline{AB}=\overline{CD}=\overline{DA}=3$이고
$\angle A=120°$일 때, 변 BC의 길이를 구
하시오.

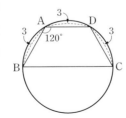

유형 ④ 제이 코사인법칙의 변형과 활용

18

삼각형 ABC에서 선분 BC 위에
그림과 같이 점 D를 잡을 때,
선분 AD의 길이를 구하시오.

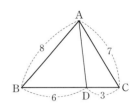

19 중요

삼각형 ABC에서 $\sin A : \sin B : \sin C = 3 : 5 : 7$일 때,
$\angle A$, $\angle B$, $\angle C$ 중에서 크기가 최대인 각의 크기는?

① $60°$　　② $84°$　　③ $120°$

④ $135°$　　⑤ $150°$

20

그림과 같이 가로의 길이, 세로의 길이,
높이가 각각 4, 2, 1인 직육면체가
있다. 두 선분 AF와 FH가 이루는 각
의 크기를 θ라 할 때, $\cos \theta$의 값을
구하시오.

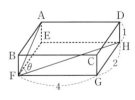

21

그림과 같이 한 변의 길이가 3인 정사각형 ABCD가 있다. $\overline{AD}$를 1 : 2로 내분하는 점을 E, $\overline{CD}$를 1 : 2로 내분하는 점을 F라 하자. ∠BEF=θ라 할 때, $\sin\theta$의 값은?

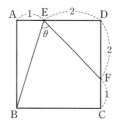

① $\dfrac{1}{10}$ ② $\dfrac{\sqrt{5}}{10}$

③ $\dfrac{1}{5}$ ④ $\dfrac{3\sqrt{5}}{10}$

⑤ $\dfrac{2\sqrt{5}}{5}$

22

좌표평면 위에서 두 원 $x^2+y^2=100$, $x^2+y^2=64$의 둘레를 움직이는 점을 각각 A, B라 하자. 점 A는 제1사분면, 점 B는 제2사분면 위에 있다고 할 때, 삼각형 OAB에서 $\cos A$의 최솟값을 구하시오. (단, O는 원점이다.)

23

그림과 같이 A지점에서 60°의 각도를 이루며 교차하는 두 도로변에 건물이 있다. 두 지점 A, B 사이의 거리는 300 m, 두 지점 A, C 사이의 거리는 100 m일 때, 두 지점 B, C 사이의 거리를 구하시오.

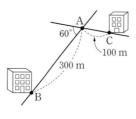

유형 **5**   삼각형의 결정

24

삼각형 ABC에서 $\overline{BC}\sin A=\overline{AC}\sin B+\overline{AB}\sin C$가 성립할 때, 이 삼각형은 어떤 삼각형인가?

① 정삼각형

② 직각이등변삼각형

③ 빗변이 $\overline{BC}$인 직각삼각형

④ $\overline{AB}=\overline{AC}$인 이등변삼각형

⑤ $\overline{AC}=\overline{BC}$인 이등변삼각형

25

삼각형 ABC에서 $b\cos C-c\cos B=a$가 성립하는 삼각형은 어떤 삼각형인가?

(단, 세 변 BC, CA, AB의 길이를 각각 a, b, c라 한다.)

① 정삼각형

② $a=b$인 이등변삼각형

③ ∠A=90°인 직각삼각형

④ ∠B=90°인 직각삼각형

⑤ ∠C=90°인 직각삼각형

26

삼각형 ABC에서 $2\sin B\cos C+\sin C=\sin A+\sin B$가 성립하면 이 삼각형은 어떤 삼각형인가?

① $\overline{AB}=\overline{AC}$인 이등변삼각형

② $\overline{AC}=\overline{BC}$인 이등변삼각형

③ 빗변의 길이가 $\overline{AB}$인 직각삼각형

④ 빗변의 길이가 $\overline{AC}$인 직각삼각형

⑤ 빗변의 길이가 $\overline{BC}$인 직각삼각형

유형 6 삼각형과 사각형의 넓이

27

그림과 같은 삼각형 ABC에서
$\overline{AB}=4$, $\overline{AC}=6$, $\angle A=60°$이고 선분
AD는 $\angle A$의 이등분선일 때, 선분
AD의 길이는?

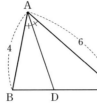

① $\dfrac{12\sqrt{3}}{5}$ ② $\dfrac{14\sqrt{3}}{5}$

③ $\dfrac{16\sqrt{3}}{5}$ ④ $\dfrac{12\sqrt{6}}{5}$

⑤ $\dfrac{14\sqrt{6}}{5}$

28 ★중요

그림과 같은 사각형 ABCD에서
$\overline{AB}=2$, $\overline{BC}=\overline{BD}=6$, $\overline{CD}=4$,
$\angle ABD=30°$일 때, 사각형 ABCD
의 넓이를 구하시오.

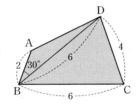

29

그림과 같이 반지름의 길이가 5인 원에
세 변의 길이가 각각 a, 8, b이고 넓이가
8인 삼각형 ABC가 내접한다. $a+b$의
최솟값을 구하시오.

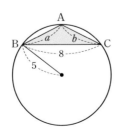

30

그림에서 $\overline{A'B}=4\overline{AB}$, $2\overline{BC'}=\overline{C'C}$
일 때, 삼각형 A′BC′의 넓이는 삼각형
ABC의 넓이의 몇 배인지 구하시오.

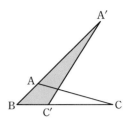

31

그림과 같은 삼각형 ABC의 내접원
O의 반지름의 길이는?

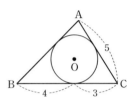

① $\dfrac{2\sqrt{6}}{3}$ ② $\sqrt{6}$

③ $\dfrac{4\sqrt{6}}{3}$ ④ $\dfrac{5\sqrt{6}}{3}$

⑤ $2\sqrt{6}$

32 ★중요

평행사변형 ABCD에서 $\overline{AB}=4$,
$\overline{AD}=5$이고 넓이가 $10\sqrt{3}$일 때, 대각선
AC의 길이를 구하시오.
(단, $90° < \angle A < 180°$)

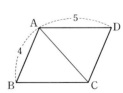

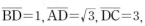

33

그림과 같이 삼각형 ABC의 변 BC 위에 점 D가 있다.
$\overline{BD}=1$, $\overline{AD}=\sqrt{3}$, $\overline{DC}=3$,
∠ADB=30°일 때, 삼각형 ABC의 외접원의 반지름의 길이를 구하시오.

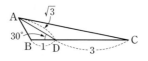

34

반지름의 길이가 4이고 중심각의 크기가 75°인 부채꼴 OAB에서 호 AB 위에 한 점 P를 잡고, 선분 OA, OB 위에 각각 점 Q, R를 잡자. 삼각형 PQR의 둘레의 길이의 최솟값을 k라 할 때, k^2의 값은?

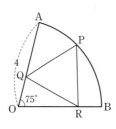

① $8(\sqrt{2}+\sqrt{3})$ ② $8(2+\sqrt{2})$ ③ $8(2+\sqrt{3})$

④ $16(2+\sqrt{2})$ ⑤ $16(2+\sqrt{3})$

35

그림과 같이 두 직선 $y=2x$, $y=x$가 이루는 예각의 크기를 θ라 할 때, $\sin\theta$의 값은?

① $\dfrac{1}{10}$ ② $\dfrac{\sqrt{5}}{10}$

③ $\dfrac{\sqrt{10}}{10}$ ④ $\dfrac{\sqrt{10}}{5}$

⑤ $\dfrac{3\sqrt{10}}{10}$

36

그림과 같이 한 변의 길이가 6인 정사각형 ABCD의 두 변 BC, CD를 각각 삼등분하는 점 중에서 B, D에 가까운 점을 각각 E, F라 하자. ∠EAF=α라 할 때, $\sin\alpha$의 값을 구하시오.

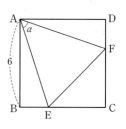

37

그림과 같이 한 변의 길이가 100 m인 정사각형 모양의 광장의 한 모퉁이에 수직으로 높이가 60 m인 국기 게양대가 세워져 있다. 이 국기 게양대는 지면에서부터 10 m까지는 파란색, 그 위는 흰색으로 칠해져 있다. 광장의 한 지점에서 국기 게양대의 흰색 부분을 바라보는 각의 크기를 α라 할 때, $\alpha\geq45°$가 되는 광장의 부분의 넓이를 구하시오.

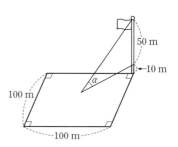

38

그림과 같이 삼각형 ABC의 두 꼭짓점 A, B를 각각 중심으로 하고, 반지름의 길이가 같은 두 원이 외접하고 있다. $\angle B = \dfrac{\pi}{3}$, $\overline{AC} = 2\sqrt{6}$, $\overline{CD} = 2\sqrt{3}$일 때, 색칠한 두 부채꼴의 넓이의 합을 구하시오.

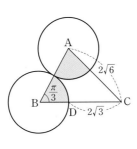

39

그림과 같은 직원뿔 모양의 산이 있다. A지점을 출발하여 산을 한 바퀴 돌아 B지점으로 가는 관광 열차의 궤도를 최단 거리로 놓으면 이 궤도는 처음에는 오르막길이지만 나중에는 내리막길이 된다. 이 내리막길의 길이는?

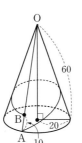

① $\dfrac{200\sqrt{91}}{91}$ ② $\dfrac{300\sqrt{91}}{91}$

③ $\dfrac{400\sqrt{91}}{91}$ ④ $\dfrac{200\sqrt{19}}{19}$

⑤ $\dfrac{300\sqrt{19}}{19}$

40

삼각형 ABC에서 $\sin^2 A \cos B = \cos A \sin^2 B$가 성립하면 이 삼각형은 어떤 삼각형인가?

① $\angle A = 90°$인 직각삼각형
② $\angle B = 90°$인 직각삼각형
③ $\angle C = 90°$인 직각삼각형
④ $\overline{AC} = \overline{BC}$인 이등변삼각형
⑤ 정삼각형

41

그림과 같은 삼각형 ABC에서 $\tan A \sin^2 B = \tan B \sin^2 A$가 성립할 때, 이 삼각형이 될 수 있는 것을 〈보기〉에서 있는 대로 고른 것은?

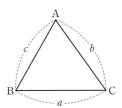

| 보기 |

ㄱ. $a = b$인 이등변삼각형   ㄴ. 정삼각형
ㄷ. $\angle B = 90°$인 직각삼각형   ㄹ. $\angle C = 90°$인 직각삼각형

① ㄱ ② ㄴ ③ ㄱ, ㄹ
④ ㄴ, ㄷ ⑤ ㄷ, ㄹ

42

그림과 같은 삼각형 ABC에서 $\angle A = 60°$, $\overline{AB} = 10$, $\overline{AC} = 6$이고 두 점 P, Q는 각각 두 변 AB, AC 위의 점이다. 삼각형 ABC의 넓이는 삼각형 APQ의 넓이의 3배일 때, $\overline{AP} + \overline{AQ}$의 최솟값은?

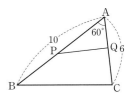

① $\sqrt{2}$ ② $2\sqrt{3}$ ③ 6
④ $4\sqrt{5}$ ⑤ $5\sqrt{6}$

43

그림과 같이 가로의 길이가 4, 세로의 길이가 2인 직사각형 ABCD가 있다. 변 BC의 중점을 M, 두 선분 AC와 MD의 교점을 P, ∠APM=θ라 할 때, $\cos\theta$의 값은?

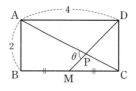

① $\dfrac{\sqrt{15}}{15}$ ② $\dfrac{\sqrt{10}}{10}$ ③ $\dfrac{\sqrt{10}}{5}$

④ $\dfrac{\sqrt{15}}{5}$ ⑤ $\dfrac{3\sqrt{10}}{10}$

44

그림과 같이 서로 외접하는 세 원의 반지름의 길이가 각각 3, 4, 2일 때, 세 원의 중심을 꼭짓점으로 하는 삼각형 ABC가 있다. 삼각형 ABC의 외접원의 반지름의 길이를 R, 내접원의 반지름의 길이를 r라 할 때, $R-r$의 값은?

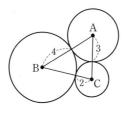

① $\dfrac{5\sqrt{6}}{8}$ ② $\dfrac{17\sqrt{6}}{24}$ ③ $\dfrac{19\sqrt{6}}{24}$

④ $\dfrac{11\sqrt{6}}{12}$ ⑤ $\dfrac{13\sqrt{6}}{14}$

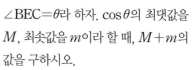

45

그림과 같이 한 모서리의 길이가 1인 정사면체 ABCD가 있다. 모서리 AD 위를 움직이는 점 E에 대하여 ∠BEC=θ라 하자. $\cos\theta$의 최댓값을 M, 최솟값을 m이라 할 때, $M+m$의 값을 구하시오.

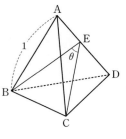

46

직사각형 모양의 어느 극장에서 좌석을 구별하려고 한다. 그림은 그 극장의 평면도이다. 중앙 무대의 폭이 6 m이고 무대의 좌우 양 끝점 A, B와 객석 내의 한 점 X가 이루는 각 ∠AXB=θ라 할 때, 각 θ의 크기가 15° 이상 30° 이하가 되는 부분에는 일등석을 만들려고 한다. 일등석을 만들 수 있는 부분의 면적은?

(단, 단위는 m²이다.)

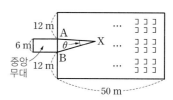

① $(72-33\sqrt{3})\pi+18$ ② $(240-110\sqrt{3})\pi+18$

③ $(234-99\sqrt{3})\pi$ ④ $(36+33\sqrt{3})\pi+18$

⑤ $(126+99\sqrt{3})\pi$

10 등차수열

10 등차수열

1 등차수열

(1) **등차수열**: 첫째항부터 차례로 일정한 수를 더하여 얻어지는 수열

(2) **공차**: 등차수열에서 일정하게 더하는 수

(3) **등차수열의 일반항**: 첫째항이 a이고, 공차가 d인 등차수열의 일반항 a_n은

$$a_n = a + (n-1)d$$

(4) **등차중항**: 세 수 a, b, c가 이 순서대로 등차수열을 이룰 때, b를 a와 c의 등차중항이라고 한다. 이때 $b-a=c-b$이므로 다음이 성립한다.

$$2b = a + c \Longleftrightarrow b = \frac{a+c}{2}$$

참고 ① 수열 $\{a_n\}$이 공차가 d인 등차수열이면

$$\Rightarrow 2a_{n+1} = a_n + a_{n+2}, \quad a_{n+1} = \frac{a_n + a_{n+2}}{2}, \quad a_{n+1} = a_n + d$$

② 등차수열을 이루는 세 수 $\Rightarrow a-d, a, a+d$

③ 등차수열을 이루는 네 수 $\Rightarrow a-3d, a-d, a+d, a+3d$

④ 등차수열을 이루는 다섯 수 $\Rightarrow a-2d, a-d, a, a+d, a+2d$

2 등차수열의 합

등차수열의 첫째항부터 제 n항까지의 합을 S_n이라 하면

(1) 첫째항이 a, 제 n항이 l일 때,

$$S_n = \frac{n(a+l)}{2}$$

(2) 첫째항이 a, 공차가 d일 때,

$$S_n = \frac{n\{2a+(n-1)d\}}{2}$$

참고 특수한 등차수열의 합

① 자연수 1부터 n까지의 합: $\dfrac{n(n+1)}{2}$

② 1부터 연속된 n개의 홀수의 합: n^2

③ 2부터 연속된 n개의 짝수의 합: $n(n+1)$

3 수열의 합 S_n과 일반항 a_n 사이의 관계

수열 $\{a_n\}$의 첫째항부터 제 n항까지의 합을 S_n이라 하면

$$a_1 = S_1, \quad a_n = S_n - S_{n-1} \ (\text{단}, n \geq 2)$$

참고 수열의 합 S_n과 일반항 a_n 사이의 관계는 모든 수열에서 성립한다.

개념 플러스

◀ 첫째항이 a, 공차가 d인 등차수열 $\{a_n\}$에서

(1) 처음으로 양수가 되는 항

 ⇨ $a+(n-1)d>0$을 만족시키는 자연수 n의 최솟값을 구한다.

(2) 처음으로 음수가 되는 항

 ⇨ $a+(n-1)d<0$을 만족시키는 자연수 n의 최솟값을 구한다.

◀ **조화수열**

(1) 수열 $\{a_n\}$의 각 항의 역수가 등차수열을 이룰 때, 수열 $\{a_n\}$을 조화수열이라고 한다.

 ⇨ $\dfrac{1}{a_n} = \dfrac{1}{a_1} + (n-1)d$

(2) 0이 아닌 세 수 a, b, c가 조화수열을 이룰 때, b를 a의 조화중항이라고 한다.

$$\frac{2}{b} = \frac{1}{a} + \frac{1}{c} \Longleftrightarrow b = \frac{2ac}{a+c}$$

◀ 공차가 d인 등차수열 $\{a_n\}$의 첫째항부터 제 n항까지의 합을 S_n이라 하면 S_n, $S_{2n}-S_n$, $S_{3n}-S_{2n}$은 이 순서대로 공차가 $n^2 d$인 등차수열을 이룬다.

예 $S_3 = a_1 + a_2 + a_3$

 $S_6 - S_3 = a_4 + a_5 + a_6 = S_3 + 9d$

 $S_9 - S_6 = a_7 + a_8 + a_9 = S_3 + 18d$

◀ **등차수열의 합의 최대·최소**

공차가 d인 등차수열 $\{a_n\}$의 첫째항부터 제 n항까지의 합을 S_n이라 하면

(1) $d>0$일 때, $a_n<0$, $a_{n+1}>0$이면 S_n이 최소이다.

(2) $d<0$일 때 $a_n>0$, $a_{n+1}<0$이면 S_n이 최대이다.

◀ 수열 $\{a_n\}$의 첫째항부터 제 n항까지의 합 $S_n = an^2 + bn + c$ (a, b, c는 상수)에 대하여 수열 $\{a_n\}$은

(1) $c=0$이면 첫째항부터 등차수열을 이룬다.

(2) $c \neq 0$이면 둘째항부터 등차수열을 이룬다.

쌤이 꼭 내는 기본 문제

01
등차수열 $\{a_n\}$에 대하여 $a_1=-2$, $a_{12}=6$일 때, a_{34}를 구하시오.

02
공차가 -4인 등차수열 $\{a_n\}$에 대하여
$a_1-a_2+a_3-a_4+a_5-\cdots+a_{99}-a_{100}$의 값을 구하시오.

03
공차가 3인 등차수열 $\{a_n\}$에 대하여 $a_4 : a_9 = 2 : 5$일 때, a_{15}는?

① 40 ② 43 ③ 46
④ 49 ⑤ 52

04
다음 수열이 이 순서대로 등차수열을 이룰 때, $y-x$의 값을 구하시오.

$$5,\ x,\ 11,\ y$$

05
등차수열 $\{a_n\}$에 대하여 $a_2=8$, $a_{10}=24$일 때, 첫째항부터 제10항까지의 합은?

① 110 ② 120 ③ 130
④ 140 ⑤ 150

06
등차수열 $\{a_n\}$에 대하여
$$a_1+a_2+a_3+a_4=32,\ a_5+a_6+a_7+a_8=96$$
일 때, $a_1+a_2+\cdots+a_{12}$의 값을 구하시오.

07
첫째항이 305, 공차가 -4인 등차수열 $\{a_n\}$에 대하여 첫째항부터 제n항까지의 합 S_n이 최대가 되는 n의 값을 구하시오.

08
공차가 d인 등차수열 $\{a_n\}$의 첫째항부터 제n항까지의 합 S_n이 $S_n=n^2+n$일 때, $a_{30}+d$의 값을 구하시오.

유형 1 등차수열의 뜻과 일반항

09

제3항이 7, 제6항이 -2인 등차수열의 첫째항을 a, 공차를 d라 할 때, $a-2d$의 값은?

① 17   ② 18   ③ 19

④ 20   ⑤ 21

10 중요

제5항이 -1인 등차수열 $\{a_n\}$에 대하여 제3항과 제8항은 절댓값이 같고 부호가 반대일 때, 233은 제 몇 항인가?

① 제118항   ② 제119항   ③ 제120항

④ 제121항   ⑤ 제122항

11

두 수 1과 71 사이에 13개의 수 $x_1, x_2, x_3, \cdots, x_{13}$을 넣어

$$1, x_1, x_2, x_3, \cdots, x_{13}, 71$$

이 이 순서대로 등차수열을 이루도록 할 때, x_5의 값을 구하시오.

12 중요

등차수열 $\{a_n\}$에 대하여 $a_5+a_6+a_7=63$, $a_{11}+a_{12}=86$일 때, 공차를 구하시오.

13

등차수열 $\{a_n\}$에 대하여 $a_1+a_3=\log 64$, $a_4-a_2=\log 16$이다. $a_6+a_8=\log A$라 할 때, $\log_2 A$의 값은?

① 25   ② 26   ③ 27

④ 28   ⑤ 29

14

등차수열 $\{a_n\}$에 대하여 $(a_1+a_2):(a_3+a_4)=1:2$일 때, $a_1:a_4$는?

① 1:2   ② 1:3   ③ 2:3

④ 2:5   ⑤ 3:5

유형 2 조건을 만족시키는 등차수열의 항

15 중요

첫째항이 30, 공차가 -4인 등차수열 $\{a_n\}$에 대하여 처음으로 음수가 되는 항은 제 몇 항인가?

① 제9항   ② 제10항   ③ 제11항

④ 제12항   ⑤ 제13항

16

등차수열 $\{a_n\}$에 대하여 $a_3+a_5=36$, $a_2a_4=180$일 때, $a_n<100$을 만족시키는 자연수 n의 최댓값을 구하시오.

17

등차수열 $\{a_n\}$에 대하여 $a_3=8$, $a_7 : a_{11}=5 : 8$일 때, 처음으로 100 이상이 되는 항은 제 몇 항인가?

① 제31항   ② 제32항   ③ 제33항

④ 제34항   ⑤ 제35항

유형 3 등차중항

18

표의 빈칸에 정수를 한 칸에 하나씩 써넣어 가로, 세로 방향으로 각각 등차수열을 이루도록 할 때, $a+b$의 값은?

-2		4
a		
	5	
b		13

① 0   ② 2

③ 4   ④ 6

⑤ 8

19

세 수 x, y, z가 이 순서대로 등차수열을 이루고, 이 세 수의 합이 6, 제곱의 합이 30일 때, x의 값을 구하시오. (단, $x \le y \le z$)

20 중요

사각형 ABCD의 네 각 $\angle$A, $\angle$B, $\angle$C, $\angle$D의 크기가 순서대로 등차수열을 이루고, 최대인 각의 크기가 최소인 각의 크기의 3배라고 한다. 네 각 중에서 최대인 각의 크기는?

① 117°   ② 120°   ③ 126°

④ 135°   ⑤ 142°

유형 4 등차수열의 합

21
등차수열 $\{a_n\}$에 대하여 $a_1=2$, $a_2+a_3=16$일 때, $a_1+a_2+\cdots+a_{20}$의 값을 구하시오.

중요
22
등차수열 $\{a_n\}$에 대하여 제8항이 29이고, 제20항이 -7일 때, 첫째항부터 제 몇 항까지의 합이 처음으로 음수가 되는가?

① 제32항   ② 제33항   ③ 제34항
④ 제35항   ⑤ 제36항

23
등차수열 $\{a_n\}$에 대하여 $a_1=2$, $a_{100}-a_{90}=-30$일 때, $a_{11}+a_{12}+\cdots+a_{20}$의 값은?

① -410 ② -415 ③ -420
④ -425 ⑤ -430

24
등차수열 $\{a_n\}$에 대하여 $a_1=6$, $a_{10}=-12$일 때, $|a_1|+|a_2|+|a_3|+\cdots+|a_{20}|$의 값은?

① 280   ② 284   ③ 288
④ 292   ⑤ 296

25
첫째항부터 제5항까지의 합이 -25이고, 제6항부터 제15항까지의 합이 100인 등차수열의 제16항부터 제30항까지의 합은?

① 500   ② 525   ③ 550
④ 575   ⑤ 600

중요
26
첫째항이 -90, 공차가 3인 등차수열 $\{a_n\}$의 첫째항부터 제n항까지의 합을 S_n이라 하자. $S_n>0$이 되도록 하는 자연수 n의 최솟값을 α, S_n의 최솟값을 β라 할 때, $\alpha-\beta$의 값을 구하시오.

유형 5 등차수열의 합과 일반항 사이의 관계

27
수열 $\{a_n\}$의 첫째항부터 제n항까지의 합 S_n이 $S_n=n^2+3n+1$일 때, a_1+a_{10}의 값을 구하시오.

28
수열 $\{a_n\}$의 첫째항부터 제n항까지의 합 S_n이 $S_n=n^2+3n$일 때, $a_1+a_3+a_5+\cdots+a_{2n-1}=220$을 만족시키는 n의 값은?

① 8   ② 9   ③ 10
④ 11   ⑤ 12

29
수열 $\{a_n\}$에 대하여 첫째항부터 제n항까지의 합 S_n이 $S_n=-n^2+5n+6$일 때, 〈보기〉에서 옳은 것만을 있는 대로 고른 것은?

| 보기 |
ㄱ. 수열 $\{S_{n+1}-S_n\}$은 등차수열이다.
ㄴ. 수열 $\{a_n\}$은 등차수열이다.
ㄷ. $a_n<0$, $S_n>0$을 만족시키는 자연수 n의 개수는 2이다.

① ㄱ   ② ㄴ   ③ ㄱ, ㄷ
④ ㄴ, ㄷ   ⑤ ㄱ, ㄴ, ㄷ

유형 6 등차수열의 합의 응용

30
좌표평면 위의 두 점 A$(2, 3)$, B$(20, 30)$에 대하여 선분 AB를 10등분하는 9개의 점의 x좌표의 합을 구하시오.

31
태연이가 어떤 책을 읽기 시작하면 하루의 독서량이 전날에 비해 일정한 쪽수만큼 더 많아진다고 한다. 태연이가 어떤 책을 읽는 데 소요되는 일수와 쪽수를 계산해 보니 첫날에 35쪽을 읽을 경우 8일째에 20쪽만 읽으면 되고, 첫날에 70쪽을 읽을 경우 6일째에 25쪽만 읽으면 된다. 태연이가 읽고자 하는 책의 쪽수는?

① 475   ② 500   ③ 525
④ 550   ⑤ 575

32
그림과 같이 $x=2$부터 $x=3$까지 일정한 간격으로 y축에 평행한 직선 10개를 그어 두 곡선 $y=x^2$, $y=(x-2)^2$으로 잘려진 선분의 길이를 각각 $l_1, l_2, l_3, \cdots, l_{10}$이라 할 때, $l_1+l_2+l_3+\cdots+l_{10}$의 값을 구하시오.

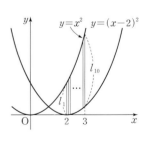

33

공차가 d_1 $(d_1 \neq 0)$인 등차수열 $\{a_n\}$에 대하여 두 수열

$$a_1+a_2,\ a_3+a_4,\ a_5+a_6,\ \cdots$$

$$a_1+a_2+a_3,\ a_4+a_5+a_6,\ a_7+a_8+a_9,\ \cdots$$

의 공차를 각각 d_2, d_3이라 할 때, 다음 중 옳은 것은?

① $2d_2=3d_3$ ② $3d_2=2d_3$ ③ $5d_2=2d_3$

④ $7d_2=3d_3$ ⑤ $9d_2=4d_3$

34

공차가 0이 아닌 두 등차수열 $\{a_n\}$, $\{b_n\}$에 대하여 $a_3+b_{14}=10$, $a_{24}+b_5=28$일 때, $a_{17}+b_8$의 값을 구하시오.

35

이차방정식 $x^2-2x-8=0$의 두 근이 α, β일 때, 세 수 α, p, β는 이 순서대로 등차수열을 이루고, 세 수 α, q, β는 그 역수가 이 순서대로 등차수열을 이룬다. 이차항의 계수가 1이고 p, q를 두 근으로 하는 이차방정식은?

① $x^2-7x-8=0$ ② $x^2+7x-8=0$

③ $x^2-4x+10=0$ ④ $x^2+4x-10=0$

⑤ $x^2+4x+10=0$

36

공차가 3인 등차수열 $\{a_n\}$의 첫째항부터 제10항까지의 합이 100일 때,

$$(a_1 a_3 - a_1^{\,2}) + (a_2 a_4 - a_2^{\,2}) + (a_3 a_5 - a_3^{\,2}) + \cdots$$
$$+ (a_{10} a_{12} - a_{10}^{\,2})$$

의 값을 구하시오.

37

첫째항이 21, 공차 d가 정수인 등차수열 $\{a_n\}$에 대하여 $a_6 a_7 < 0$일 때, 첫째항부터 제n항까지의 합이 최대이다. $d+n$의 값을 구하시오.

38

공차가 d인 등차수열 $\{a_n\}$의 첫째항부터 제n항까지의 합을 S_n이라 하자. $a_3=10$이고, $S_9>0$, $S_{10}<0$일 때, 〈보기〉에서 옳은 것만을 있는 대로 고른 것은?

┤ 보 기 ├

ㄱ. $-5 < d < -4$

ㄴ. $a_5 > 0$, $a_6 < 0$

ㄷ. a_1이 정수이면 $a_1+a_9=0$이다.

① ㄱ   ② ㄷ   ③ ㄱ, ㄴ

④ ㄴ, ㄷ   ⑤ ㄱ, ㄴ, ㄷ

39

두 집합 A, B가

$$A=\{3n-2\,|\,n\text{은 자연수}\},\ B=\{4n-1\,|\,n\text{은 자연수}\}$$

일 때, 다음 조건을 만족시키는 모든 x의 값의 합은?

> (가) $x\in A\cap B$
>
> (나) x는 100 이하의 자연수이다.

① 388   ② 390   ③ 392

④ 394   ⑤ 396

40

10개의 짝수 a_1, a_2, $\cdots$, a_{10}의 합을 S, 10개의 홀수

b_1, b_2, $\cdots$, b_{10}의 합을 T라 할 때, $T-S=50$이다.

수열 a_1, b_1, a_2, b_2, $\cdots$, a_{10}, b_{10}이 등차수열이고, $b_{10}=99$일 때,

a_1의 값은?

① 1   ② 2   ③ 3

④ 4   ⑤ 5

41

첫째항이 15인 등차수열 $\{a_n\}$의 첫째항부터 제n항까지의 합을 S_n이라 할 때, $S_{12}=a_{12}$이다. S_n의 최댓값은?

① 35   ② 40   ③ 45

④ 50   ⑤ 55

42

수열 $\{a_n\}$에 대하여 첫째항부터 제n항까지의 합을 S_n이라 하자. 수열 $\{S_{2n-1}\}$은 공차가 -3인 등차수열이고, 수열 $\{S_{2n}\}$은 공차가 2인 등차수열이다. $a_2=1$일 때, a_8을 구하시오.

43

두 등차수열 $\{a_n\}$, $\{b_n\}$의 첫째항부터 제n항까지의 합을 각각 S_n, $S_n{}'$이라 하자.

$$S_n : S_n{}'=(2n-1):(3n+2)$$

가 성립할 때, $a_5 : b_5$는?

① $7:15$ ② $17:29$ ③ $19:35$

④ $23:25$ ⑤ $29:35$

44

첫째항부터 제n항까지의 합이 각각 $2n^2+pn$인 수열 $\{a_n\}$과 $3n^2-2n$인 수열 $\{b_n\}$이 있다. $a_{10}=b_{10}$일 때, 자연수 p의 값을 구하시오.

45

그림과 같이 좌표평면 위의 두 점 $A(1,\ 2)$, $C(39,\ 78)$을 두 꼭짓점으로 하고, 두 선분 AB, AD가 각각 x축, y축과 평행한 직사각형 ABCD가 있다. 선분 AB를 n등분하는 점을 각각 P_1, P_2, P_3, $\cdots$, P_{n-1}이라 하고, 선분 AD를 n등분하는 점을 각각 Q_1, Q_2, Q_3, $\cdots$, Q_{n-1}이라 하자. 두 점 A, B와 점 P_1, P_2, P_3, $\cdots$, P_{n-1}의 x좌표의 합이 400일 때, 점 P_{10}의 x좌표와 점 Q_{10}의 y좌표의 합을 구하시오.

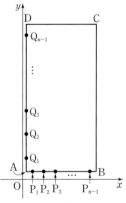

최고난도 문제

46

공차 d가 자연수인 등차수열 $\{a_n\}$에 대하여 $f(n)$, $g(n)$이 다음과 같다.

$$f(n)=a_2+a_4+\cdots+a_{2n},$$
$$g(n)=a_1+a_3+\cdots+a_{2n-1}$$

자연수 m에 대하여 $f(m)=350$, $g(m)=301$이 성립할 때, $d+m$의 값은? (단, $d\geq2$, $m\geq2$)

① 11   ② 12   ③ 13

④ 14   ⑤ 15

47

수열 $\{a_n\}$은 첫째항이 4의 배수인 양의 정수이고, 공차가 $-\dfrac{3}{4}$인 등차수열이다. $b_n=|a_n+a_{n+1}|$을 만족시키는 수열 $\{b_n\}$은 $n=11$일 때, 최솟값을 갖는다고 한다. $|a_1|+|a_5|+|a_9|+\cdots+|a_{37}|$의 값을 구하시오.

11 등비수열

11 등비수열

① 등비수열

(1) **등비수열**: 첫째항부터 차례로 일정한 수를 곱하여 얻어지는 수열

(2) **공비**: 등비수열에서 곱하는 일정한 수

(3) **등비수열의 일반항**: 첫째항이 a이고, 공비가 r인 등비수열의 일반항 a_n은

$$a_n = ar^{n-1}$$

(4) **등비중항**: 0이 아닌 세 수 a, b, c가 이 순서대로 등비수열을 이룰 때, b를 a와 c의

등비중항이라고 한다. 이때 $\dfrac{b}{a} = \dfrac{c}{b}$이므로 다음이 성립한다.

$$b^2 = ac$$

참고 수열 $\{a_n\}$이 공비가 r인 등비수열이면

➡ $a_{n+1} = ra_n, \dfrac{a_{n+1}}{a_n} = r, \dfrac{a_n}{a_m} = r^{n-m}, a_{n+1}{}^2 = a_n \times a_{n+2}$

개념 플러스

◀ 등비수열을 이루는 세 수
⇨ a, ar, ar^2

◀ **등차중항, 등비중항, 조화중항**
세 수 a, b, c에 대한 등차중항, 등비중항, 조화중항은 각각

$$\dfrac{a+c}{2}, \sqrt{ac}, \dfrac{2ac}{a+c}$$

이고 $\dfrac{a+c}{2} \geq \sqrt{ac} \geq \dfrac{2ac}{a+c}$ 가 항상 성립한다.
또한, 이것은 두 양수 a, c에 대한 산술평균, 기하평균, 조화평균과 같다.

② 등비수열의 합

첫째항이 a, 공비가 r인 등비수열의 첫째항부터 제 n항까지의 합 S_n은

(1) $r \neq 1$일 때,

$$S_n = \dfrac{a(1-r^n)}{1-r} = \dfrac{a(r^n-1)}{r-1}$$

참고 $r > 1$이면 $S_n = \dfrac{a(r^n-1)}{r-1}$

$r < 1$이면 $S_n = \dfrac{a(1-r^n)}{1-r}$ 을 이용하는 것이 편리하다.

(2) $r = 1$일 때, $S_n = na$

◀ 첫째항이 a, 공비가 r인 등비수열 $\{a_n\}$에서 첫째항부터 제n항까지의 합을 S_n이라 하면 $S_n, S_{2n}-S_n, S_{3n}-S_{2n}$은 이 순서대로 공비가 r^n인 등비수열을 이룬다.

예 $S_4 = a_1+a_2+a_3+a_4$
$\quad = a+ar+ar^2+ar^3$
$S_8-S_4 = a_5+a_6+a_7+a_8$
$\quad\quad = r^4(a+ar+ar^2+ar^3)$
$S_{12}-S_8 = a_9+a_{10}+a_{11}+a_{12}$
$\quad\quad = r^8(a+ar+ar^2+ar^3)$

③ 등비수열의 활용

원리합계는 적립한 원금에 이자를 더한 금액을 의미한다.

(1) 원금을 a, 이율을 r, 기간을 n이라 할 때, 원리합계 S를 복리법으로 계산하면

$$S = a(1+r)^n$$

(2) 매년 초에 a원씩 연이율 r의 복리로 n년간 적립할 때, 원리합계 S는

$$S = a(1+r) + a(1+r)^2 + a(1+r)^3 + \cdots + a(1+r)^n$$
$$= \dfrac{a(1+r)\{(1+r)^n - 1\}}{r}$$

(3) 매년 말에 a원씩 연이율 r의 복리로 n년간 적립할 때, 원리합계 S는

$$S = a + a(1+r) + a(1+r)^2 + \cdots + a(1+r)^{n-1}$$
$$= \dfrac{a\{(1+r)^n - 1\}}{r}$$

◀ 수열 $\{a_n\}$의 첫째항부터 제n항까지의 합 $S_n = ar^n + b$ (a, b는 상수)에 대하여 수열 $\{a_n\}$은
(1) $a+b=0$이면 첫째항부터 등비수열을 이룬다.
(2) $a+b \neq 0$이면 둘째항부터 등비수열을 이룬다.

◀ 일정한 비율로 증가 또는 감소하는 경우
⇨ 등비수열을 이룬다.
(1) 일정한 비율 r씩 증가 (감소)
⇨ $a, ar, ar^2, ar^3, \cdots$
(2) 일정한 비율 $p\%$씩 증가
⇨ $a, a\left(1+\dfrac{p}{100}\right), a\left(1+\dfrac{p}{100}\right)^2, \cdots$
(3) 일정한 비율 $p\%$씩 감소
⇨ $a, a\left(1-\dfrac{p}{100}\right), a\left(1-\dfrac{p}{100}\right)^2, \cdots$

쌤이 꼭 내는 기본 문제

01
제4항이 24, 제8항이 384이고 공비가 양수인 등비수열 $\{a_n\}$의 제12항은?

① 2^{10}　　② 3×2^{11}　　③ 3×2^{12}

④ 3^{11}　　⑤ 2×3^{12}

02
첫째항이 1, 공비가 3인 등비수열에서 처음으로 2000보다 커지는 항은 제 몇 항인가?

① 제6항　　② 제7항　　③ 제8항

④ 제9항　　⑤ 제10항

03
등비수열 $\{a_n\}$에 대하여 $a_3 + a_4 = 2$, $a_5 + a_6 = 6$일 때, $a_7 + a_8$을 구하시오.

04
3은 두 수 a, b의 등비중항이고, 두 수 a, b의 합이 7일 때, $a^2 + b^2$의 값을 구하시오.

05
세 수 -4, a, 8이 이 순서대로 등차수열을 이루고, 세 수 a, 6, b가 이 순서대로 등비수열을 이룰 때, $a+b$의 값을 구하시오.

06
다음 수열의 첫째항부터 제10항까지의 합은?

$$1+\frac{1}{2}, \ 2+\frac{1}{4}, \ 3+\frac{1}{8}, \ 4+\frac{1}{16}, \ \cdots$$

① $55-\left(\frac{1}{2}\right)^{10}$　　② $55+\left(\frac{1}{2}\right)^{10}$　　③ $56-\left(\frac{1}{2}\right)^{10}$

④ $56+\left(\frac{1}{2}\right)^{10}$　　⑤ $57-\left(\frac{1}{2}\right)^{10}$

07
등비수열 $\{a_n\}$의 첫째항부터 제10항까지의 합이 9, 제11항부터 제20항까지의 합이 27일 때, 제21항부터 제30항까지의 합을 구하시오.

08
수열 $\{a_n\}$의 첫째항부터 제n항까지의 합 S_n이 $S_n = 3^{n+1} - 3$일 때, $a_1 + a_5$의 값을 구하시오.

중요
09
모든 항이 양수인 등비수열 $\{a_n\}$에 대하여

$a_1 = \sqrt{2}$, $\dfrac{a_3}{a_2} + \dfrac{a_5}{a_3} = 6$일 때, a_5를 구하시오.

10
수열 $\{a_n\}$은 첫째항이 2, 공비가 3인 등비수열일 때,

수열 $\log_2 a_1$, $\log_2 a_2$, $\log_2 a_3$, $\cdots$, $\log_2 a_n$은 어떤 수열인가?

① 첫째항이 1, 공차가 $\log_2 3$인 등차수열

② 첫째항이 1, 공비가 $\log_2 3$인 등비수열

③ 첫째항이 2, 공차가 3인 등차수열

④ 첫째항이 2, 공비가 3인 등비수열

⑤ 첫째항이 4, 공비가 9인 등비수열

11
두 수 5와 135 사이에 11개의 수를 넣어서 전체 13개의 수가 첫째항이 5이고, 제13항이 135인 등비수열 $\{a_n\}$을 만들 때, a_9는?

① 30   ② 35   ③ 40

④ 45   ⑤ 50

12
등비수열 $\{a_n\}$에 대하여 $a_3 = 512$, $a_7 : a_{11} = 4 : 1$일 때, 수열 $\{a_n\}$의 첫째항은?

① 128   ② 256   ③ 512

④ 1024   ⑤ 2048

중요
13
세 양수 a, b, c는 이 순서대로 등비수열을 이루고, 다음 조건을 만족시킬 때, $a^2 + b^2 + c^2$의 값을 구하시오.

(가) $a+b+c = \dfrac{7}{2}$	(나) $abc = 1$

14
등비수열 $\{a_n\}$에 대하여 수열 $\{a_n + 2a_{n+1}\}$은 첫째항이 16, 공비가 $\dfrac{1}{2}$인 등비수열을 이룬다. 수열 $\{a_n\}$의 첫째항을 구하시오.

유형 2 등비중항

15
서로 다른 세 실수 a, b, c가 이 순서대로 등차수열을 이루고, b, a, c가 이 순서대로 등비수열을 이룬다. 세 수의 곱이 8일 때, $a+b+c$의 값은?

① -3 ② -2 ③ -1

④ 0 ⑤ 1

16
이차방정식 $x^2+ax+b=0$의 두 실근을 각각 α, β라 하면 세 수 α, -4, β는 이 순서대로 등차수열을 이루고, 세 수 α, 2, β는 이 순서대로 등비수열을 이룬다. 두 실수 a, b에 대하여 $a+b$의 값을 구하시오.

17
세 수 $\cos\theta$, $\dfrac{\sqrt{5}}{5}$, $\sin\theta$가 이 순서대로 등비수열을 이룰 때,

$\tan\theta + \dfrac{1}{\tan\theta}$ 의 값은?

① 2 ② 3 ③ 4

④ 5 ⑤ 6

유형 3 등비수열의 활용

18
매시간 개체 수가 두 배로 증가하는 세균이 있다. 즉, 세균 1마리는 3시간 후에 8마리로 증가한다. 1마리의 세균이 2000마리 이상 되는 데 걸리는 시간 t의 최솟값을 구하시오.

(단, t는 자연수이다.)

19
어느 자동차 회사는 신형 차를 개발하면서 올해 1월에는 1000대를 생산하고, 이후 매달 생산량을 $10\,\%$씩 늘려나가는 것을 목표로 정하였다. 1년 동안 이 목표를 달성하기 위해 올해 12월에 생산해야 할 신형 차는 몇 대인가? (단, $1.1^{11}=2.85$로 계산한다.)

① 2800대   ② 2850대   ③ 2940대

④ 3100대   ⑤ 3140대

20
준석이가 2010년도 1월에 새 자전거를 구입하였다. 중고 자전거의 가격은 그 전년도에 비하여 일정한 비율로 하락한다고 할 때, 준석이는 처음 구입한 가격의 $25\,\%$의 가격으로 2018년도 1월에 자전거를 중고시장에 되팔았다고 한다. 이 자전거는 1년에 몇 $\%$씩 가격이 하락하는지 구하시오.

(단, $\log 2 = 0.30$, $\log 8.4 = 0.925$로 계산한다.)

유형 4 등비수열의 합

21

다음 값을 계산하면?

$$\log_2 4 + \log_2 4^3 + \log_2 4^9 + \cdots + \log_2 4^{3^{n-1}}$$

① $6n-2$ ② $6n$ ③ $6n+2$

④ 3^n-1 ⑤ 3^n+1

22

등비수열 $\{a_n\}$에 대하여 $a_4=1$, $a_3 : a_7=16 : 1$일 때, 첫째항부터 제20항까지의 합은? (단, 공비는 양수이다.)

① $16\left(1-\dfrac{1}{2^{19}}\right)$ ② $16\left(1-\dfrac{1}{2^{20}}\right)$ ③ $16\left(1-\dfrac{1}{2^{21}}\right)$

④ $8\left(1-\dfrac{1}{2^{20}}\right)$ ⑤ $4\left(1-\dfrac{1}{2^{20}}\right)$

23

수열 $3, a_1, a_2, \cdots, a_n, -1536$이 등비수열을 이루고, 그 합이 -1023일 때, 공비 r와 n에 대하여 $r+n$의 값을 구하시오.

24

등비수열 $\{a_n\}$에 대하여

$$a_1+a_2+a_3+a_4+a_5=2, \quad a_6+a_7+a_8+a_9+a_{10}=6$$

일 때, $a_1+a_2+a_3+\cdots+a_{30}$의 값을 구하시오.

25

등비수열 $\{a_n\}$에 대하여 제3항이 4이고 제7항이 16일 때, $a_1{}^2+a_2{}^2+a_3{}^2+\cdots+a_{10}{}^2$의 값은?

① 4092   ② 4093   ③ 4127

④ 4128   ⑤ 4130

26

공비가 양수이고 첫째항이 2, 제5항이 162인 등비수열 $\{a_n\}$에 대하여 첫째항부터 제n항까지의 합이 10^6보다 커지는 자연수 n의 최솟값을 구하시오. (단, $\log 3=0.4771$로 계산한다.)

유형 5 등비수열의 합의 응용

중요
27

그림과 같이 $\overline{OP}=\overline{OQ}=2$인 직각이등변삼각형 OPQ에 정사각형 $OA_1B_1C_1$을 내접시킨다. 다시 직각이등변삼각형 A_1PB_1에 정사각형 $A_1A_2B_2C_2$를 내접시킨다. 이와 같은 과정을 5회 반복할 때 만들어지는 정사각형의 넓이의 총합은?

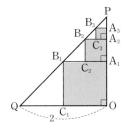

① $\dfrac{3}{4}\left\{1-\left(\dfrac{1}{2}\right)^5\right\}$ ② $\dfrac{4}{3}\left\{1-\left(\dfrac{1}{2}\right)^{10}\right\}$ ③ $1+\left(\dfrac{1}{2}\right)^{10}$

④ $\dfrac{4}{3}$ ⑤ $\dfrac{4}{3}\left\{1+\left(\dfrac{1}{2}\right)^5\right\}$

28

의학 기술의 발달로 결핵에 걸리는 사람의 수가 매년 일정한 비율로 감소한다고 한다. 2001년부터 2020년까지 20년 동안은 9만 명의 환자가 발생하였고, 이 중 3만 명은 2011년부터 2020년까지의 10년 동안에 발생하였다고 할 때, 2021년에 발생하는 환자의 수는 2001년에 발생한 환자의 수의 몇 배인가?

① $\dfrac{1}{3}$배 ② $\dfrac{1}{4}$배 ③ $\dfrac{1}{6}$배

④ $\dfrac{1}{8}$배 ⑤ $\dfrac{1}{16}$배

유형 6 원리합계

29

매년 초에 30만 원씩 적립할 때, 10년 후의 원리합계는 얼마인가?
(단, $1.06^{10}=1.8$, 연이율 6 %, 1년마다 복리로 계산한다.)

① 421만 원 ② 422만 원 ③ 423만 원

④ 424만 원 ⑤ 425만 원

중요
30

매월 초에 일정한 금액을 월이율 1 %, 한 달마다 복리로 적립하여 5년 후에 2020만 원을 만들려고 한다. 매달 얼마씩 적립해야 하는가? (단, $1.01^{60}=1.8$로 계산한다.)

① 23만 원 ② 24만 원 ③ 25만 원

④ 26만 원 ⑤ 27만 원

31

준수는 매월 말에 10만 원씩 월이율 1 %의 복리로 저축하여 판매 가격이 1000만 원인 경승용차를 사려고 한다. 적어도 몇 개월 후에 차를 살 수 있겠는가?
(단, $\log 2=0.3010$, $\log 1.01=0.0043$으로 계산한다.)

① 67개월 후 ② 68개월 후 ③ 69개월 후

④ 70개월 후 ⑤ 71개월 후

32

등비수열 $\{a_n\}$에 대하여

$$a_1 a_4 + a_2 a_3 = 6, \ a_1 a_3 + a_2 a_4 = 10$$

일 때, 공비 r의 값은? (단, $r > 1$)

① $\dfrac{3}{2}$　　　② $\sqrt{3}$　　　③ 2

④ 3　　　⑤ $2\sqrt{3}$

33

등비수열 $\{a_n\}$에 대하여 함수 f를 $f(n) = a_1 \times a_2 \times \cdots \times a_n$으로 정의하자. $a_5 a_6 = 2$일 때, $f(10)$의 값을 구하시오.

(단, n은 자연수이다.)

34

등비수열 $\{a_n\}$에 대하여 첫째항부터 제5항까지의 합이 $\dfrac{31}{2}$이고, 곱이 32일 때, $\dfrac{1}{a_1} + \dfrac{1}{a_2} + \dfrac{1}{a_3} + \dfrac{1}{a_4} + \dfrac{1}{a_5}$의 값은?

① $\dfrac{31}{4}$　　　② $\dfrac{31}{8}$　　　③ $\dfrac{31}{12}$

④ $\dfrac{8}{31}$　　　⑤ $\dfrac{4}{31}$

35

첫째항이 2, 공비가 $\sqrt{3}$인 등비수열 $\{a_n\}$에 대하여 첫째항부터 제n항까지의 합을 S_n이라 할 때, $\dfrac{a_{10} - a_9}{S_{10} - S_8} + \dfrac{S_5 - S_3}{a_5 - a_4}$의 값을 구하시오.

36

등비수열 $\{a_n\}$과 등차수열 $\{b_n\}$이 다음 조건을 만족시킨다.

> (가) $a_1 + a_2 = 288, \ a_4 + a_5 = 36$
> (나) $b_1 = 84, \ b_1 + b_2 + b_3 + b_4 + b_5 = 290$

부등식 $a_n < b_n$이 성립하도록 하는 모든 자연수 n의 값의 합을 구하시오.

37

이차방정식 $x^2 - \dfrac{1}{2}ax + 1 = 0$의 두 근을 $\alpha, \beta \ (\alpha < \beta)$라 하고, 이차방정식 $x^2 - \dfrac{1}{2}bx + 2 = 0$의 두 근을 $p, q \ (p < q)$라 하자. 네 수 α, p, β, q가 이 순서대로 등비수열을 이루도록 a, b의 값을 정할 때, $a^2 + b^2$의 값을 구하시오. (단, $a > 0, b > 0$)

38

$a+b+c=12$, $abc=-512$를 만족시키는 서로 다른 세 수 a, b, c가 있다. 세 수 a, b, c가 이 순서대로 등차수열을 이룰 때, c의 값을 p라 하고, 세 수 a, b, c가 이 순서대로 등비수열을 이룰 때, c의 값을 q라 하자. $p+q$의 값을 구하시오.
(단, 등차수열의 공차는 양수이고, 등비수열의 공비의 절댓값은 1보다 크다.)

39

a, b, c가 서로 다른 실수일 때, 이차함수 $f(x)=ax^2+2bx+c$에 대한 〈보기〉의 설명 중 옳은 것만을 있는 대로 고른 것은?

┤ 보기 ├
ㄱ. a, b, c가 이 순서대로 등차수열을 이루면 $f(1)=4b$이다.
ㄴ. a, b, c가 이 순서대로 등차수열을 이루면 함수 $y=f(x)$의 그래프는 x축과 서로 다른 두 점에서 만난다.
ㄷ. a, b, c가 이 순서대로 등비수열을 이루면 함수 $y=f(x)$의 그래프는 x축과 만나지 않는다.

① ㄱ   ② ㄷ   ③ ㄱ, ㄴ
④ ㄴ, ㄷ   ⑤ ㄱ, ㄴ, ㄷ

40

첫째항이 3인 등비수열 $\{a_n\}$에 대하여
$$a_1+a_3+a_5+\cdots+a_{2n-1}=2^{30}-1,$$
$$a_3+a_5+a_7+\cdots+a_{2n+1}=2^{32}-4$$
일 때, 자연수 n의 값을 구하시오.

41

4와 10 사이에 n개의 수 a_1, a_2, $\cdots$, a_n을 넣어 만든 수열
$$4, a_1, a_2, a_3, \cdots, a_n, 10$$
은 이 순서대로 등비수열을 이룬다고 할 때,
$$a_1+a_2+a_3+\cdots+a_n=p\left(\frac{1}{a_1}+\frac{1}{a_2}+\frac{1}{a_3}+\cdots+\frac{1}{a_n}\right)$$
을 만족시키는 상수 p의 값을 구하시오.

42

함수 $f(x)=x^{10}+x^9+\cdots+x^3+x^2+x+2$에 대하여 합성함수 $y=f(f(x))$의 상수항은?

① 2^{10} ② 2^{11} ③ 2^{12}
④ 3×2^{10} ⑤ 3×2^{11}

43

그림과 같이 반지름의 길이가 1인 원에 그을 수 있는 2개의 접선이 이루는 각의 크기가 90°인 점이 나타내는 도형을 C_1, 도형 C_1에 그을 수 있는 2개의 접선이 이루는 각의 크기가 90°인 점이 나타내는 도형을 C_2라 하자. 이와 같이 도형 $C_n(n=1, 2, 3, \cdots)$을 만들어 나갈 때, 도형 C_n의 넓이 S_n에 대하여

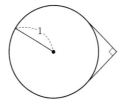

$$\frac{1}{S_1}+\frac{1}{S_2}+\cdots+\frac{1}{S_5}=\frac{q}{p}\times\frac{1}{\pi}$$ 이다. $p+q$의 값을 구하시오.

(단, p, q는 서로소인 자연수이다.)

44

벤처기업 육성회에서는 디자인 개발 아이디어를 응모하여 대상을 받은 팀에게 개발비 10억 원을 지원해 주기로 하였다. 2018년 초에 지원금을 받은 팀은 2023년 말부터 매년 말마다 5회에 걸쳐 10억 원을 모두 갚기로 하였다. 매년 전년도에 갚은 돈보다 8 %씩 더 갚기로 할 때, 1회째에 갚아야 할 금액은?

(단, $1.08^6=1.6$, 1년마다 연이율 8 %의 복리로 계산한다.)

① 2억 6천만 원　　② 2억 8천만 원　　③ 3억 원

④ 3억 2천만 원　　⑤ 3억 4천만 원

최고난도 문제

45

그림과 같이 곡선 $y=\log_2 x$ 위의 두 점 P(2, 1), Q(2^9, 9)에 대하여 선분 PQ를 8등분하여 점 P에 가까운 점부터 순서대로 A_1, A_2, A_3, $\cdots$, A_7이라 하고, 점 A_n에서 y축에 내린 수선과 곡선 $y=\log_2 x$의 교점을 B_n이라 하자. 선분 A_nB_n의 길이를 l_n이라 할 때, $l_1+l_2+l_3+\cdots+l_7$의 값을 구하시오.

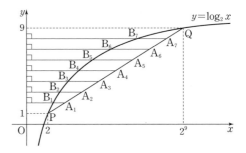

46

자연수 n에 대하여 직선 $y=n$이 두 로그함수 $y=\log_2 x$, $y=\log_3 x$의 그래프와 만나는 점의 x좌표를 각각 a_n, b_n이라 하자. $a_n\leq p\leq b_n$을 만족시키는 자연수 p의 개수를 c_n이라 할 때, $c_1+c_2+c_3+\cdots+c_{10}$의 값은?

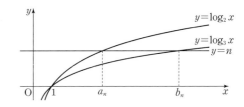

① $\dfrac{1}{2}\times 3^{10}-2^{10}+10$　　　② $\dfrac{1}{2}\times 3^{10}-2^{10}+\dfrac{21}{2}$

③ $\dfrac{1}{2}\times 3^{11}-2^{11}+10$　　　④ $\dfrac{1}{2}\times 3^{11}-2^{11}+\dfrac{21}{2}$

⑤ $2\times 3^{10}-2^{10}+10$

12 수열의 합

12 수열의 합

① ∑의 뜻과 기본 성질

(1) ∑의 뜻

수열 $\{a_n\}$의 첫째항부터 제 n항까지의 합을
합의 기호 ∑와 일반항 a_k를 사용하여 나타낼
수 있다. 즉,

$$a_1+a_2+a_3+\cdots+a_n=\sum_{k=1}^{n} a_k$$

제 n항까지
$$\sum_{k=1}^{n} a_k \leftarrow \text{제 } k \text{항}$$
첫째항부터
a_k를 차례로 더한다.

(2) ∑의 기본 성질

① $\displaystyle\sum_{k=1}^{n} (a_k+b_k)=\sum_{k=1}^{n} a_k+\sum_{k=1}^{n} b_k$

② $\displaystyle\sum_{k=1}^{n} (a_k-b_k)=\sum_{k=1}^{n} a_k-\sum_{k=1}^{n} b_k$

③ $\displaystyle\sum_{k=1}^{n} ca_k=c \sum_{k=1}^{n} a_k$ (단, c는 상수이다.)

④ $\displaystyle\sum_{k=1}^{n} c=cn$ (단, c는 상수이다.)

참고 $\displaystyle\sum_{k=1}^{n} (pa_k+qb_k)=p \sum_{k=1}^{n} a_k+q \sum_{k=1}^{n} b_k$ (단, p, q는 상수이다.)

② 여러 가지 수열의 합

(1) 자연수의 거듭제곱의 합

① $\displaystyle\sum_{k=1}^{n} k=1+2+3+\cdots+n=\frac{n(n+1)}{2}$

② $\displaystyle\sum_{k=1}^{n} k^2=1^2+2^2+3^2+\cdots+n^2=\frac{n(n+1)(2n+1)}{6}$

③ $\displaystyle\sum_{k=1}^{n} k^3=1^3+2^3+3^3+\cdots+n^3=\left\{\frac{n(n+1)}{2}\right\}^2=\left\{\sum_{k=1}^{n} k\right\}^2$

(2) 일반항이 분수식인 수열의 합

① $\displaystyle\sum_{k=1}^{n} \frac{1}{k(k+a)}=\frac{1}{a} \sum_{k=1}^{n} \left(\frac{1}{k}-\frac{1}{k+a}\right)$

② $\displaystyle\sum_{k=1}^{n} \frac{1}{(k+a)(k+b)}=\frac{1}{b-a} \sum_{k=1}^{n} \left(\frac{1}{k+a}-\frac{1}{k+b}\right)$

③ 군수열

(1) 수열의 항을 차례로 몇 개씩 묶어 군으로 나눈 수열을 군수열이라고 한다.
(2) 군수열에 대한 문제를 해결할 때에는
　① 수열의 각 항이 갖는 규칙을 파악하여 같은 규칙을 가진 항끼리 군으로 나눈다.
　② 각 군의 항의 개수를 파악한다.
　③ 각 군의 첫째항의 규칙을 파악한다.

쌤이 꼭 내는 기본 문제

01

$\sum\limits_{k=1}^{n}(a_{2k-1}+a_{2k})=n^2$일 때, $\sum\limits_{k=1}^{10}a_k$의 값은?

① 5   ② 10   ③ 25

④ 50   ⑤ 100

02

$\sum\limits_{k=1}^{10}a_k{}^2=20$, $\sum\limits_{k=1}^{10}a_k=10$일 때, $\sum\limits_{k=1}^{10}(2a_k-3)^2$의 값을 구하시오.

03

$\sum\limits_{k=1}^{n}(2k-2)=210$을 만족시키는 자연수 n의 값은?

① 13   ② 14   ③ 15

④ 16   ⑤ 17

04

다음 중 $\sum\limits_{k=1}^{7}k+\sum\limits_{k=2}^{7}k+\sum\limits_{k=3}^{7}k+\sum\limits_{k=4}^{7}k+\sum\limits_{k=5}^{7}k+\sum\limits_{k=6}^{7}k+\sum\limits_{k=7}^{7}k$의 값과 같은 것은?

① $\left(\sum\limits_{k=1}^{7}k\right)^2$ ② $\sum\limits_{k=1}^{7}k^2$ ③ $\sum\limits_{k=1}^{7}k-1$

④ $\sum\limits_{k=1}^{7}(k+1)$ ⑤ $\sum\limits_{k=1}^{7}(k^2+k)$

05

$\sum\limits_{k=1}^{5}(2^{k+1}+5k+1)$의 값을 구하시오.

06

$\sum\limits_{l=1}^{10}\left\{\sum\limits_{k=1}^{4}(k+l+1)\right\}$의 값은?

① 355   ② 360   ③ 365

④ 370   ⑤ 375

07

$\dfrac{1}{1\times3}+\dfrac{1}{3\times5}+\dfrac{1}{5\times7}+\dfrac{1}{7\times9}+\cdots+\dfrac{1}{99\times101}=\dfrac{q}{p}$일 때,

$p+q$의 값을 구하시오. (단, p, q는 서로소인 자연수이다.)

08

$\sum\limits_{k=1}^{12}\dfrac{1}{\sqrt{2k-1}+\sqrt{2k+1}}$의 값을 구하시오.

유형 1 ∑의 뜻과 기본 성질

09

함수 $y=f(x)$에 대하여 $f(10)=50$, $f(1)=3$일 때,

$$\sum_{k=1}^{9} f(k+1) - \sum_{k=2}^{10} f(k-1)$$

의 값을 구하시오.

10

$\sum_{k=1}^{10} (a_k+b_k)^2 = 40$, $\sum_{k=1}^{10} a_k b_k = 5$일 때, $\sum_{k=1}^{10} (a_k^2+b_k^2)$의 값은?

① 10   ② 15   ③ 20

④ 25   ⑤ 30

11

$\sum_{k=1}^{10} a_k = 25$, $\sum_{k=1}^{20} a_k = 45$, $\sum_{k=1}^{10} b_k = 15$, $\sum_{k=1}^{20} b_k = 30$일 때,

$\sum_{k=11}^{20} (2a_k+b_k)$의 값은?

① 35   ② 40   ③ 45

④ 50   ⑤ 55

유형 2 ∑의 계산

12

$\sum_{k=1}^{10} (4k+2)^2 - \sum_{k=1}^{10} (4k-1)^2$의 값은?

① 1250   ② 1300   ③ 1350

④ 1400   ⑤ 1450

13

$\sum_{k=6}^{10} (k^2+2^{k-1})$의 값은?

① 1316   ② 1318   ③ 1320

④ 1322   ⑤ 1324

14

$\sum_{k=1}^{n} (k^2-2) - \sum_{k=1}^{n-1} (k^2+3) = 53$을 만족시키는 자연수 n의 값을 구하시오.

15

수열 $\{a_n\}$에 대하여 $a_{2n-1}=\left(\dfrac{1}{3}\right)^n$이고, $a_{2n}=6^n$일 때,

$\displaystyle\sum_{k=1}^{30}\log_2 a_k$의 값은?

① $\log_2 15$　　② $\log_2 120$　　③ 15

④ 120　　⑤ 2^{120}

16

자연수 n에 대하여 x에 대한 이차방정식 $x^2-2nx-n^2=0$의

두 근을 a_n, b_n이라 할 때, $\displaystyle\sum_{k=1}^{10}(a_k+2)(b_k+2)$의 값을 구하시오.

중요
17

함수 $f(x)=\displaystyle\sum_{k=1}^{10}\left(kx-\dfrac{1}{k}\right)^2$이 $x=a$에서 최솟값을 가질 때, a의

값은?

① $\dfrac{1}{77}$　　② $\dfrac{2}{77}$　　③ $\dfrac{3}{77}$

④ $\dfrac{4}{77}$　　⑤ $\dfrac{5}{77}$

유형 **3**　∑를 이용하는 수열의 합

18

다음 수열의 첫째항부터 제12항까지의 합은?

$$2^2,\ 5^2,\ 8^2,\ 11^2,\ 14^2,\ \cdots$$

① 5394　　② 5395　　③ 5396

④ 5397　　⑤ 5398

중요
19

수열 $1,\ 2+4,\ 3+6+9,\ 4+8+12+16,\ \cdots$의 첫째항부터

제10항까지의 합은?

① 1505　　② 1605　　③ 1705

④ 1805　　⑤ 1905

20

다음 중 $1^2-2^2+3^2-4^2+\cdots+(2n-1)^2-(2n)^2+(2n+1)^2$

을 간단히 하면?

① $(2n+1)^2$　　② $(n+1)(2n+1)$

③ $\dfrac{n(n+3)}{2}$　　④ $n^2(n+1)$

⑤ $\dfrac{n(n-1)(2n-1)}{6}$

유형 4 ∑로 표현된 수열의 합과 일반항 사이의 관계

중요 21

수열 $\{a_n\}$에 대하여 $\sum\limits_{k=1}^{n} a_k = 3n^2 + 2n$일 때, $\sum\limits_{k=1}^{10} a_{2k-1}$의 값은?

① 570   ② 580   ③ 590

④ 600   ⑤ 610

22

수열 $\{a_n\}$에 대하여 $\sum\limits_{k=1}^{n} a_k = n(n+3)$일 때, $\sum\limits_{k=1}^{5} k a_{2k}$의 값은?

① 230   ② 235   ③ 240

④ 245   ⑤ 250

23

수열 $\{a_n\}$에서 a_1, a_2, a_3, $\cdots$, a_n의 평균이 $n+1$일 때, $\sum\limits_{k=1}^{10} a_{3k}$의 값을 구하시오.

유형 5 ∑가 여러 개 있는 식의 계산

중요 24

$\sum\limits_{i=1}^{n}\left(\sum\limits_{j=1}^{7} ij\right) = 420$을 만족시키는 자연수 n의 값은?

① 3   ② 4   ③ 5

④ 6   ⑤ 7

25

$\sum\limits_{n=1}^{8}\left\{\sum\limits_{k=1}^{n} k(n-k)\right\}$의 값을 구하시오.

26

다음 중 $\sum\limits_{m=1}^{n}\left\{\sum\limits_{l=1}^{m}\left(\sum\limits_{k=1}^{l} 2\right)\right\}$를 간단히 하면?

① $\dfrac{1}{3}n(n+1)(n+2)$ ② $\dfrac{1}{3}n(n+1)(n+3)$

③ $\dfrac{1}{3}n(n+1)(2n+1)$ ④ $\dfrac{1}{3}n(n+1)(2n+3)$

⑤ $\dfrac{1}{3}(n+1)(n+2)(n+3)$

유형 6 일반항이 분수식인 수열의 합

27

$\dfrac{2}{3^2-1}+\dfrac{2}{5^2-1}+\dfrac{2}{7^2-1}+\cdots+\dfrac{2}{21^2-1}$ 의 값은?

① $\dfrac{1}{11}$ ② $\dfrac{3}{11}$ ③ $\dfrac{5}{11}$

④ $\dfrac{7}{11}$ ⑤ $\dfrac{9}{11}$

28

$\displaystyle\sum_{k=1}^{n}\log_2\left(\dfrac{1}{k}+1\right)=5$를 만족시키는 자연수 n의 값을 구하시오.

29

수열 $\{a_n\}$에 대하여 $\displaystyle\sum_{k=1}^{n}a_k=2n^2+n$이고, $\displaystyle\sum_{k=1}^{10}\dfrac{1}{a_ka_{k+1}}=\dfrac{q}{p}$라 할 때, $p+q$의 값은? (단, p, q는 서로소인 자연수이다.)

① 139 ② 142 ③ 145

④ 148 ⑤ 151

30

자연수 n에 대하여 x에 대한 이차방정식 $x^2-x+n(n+2)=0$

의 두 근을 α_n, β_n이라 할 때, $\displaystyle\sum_{k=1}^{9}\left(\dfrac{1}{\alpha_k}+\dfrac{1}{\beta_k}\right)$의 값은?

① $\dfrac{9}{55}$ ② $\dfrac{18}{55}$ ③ $\dfrac{27}{55}$

④ $\dfrac{36}{55}$ ⑤ $\dfrac{41}{55}$

31

$\dfrac{3}{1^2}+\dfrac{5}{1^2+2^2}+\dfrac{7}{1^2+2^2+3^2}+\cdots+\dfrac{19}{1^2+2^2+\cdots+9^2}$ 의 값은?

① $\dfrac{27}{5}$ ② $\dfrac{29}{5}$ ③ $\dfrac{32}{5}$

④ $\dfrac{36}{5}$ ⑤ $\dfrac{39}{5}$

32

수열 $\{a_n\}$에 대하여 $\displaystyle\sum_{k=1}^{n}\dfrac{a_k}{k+1}=n^2+n$일 때, $\displaystyle\sum_{k=1}^{10}\dfrac{1}{a_k}$의 값은?

① $\dfrac{5}{11}$ ② $\dfrac{1}{2}$ ③ $\dfrac{6}{11}$

④ $\dfrac{13}{22}$ ⑤ $\dfrac{7}{11}$

유형 7 근호가 있는 수열의 합

33

첫째항이 1, 공차가 1인 등차수열 $\{a_n\}$에 대하여

$$\frac{1}{\sqrt{a_2}+\sqrt{a_1}}+\frac{1}{\sqrt{a_3}+\sqrt{a_2}}+\frac{1}{\sqrt{a_4}+\sqrt{a_3}}+\cdots+\frac{1}{\sqrt{a_{100}}+\sqrt{a_{99}}}$$

의 값은?

① 6   ② 7   ③ 8

④ 9   ⑤ 10

34

수열 $\{a_n\}$의 일반항이 $a_n=\dfrac{1}{\sqrt{n+1}+\sqrt{n+2}}$이고, 첫째항부터 제 n항까지의 합이 $\sqrt{2}$일 때, n의 값은?

① 5   ② 6   ③ 7

④ 8   ⑤ 9

35

$\displaystyle\sum_{k=1}^{n} \log_3 \frac{\sqrt{2k+1}}{\sqrt{2k-1}}=2$를 만족시키는 자연수 n의 값을 구하시오.

유형 8 (등차수열)×(등비수열)의 합

36

$1\times 2+2\times 4+3\times 8+\cdots+9\times 2^9$의 값은?

① $2^{13}-2$ ② 2^{13} ③ $2^{13}+2$

④ 9×2^{13} ⑤ $9\times 2^{13}+2$

37

$1\times\dfrac{1}{2}+3\times\dfrac{1}{4}+5\times\dfrac{1}{8}+\cdots+15\times\left(\dfrac{1}{2}\right)^8=a-\dfrac{19}{2^b}$일 때, $a+b$의 값을 구하시오. (단, a, b는 상수이다.)

38

$\displaystyle\sum_{k=1}^{10}(k+1)3^k=\alpha\times 3^{12}+\beta$일 때, $\alpha-\beta$의 값은?

(단, α, β는 상수이다.)

① -5 ② $-\dfrac{5}{2}$ ③ 1

④ $\dfrac{3}{2}$ ⑤ $\dfrac{5}{2}$

유형 9 군수열

39 *중요

수열 $\dfrac{1}{1}, \dfrac{1}{2}, \dfrac{2}{1}, \dfrac{1}{3}, \dfrac{2}{2}, \dfrac{3}{1}, \dfrac{1}{4}, \dfrac{2}{3}, \dfrac{3}{2}, \dfrac{4}{1}, \cdots$ 에서 $\dfrac{4}{6}$ 는 제 몇 항인가?

① 제40항   ② 제41항   ③ 제42항

④ 제45항   ⑤ 제48항

40

다음과 같은 규칙으로 나누어진 수열에 대하여 299는 제 몇 군의 몇 번째 항인지 구하시오.

제1군 제2군   제3군   제4군

$(1), (3, 5), (7, 9, 11), (13, 15, 17, 19), \cdots$

41

그림과 같이 좌표평면 위의 점 $P_1(1, 1)$, $P_2(2, 1)$, $P_3(1, 2)$, $P_4(3, 1)$, $P_5(2, 2)$, $\cdots$ 에 대하여 원점과 점 P_{100} 사이의 거리는?

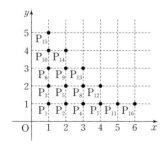

① 10   ② $2\sqrt{11}$ ③ $2\sqrt{13}$

④ $3\sqrt{11}$ ⑤ $3\sqrt{13}$

유형 10 여러 가지 수열의 합의 응용

42

한 변의 길이가 n인 정사각형을 한 변의 길이가 1인 정사각형으로 나누어 그림과 같이 색칠하였다. 한 변의 길이가 1인 정사각형 중에서 색칠된 것의 개수를 a_n이라 할 때, $\displaystyle\sum_{n=1}^{20} a_n$의 값은?

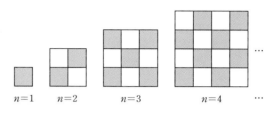

① 1440   ② 1490   ③ 1540

④ 1590   ⑤ 1640

43 *중요

그림과 같이 $\angle B = 90°$, $\overline{AC} = 1$인 직각삼각형 ABC가 있다. 선분 AC를 10등분하여 점 A에서 가까운 점부터 순서대로 $P_1, P_2, \cdots, P_9$라 할 때, $\overline{BP_1}^2 + \overline{BP_2}^2 + \cdots + \overline{BP_9}^2$의 값은?

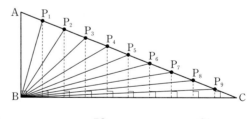

① $\dfrac{57}{20}$ ② $\dfrac{59}{20}$ ③ $\dfrac{61}{20}$

④ $\dfrac{63}{20}$ ⑤ $\dfrac{13}{4}$

44

수열 $a_1, a_2, a_3, \cdots, a_n$은 $0, 1, 2$ 중에서 어느 하나의 값을 갖는다. $\sum\limits_{k=1}^{n} a_k = 40$, $\sum\limits_{k=1}^{n} {a_k}^2 = 70$일 때, $\sum\limits_{k=1}^{n} {a_k}^3$의 값을 구하시오.

45

수열 $\{a_n\}$에 대하여 $\sum\limits_{k=1}^{20} (a_k + a_{k+1}) = 40$, $\sum\limits_{k=1}^{10} (a_{2k-1} + a_{2k}) = 30$ 일 때, $a_{21} - a_1$의 값을 구하시오.

46

그림과 같이 두 개의 종이에 같은 간격으로 숫자가 적혀있다. 종이 A에는 짝수, 종이 B에는 홀수가 크기 순서대로 적혀있다. 종이 B를 종이 A 위에 그림과 같이 올려놓을 때, 두 종이의 위, 아래에 겹쳐지는 두 수의 곱의 합은?

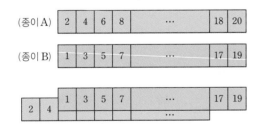

① 824   ② 884   ③ 926

④ 1000   ⑤ 1024

47

$\sum\limits_{n=0}^{100} (-1)^{n+1} \cos \dfrac{n\pi}{3}$의 값은?

① -1 ② $-\dfrac{1}{2}$ ③ 0

④ $\dfrac{1}{2}$ ⑤ 1

48

수열 $\{a_n\}$에 대하여 $\sum\limits_{k=1}^{n} \dfrac{a_k}{k} = n^2 + 1$일 때, $\sum\limits_{k=1}^{10} a_k$의 값은?

① 696   ② 705   ③ 706

④ 715   ⑤ 716

49

그림과 같이 n이 3 이상인 자연수일 때,
네 점 $(n, 0)$, $\left(\dfrac{3n}{2}, 0\right)$, $\left(\dfrac{3n}{2}, \dfrac{n}{2}\right)$,

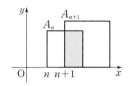

$\left(n, \dfrac{n}{2}\right)$을 꼭짓점으로 하는 정사각형을

A_n이라 하자. 두 정사각형 A_n, A_{n+1}이 겹치는 부분의 넓이를

a_n이라 할 때, $\displaystyle\sum_{n=3}^{10} \dfrac{1}{a_n}$의 값은?

① $\dfrac{113}{45}$ ② $\dfrac{116}{45}$ ③ $\dfrac{118}{45}$

④ $\dfrac{121}{45}$ ⑤ $\dfrac{124}{45}$

50

자연수 n에 대하여 직선 $x=n$과
원 $x^2+y^2=(n+1)^2$이 만나는
두 점 사이의 거리를 a_n이라 할 때,

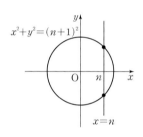

$\displaystyle\sum_{n=2}^{37} \dfrac{1}{a_n+a_{n-1}}$의 값을 구하시오.

51

$1, 3, 1, 3^2, 3, 1, 3^3, 3^2, 3, 1, 3^4, \cdots$인 수열의 첫째항부터 제55항
까지의 합은?

① $\dfrac{1}{4}(3^{10}-27)$ ② $\dfrac{1}{4}(3^{10}-17)$ ③ $\dfrac{1}{4}(3^{11}-23)$

④ $\dfrac{1}{4}(3^{11}-15)$ ⑤ $\dfrac{1}{4}(3^{11}-13)$

52

수열 $\{a_n\}$은 첫째항이 2, 공비가 2인 등비수열일 때, 수열 $\{b_n\}$은
다음 조건을 만족시킨다. $\displaystyle\sum_{k=1}^{20} b_k$의 값은?

(가) $b_1 = -1$
(나) 곡선 $y=x^2$ 위의 한 점 $P(b_k, b_k{}^2)$을 지나고 기울기가 a_k인
직선과 곡선 $y=x^2$이 만나는 점 중에서 점 P가 아닌 점의
x좌표는 b_{k+1}이다.

① $\dfrac{2}{3}(4^{10}-1)$ ② $\dfrac{3}{4}(4^{10}-1)$ ③ $\dfrac{4}{5}(4^{10}-1)$

④ $\dfrac{2}{3}(2^{10}-1)$ ⑤ $\dfrac{3}{4}(2^{10}-1)$

53

첫째항이 1, 공비가 2인 등비수열 $\{a_n\}$에 대하여 수열 $\{b_n\}$을
다음과 같이 정의한다.

$$b_n = \begin{cases} k & (a_k = n을 \text{ 만족시키는 자연수 } k가 \text{ 존재할 때}) \\ 0 & (a_k = n을 \text{ 만족시키는 자연수 } k가 \text{ 존재하지 않을 때}) \end{cases}$$

예를 들어 $b_1=1$, $b_2=2$, $b_3=0$이다. $\displaystyle\sum_{k=1}^{1000} b_k$의 값을 구하시오.

54

$f(n)=[\log_3 n]$이라 할 때, 수열 $\{a_n\}$을 다음과 같이 정의한다.

$$a_n=\begin{cases} 0 & (f(n)=f(n+1)\text{일 때}) \\ n & (f(n)<f(n+1)\text{일 때}) \end{cases}$$

$\displaystyle\sum_{k=1}^{200} a_k$의 값은? (단, $[x]$는 x보다 크지 않은 최대의 정수이다.)

① 104   ② 108   ③ 112

④ 116   ⑤ 120

56

자연수 n으로 나누었을 때, 몫과 나머지가 같은 자연수를 모두 더한 값을 a_n이라 하자. 예를 들어 4로 나누었을 때, 몫과 나머지가 같은 자연수는 5, 10, 15이므로 $a_4=5+10+15=30$이다. $a_n>500$을 만족시키는 자연수 n의 최솟값을 구하시오.

(단, $n\ge 2$)

55

자연수 n에 대하여 좌표평면 위의 점 $P_n(x_n, y_n)$은 다음과 같은 규칙으로 움직인다.

> (가) P_1의 좌표는 $(0, 0)$이다.
> (나) $y_n>\sqrt{x_n}$이면 $x_{n+1}=x_n+1$, $y_{n+1}=y_n$이고,
> $y_n\le\sqrt{x_n}$이면 $x_{n+1}=x_n$, $y_{n+1}=y_n+1$이다.

$x_{100}+y_{100}$의 값을 구하시오.

57

$0\le x\le 2$에서 함수 $f(x)=|x-1|$이고, 모든 실수 x에 대하여

$$f(x)=f(x+2)$$

를 만족시킬 때, 함수 $g(x)=x+f(x)$라 하자. 자연수 n에 대하여 다음 조건을 만족시키는 두 자연수 a, b의 순서쌍 (a, b)의 개수를 a_n이라 할 때, $\displaystyle\sum_{k=1}^{15} a_k$의 값을 구하시오.

> (가) $n\le a\le n+2$
> (나) $0<b\le g(a)$

13 수학적 귀납법

13 수학적 귀납법

1 수열의 귀납적 정의

(1) **수열의 귀납적 정의**

수열 $\{a_n\}$을

① 처음 몇 개 항의 값

② 이웃하는 항들 사이의 관계식

으로 정의하는 것을 수열 $\{a_n\}$의 귀납적 정의라고 한다.

(2) **등차수열, 등비수열의 귀납적 정의**

수열 $\{a_n\}$에 대하여

① $a_{n+1}-a_n=d$ (일정) ➡ 공차가 d인 등차수열

② $\dfrac{a_{n+1}}{a_n}=r$ (일정) ➡ 공비가 r인 등비수열

③ $2a_{n+1}=a_n+a_{n+2}$ ➡ 등차수열

④ $a_{n+1}{}^2=a_na_{n+2}$ ➡ 등비수열

(3) **여러 가지 수열의 귀납적 정의**

① $a_{n+1}=a_n+f(n)$ 꼴

주어진 관계식의 n에 $1, 2, 3, \cdots, n-1$을 차례로 대입한 식들을 변끼리 더하면

$$a_n=a_1+f(1)+f(2)+\cdots+f(n-1)$$
$$=a_1+\sum_{k=1}^{n-1}f(k)$$

② $a_{n+1}=f(n)\times a_n$ 꼴

주어진 관계식의 n에 $1, 2, 3, \cdots, n-1$을 차례로 대입한 식들을 변끼리 곱하면

$$a_n=a_1\times f(1)\times f(2)\times\cdots\times f(n-1)$$

③ $a_{n+1}=pa_n+q$ 꼴

주어진 관계식을 $a_n-\alpha=(a_1-\alpha)p^{n-1}$로 변형하여 정리하면

$$a_n=\alpha+(a_1-\alpha)p^{n-1}\ (단, \alpha는 상수이다.)$$

④ $a_{n+1}=\dfrac{ra_n}{pa_n+q}$ 꼴

양변을 역수를 취하여 $\dfrac{1}{a_n}=b_n$으로 놓고 b_n을 구한 후 a_n을 구한다.

2 수학적 귀납법

자연수 n에 대한 명제 $p(n)$이 모든 자연수 n에 대하여 성립함을 증명하려면 다음 (i), (ii)를 보이면 된다.

(i) $n=1$일 때, 명제 $p(n)$이 성립한다.

(ii) $n=k$일 때, 명제 $p(n)$이 성립한다고 가정하면

$n=k+1$일 때에도 명제 $p(n)$이 성립한다.

이와 같은 증명 방법을 수학적 귀납법이라고 한다.

개념 플러스

➡ 수열의 이웃하는 항들 사이의 관계식을 점화식이라고 한다.

➡ $a_{n+1}=a_n+f(n)$ 꼴

$a_2=a_1+f(1)$

$a_3=a_2+f(2)$

$a_4=a_3+f(3)$

$\vdots$

$+)\ a_n=a_{n-1}+f(n-1)$

$a_n=a_1+\{f(1)+f(2)+f(3)$

$+\cdots+f(n-1)\}$

$=a_1+\sum_{k=1}^{n-1}f(k)$

➡ $a_{n+1}=f(n)\times a_n$ 꼴

$a_2=f(1)\times a_1$

$a_3=f(2)\times a_2$

$a_4=f(3)\times a_3$

$\vdots$

$\times)\ a_n=f(n-1)\times a_{n-1}$

$a_n=a_1\times f(1)\times f(2)\times f(3)$

$\times\cdots\times f(n-1)$

➡ $n\geq a$ (a는 자연수)인 모든 자연수 n에 대하여 부등식이 성립함을 증명할 때에는

(i) $n=a$일 때, 부등식이 성립함을 보인다.

(ii) $n=k$ $(k\geq a)$일 때, 부등식이 성립한다고 가정한다.

(iii) $n=k+1$일 때에도 부등식이 성립함을 보인다.

쌤이 꼭 내는 기본 문제

01

수열 $\{a_n\}$이 $\begin{cases} a_1 = 2 \\ a_{n+1} = a_n - 2 \ (n=1, 2, 3, \cdots) \end{cases}$ 로 정의될 때, a_{10}을 구하시오.

02

수열 $\{a_n\}$이 모든 자연수 n에 대하여

$$2a_{n+1} = a_n + a_{n+2}$$

를 만족시킨다. $a_2 = -1$, $a_3 = 2$일 때, a_{20}을 구하시오.

03

수열 $\{a_n\}$이 다음과 같이 정의될 때, a_6은?

$$a_1 = 3, \ a_{n+1} = 4a_n \ (n=1, 2, 3, \cdots)$$

① 3×2^6 ② 3×2^8 ③ 3×2^{10}
④ 3×2^{12} ⑤ 3×2^{14}

04

모든 항이 양수인 수열 $\{a_n\}$은 $\dfrac{a_{n+2}}{a_{n+1}} = \dfrac{a_{n+1}}{a_n} \ (n=1, 2, 3, \cdots)$이

성립하고, $a_1 = 2$, $a_3 = 50$이다. $\dfrac{a_{11}}{a_6} = p^p$을 만족시키는 양의 정수

p를 구하시오.

05

수열 $\{a_n\}$이 $a_1 = 2$, $a_{n+1} = a_n + 2n \ (n \geq 1)$으로 정의될 때, a_5를 구하시오.

06

다음은 $a_1 = 1$, $a_{n+1} = 2^n a_n \ (n=1, 2, 3, \cdots)$으로 정의된 수열의 일반항을 구하는 과정이다. ☐ 안에 알맞은 수나 식을 써넣으시오.

> $a_1 = 1$, $a_{n+1} = 2^n a_n$에서
> n 대신에 $1, 2, 3, \cdots, n-1$을 대입하여 변끼리 곱하면
> $$a_2 = 2^1 a_1$$
> $$a_3 = 2^2 a_2$$
> $$a_4 = 2^3 a_3$$
> $$\vdots$$
> $\times) \ \underline{a_n = 2^{n-1} a_{n-1}}$
> $$a_n = a_1 \times 2^1 \times 2^2 \times 2^3 \times \cdots \times 2^{\boxed{}}$$
> $$= 1 \times 2 \times 2^2 \times 2^3 \times \cdots \times 2^{\boxed{}}$$
> $$\therefore a_n = 2^{\boxed{}}$$

07

수열 $\{a_n\}$이 $a_1 = 2$, $a_{n+1} = 3a_n + 2 \ (n=1, 2, 3, \cdots)$로 정의될 때, a_4를 구하시오.

08

수열 $\{a_n\}$이 $a_1 = 1$, $\dfrac{1}{a_{n+1}} = \dfrac{1}{a_n} + 2 \ (n=1, 2, 3, \cdots)$로 정의될

때, $\dfrac{1}{a_5}$을 구하시오.

유형 문제

유형 1 등차수열과 등비수열의 관계식

중요
09

수열 $\{a_n\}$에 대하여 $a_1=3$, $a_{n+1}=a_n+3$ $(n=1, 2, 3, \cdots)$으로 정의될 때, $\displaystyle\sum_{k=1}^{9}\frac{1}{a_k a_{k+1}}$을 구하시오.

10

그림과 같이 관람석이 전체 15열로 이루어진 극장이 있다. 제n열의 좌석 수를 a_n이라 하면 수열 $\{a_n\}$은 $a_{n+1}=a_n+1(n=1, 2, \cdots, 14)$을 만족시킨다. 제1열의 좌석 수가 30일 때, 이 극장의 총 좌석 수는?

제15열
제14열
⋮
제3열
제2열
제1열

① 290   ② 330   ③ 430

④ 555   ⑤ 1100

11

수열 $\{a_n\}$에 대하여 $a_1=3$, $a_4=24$이고
$$a_{n+1}=\sqrt{a_n a_{n+2}} \ (n=1, 2, 3, \cdots)$$
가 성립할 때, $\displaystyle\sum_{n=1}^{10}a_n$의 값은?

① $3\times2^9-3$ ② $3\times2^9+3$ ③ $3\times2^{10}-3$

④ 3×2^{10} ⑤ $3\times2^{10}+3$

유형 2 $a_{n+1}=a_n+f(n)$ 꼴

12

수열 $\{a_n\}$이 $a_1=2$, $a_{n+1}=a_n+2^{n-1}$ $(n=1, 2, 3, \cdots)$으로 정의될 때, a_{10}을 구하시오.

13

수열 $\{a_n\}$이
$$a_1=\frac{1}{2}, \ a_{n+1}=a_n+\frac{1}{(2n-1)(2n+1)} \ (n=1, 2, 3, \cdots)$$
로 정의되고 $a_k=\dfrac{37}{38}$일 때, 자연수 k의 값을 구하시오.

중요
14

수열 $\{a_n\}$이 $a_1=1$, $a_{n+1}=a_n+f(n)$ $(n=1, 2, 3, \cdots)$으로 정의되고 $\displaystyle\sum_{k=1}^{n}f(k)=n^2-1$일 때, a_{100}은?

① 99^2 ② 100^2-1 ③ 100^2

④ 101^2-1 ⑤ 101^2

유형 **3** $a_{n+1}=f(n) \times a_n$ 꼴

15

수열 $\{a_n\}$이 $a_1=1$, $(2n-1)a_{n+1}=(2n+1)a_n$ $(n=1, 2, 3, \cdots)$으로 정의될 때, a_5는?

① 7   ② 9   ③ 11

④ 13   ⑤ 15

16

수열 $\{a_n\}$이 $a_1=1$, $a_{n+1}=3^n a_n$ $(n=1, 2, 3, \cdots)$으로 정의될 때, $a_n=3^{45}$을 만족시키는 자연수 n의 값을 구하시오.

17

수열 $\{a_n\}$이 $a_1=1$, $(n+2)^2 a_{n+1}=n(n+1)a_n$ $(n=1, 2, 3, \cdots)$으로 정의되고 $a_{15}=\dfrac{q}{p}$일 때, $p+q$의 값을 구하시오.

(단, p, q는 서로소인 자연수이다.)

유형 **4** $a_{n+1}=pa_n+q$ 꼴

18

수열 $\{a_n\}$이 $a_1=2$, $a_{n+1}=2a_n+2$로 정의될 때, a_{10}은?

① 1022   ② 1026   ③ 2046

④ 2048   ⑤ 2050

19

수열 $\{a_n\}$이 $a_1=4$, $a_{n+1}-3a_n+4=0$ $(n=1, 2, 3, \cdots)$으로 정의될 때, 일반항 a_n을 구하시오.

20

어느 용기에 18 L의 물이 들어 있다. 이 용기의 물의 $\dfrac{1}{3}$을 사용한 다음 2 L의 물을 다시 넣는 시행을 5번 하였을 때, 용기에 남아 있는 물의 양은 $\left(\dfrac{a}{3^4}+b\right)$ L이다. $a+b$의 값을 구하시오.

(단, $0<a<3^4$, b는 자연수이다.)

유형 **5**	여러 가지 관계식으로 표현된 수열

21

$a_1=1$, $a_2=4$이고, $a_{n+2}-5a_{n+1}+4a_n=0$ $(n=1, 2, 3, \cdots)$으로 정의되는 수열 $\{a_n\}$에 대하여 a_5는?

① 2^8 ② 2^{10} ③ 2^{12}

④ 2^{14} ⑤ 2^{16}

22

수열 $\{a_n\}$이 $a_1=2$, $a_{n+1}=\dfrac{2a_n}{a_n+2}$ $(n=1, 2, 3, \cdots)$으로 정의될 때, $\displaystyle\sum_{k=1}^{10}\dfrac{2}{a_k}$의 값을 구하시오.

23

수열 $\{a_n\}$이 $a_1=1$, $3a_na_{n+1}=a_{n+1}-a_n$ $(n=1, 2, 3, \cdots)$으로 정의될 때, a_{10}을 구하시오.

유형 **6**	규칙성을 추론하는 관계식

24

수열 $\{a_n\}$이 $a_1=2$, $a_{n+1}=\dfrac{a_n-1}{a_n}$ $(n=1, 2, 3, \cdots)$로 정의될 때, $a_{102}\times a_{103}+a_{104}$의 값은?

① $-\dfrac{3}{2}$ ② -1 ③ 0

④ $\dfrac{1}{2}$ ⑤ $\dfrac{3}{2}$

25

두 수열 $\{a_n\}$, $\{b_n\}$을 다음과 같이 정의한다. $(n=1, 2, 3, \cdots)$

> (가) $a_n=\dfrac{1}{9}(10^n-1)$
>
> (나) $b_1=1$, $b_{n+1}=b_n+a_{n+1}$

a_9와 b_9의 각 자리의 숫자의 합을 각각 a, b라 할 때, $a+b$의 값을 구하시오.

26

수열 $\{a_n\}$이

$$a_1=6, \quad a_{n+1}=\begin{cases} \dfrac{1}{2}a_n & (a_n\text{이 짝수}) \\ 3a_n+1 & (a_n\text{이 홀수}) \end{cases} \quad (n=1, 2, 3, \cdots)$$

로 정의될 때, a_{50}을 구하시오.

유형 7 수학적 귀납법으로 등식 증명

27

다음은 임의의 자연수 n에 대하여 등식

$$\frac{1}{1 \times 3} + \frac{1}{3 \times 5} + \cdots + \frac{1}{(2n-1)(2n+1)} = \frac{n}{2n+1}$$

이 성립함을 수학적 귀납법으로 증명한 것이다.

증명

(i) $n=1$일 때,

(좌변)$= \frac{1}{1 \times 3} = \frac{1}{3}$, (우변)$= \frac{1}{2+1} = \frac{1}{3}$

따라서 주어진 등식이 성립한다.

(ii) $n=k$일 때, 주어진 등식이 성립한다고 가정하면

$$\frac{1}{1 \times 3} + \frac{1}{3 \times 5} + \cdots + \frac{1}{(2k-1)(2k+1)} = \boxed{\text{(가)}}$$

이 식의 양변에 $\dfrac{1}{(2k+1)(2k+3)}$을 더하면

$$\frac{1}{1 \times 3} + \frac{1}{3 \times 5} + \cdots + \frac{1}{(2k-1)(2k+1)}$$
$$+ \frac{1}{(2k+1)(2k+3)} = \boxed{\text{(나)}}$$

따라서 $n=k+1$일 때도 주어진 등식이 성립한다.

(i), (ii)에 의하여 주어진 등식은 모든 자연수 n에 대하여 성립한다.

위의 증명에서 (가), (나)에 알맞은 식을 각각 $f(k)$, $g(k)$라 할 때, $f(2)+g(1)$의 값을 구하시오.

28

모든 자연수 n에 대하여 다음 등식이 성립함을 수학적 귀납법으로 증명하시오.

$$\frac{1}{2 \times 3} + \frac{1}{3 \times 4} + \cdots + \frac{1}{(n+1)(n+2)} = \frac{n}{2n+4}$$

유형 8 수학적 귀납법으로 부등식 증명

29

$x>0$이고, 2 이상의 자연수 n에 대하여 부등식

$$(1+x)^n > 1+nx$$

가 성립함을 수학적 귀납법으로 증명한 것이다.

증명

(i) $n=2$일 때,

(좌변)$-$(우변)$= \boxed{\text{(가)}} > 0$

따라서 주어진 부등식이 성립한다.

(ii) $n=k$ $(k \geq 2)$일 때, 주어진 부등식이 성립한다고 가정하면

$$(1+x)^k > 1+kx$$

이 식의 양변에 $1+x$를 곱하면 $1+x>0$이므로

$$(1+x)^{k+1} > (1+kx)(1+x)$$
$$= \boxed{\text{(나)}} + kx^2$$
$$> \boxed{\text{(나)}}$$

따라서 $n=k+1$일 때도 주어진 부등식이 성립한다.

(i), (ii)에 의하여 주어진 부등식은 2 이상의 모든 자연수 n에 대하여 성립한다.

위의 증명에서 (가), (나)에 알맞은 것을 순서대로 적은 것은?

① x, $(k+1)x$

② $x+1$, $(k+1)x$

③ $x+1$, $1+kx$

④ x^2, $1+kx$

⑤ x^2, $1+(k+1)x$

30

다음은 2 이상인 자연수 n에 대하여 부등식

$$1 + \frac{1}{2^2} + \frac{1}{3^2} + \cdots + \frac{1}{n^2} < 2 - \frac{1}{n}$$

이 성립함을 수학적 귀납법으로 증명하시오.

31

수열 $\{a_n\}$에 대하여 첫째항부터 제n항까지의 합을 S_n이라 하자. $a_1=2$, $a_2=5$이고, $(S_{n+1}-S_{n-1})^2=4a_na_{n+1}+9$ $(n=2, 3, 4, \cdots)$ 일 때, S_{20}의 값은? (단, $a_1<a_2<a_3<\cdots<a_n$)

① 480   ② 520   ③ 550
④ 580   ⑤ 610

32

직선 $y=-\dfrac{2}{3}x+2$ 위의 점 $P_1(0, 2)$를 지나고 x축에 평행한 직선이 직선 $y=x$와 만나는 점을 Q_1이라 하고, 점 Q_1을 지나고 y축에 평행한 직선이 직선 $y=-\dfrac{2}{3}x+2$와 만나는 점을 P_2라 하자. 이와 같은 방법으로 Q_2, P_3, Q_3, $\cdots$을 한없이 만들 때, 점 $P_n(x_n, y_n)$에 대하여 $y_{n+1}-a=-\dfrac{2}{3}(y_n-a)$가 성립한다. a의 값을 구하시오.

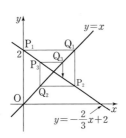

33

수열 $\{a_n\}$이 $a_1=1$, $a_{n+1}=\dfrac{2a_n}{4a_n+3}$ $(n=1, 2, 3, \cdots)$을 만족시킨다. $a_5=\dfrac{16}{p}$일 때, p의 값을 구하시오.

34

수열 $\{a_n\}$이 모든 자연수 n에 대하여

$$a_1=1, \quad a_{n+1}=\begin{cases} \dfrac{1}{2}a_n & (a_n \geq 2) \\ \sqrt[3]{2}a_n & (a_n < 2) \end{cases}$$

을 만족시킬 때, a_{115}는?

① 1   ② $\sqrt[3]{2}$ ③ $\sqrt{2}$
④ $\sqrt[3]{4}$ ⑤ 2

35

수열 $\{a_n\}$이
$$a_1=1, a_2=3, 3a_{n+2}-2a_{n+1}-a_n=0 \ (n=1, 2, 3, \cdots)$$
으로 정의될 때, 수열 $\{b_n\}$을 $b_n=a_{n+1}-a_n$이라 하면 b_5를 구하시오.

36

수열 $\{a_n\}$이
$$a_1=2, a_n+a_{n+1}=3n \ (n=1, 2, 3, \cdots)$$
으로 정의된다. 두 수
$$P=a_1+a_3+a_5+a_7+\cdots+a_{19},$$
$$Q=a_2+a_4+a_6+a_8+\cdots+a_{20}$$
일 때, $P-Q$의 값을 구하시오.

37

$a_1=1$, $\dfrac{1}{a_{n+1}}=\dfrac{1}{a_n}+d$ $(n=1, 2, 3, \cdots)$로 정의되는 수열 $\{a_n\}$에 대하여 $a_1=1$, $a_{11}=\dfrac{1}{21}$이다. $\displaystyle\sum_{n=1}^{10} a_n a_{n+1}$의 값을 구하시오.

38

수열 $\{a_n\}$이 다음 조건을 만족시킬 때, a_{100}을 구하시오.

> (가) $a_1=10$
>
> (나) $a_1+2a_2+\cdots+na_n=\dfrac{1}{2}n(n+1)a_{n+1}+1$
>
> $\qquad\qquad\qquad\qquad\qquad\qquad (n=1, 2, 3, \cdots)$

39

흰 바둑돌과 검은 바둑돌이 있다. 이 바둑돌 n개를 일렬로 나열할 때, 흰 바둑돌끼리는 이웃하지 않도록 나열하는 방법의 수를 a_n이라 하자. 예를 들어 $a_1=2$, $a_2=3$이다. 이때 a_{10}은?

> ○, ●   ○●, ●○, ●●
>
> $a_1=2$ $a_2=3$

① 141   ② 142   ③ 143

④ 144   ⑤ 145

40

다음은 모든 자연수 n에 대하여 등식

$$\sum_{k=1}^{n}(5k-3)\left(\dfrac{1}{k}+\dfrac{1}{k+1}+\dfrac{1}{k+2}+\cdots+\dfrac{1}{n}\right)=\dfrac{n(5n+3)}{4}$$

이 성립함을 수학적 귀납법으로 증명한 것이다.

> ┤ 증명 ├
>
> (i) $n=1$일 때,
>
> (좌변)$=2$, (우변)$=2$
>
> 따라서 주어진 등식이 성립한다.
>
> (ii) $n=m$일 때, 주어진 등식이 성립한다고 가정하면
>
> $$\sum_{k=1}^{m}(5k-3)\left(\dfrac{1}{k}+\dfrac{1}{k+1}+\dfrac{1}{k+2}+\cdots+\dfrac{1}{m}\right)$$
>
> $$=\dfrac{m(5m+3)}{4}$$
>
> $n=m+1$일 때,
>
> $$\sum_{k=1}^{m+1}(5k-3)\left(\dfrac{1}{k}+\dfrac{1}{k+1}+\dfrac{1}{k+2}+\cdots+\dfrac{1}{m+1}\right)$$
>
> $$=\sum_{k=1}^{m}(5k-3)\left(\dfrac{1}{k}+\dfrac{1}{k+1}+\dfrac{1}{k+2}+\cdots+\dfrac{1}{m+1}\right)$$
>
> $$\qquad\qquad\qquad\qquad\qquad\qquad +\dfrac{\boxed{\text{(가)}}}{m+1}$$
>
> $$=\sum_{k=1}^{m}(5k-3)\left(\dfrac{1}{k}+\dfrac{1}{k+1}+\dfrac{1}{k+2}+\cdots+\dfrac{1}{\boxed{\text{(나)}}}\right)$$
>
> $$\qquad\qquad +\dfrac{1}{m+1}\sum_{k=1}^{m}(5k-3)+\dfrac{\boxed{\text{(가)}}}{m+1}$$
>
> $$=\dfrac{m(5m+3)}{4}+\dfrac{1}{m+1}\sum_{k=1}^{m+1}\left(\boxed{\text{(다)}}\right)$$
>
> $$=\dfrac{(m+1)(5m+8)}{4}$$
>
> 따라서 $n=m+1$일 때도 주어진 등식이 성립한다.
>
> (i), (ii)에 의하여 주어진 등식은 모든 자연수 n에 대하여 성립한다.

위의 증명에서 (가), (나), (다)에 알맞은 식을 각각 $f(m)$, $g(m)$, $h(k)$라 할 때, $f(2)+g(3)+h(4)$의 값을 구하시오.

41

다음은 모든 자연수 n에 대하여 부등식

$$\frac{1}{n+1}+\frac{1}{n+2}+\cdots+\frac{1}{3n+1}>1$$

이 성립함을 수학적 귀납법으로 증명한 것이다.

┤ 증명 ├

모든 자연수 n에 대하여

$a_n=\dfrac{1}{n+1}+\dfrac{1}{n+2}+\cdots+\dfrac{1}{3n+1}$ 이라 할 때, $a_n>1$임을

보이면 된다.

(i) $n=1$일 때,

   $a_1=\dfrac{1}{2}+\dfrac{1}{3}+\dfrac{1}{4}>1$

   따라서 주어진 부등식이 성립한다.

(ii) $n=k$일 때, 주어진 부등식이 성립한다고 가정하면

   $a_k=\dfrac{1}{k+1}+\dfrac{1}{k+2}+\cdots+\dfrac{1}{3k+1}>1$

   $n=k+1$일 때,

   $a_{k+1}=\dfrac{1}{k+2}+\dfrac{1}{k+3}+\cdots+\dfrac{1}{3k+4}$

   $\quad=a_k+\left(\dfrac{1}{3k+2}+\dfrac{1}{3k+3}+\dfrac{1}{3k+4}\right)-\boxed{\text{(가)}}$

   한편 $(3k+2)(3k+4)\boxed{\text{(나)}}(3k+3)^2$이므로

   $\dfrac{1}{3k+2}+\dfrac{1}{3k+4}>\boxed{\text{(다)}}$

   $\therefore a_{k+1}>a_k+\left(\dfrac{1}{3k+3}+\boxed{\text{(다)}}\right)-\boxed{\text{(가)}}>1$

   따라서 $n=k+1$일 때도 주어진 부등식이 성립한다.

(i), (ii)에 의하여 모든 자연수 n에 대하여 주어진 부등식은

성립한다.

위의 증명에서 (가), (나), (다)에 알맞은 것은?

	(가)	(나)	(다)
①	$\dfrac{1}{k+1}$	$>$	$\dfrac{2}{3k+3}$
②	$\dfrac{1}{k+1}$	$<$	$\dfrac{2}{3k+3}$
③	$\dfrac{1}{k+1}$	$<$	$\dfrac{4}{3k+3}$
④	$\dfrac{2}{k+1}$	$>$	$\dfrac{4}{3k+3}$
⑤	$\dfrac{2}{k+1}$	$<$	$\dfrac{1}{k+1}$

 최고난도 문제

42

수직선 위에 점 P_n $(n=1, 2, 3, \cdots)$을 다음 규칙에 따라 정한다.

⑦ 점 P_1의 좌표는 $P_1(0)$이다.

⑭ $\overline{P_1P_2}=1$이다.

⑮ $\overline{P_nP_{n+1}}=\dfrac{n-1}{n+1}\times\overline{P_{n-1}P_n}$ $(n=2, 3, 4, \cdots)$

선분 P_nP_{n+1}을 밑변으로 하고 높이가 1인 직각삼각형의 넓이를

S_n이라 하자. $S_1+S_2+S_3+\cdots+S_{50}=\dfrac{q}{p}$일 때, $p+q$의 값을

구하시오. (단, p, q는 서로소인 자연수이다.)

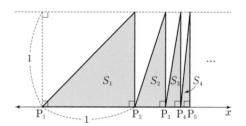

43

50%의 소금물 $100\,\text{g}$과 10%의 소금물 $100\,\text{g}$을 섞은 농도를

a_1 $(\%)$, a_1 $(\%)$의 소금물 $100\,\text{g}$에 10%의 소금물 $100\,\text{g}$을 섞

은 농도를 a_2 $(\%)$, a_2 $(\%)$의 소금물 $100\,\text{g}$에 10%의 소금물

$100\,\text{g}$을 섞은 농도를 a_3 $(\%)$, $\cdots$이라 하자. 이와 같이 반복하면

$a_{10}=p\left(2+\dfrac{1}{2^q}\right)$ $(\%)$이다. $p+q$의 값을 구하시오.

빠른 정답 확인

01 지수
본문 007~014쪽

01 3	02 3	03 25
04 ④	05 ⑤	06 ④
07 6	08 $\sqrt{30}$	
09 ③	10 ③	11 14
12 4	13 ②	14 ②
15 ⑤	16 ⑤	17 $\frac{1}{2}$
18 ①	19 ①	20 ④
21 14	22 ③	23 3
24 ④	25 26	26 ④
27 ②	28 64	29 ①
30 2.5	31 207	32 ②
33 16	34 ③	35 ②
36 $\frac{201}{2}$	37 ②	38 25
39 ②	40 ②	41 7
42 31	43 ④	44 ③
45 ①		
46 15	47 ③	

02 로그
본문 017~024쪽

01 81	02 1	03 ②
04 $\frac{5}{2}$	05 ②	06 6
07 ③	08 $\frac{9}{5}$	
09 1	10 ④	11 ③
12 ④	13 32	14 32
15 ①	16 1	17 ⑤
18 ③	19 ③	20 $-\frac{12}{11}$
21 ②	22 ⑤	23 ④
24 ③	25 ⑤	26 21
27 ②	28 ①	29 $\frac{1}{2}$
30 ②	31 ④	
32 ③	33 58	34 ①
35 ④	36 ③	37 1
38 ④	39 2	40 ②
41 ②	42 ③	43 2
44 ①	45 53	

03 상용로그
본문 027~034쪽

01 ②	02 ③	03 1
04 −1	05 8	06 ③
07 ③	08 $\frac{1}{3}$	
09 ④	10 ④	11 9
12 ⑤	13 ④	14 512
15 145	16 ③	17 19
18 12	19 135	20 ②
21 ⑤	22 ②	23 ⑤
24 ⑤	25 ②	26 40
27 ③	28 9	29 3
30 ②	31 ④	
32 ④	33 98	34 19
35 310	36 31	37 ④
38 100	39 ②	40 30
41 ③	42 ⑤	43 11
44 ②		
45 17	46 ③	

04 지수함수와 로그함수
본문 037~046쪽

01 ⑤	02 ①	03 29
04 $\frac{3}{2}$	05 ④	06 $\frac{1}{6}$
07 0	08 3	
09 13	10 ①	11 ①
12 ②	13 2	14 5
15 ②	16 ⑤	17 1
18 11	19 ①	20 $\frac{20}{9}$
21 ⑤	22 ②	23 ④
24 4	25 ③	26 ③
27 ⑤	28 ④	29 $-\frac{1}{4}$
30 ③	31 84	32 ③
33 2	34 $12\sqrt{3}$	35 ①
36 ②	37 ①	38 38
39 20	40 39	41 20
42 ②	43 −4	44 ⑤
45 ③	46 ①	47 49
48 ⑤	49 ①	50 13
51 246	52 64	53 3
54 $\frac{5}{2}$	55 5	

05 지수함수의 활용
본문 049~056쪽

01 $-\dfrac{4}{9}$	02 $x=3$	03 5
04 ②	05 ⑤	06 ②
07 15	08 4	
09 ③	10 5	11 ④
12 449	13 128	14 ⑤
15 5	16 ③	17 5
18 ④	19 ③	20 -3
21 5	22 ①	23 ④
24 -4	25 ②	26 $x=-1$
27 $\dfrac{1}{2}$	28 ②	29 ①
30 ⑤	31 ②	
32 $x=4$	33 ④	34 101
35 ②	36 ⑤	37 4
38 100	39 ①	40 ①
41 9	42 ④	43 ③
44 12시간 전		
45 ①	46 9	

06 로그함수의 활용
본문 059~066쪽

01 ②	02 32	03 ①
04 20	05 26	06 ③
07 $-\dfrac{1}{27}$	08 7	
09 9	10 ①	11 ⑤
12 24	13 ①	14 ①
15 101	16 ②	17 ②
18 ④	19 64	20 ③
21 24	22 ④	23 ③
24 ①	25 ⑤	26 63
27 $\dfrac{1}{2}\leq x\leq 2$	28 8	29 80
30 20데시벨	31 ④	32 ②
33 ⑤	34 ①	35 6
36 ②	37 ②	38 ②
39 ②	40 16	41 5
42 ⑤	43 1	44 ①
45 56	46 16	

07 삼각함수의 뜻
본문 069~076쪽

01 ③	02 ③	03 $(12+4\pi)$cm
04 25	05 0	06 ⑤
07 $2\sqrt{2}$	08 $-\dfrac{4}{3}$	
09 ⑤	10 3	11 ④
12 ⑤	13 7	14 ⑤
15 $S=2\pi-4$, $\theta=\pi-2$		16 ④
17 ②	18 ②	19 ⑤
20 $\dfrac{8}{3}\pi-2\sqrt{3}$	21 ①	22 $-\dfrac{1}{2}-\dfrac{\sqrt{3}}{2}$
23 ③	24 ④	25 ①
26 ④	27 ⑤	28 ㄴ, ㄷ
29 ⑤	30 ③	31 $2\sqrt{2}$
32 $x^2+4x+1=0$		
33 ③	34 $\dfrac{400}{3}\pi-100\sqrt{3}$	35 ④
36 2	37 $\dfrac{3\sqrt{5}}{5}$	38 16
39 $\sqrt{6}-2$	40 $\dfrac{1}{2}$	41 제1사분면
42 ②	43 ④	44 ⑤
45 ②	46 ④	
47 $\dfrac{9}{2}$	48 $\dfrac{100}{3}\pi$	

01 ④ 02 ④ 03 $4+4\pi$

04 $-\pi$ 05 $-\dfrac{3}{4}$ 06 4

07 $\sqrt{3}$ 08 2π

09 ③ 10 $\dfrac{1}{2}$ 11 ④

12 2 13 ③ 14 $\dfrac{2}{3}\pi$

15 ④ 16 ⑤ 17 $-\pi$

18 ④ 19 ② 20 -1

21 ③ 22 ③ 23 0

24 $\dfrac{13}{4}$ 25 ① 26 ④

27 -6 28 $\dfrac{19}{6}$ 29 9

30 ⑤ 31 ⑤ 32 ④

33 ② 34 ③ 35 -1

36 $\dfrac{5}{3}\pi \le \theta < \dfrac{7}{4}\pi$ 37 ④ 38 ③

39 $0 \le x < \dfrac{\pi}{12}$ 또는 $\dfrac{\pi}{4} < x \le \pi$ 40 ④

41 $k \le -2$ 42 ⑤ 43 ⑤

44 ③

45 ① 46 4 47 1

48 ② 49 ② 50 $\dfrac{\pi}{6}$

51 ④ 52 ② 53 $\dfrac{9}{8}$

54 $\dfrac{\pi}{4} < \theta < \dfrac{3}{4}\pi$ 55 ⑤ 56 ③

57 ②

58 ① 59 $\dfrac{25}{3}$

01 $2\sqrt{2}$ 02 12 03 ②

04 $2\sqrt{13}$ 05 $\dfrac{\sqrt{7}}{4}$ 06 ①

07 24 08 $4\sqrt{2}$

09 ② 10 4 11 $\dfrac{5}{4}$

12 $\dfrac{4}{3}$ 13 ⑤ 14 ⑤

15 ⑤ 16 $\dfrac{1}{2}$ 17 6

18 6 19 ③ 20 $\dfrac{2}{5}$

21 ⑤ 22 $\dfrac{3}{5}$ 23 $100\sqrt{13}$ m

24 ③ 25 ④ 26 ①

27 ① 28 $3+8\sqrt{2}$ 29 $2\sqrt{20}$

30 $\dfrac{4}{3}$배 31 ① 32 $\sqrt{21}$

33 $\sqrt{7}$ 34 ⑤ 35 ③

36 $\dfrac{4}{5}$ 37 125π m² 38 $\dfrac{3}{2}\pi$

39 ③ 40 ④ 41 ③

42 ④ 43 ② 44 ③

45 $\dfrac{5}{6}$ 46 ④

01 22 02 200 03 ②

04 6 05 ⑤ 06 288

07 77 08 62

09 ③ 10 ⑤ 11 26

12 4 13 ② 14 ②

15 ① 16 24 17 ④

18 ① 19 -1 20 ④

21 800 22 ④ 23 ②

24 ② 25 ② 26 1457

27 27 28 ③ 29 ③

30 99 31 ① 32 60

33 ⑤ 34 22 35 ②

36 600 37 2 38 ③

39 ③ 40 ④ 41 ③

42 16 43 ② 44 17

45 63

46 ④ 47 85

11 등비수열

본문 111~118쪽

01 ②	02 ③	03 18
04 31	05 20	06 ③
07 81	08 492	
09 $16\sqrt{2}$	10 ①	11 ④
12 ④	13 $\dfrac{21}{4}$	14 8
15 ①	16 12	17 ④
18 11	19 ②	20 16 %
21 ④	22 ②	23 6
24 728	25 ①	26 13
27 ②	28 ②	29 ④
30 ③	31 ④	
32 ④	33 32	34 ②
35 4	36 25	37 54
38 32	39 ③	40 15
41 40	42 ②	43 63
44 ④		
45 1291	46 ④	

12 수열의 합

본문 121~130쪽

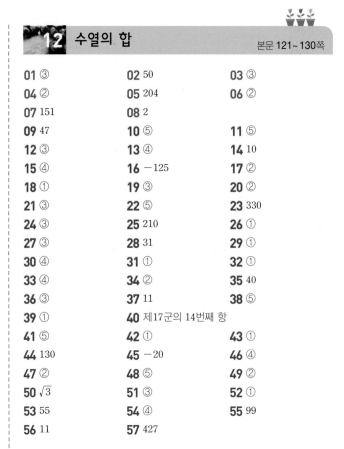

01 ③	02 50	03 ③
04 ②	05 204	06 ②
07 151	08 2	
09 47	10 ⑤	11 ⑤
12 ③	13 ④	14 10
15 ④	16 -125	17 ②
18 ①	19 ③	20 ②
21 ③	22 ⑤	23 330
24 ③	25 210	26 ①
27 ③	28 31	29 ①
30 ④	31 ①	32 ①
33 ④	34 ②	35 40
36 ③	37 11	38 ⑤
39 ①	40 제17군의 14번째 항	
41 ⑤	42 ①	43 ①
44 130	45 -20	46 ④
47 ②	48 ⑤	49 ②
50 $\sqrt{3}$	51 ③	52 ①
53 55	54 ④	55 99
56 11	57 427	

13 수학적 귀납법

본문 133~140쪽

01 -16	02 53	03 ③
04 5	05 22	
06 $n-1$, $n-1$, $\dfrac{n(n-1)}{2}$		07 80
08 9		
09 $\dfrac{1}{10}$	10 ④	11 ③
12 513	13 10	14 ①
15 ②	16 10	17 961
18 ③	19 $a_n=2\times3^{n-1}+2$	20 54
21 ①	22 55	23 $-\dfrac{1}{26}$
24 ①	25 54	26 2
27 $\dfrac{4}{5}$	28 풀이 참조	29 ⑤
30 풀이 참조		
31 ⑤	32 $\dfrac{6}{5}$	33 341
34 ④	35 $\dfrac{2}{81}$	36 10
37 $\dfrac{10}{21}$	38 9	39 ④
40 32	41 ②	
42 101	43 12	

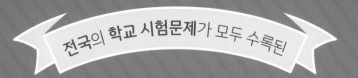

최상위권 유형별
문제기본서 하이 하이
Hi High
수학 I
정답 및 해설

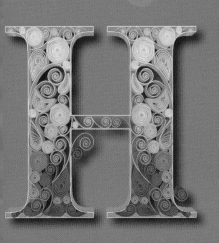

아름다운샘

아름다운 샘과 함께

수학의 자신감과 최고 실력을 완성!!!

아름다운 샘과 함께

수학의 자신감과 최고 실력을 완성!!!

Hi High
수학 I

정답 및 해설

01 지수

본책 007~014쪽

01 -32의 다섯제곱근 중에서 실수인 것은
$\sqrt[5]{-32}=\sqrt[5]{(-2)^5}=-2$
이므로 $m=1$
3의 네제곱근 중에서 실수인 것은 $\sqrt[4]{3}$, $-\sqrt[4]{3}$이므로
$n=2$
$\therefore m+n=1+2=3$　　답 3

참고
실수 a에 대하여 a의 n제곱근 중에서 실수인 것은 다음과 같다.

n＼a	$a>0$	$a=0$	$a<0$
n이 홀수	$\sqrt[n]{a}$	0	$\sqrt[n]{a}$
n이 짝수	$\sqrt[n]{a}$, $-\sqrt[n]{a}$	0	없다.

02 $\sqrt[4]{(-3)^4}+\sqrt[5]{-32}+\sqrt[3]{\sqrt{64}}$
$=\sqrt[4]{3^4}+\sqrt[5]{(-2)^5}+\sqrt[6]{64}$
$=3+(-2)+\sqrt[6]{2^6}$
$=3+(-2)+2=3$　　답 3

03 5의 세제곱근 중에서 실수인 것이 a이므로
$a^3=5$
$\therefore a^{16}\times(a^5)^{-2}=a^{16}\times a^{-10}=a^6=(a^3)^2$
$\qquad\qquad\qquad =5^2=25$　　답 25

04 $(2^{\sqrt2})^{2\sqrt2}\times8^{\frac13}\times2^{-2}=2^{\sqrt2\times2\sqrt2}\times(2^3)^{\frac13}\times2^{-2}$
$\qquad\qquad\qquad =2^4\times2\times2^{-2}=2^3=8$　　답 ④

05 $A=3^{\frac13}=3^{\frac{4}{12}}=(3^4)^{\frac{1}{12}}=81^{\frac{1}{12}}$
$B=5^{\frac14}=5^{\frac{3}{12}}=(5^3)^{\frac{1}{12}}=125^{\frac{1}{12}}$
$C=7^{\frac16}=7^{\frac{2}{12}}=(7^2)^{\frac{1}{12}}=49^{\frac{1}{12}}$
$49^{\frac{1}{12}}<81^{\frac{1}{12}}<125^{\frac{1}{12}}$이므로
$C<A<B$　　답 ⑤

06 $(x^{\frac12}+x^{-\frac12})^2=x+2+x^{-1}=9\ (\because x+x^{-1}=7)$
$x>0$이므로 $x^{\frac12}+x^{-\frac12}>0$
$\therefore x^{\frac12}+x^{-\frac12}=\sqrt9=3$　　답 ④

07 주어진 식의 분모, 분자에 각각 a^x을 곱하면
$\dfrac{a^{3x}-a^{-x}}{a^x+a^{-x}}=\dfrac{a^x(a^{3x}-a^{-x})}{a^x(a^x+a^{-x})}=\dfrac{a^{4x}-1}{a^{2x}+1}$
$\qquad\qquad =\dfrac{7^2-1}{7+1}=6$　　답 6

08 $a>0$이고, x, y, z는 0이 아니므로
$2^x=3^y=5^z=a$에서

$a^{\frac1x}=2,\ a^{\frac1y}=3,\ a^{\frac1z}=5$
위의 세 식을 곱하면
$a^{\frac1x+\frac1y+\frac1z}=2\times3\times5=30$
$\dfrac1x+\dfrac1y+\dfrac1z=2$이므로
$a^2=30$
$\therefore a=\sqrt{30}\ (\because a>0)$　　답 $\sqrt{30}$

09 ① 네제곱근 64는 $\sqrt[4]{64}=\sqrt[4]{8^2}=\sqrt8$이다. (참)
② $6^3=216$이므로 6은 216의 세제곱근이다. (참)
③ $x^4=4$에서 $(x^2-2)(x^2+2)=0$
$(x+\sqrt2)(x-\sqrt2)(x^2+2)=0$
$\therefore x=\pm\sqrt2$ 또는 $x=\pm\sqrt2i$
따라서 4의 네제곱근은 4개이다. (거짓)
④ -27의 세제곱근 중에서 실수인 것은
$\sqrt[3]{-27}=\sqrt[3]{(-3)^3}=-3$이다. (참)
⑤ n이 2보다 큰 홀수일 때, -5의 n제곱근 중에서 실수인 것은
$\sqrt[n]{-5}=-\sqrt[n]{5}$이다. (참)　　답 ③

다른 풀이
④ $x^3=-27$에서 $x^3+27=0$
$(x+3)(x^2-3x+9)=0$
$\therefore x=-3$ 또는 $x=\dfrac{3\pm3\sqrt3i}{2}$
따라서 -27의 세제곱근 중에서 실수인 것은 -3이다. (참)

10 a는 -64의 세제곱근 중에서 실수인 것이므로
$a=\sqrt[3]{-64}=\sqrt[3]{(-4)^3}=-4$　　……㉠
b는 81의 네제곱근 중에서 양수인 것이므로
$b=\sqrt[4]{81}=\sqrt[4]{3^4}=3$　　……㉡
㉠, ㉡에서 $a+b=-1$
따라서 $a+b$는 x의 세제곱근이므로
$x=(a+b)^3=(-1)^3=-1$　　답 ③

11 (ⅰ) a가 홀수, 즉 $a=3, 5$일 때,
모든 실수 b에 대하여 $\sqrt[a]{b}$가 실수이므로 순서쌍 (a, b)의 개수는
$2\times5=10$
(ⅱ) a가 짝수, 즉 $a=2, 4$일 때,
$b\geq0$인 경우에만 $\sqrt[a]{b}$가 실수이므로 순서쌍 (a, b)의 개수는
$2\times2=4$
(ⅰ), (ⅱ)에서 구하는 순서쌍 (a, b)의 개수는
$10+4=14$　　답 14

12 $\sqrt{\dfrac{\sqrt[6]{a^5}}{\sqrt[4]{a}}}\times\sqrt[4]{\dfrac{\sqrt{a}}{\sqrt[3]{a}}}=\dfrac{\sqrt{\sqrt[6]{a^5}}}{\sqrt{\sqrt[4]{a}}}\times\dfrac{\sqrt[4]{\sqrt{a}}}{\sqrt[4]{\sqrt[3]{a}}}=\dfrac{\sqrt[12]{a^5}}{\sqrt[8]{a}}\times\dfrac{\sqrt[8]{a}}{\sqrt[12]{a}}$
$\qquad\qquad =\dfrac{\sqrt[12]{a^5}}{\sqrt[12]{a}}=\sqrt[12]{\dfrac{a^5}{a}}=\sqrt[12]{a^4}$
$\therefore n=4$　　답 4

13

$$\frac{\sqrt[6]{36}+\sqrt[3]{81}}{\sqrt[3]{\sqrt{4}}+\sqrt[3]{9}\times\sqrt[3]{3}}=\frac{\sqrt[6]{6^2}+\sqrt[3]{3^3\times3}}{\sqrt[6]{2^2}+\sqrt[3]{3^3}}$$

$$=\frac{\sqrt[3]{6}+3\sqrt[3]{3}}{\sqrt[3]{2}+3}$$

$$=\frac{\sqrt[3]{3}(\sqrt[3]{2}+3)}{\sqrt[3]{2}+3}$$

$$=\sqrt[3]{3}$$ 답 ②

14

$$(\sqrt[4]{a}+\sqrt[4]{b})^2=(\sqrt[4]{a})^2+(\sqrt[4]{b})^2+2\sqrt[4]{a}\sqrt[4]{b}$$

$$=\sqrt{a}+\sqrt{b}+2\sqrt[4]{ab}$$

$$=\sqrt{a}+\sqrt{b}+2\sqrt{\sqrt{ab}}$$

$$=16+2\times8\ (\because\sqrt{a}+\sqrt{b}=16,\ \sqrt{ab}=64)$$

$$=32$$

$\sqrt[4]{a}+\sqrt[4]{b}>0$이므로

$\sqrt[4]{a}+\sqrt[4]{b}=\sqrt{32}=4\sqrt{2}$ 답 ②

15

$$\left\{\left(\frac{8}{125}\right)^{-\frac{1}{3}}\right\}^{\frac{3}{2}}\times\left(\frac{8}{5}\right)^{\frac{1}{2}}=\left(\frac{8}{125}\right)^{-\frac{1}{2}}\times\left(\frac{8}{5}\right)^{\frac{1}{2}}$$

$$=\left\{\left(\frac{2}{5}\right)^3\right\}^{-\frac{1}{2}}\times\left(\frac{8}{5}\right)^{\frac{1}{2}}$$

$$=\left(\frac{2}{5}\right)^{-\frac{3}{2}}\times\left(\frac{8}{5}\right)^{\frac{1}{2}}$$

$$=2^{-\frac{3}{2}}\times5^{\frac{3}{2}}\times2^{\frac{3}{2}}\times5^{-\frac{1}{2}}$$

$$=2^{-\frac{3}{2}+\frac{3}{2}}\times5^{\frac{3}{2}-\frac{1}{2}}$$

$$=5$$ 답 ⑤

16

ㄱ. $16^{-0.25}=(2^4)^{-\frac{1}{4}}=2^{-1}=\frac{1}{2}$ (참)

ㄴ. $\sqrt[3]{5\sqrt[4]{5\sqrt{5}}}=\sqrt[3]{5}\times\sqrt[12]{5}\times\sqrt[24]{5}$

$$=5^{\frac{1}{3}}\times5^{\frac{1}{12}}\times5^{\frac{1}{24}}$$

$$=5^{\frac{1}{3}+\frac{1}{12}+\frac{1}{24}}=5^{\frac{11}{24}}$$ (참)

ㄷ. $(\sqrt{3})^{3\sqrt{3}}=\{(\sqrt{3})^3\}^{\sqrt{3}}=(3\sqrt{3})^{\sqrt{3}}$ (참)

따라서 ㄱ, ㄴ, ㄷ 모두 옳다. 답 ⑤

17

$$\sqrt{\left(\sqrt{2^{\sqrt{2}}}\right)^{\sqrt{2}}}=\left(\sqrt{2^{\sqrt{2}}}\right)^{\frac{\sqrt{2}}{2}}=\left(2^{\frac{\sqrt{2}}{2}}\right)^{\frac{\sqrt{2}}{2}}=2^{\frac{1}{2}}$$

$\therefore k=\frac{1}{2}$ 답 $\frac{1}{2}$

18

$$\left(\frac{1}{4}\right)^{\frac{1}{2}a-b}=(2^{-2})^{\frac{1}{2}a-b}=2^{-a+2b}$$

$$=2^{-a}\times2^{2b}=(2^a)^{-1}\times(2^b)^2$$

$$=c^{-1}d^2\ (\because2^a=c,\ 2^b=d)$$

$$=\frac{d^2}{c}$$

따라서 $\left(\frac{1}{4}\right)^{\frac{1}{2}a-b}$과 같은 것은 ① $\frac{d^2}{c}$이다. 답 ①

19

$A=\sqrt{2^{\sqrt{2}}}=(2^{\sqrt{2}})^{\frac{1}{2}}=2^{\frac{\sqrt{2}}{2}}$

$B=2^{\frac{1}{\sqrt{2}}}=2^{\frac{\sqrt{2}}{2}}$

$C=(\sqrt{2})^{\sqrt{2}}=(2^{\frac{1}{2}})^{\sqrt{2}}=2^{\frac{\sqrt{2}}{2}}$

$\therefore A=B=C$ 답 ①

20

$$f(x)=\frac{1+x+x^2+\cdots+x^{10}}{x^{-12}(x^{10}+x^9+\cdots+1)}=\frac{1}{x^{-12}}=x^{12}$$

$$\therefore f(\sqrt[6]{2})=(\sqrt[6]{2})^{12}=\{(\sqrt[6]{2})^6\}^2$$

$$=2^2=4$$ 답 ④

21

$a^{\frac{1}{2}}+a^{-\frac{1}{2}}=4$의 양변을 제곱하면

$(a^{\frac{1}{2}})^2+2\times a^{\frac{1}{2}}\times a^{-\frac{1}{2}}+(a^{-\frac{1}{2}})^2=16$

$a+2+a^{-1}=16$

$\therefore a+a^{-1}=16-2=14$ 답 14

22

(i) $\sqrt{x}+\frac{1}{\sqrt{x}}=3$에서 양변을 세제곱하면

$$\left(x^{\frac{1}{2}}+x^{-\frac{1}{2}}\right)^3=x^{\frac{3}{2}}+3\times\sqrt{x}\times\frac{1}{\sqrt{x}}\times\left(\sqrt{x}+\frac{1}{\sqrt{x}}\right)+x^{-\frac{3}{2}}$$

$$=27$$

$$x^{\frac{3}{2}}+3\times3+x^{-\frac{3}{2}}=27\ \left(\because\sqrt{x}+\frac{1}{\sqrt{x}}=3\right)$$

$$\therefore x^{\frac{3}{2}}+x^{-\frac{3}{2}}=18$$

(ii) $\sqrt{x}+\frac{1}{\sqrt{x}}=3$에서 양변을 제곱하면

$$\left(x^{\frac{1}{2}}+x^{-\frac{1}{2}}\right)^2=x+2\times\sqrt{x}\times\frac{1}{\sqrt{x}}+\frac{1}{x}=9$$

$$\therefore x+\frac{1}{x}=7$$

이 식의 양변을 다시 제곱하면

$$x^2+2x\times\frac{1}{x}+\frac{1}{x^2}=49,\ x^2+\frac{1}{x^2}=47$$

$$\therefore x^2+x^{-2}=47$$

(i), (ii)에서

$$\frac{x^{\frac{3}{2}}+x^{-\frac{3}{2}}+7}{x^2+x^{-2}+3}=\frac{18+7}{47+3}=\frac{25}{50}=\frac{1}{2}$$ 답 ③

23

$$x^3=(2^{\frac{1}{3}}-2^{-\frac{1}{3}})^3$$

$$=(2^{\frac{1}{3}})^3-3\times2^{\frac{1}{3}}\times2^{-\frac{1}{3}}\times(2^{\frac{1}{3}}-2^{-\frac{1}{3}})-(2^{-\frac{1}{3}})^3$$

$$=2-3x-2^{-1}\ (\because x=2^{\frac{1}{3}}-2^{-\frac{1}{3}})$$

$$=\frac{3}{2}-3x$$

$x^3+3x=\frac{3}{2}$이므로

$$2x^3+6x=2\times\frac{3}{2}=3$$ 답 3

24

$$\frac{1}{1-5^{\frac{1}{8}}}+\frac{1}{1+5^{\frac{1}{8}}}+\frac{2}{1+5^{\frac{1}{4}}}+\frac{4}{1+5^{\frac{1}{2}}}$$

$$=\frac{2}{(1-5^{\frac{1}{8}})(1+5^{\frac{1}{8}})}+\frac{2}{1+5^{\frac{1}{4}}}+\frac{4}{1+5^{\frac{1}{2}}}$$

$$=\frac{2}{1-5^{\frac{1}{4}}}+\frac{2}{1+5^{\frac{1}{4}}}+\frac{4}{1+5^{\frac{1}{2}}}$$

$$=\frac{4}{(1-5^{\frac{1}{4}})(1+5^{\frac{1}{4}})}+\frac{4}{1+5^{\frac{1}{2}}}=\frac{4}{1-5^{\frac{1}{2}}}+\frac{4}{1+5^{\frac{1}{2}}}$$

$$=\frac{8}{(1-5^{\frac{1}{2}})(1+5^{\frac{1}{2}})}=\frac{8}{1-5}=-2$$ 답 ④

25 $4^x = 2^{2x} = 5$이므로

주어진 식의 좌변의 분모, 분자에 2^x을 곱하면

$$\frac{8^x + 8^{-x}}{2^x + 2^{-x}} = \frac{2^x(2^{3x} + 2^{-3x})}{2^x(2^x + 2^{-x})} = \frac{2^{4x} + 2^{-2x}}{2^{2x} + 1}$$

$$= \frac{(2^{2x})^2 + (2^{2x})^{-1}}{2^{2x} + 1}$$

$$= \frac{5^2 + \frac{1}{5}}{5 + 1} = \frac{\frac{126}{5}}{6}$$

$$= \frac{21}{5}$$

따라서 $a = 5$, $b = 21$이므로

$a + b = 26$　　　　　　　　　　　　　**답** 26

26 주어진 식의 분모, 분자에 각각 a^x을 곱하면

$$\frac{a^x + a^{-x}}{a^x - a^{-x}} = \frac{a^x(a^x + a^{-x})}{a^x(a^x - a^{-x})} = \frac{a^{2x} + 1}{a^{2x} - 1} = 3$$

$a^{2x} + 1 = 3(a^{2x} - 1)$

$2a^{2x} = 4$, $a^{2x} = 2$

$$\therefore (a^x + a^{-x})(a^x - a^{-x}) = a^{2x} - a^{-2x}$$

$$= 2 - \frac{1}{2} = \frac{3}{2}$$　　　　　**답** ④

27 $a^{\frac{x}{3}} = b^y = 81$이므로

$a^{\frac{x}{3}} = 3^4$에서 $(a^{\frac{x}{3}})^{\frac{3}{x}} = (3^4)^{\frac{3}{x}} = 3^{\frac{12}{x}}$　　$\therefore a = 3^{\frac{12}{x}}$

$b^y = 3^4$에서 $(b^y)^{\frac{1}{y}} = (3^4)^{\frac{1}{y}} = 3^{\frac{4}{y}}$　　$\therefore b = 3^{\frac{4}{y}}$

$ab = 3^{\frac{12}{x} + \frac{4}{y}} = 3^{4(\frac{3}{x} + \frac{1}{y})} = 3^3$

$$\therefore \frac{3}{x} + \frac{1}{y} = \frac{3}{4}$$　　　　　　　　**답** ②

28 $80^x = 2$에서 $80 = 2^{\frac{1}{x}}$　　　　$\cdots\cdots$ ㉠

$\left(\frac{1}{10}\right)^y = 4 = 2^2$에서 $\frac{1}{10} = 2^{\frac{2}{y}}$　$\cdots\cdots$ ㉡

㉠×㉡을 하면

$2^{\frac{1}{x} + \frac{2}{y}} = 80 \times \frac{1}{10} = 8 = 2^3$

$$\therefore \frac{1}{x} + \frac{2}{y} = 3$$

$\frac{1}{x} + \frac{2}{y} - \frac{1}{z} = 1$이므로

$3 - \frac{1}{z} = 1$, $\frac{1}{z} = 2$

$a^z = 8$에서 $a = 8^{\frac{1}{z}}$ $(\because a > 0)$

$\therefore a = 8^2 = 64$　　　　　　　　　　**답** 64

29 $x = \frac{1}{2}(2^n - 2^{-n})$이므로

$$1 + x^2 = 1 + \frac{1}{4}(2^n - 2^{-n})^2 = \frac{1}{4}\{(2^n - 2^{-n})^2 + 4\}$$

$$= \frac{1}{4}(2^{2n} + 2 + 2^{-2n})$$

$$= \frac{1}{4}(2^n + 2^{-n})^2$$

$$\therefore \sqrt{1 + x^2} - x = \sqrt{\frac{1}{4}(2^n + 2^{-n})^2} - \frac{1}{2}(2^n - 2^{-n})$$

$$= \frac{1}{2}(2^n + 2^{-n}) - \frac{1}{2}(2^n - 2^{-n})$$

$$= 2^{-n} = 8$$

즉, $2^{-n} = 2^3$이므로 $-n = 3$

$\therefore n = -3$　　　　　　　　　　　　　**답** ①

30 pH=6인 용액 1L 속에 존재하는 수소 이온의 그램 이온수는 10^{-6}이고, pH=6.4인 용액 1L 속에 존재하는 수소 이온의 그램 이온수는 $10^{-6.4}$이다.

$10^{-6} = k \times 10^{-6.4}$이므로

$$k = \frac{10^{-6}}{10^{-6.4}} = 10^{-6+6.4} = 10^{0.4}$$

$$= 10^{1-0.6} = \frac{10}{10^{0.6}}$$

$$= \frac{10}{(10^{0.3})^2} = \frac{10}{4} = 2.5$$　　　**답** 2.5

31 2018년 말부터 2028년 말까지 두 회사 A, B의 10년 동안의 연평균 성장률은

(A회사의 연평균 성장률)$= \left(\frac{200}{100}\right)^{\frac{1}{10}} - 1 = 2^{\frac{1}{10}} - 1$

(B회사의 연평균 성장률)$= \left(\frac{484}{121}\right)^{\frac{1}{10}} - 1 = 4^{\frac{1}{10}} - 1$

$4^{\frac{1}{10}} - 1 = k \times (2^{\frac{1}{10}} - 1)$이므로

$$k = \frac{4^{\frac{1}{10}} - 1}{2^{\frac{1}{10}} - 1} = \frac{2^{\frac{2}{10}} - 1}{2^{\frac{1}{10}} - 1}$$

$$= \frac{(2^{\frac{1}{10}} + 1)(2^{\frac{1}{10}} - 1)}{2^{\frac{1}{10}} - 1}$$

$$= 2^{\frac{1}{10}} + 1$$

$2^{\frac{11}{10}} = 2 \times 2^{\frac{1}{10}} = 2.14$이므로 $2^{\frac{1}{10}} = 1.07$

즉, $k = 2^{\frac{1}{10}} + 1 = 2.07$이므로

$100k = 207$　　　　　　　　　　　　　**답** 207

32 2배로 늘어나는 데 t시간이 걸리므로 n시간 후의 바이러스의 수는 $2^{\frac{n}{t}}$이다.

따라서 $2^{\frac{16}{t}} = 8$이므로

$2^{\frac{32}{t}} = (2^{\frac{16}{t}})^2 = 8^2 = 64$

즉, 한 마리의 바이러스가 32시간 후에는 64마리가 된다.

　　　　　　　　　　　　　　　　　　　　답 ②

33 $(\sqrt[3]{3^5})^{\frac{1}{2}} = (3^{\frac{5}{3}})^{\frac{1}{2}} = 3^{\frac{5}{6}}$이고

이것을 n제곱근으로 갖는 자연수를 N이라 하면

$N = 3^{\frac{5}{6}n}$

N은 자연수이므로 n은 6의 배수이어야 하고

$2 \leq n \leq 100$에서

$n = 6k$ $(k = 1, 2, 3, \cdots, 16)$

따라서 조건을 만족시키는 n의 개수는 16이다.　　**답** 16

다른 풀이

$(\sqrt[3]{3^5})^{\frac{1}{2}} = (3^{\frac{5}{3}})^{\frac{1}{2}} = 3^{\frac{5}{6}}$이고,

$3^{\frac{5}{6}} = (3^5)^{\frac{1}{6}} = (3^{10})^{\frac{1}{12}} = (3^{15})^{\frac{1}{18}} = \cdots = (3^{80})^{\frac{1}{96}}$이므로

$(\sqrt[3]{3^5})^{\frac{1}{2}}$은 3^5의 6제곱근, 3^{10}의 12제곱근, 3^{15}의 18제곱근, $\cdots$, 3^{80}의 96제곱근과 같다.

따라서 구하는 n의 개수는 6, 12, 18, $\cdots$, 96의 16이다.

34 ㄱ. 4의 제곱근 중에서 실수인 것의 개수는 2이므로
$N(4,2)=2$ (참)

ㄴ. $a<0$이면
(ⅰ) m이 홀수일 때, $N(a,m)=1$
(ⅱ) m이 짝수일 때, $N(a,m)=0$
(ⅰ), (ⅱ)에서
$a<0$이면 $N(a,m)=0$ (거짓)

ㄷ. $a>0$이면
(ⅰ) m이 홀수일 때, $m+1$은 짝수이므로
$N(a,m)=1,\ N(a,m+1)=2$
(ⅱ) m이 짝수일 때, $m+1$은 홀수이므로
$N(a,m)=2,\ N(a,m+1)=1$
(ⅰ), (ⅱ)에서
$N(a,m)+N(a,m+1)=3$ (참)
따라서 옳은 것은 ㄱ, ㄷ이다.　　　　　답 ③

35 $3^{\frac{1}{n(n+1)}}=3^{\frac{1}{n}-\frac{1}{n+1}}$이므로
$P_1\times P_2\times P_3\times\cdots\times P_{2019}$
$=3^{\left(1-\frac{1}{2}\right)+\left(\frac{1}{2}-\frac{1}{3}\right)+\left(\frac{1}{3}-\frac{1}{4}\right)+\cdots+\left(\frac{1}{2019}-\frac{1}{2020}\right)}$
$=3^{1-\frac{1}{2020}}=3^{\frac{2019}{2020}}$
$\therefore k=\dfrac{2019}{2020}$　　　　　답 ②

참고　부분분수로의 변형
$\dfrac{1}{AB}=\dfrac{1}{B-A}\left(\dfrac{1}{A}-\dfrac{1}{B}\right)$ (단, $A\neq0,\ B\neq0,\ A\neq B$)

36 자연수 n에 대하여
$\dfrac{1}{2^{-n}+1}+\dfrac{1}{2^n+1}=\dfrac{2^n}{2^n+1}+\dfrac{1}{2^n+1}=1$
$\therefore$ (주어진 식)$=1\times100+\dfrac{1}{2^0+1}=\dfrac{201}{2}$　　答 $\dfrac{201}{2}$

37 $x=a^{a^1},\ y=a^{a^2},\ z=a^a$이고 세 수의 밑 a는 $1<a<2$에서
$a^1<a^a<a^2$
즉, $a^{a^1}<a^a<a^{a^2}$이므로
$x<z<y$　　　　　답 ②

참고　거듭제곱 꼴로 나타난 수의 대소 관계
밑을 같게 할 수 있으면 지수의 크기를 비교한다.
① 0<(밑)<1이면 지수가 작은 쪽이 큰 수
② (밑)>1이면 지수가 큰 쪽이 큰 수

38 $3^{a+b}=4=2^2$이므로
$3^{(a+b)(a-b)}=(2^2)^{a-b}$
$\therefore 3^{a^2-b^2}=(2^{a-b})^2=5^2=25$　　　　답 25

39 $3^a=x,\ 3^b=y,\ 3^c=z$라 하면
$xyz=3^a\times3^b\times3^c=3^{a+b+c}=3^{-1}=\dfrac{1}{3}$ $\cdots\cdots$ ㉠
$\dfrac{1}{x}+\dfrac{1}{y}+\dfrac{1}{z}=\dfrac{11}{2}$이므로
$\dfrac{1}{x}+\dfrac{1}{y}+\dfrac{1}{z}=\dfrac{xy+yz+zx}{xyz}$
$=3(xy+yz+zx)=\dfrac{11}{2}$ ($\because$ ㉠)

$\therefore xy+yz+zx=\dfrac{11}{6}$
$\therefore 9^a+9^b+9^c=x^2+y^2+z^2$
$=(x+y+z)^2-2(xy+yz+zx)$
$=\dfrac{169}{9}-\dfrac{11}{3}$ $\left(\because x+y+z=\dfrac{13}{3}\right)$
$=\dfrac{136}{9}$　　　　　답 ②

40 $25=\dfrac{100}{4}=\dfrac{100}{100^a}=100^{1-a}$이므로
$25^{\frac{2-a-b}{2(1-a)}}=(100^{1-a})^{\frac{2-a-b}{2(1-a)}}=100^{\frac{2-a-b}{2}}$
$=\sqrt{\dfrac{100^2}{100^a\times100^b}}=\sqrt{\dfrac{100^2}{4\times5}}=10\sqrt5$　　答 ②

41 $a,\ b$는 자연수이므로
$\sqrt{\dfrac{2^a\times5^b}{2}}$ 은 a는 홀수, b는 짝수일 때 자연수가 되고,
$\sqrt[3]{\dfrac{2^a\times5^b}{5}}$ 은 a와 $b-1$이 3의 배수일 때 자연수가 된다.
따라서 a의 최솟값은 3이고, b의 최솟값은 4이므로 $a+b$의 최솟값은
$3+4=7$　　　　　답 7

42 $n=2^a\times3^b\times5^c$ ($a,\ b,\ c$는 자연수)에서
$\sqrt{\dfrac{n}{2}}$ 이 자연수가 되려면 $a=2k_1+1,\ b$와 c는 짝수이어야 한다.
$\sqrt[3]{\dfrac{n}{3}}$ 이 자연수가 되려면 $b=3k_2+1,\ a$와 c는 3의 배수이어야 한다.
$\sqrt[5]{\dfrac{n}{5}}$ 이 자연수가 되려면 $c=5k_3+1,\ a$와 b는 5의 배수이어야 한다. (단, $k_1,\ k_2,\ k_3$은 음이 아닌 정수이다.)
따라서 최소의 $a,\ b,\ c$의 값은 $a=15,\ b=10,\ c=6$이므로
$a+b+c=31$　　　　　답 31

43 $(2^x+2^{-x})(2^y+2^{-y})=100$에서
$2^{x+y}+2^{x-y}+2^{-x+y}+2^{-x-y}=100$ $\cdots\cdots$ ㉠
$(2^x-2^{-x})(2^y-2^{-y})=50$에서
$2^{x+y}-2^{x-y}-2^{-x+y}+2^{-x-y}=50$ $\cdots\cdots$ ㉡
㉠+㉡을 하면
$2(2^{x+y}+2^{-x-y})=150$
$\therefore 2^{x+y}+2^{-x-y}=75$
㉠-㉡을 하면
$2(2^{x-y}+2^{-x+y})=50$
$\therefore 2^{x-y}+2^{-x+y}=25$
$\therefore (2^{x+y}+2^{-x-y})(2^{x-y}+2^{-x+y})=75\times25=1875$
　　　　　답 ④

44 $f(2\alpha)=\dfrac{3^{2\alpha}-3^{-2\alpha}}{3^{2\alpha}+3^{-2\alpha}}=\dfrac{3}{5}$이므로
$5(3^{2\alpha}-3^{-2\alpha})=3(3^{2\alpha}+3^{-2\alpha})$
$5\times3^{2\alpha}-5\times3^{-2\alpha}=3\times3^{2\alpha}+3\times3^{-2\alpha}$
$2\times3^{2\alpha}=8\times3^{-2\alpha},\ 3^{2\alpha}=4\times3^{-2\alpha}$

양변에 $3^{2\alpha}$을 곱하면 $(3^{2\alpha})^2=4$

$\therefore 3^{2\alpha}=2 \ (\because 3^{2\alpha}>0)$

$f(2\beta)=\dfrac{3^{2\beta}-3^{-2\beta}}{3^{2\beta}+3^{-2\beta}}=\dfrac{4}{5}$이므로

$5(3^{2\beta}-3^{-2\beta})=4(3^{2\beta}+3^{-2\beta})$

$5\times3^{2\beta}-5\times3^{-2\beta}=4\times3^{2\beta}+4\times3^{-2\beta}$

$3^{2\beta}=9\times3^{-2\beta}$

양변에 $3^{2\beta}$을 곱하면 $(3^{2\beta})^2=9$

$\therefore 3^{2\beta}=3 \ (\because 3^{2\beta}>0)$

$\therefore f(\alpha+\beta)f(\alpha-\beta)=\dfrac{3^{(\alpha+\beta)}-3^{-(\alpha+\beta)}}{3^{(\alpha+\beta)}+3^{-(\alpha+\beta)}}\times\dfrac{3^{(\alpha-\beta)}-3^{-(\alpha-\beta)}}{3^{(\alpha-\beta)}+3^{-(\alpha-\beta)}}$

$=\dfrac{(3^{2\alpha}+3^{-2\alpha})-(3^{2\beta}+3^{-2\beta})}{(3^{2\alpha}+3^{-2\alpha})+(3^{2\beta}+3^{-2\beta})}$

$=\dfrac{\left(2+\dfrac{1}{2}\right)-\left(3+\dfrac{1}{3}\right)}{\left(2+\dfrac{1}{2}\right)+\left(3+\dfrac{1}{3}\right)}$

$=-\dfrac{1}{7}$　　　　　答 ③

45 사고가 발생한 지 1시간 후에 $x=10$이 되었으므로 주어진 관계식에 $t=1$, $x=10$을 대입하면

$k=\pi\left(10^{\frac{5}{2}}-35\times10^{\frac{3}{2}}+300\sqrt{10}\right)$

$=\pi\left(\sqrt{10^5}-35\times\sqrt{10^3}+300\sqrt{10}\right)$

$=\pi\left(100\sqrt{10}-350\sqrt{10}+300\sqrt{10}\right)$

$=50\sqrt{10}\,\pi$

$\therefore \dfrac{\pi}{k}=\dfrac{1}{50\sqrt{10}}$

원유가 모두 유출되는 것은 $x=0$일 때이므로

$t=\dfrac{\pi}{k}\times300\sqrt{10}=\dfrac{300\sqrt{10}}{50\sqrt{10}}=6(시간)$

따라서 원유가 모두 유출되는 것은 6시간 후이다.　　答 ①

46 $a^2-1=\left\{\dfrac{1}{2}\left(8^{40}+8^{-40}\right)\right\}^2-1$

$=\dfrac{1}{4}\left(8^{80}+2+8^{-80}\right)-1$

$=\dfrac{1}{4}\left(8^{80}-2+8^{-80}\right)$

$=\left\{\dfrac{1}{2}\left(8^{40}-8^{-40}\right)\right\}^2$

이므로

$a+\sqrt{a^2-1}=\dfrac{1}{2}\left(8^{40}+8^{-40}\right)+\dfrac{1}{2}\left(8^{40}-8^{-40}\right)$

$=8^{40}=2^{120}$

$\therefore \sqrt[n]{a+\sqrt{a^2-1}}=\sqrt[n]{2^{120}}=2^{\frac{120}{n}}$　　……㉠

㉠이 정수가 되려면 n은 120의 약수이어야 한다.

$120=2^3\times3\times5$이고, n은 2 이상의 자연수이므로 구하는 n의 개수는

$(3+1)\times(1+1)\times(1+1)-1$

$=4\times2\times2-1=15$　　　　　答 15

참고 약수의 개수 구하기

자연수 A에 대하여 $A=a^m\times b^n$ (a, b는 소수, m, n은 자연수) 으로 소인수분해될 때

$(A$의 약수의 개수$)=(m+1)\times(n+1)$

47 네 점 A_n, B_n, C_n, D_n의 좌표는

$A_n\left(2^{\frac{1}{4}},\ 4^{\frac{1}{n}}\times2^{\frac{1}{4}}\right)$,

$B_n\left(2^{\frac{1}{4}},\ 2^{\frac{1}{n}}\times2^{\frac{1}{4}}\right)$,

$C_n\left(3\times2^{\frac{1}{4}},\ 2^{\frac{1}{n}}\times3\times2^{\frac{1}{4}}\right)$,

$D_n\left(3\times2^{\frac{1}{4}},\ 4^{\frac{1}{n}}\times3\times2^{\frac{1}{4}}\right)$

이므로

$\overline{A_nB_n}=4^{\frac{1}{n}}\times2^{\frac{1}{4}}-2^{\frac{1}{n}}\times2^{\frac{1}{4}}=2^{\frac{2}{n}}\times2^{\frac{1}{4}}-2^{\frac{1}{n}}\times2^{\frac{1}{4}}$

$=2^{\frac{1}{n}}\times2^{\frac{1}{4}}\times\left(2^{\frac{1}{n}}-1\right)$

$\overline{D_nC_n}=4^{\frac{1}{n}}\times3\times2^{\frac{1}{4}}-2^{\frac{1}{n}}\times3\times2^{\frac{1}{4}}$

$=2^{\frac{2}{n}}\times3\times2^{\frac{1}{4}}-2^{\frac{1}{n}}\times3\times2^{\frac{1}{4}}$

$=2^{\frac{1}{n}}\times3\times2^{\frac{1}{4}}\times\left(2^{\frac{1}{n}}-1\right)$

$\overline{A_nB_n}/\!/\overline{D_nC_n}$이므로 사각형 $A_nB_nC_nD_n$은 사다리꼴이고, 사다리꼴 $A_nB_nC_nD_n$의 높이를 h라 하면

$h=3\times2^{\frac{1}{4}}-2^{\frac{1}{4}}=2\times2^{\frac{1}{4}}$

따라서 사다리꼴 $A_nB_nC_nD_n$의 넓이 $f(n)$은

$f(n)=\dfrac{1}{2}\left(\overline{A_nB_n}+\overline{D_nC_n}\right)\times h$

$=\dfrac{1}{2}\times\left\{2^{\frac{1}{n}}\times2^{\frac{1}{4}}\times\left(2^{\frac{1}{n}}-1\right)+2^{\frac{1}{n}}\times3\times2^{\frac{1}{4}}\times\left(2^{\frac{1}{n}}-1\right)\right\}$

$\times\left(2\times2^{\frac{1}{4}}\right)$

$=\dfrac{1}{2}\times\left\{2^{\frac{1}{n}}\times4\times2^{\frac{1}{4}}\times\left(2^{\frac{1}{n}}-1\right)\right\}\times\left(2\times2^{\frac{1}{4}}\right)$

$=2^{-1}\times\left\{2^{\frac{1}{n}}\times2^2\times2^{\frac{1}{4}}\times\left(2^{\frac{1}{n}}-1\right)\right\}\times\left(2\times2^{\frac{1}{4}}\right)$

$=2^{-1+\frac{1}{n}+2+\frac{1}{4}+1+\frac{1}{4}}\times\left(2^{\frac{1}{n}}-1\right)$

$=2^{\frac{1}{n}+\frac{5}{2}}\times\left(2^{\frac{1}{n}}-1\right)$

$\therefore \dfrac{f(5)}{f(10)}=\dfrac{2^{\frac{1}{5}+\frac{5}{2}}\times\left(2^{\frac{1}{5}}-1\right)}{2^{\frac{1}{10}+\frac{5}{2}}\times\left(2^{\frac{1}{10}}-1\right)}$

$=2^{\left(\frac{1}{5}+\frac{5}{2}\right)-\left(\frac{1}{10}+\frac{5}{2}\right)}\times\dfrac{\left(2^{\frac{1}{10}}+1\right)\left(2^{\frac{1}{10}}-1\right)}{\left(2^{\frac{1}{10}}-1\right)}$

$=2^{\frac{1}{10}}\left(2^{\frac{1}{10}}+1\right)$　　　　　答 ③

01 $\log_5(\log_4(\log_3 x))=0$에서 로그의 정의에 의하여
$\log_4(\log_3 x)=1$, $\log_3 x=4$
$\therefore x=3^4=81$　　　　　　　　　　　**답** 81

02 밑의 조건에서 $x-3>0$, $x-3\neq1$
$\therefore x>3$, $x\neq4$　　　……㉠
진수의 조건에서 $-x^2+8x-12>0$
$x^2-8x+12<0$, $(x-2)(x-6)<0$
$\therefore 2<x<6$　　　……㉡
㉠, ㉡의 공통 범위를 구하면
$3<x<4$ 또는 $4<x<6$
따라서 구하는 정수 x의 개수는 5의 1이다.　　**답** 1

03 $\log_{\sqrt5}25=\log_{\sqrt5}(\sqrt5)^4=4$이므로
$\log_2(\log_{\sqrt5}25)=\log_2 4=\log_2 2^2=2$　　**답** ②

04 $\dfrac{1}{2}\log_3 12-2\log_3 2+\log_3 18=\log_3\sqrt{12}-\log_3 4+\log_3 18$
$=\log_3\left(2\sqrt3\times\dfrac{1}{4}\times18\right)$
$=\log_3 9\sqrt3=\log_3 3^{\frac{5}{2}}$
$=\dfrac{5}{2}$　　　　**답** $\dfrac{5}{2}$

05 $\log_a 3\times\log_3 5\times\log_5 b=\dfrac{\log_{10}3}{\log_{10}a}\times\dfrac{\log_{10}5}{\log_{10}3}\times\dfrac{\log_{10}b}{\log_{10}5}$
$=\dfrac{\log_{10}b}{\log_{10}a}$
$=\log_a b=12$
$\therefore \log_{a^2}\sqrt b=\dfrac{\frac{1}{2}}{2}\log_a b$
$=\dfrac{1}{4}\times12=3$　　　　**답** ②

06 $2\log_7 4+4\log_7 3-3\log_7 6=\log_7 4^2+\log_7 3^4-\log_7 6^3$
$=\log_7\left(\dfrac{4^2\times3^4}{6^3}\right)$
$=\log_7 6$
$\therefore 7^{2\log_7 4+4\log_7 3-3\log_7 6}=7^{\log_7 6}=6$　　**답** 6

07 $a^x=b^y=3$의 각 변에 밑이 3인 로그를 취하면
$\log_3 a^x=\log_3 b^y=\log_3 3$, $x\log_3 a=y\log_3 b=1$
$\therefore \log_3 a=\dfrac{1}{x}$, $\log_3 b=\dfrac{1}{y}$
$\therefore \log_{ab} b^3=\dfrac{\log_3 b^3}{\log_3 ab}=\dfrac{3\log_3 b}{\log_3 a+\log_3 b}$
$=\dfrac{\frac{3}{y}}{\frac{1}{x}+\frac{1}{y}}=\dfrac{\frac{3}{y}}{\frac{x+y}{xy}}$
$=\dfrac{3x}{x+y}$　　　　**답** ③

08 $a^4 b^5=1$의 양변에 밑이 a인 로그를 취하면
$\log_a a^4 b^5=\log_a 1$, $\log_a a^4+\log_a b^5=0$
$4+5\log_a b=0$　　$\therefore \log_a b=-\dfrac{4}{5}$
$\therefore \log_a a^5 b^4=\log_a a^5+\log_a b^4$
$=5+4\log_a b$
$=5+4\times\left(-\dfrac{4}{5}\right)=\dfrac{9}{5}$　　**답** $\dfrac{9}{5}$

09 $\log_{\sqrt3}a=4$에서 $a=(\sqrt3)^4=3^2=9$
$\log_{\frac{1}{3}}27=b$에서 $\left(\dfrac{1}{3}\right)^b=27$, $3^{-b}=3^3$　$\therefore b=-3$
$\therefore \log_a b^2=\log_9(-3)^2=\log_9 9=1$　　**답** 1

10 $x=\log_4 12$에서 $4^x=12$
$2^x=(4^x)^{\frac{1}{2}}=2\sqrt3$
$2^{-x}=\dfrac{1}{2^x}=\dfrac{1}{2\sqrt3}=\dfrac{\sqrt3}{6}$
$\therefore 2^x+2^{-x}=2\sqrt3+\dfrac{\sqrt3}{6}=\dfrac{13\sqrt3}{6}$　　**답** ④

11 밑의 조건에서 $|x-2|>0$, $|x-2|\neq1$
$\therefore x\neq1$, $x\neq2$, $x\neq3$　　……㉠
진수의 조건에서 $10+3x-x^2>0$
$x^2-3x-10<0$, $(x+2)(x-5)<0$
$\therefore -2<x<5$　　……㉡
㉠, ㉡에서 구하는 정수 x의 개수는 -1, 0, 4의 3이다.　**답** ③

12 $\log_2 5\sqrt3+\log_2\dfrac{24}{5}-\log_2 3\sqrt3$
$=\log_2\left(5\sqrt3\times\dfrac{24}{5}\right)-\log_2 3\sqrt3$
$=\log_2 24\sqrt3-\log_2 3\sqrt3=\log_2\dfrac{24\sqrt3}{3\sqrt3}$
$=\log_2 8=\log_2 2^3=3$　　**답** ④

13 $P=\log_2\dfrac{1}{2}+\log_2\dfrac{2}{3}+\log_2\dfrac{3}{4}+\cdots+\log_2\dfrac{31}{32}$
$=\log_2\left(\dfrac{1}{2}\times\dfrac{2}{3}\times\dfrac{3}{4}\times\cdots\times\dfrac{31}{32}\right)$
$=\log_2\dfrac{1}{32}=\log_2 2^{-5}=-5$
$\therefore \left(\dfrac{1}{2}\right)^P=\left(\dfrac{1}{2}\right)^{-5}=32$　　**답** 32

14 $\log_3 ab=\log_3 a+\log_3 b=\log_3 27=\log_3 3^3=3$
$\log_3\dfrac{b}{a}=\log_3 b-\log_3 a=5$
$\log_3 a=X$, $\log_3 b=Y$라 하면
$X+Y=3$　　……㉠
$Y-X=5$　　……㉡
㉠, ㉡을 연립하여 풀면
$X=-1$, $Y=4$
$\therefore 4\log_3 a+9\log_3 b=4X+9Y$
$=4\times(-1)+9\times4$
$=32$　　**답** 32

15

$$\frac{1}{3}\log_2 36 - \log_4 \sqrt[3]{3^4} + \log_{\frac{1}{8}} 16$$

$$=\frac{1}{3}\log_2 (2^2 \times 3^2) - \log_{2^2} 3^{\frac{4}{3}} + \log_{2^{-3}} 2^4$$

$$=\frac{2}{3}\log_2 (2 \times 3) - \frac{2}{3}\log_2 3 - \frac{4}{3}$$

$$=\frac{2}{3} + \frac{2}{3}\log_2 3 - \frac{2}{3}\log_2 3 - \frac{4}{3}$$

$$=\frac{2}{3} - \frac{4}{3} = -\frac{2}{3} \qquad\qquad \text{답} \text{①}$$

16

$$(\log_3 2 + \log_9 4)(\log_2 9 - \log_4 27)$$

$$=(\log_3 2 + \log_{3^2} 2^2)(\log_2 3^2 - \log_{2^2} 3^3)$$

$$=(\log_3 2 + \log_3 2)\left(2\log_2 3 - \frac{3}{2}\log_2 3\right)$$

$$=2\log_3 2 \times \frac{1}{2}\log_2 3 = 1 \qquad\qquad \text{답} 1$$

17

$$\log_2 x + 3\log_2 y - \frac{1}{\log_3 2} = \log_2 x + 3\log_2 y - \log_2 3$$

$$= \log_2 x^4 - \log_2 81$$

이므로 $\log_2 \dfrac{xy^3}{3} = \log_2 \dfrac{x^4}{81}$

즉, $\dfrac{xy^3}{3} = \dfrac{x^4}{81}$ 에서 $\dfrac{81}{3} = \dfrac{x^3}{y^3}$, $27 = \left(\dfrac{x}{y}\right)^3$

$$\therefore \frac{x}{y} = 3 \qquad\qquad \text{답} \text{⑤}$$

18

$\log_a 8 = \log_{\sqrt{b}} 4$ 에서 $\log_a 2^3 = \log_{\sqrt{b}} 2^2$이므로

$$3\log_a 2 = \frac{2}{\frac{1}{2}}\log_b 2 = 4\log_b 2 = \frac{4\log_a 2}{\log_a b}$$

$$\therefore \log_a b = \frac{4}{3}$$

즉, $\log_a \sqrt{b} = \dfrac{1}{2}\log_a b = \dfrac{2}{3}$,

$$\log_{ab} \sqrt[3]{a^2 b^2} = \log_{ab} \sqrt[3]{(ab)^2}$$

$$= \log_{ab} (ab)^{\frac{2}{3}}$$

$$= \frac{2}{3}\log_{ab} ab = \frac{2}{3}$$

이므로

$$\log_a \sqrt{b} + \log_{ab} \sqrt[3]{a^2 b^2} = \frac{2}{3} + \frac{2}{3} = \frac{4}{3} \qquad \text{답} \text{③}$$

19

$\log_a \dfrac{1}{a} < \log_a x < \log_a 1$ 에서

$-1 < \log_a x < 0$

$\log_a x = X$ 로 놓으면 $-1 < X < 0$이고,

$A = X^2$, $B = 2X$, $C = -X$이므로

(i) $A - B = X^2 - 2X = X(X-2) > 0 \quad \therefore A > B$

(ii) $A - C = X^2 + X = X(X+1) < 0 \quad \therefore A < C$

(i), (ii)에서 $B < A < C$ \qquad\qquad \text{답} \text{③}

20 이차방정식 $x^2 - 2x - 22 = 0$의 두 근이 $\log_5 a$, $\log_5 b$이므로 근과 계수의 관계에 의하여

$\log_5 a + \log_5 b = 2$, $\log_5 a \times \log_5 b = -22$

$$\therefore \log_a \sqrt{b} + \log_b \sqrt{a}$$

$$=\frac{\frac{1}{2}\log_5 b}{\log_5 a} + \frac{\frac{1}{2}\log_5 a}{\log_5 b}$$

$$=\frac{\frac{1}{2}\{(\log_5 a)^2 + (\log_5 b)^2\}}{\log_5 a \times \log_5 b}$$

$$=\frac{\frac{1}{2}\{(\log_5 a + \log_5 b)^2 - 2\log_5 a \times \log_5 b\}}{\log_5 a \times \log_5 b}$$

$$=\frac{\frac{1}{2}\{2^2 - 2 \times (-22)\}}{-22} = -\frac{12}{11} \qquad \text{답} -\frac{12}{11}$$

21 $\log_{12} \sqrt{24} = \dfrac{\log_5 \sqrt{24}}{\log_5 12}$ 이므로

$$\log_5 \sqrt{24} = \frac{1}{2}\log_5 24 = \frac{1}{2}\log_5 (2^3 \times 3)$$

$$= \frac{1}{2}(3\log_5 2 + \log_5 3) = \frac{1}{2}(3a+b)$$

$\log_5 12 = \log_5 (2^2 \times 3) = 2\log_5 2 + \log_5 3 = 2a + b$

$$\therefore \log_{12} \sqrt{24} = \frac{\log_5 \sqrt{24}}{\log_5 12} = \frac{\frac{1}{2}(3a+b)}{2a+b}$$

$$= \frac{3a+b}{2(2a+b)} \qquad\qquad \text{답} \text{②}$$

22 $2^a = x$에서 $\log_2 x = a$

$4^b = 2^{2b} = y$에서 $\log_2 y = 2b$

$8^c = 2^{3c} = z$에서 $\log_2 z = 3c$

$$\therefore \log_x y^3 z^4 = \frac{\log_2 y^3 z^4}{\log_2 x} = \frac{3\log_2 y + 4\log_2 z}{\log_2 x}$$

$$= \frac{6b + 12c}{a} \qquad\qquad \text{답} \text{⑤}$$

23 $\log_{10}\left(1 - \dfrac{1}{3}\right) = \log_{10}\dfrac{2}{3} = a$에서

$\log_{10} 2 - \log_{10} 3 = a \qquad\qquad \cdots\cdots \text{㉠}$

$\log_{10}\left(1 - \dfrac{1}{9}\right) = \log_{10}\dfrac{8}{9} = b$에서

$\log_{10} 2^3 - \log_{10} 3^2 = b$

$\therefore 3\log_{10} 2 - 2\log_{10} 3 = b \qquad\qquad \cdots\cdots \text{㉡}$

㉡$-2\times$㉠을 하면 $\log_{10} 2 = b - 2a$

㉡$-3\times$㉠을 하면 $\log_{10} 3 = b - 3a$

$$\therefore \log_{10}\left(1 - \frac{1}{81}\right) = \log_{10}\frac{80}{81} = \log_{10} 80 - \log_{10} 81$$

$$= \log_{10}(2^3 \times 10) - \log_{10} 3^4$$

$$= 3\log_{10} 2 + 1 - 4\log_{10} 3$$

$$= 3(b - 2a) + 1 - 4(b - 3a)$$

$$= 6a - b + 1 \qquad\qquad \text{답} \text{④}$$

24 $\log_3 9 < \log_3 13 < \log_3 27$에서 $2 < \log_3 13 < 3$이므로

$a = 2$

$b = \log_3 13 - 2 = \log_3 13 - \log_3 9 = \log_3 \dfrac{13}{9}$

$\therefore 2^a + 3^b = 2^2 + 3^{\log_3 \frac{13}{9}} = 4 + \dfrac{13}{9} = \dfrac{49}{9} \qquad \text{답} \text{③}$

25 $\log_2 8 < \log_2 9 < \log_2 16$에서 $3 < \log_2 9 < 4$이므로

$n=3$

$a=\log_2 9 - 3 = \log_2 9 - \log_2 8 = \log_2 \dfrac{9}{8}$

$\therefore \dfrac{n-2^a}{n+2^a} = \dfrac{3-2^{\log_2 \frac{9}{8}}}{3+2^{\log_2 \frac{9}{8}}} = \dfrac{3-\dfrac{9}{8}}{3+\dfrac{9}{8}} = \dfrac{5}{11}$　　　답 ⑤

26 $\log_5 5 < \log_5 10 < \log_5 25$에서 $1 < \log_5 10 < 2$이므로

$x=1$

$y = \log_5 10 - 1 = \log_5 10 - \log_5 5 = \log_5 2$

$\therefore \dfrac{5^y - 5^{-y}}{5^x - 5^{-x}} = \dfrac{5^{\log_5 2} - 5^{-\log_5 2}}{5 - 5^{-1}} = \dfrac{2 - \dfrac{1}{2}}{5 - \dfrac{1}{5}} = \dfrac{5}{16}$

따라서 $a=16$, $b=5$이므로 $a+b=21$　　　답 21

27 $3^a = 4^b = 5^c = 60$에서

$a = \log_3 60$, $b = \log_4 60$, $c = \log_5 60$

$\therefore \dfrac{1}{a} + \dfrac{1}{b} + \dfrac{1}{c} = \dfrac{1}{\log_3 60} + \dfrac{1}{\log_4 60} + \dfrac{1}{\log_5 60}$

$= \log_{60} 3 + \log_{60} 4 + \log_{60} 5$

$= \log_{60}(3 \times 4 \times 5) = \log_{60} 60 = 1$　　　답 ②

28 $5^x = 3^y = \sqrt{15^z} = k$라 하면

$x = \log_5 k$에서 $\dfrac{1}{x} = \log_k 5$

$y = \log_3 k$에서 $\dfrac{1}{y} = \log_k 3$

$\dfrac{z}{2} = \log_{15} k$에서 $\dfrac{2}{z} = \log_k 15$

$\therefore \dfrac{1}{x} + \dfrac{1}{y} - \dfrac{2}{z} = \log_k 5 + \log_k 3 - \log_k 15$

$= \log_k \left(\dfrac{5 \times 3}{15} \right) = \log_k 1 = 0$　　　답 ①

29 $a^x = b^y = c^z = 256 = 2^8$에서

$x = 8\log_a 2$, $y = 8\log_b 2$, $z = 8\log_c 2$

$\therefore \dfrac{1}{x} + \dfrac{1}{y} + \dfrac{1}{z} = \dfrac{1}{8\log_a 2} + \dfrac{1}{8\log_b 2} + \dfrac{1}{8\log_c 2}$

$= \dfrac{1}{8}(\log_2 a + \log_2 b + \log_2 c)$

$= \dfrac{1}{8}\log_2 abc = \dfrac{1}{8}\log_2 16 \ (\because abc=16)$

$= \dfrac{1}{8}\log_2 2^4 = \dfrac{1}{8} \times 4 = \dfrac{1}{2}$　　　답 $\dfrac{1}{2}$

30 두 열차 A, B의 속력을 각각 v_A, v_B라 하면

$v_A = 0.9 v_B$이고 $d=75$이므로

$L_B - L_A = \left(80 + 28\log_{10}\dfrac{v_B}{100} - 14\log_{10}\dfrac{75}{25} \right)$

$\qquad\qquad - \left(80 + 28\log_{10}\dfrac{v_A}{100} - 14\log_{10}\dfrac{75}{25} \right)$

$= 28\log_{10}\dfrac{v_B}{v_A} = 28\log_{10}\dfrac{v_B}{0.9v_B}$

$= 28\log_{10}\dfrac{10}{9} = 28(1 - \log_{10} 9)$

$= 28 - 56\log_{10} 3$　　　답 ②

31 두 지반 A, B의 유효수직응력을 각각 S_A, S_B, 저항력을 각각 R_A, R_B, 상대밀도를 각각 D_A, D_B라 하면

$S_A = 1.44 S_B$, $R_A = 1.5 R_B$, $D_B = 65$

이므로

$D_B = -98 + 66\log_{10}\dfrac{R_B}{\sqrt{S_B}} = 65$

$\therefore \dfrac{R_B}{\sqrt{S_B}} = 10^{\frac{163}{66}}$

$\dfrac{R_A}{\sqrt{S_A}} = \dfrac{1.5R_B}{\sqrt{1.44S_B}} = \dfrac{5}{4} \times 10^{\frac{163}{66}}$이므로

$D_A = -98 + 66\log_{10}\dfrac{R_A}{\sqrt{S_A}}$

$= -98 + 66\log_{10}\left(\dfrac{5}{4} \times 10^{\frac{163}{66}} \right)$

$= -98 + 66\left(\log_{10}\dfrac{5}{4} + \dfrac{163}{66} \right)$

$= -98 + 66\left(1 - 3\log_{10} 2 + \dfrac{163}{66} \right)$

$= -98 + 66\left(1 - 3 \times 0.3 + \dfrac{163}{66} \right)$

$= -98 + 66\left(0.1 + \dfrac{163}{66} \right) = 71.6 \ (\%)$　　　답 ④

32 밑의 조건에서 $(k-3)^2 > 0$, $(k-3)^2 \neq 1$

$\therefore k \neq 2$, $k \neq 3$, $k \neq 4$ ······ ㉠

진수의 조건에서 $kx^2 + kx + 2 > 0$

이 부등식이 모든 실수 x에 대하여 항상 성립하려면

(i) $k=0$일 때,

　　$2>0$이므로 항상 성립한다.

(ii) $k>0$일 때,

　　이차방정식 $kx^2 + kx + 2 = 0$의 판별식을 D라 하면 $D<0$

　　이어야 한다.

　　$D = k^2 - 8k < 0$, $k(k-8) < 0$

　　$\therefore 0 < k < 8$

(i), (ii)에서 $0 \leq k < 8$ ······ ㉡

㉠, ㉡에서 구하는 정수 k의 개수는 0, 1, 5, 6, 7의 5이다.

답 ③

참고

모든 실수 x에 대하여

(1) $ax^2 + bx + c > 0 \ (a \neq 0)$이기 위한 조건

　　➡ $a>0$, $D<0$

(2) $ax^2 + bx + c < 0 \ (a \neq 0)$이기 위한 조건

　　➡ $a<0$, $D<0$

33 조건 (나)에서 $b-a = 2^3$　　$\therefore b = a + 2^3$

조건 (다)에서 $c-b = 2^2$　　$\therefore c = b + 2^2 = a + 2^3 + 2^2$

$\therefore a+b+c = 3a + 20$

조건 (가)에서 $1 \leq a \leq 5$이므로

$23 \leq 3a + 20 \leq 35$

$\therefore$ (최댓값) + (최솟값) $= 35 + 23 = 58$　　　답 58

34 $\log_6 3 = A$, $\log_6 2 = B$라 하면

$\log_6 27 = \log_6 3^3 = 3\log_6 3 = 3A$이므로

$$(\log_6 3)^3 + \log_6 27 \times \log_6 2 + (\log_6 2)^3$$
$$= A^3 + 3AB + B^3$$
$$= (A+B)^3 - 3AB(A+B) + 3AB \quad \cdots\cdots \text{㉠}$$
$$A+B = \log_6 3 + \log_6 2 = \log_6 (3 \times 2)$$
$$= \log_6 6 = 1$$
이므로 ㉠에 대입하면
$$1 - 3AB + 3AB = 1 \qquad \text{답 ①}$$

35 $f(n) = \log_2 \left(\dfrac{1}{n+3} + 1\right) = \log_2 \left(\dfrac{n+4}{n+3}\right)$ 이므로

$$f(1) + f(2) + f(3) + \cdots + f(2^{100} - 4)$$
$$= \log_2 \frac{5}{4} + \log_2 \frac{6}{5} + \log_2 \frac{7}{6} + \cdots + \log_2 \frac{2^{100}}{2^{100} - 1}$$
$$= \log_2 \left(\frac{5}{4} \times \frac{6}{5} \times \frac{7}{6} \times \cdots \times \frac{2^{100}}{2^{100} - 1}\right)$$
$$= \log_2 \frac{2^{100}}{4} = \log_2 2^{98} = 98 \qquad \text{답 ④}$$

36 $\log_3 x + \log_9 y^2 = \log_3 x + 2 \times \dfrac{1}{2} \log_3 y = \log_3 (2x+y+2)$

에서 $\log_3 xy = \log_3 (2x+y+2)$ 이므로
$$xy = 2x+y+2, \quad xy - 2x - y + 2 = 4$$
$$(x-1)(y-2) = 4$$
x, y는 자연수이므로
$$\begin{cases} x-1=1 \\ y-2=4 \end{cases} \text{또는} \begin{cases} x-1=2 \\ y-2=2 \end{cases} \text{또는} \begin{cases} x-1=4 \\ y-2=1 \end{cases}$$
$$\therefore \begin{cases} x=2 \\ y=6 \end{cases} \text{또는} \begin{cases} x=3 \\ y=4 \end{cases} \text{또는} \begin{cases} x=5 \\ y=3 \end{cases}$$
따라서 $x=5, y=3$일 때, $2x+y$는 최댓값 13을 갖는다.

답 ③

37 $2^x = \sqrt{\log_2 9 + \log_4 9}$
$$= \sqrt{2\log_2 3 + \log_2 3}$$
$$= \sqrt{3 \log_2 3}$$

$2^y = \sqrt{\log_3 4 - \log_{27} 4}$
$$= \sqrt{2\log_3 2 - \frac{2}{3} \log_3 2}$$
$$= \sqrt{\frac{4}{3} \log_3 2}$$

$$2^{x+y} = \sqrt{3 \log_2 3 \times \frac{4}{3} \log_3 2} = 2$$
$$\therefore x+y = 1 \qquad \text{답 1}$$

38 $\log_4 n = \dfrac{1}{2} \log_2 n$이 유리수가 되기 위해서는 $\log_2 n$이

유리수가 되어야 하므로
$$n = 2^k \ (k=1, 2, 3, \cdots)$$
2^k 꼴 중에서 100 이하의 수는 2, 4, 8, 16, 32, 64이므로
$$f(2) + f(3) + f(4) + \cdots + f(100)$$
$$= \log_2 (\log_4 2) + \log_2 (\log_4 4) + \log_2 (\log_4 8)$$
$$\qquad + \log_2 (\log_4 16) + \log_2 (\log_4 32) + \log_2 (\log_4 64)$$
$$= \log_2 \frac{1}{2} + \log_2 1 + \log_2 \frac{3}{2} + \log_2 2 + \log_2 \frac{5}{2} + \log_2 3$$
$$= \log_2 \left(\frac{1}{2} \times 1 \times \frac{3}{2} \times 2 \times \frac{5}{2} \times 3\right) = \log_2 \frac{45}{4} \qquad \text{답 ④}$$

39 $\log_{b+c} a + \log_{c-b} a$
$$= \frac{\log_2 a}{\log_2 (b+c)} + \frac{\log_2 a}{\log_2 (c-b)}$$
$$= \log_2 a \times \frac{\log_2 (c-b) + \log_2 (b+c)}{\log_2 (b+c) \times \log_2 (c-b)}$$
$$= \log_2 a \times \frac{\log_2 (c^2 - b^2)}{\log_2 (b+c) \times \log_2 (c-b)}$$
$$= \frac{\log_2 a \times \log_2 a^2}{\log_2 (b+c) \times \log_2 (c-b)}$$
$$= \frac{2 (\log_2 a)^2}{\log_2 (b+c) \times \log_2 (c-b)}$$
$$= 2 \times \frac{\log_2 a}{\log_2 (b+c)} \times \frac{\log_2 a}{\log_2 (c-b)}$$
$$= 2 \log_{b+c} a \times \log_{c-b} a$$
$$\therefore k = 2 \qquad \text{답 2}$$

40 $a > 1, b > 1$이므로 $\log_a b > 0, \log_b a > 0$
따라서 산술평균과 기하평균의 관계에 의하여
$$\log_{a^3} b^2 + \log_{b^4} a^3 = \frac{2}{3} \log_a b + \frac{3}{4} \log_b a$$
$$\geq 2 \sqrt{\frac{2}{3} \log_a b \times \frac{3}{4} \log_b a}$$
$$= \frac{2}{\sqrt{2}} = \sqrt{2}$$
$$\left(\text{단, 등호는 } \frac{2}{3} \log_a b = \frac{3}{4} \log_b a \text{일 때 성립한다.}\right)$$
따라서 주어진 식의 최솟값은 $\sqrt{2}$이다.

답 ②

참고 **산술평균과 기하평균의 관계**

$a > 0, b > 0$일 때, $\dfrac{a+b}{2} \geq \sqrt{ab}$

(단, 등호는 $a = b$일 때 성립한다.)

41 조건 (나)에서 $\log_{10} (x+y) = \log_{10} x + \log_{10} y = \log_{10} xy$이므로
$$x+y = xy \quad \cdots\cdots \text{㉠}$$
$4x + y = k$라 하면 $y = -4x + k$이므로
이 식을 ㉠에 대입하면
$$x + (k - 4x) = x(k - 4x)$$
$$4x^2 - (k+3)x + k = 0$$
조건 (가)에서 $x > 1$이므로 이 이차방정식은 1보다 큰 두 실근을
가져야 한다. 이 이차방정식의 판별식을 D라 하고
$f(x) = 4x^2 - (k+3)x + k$로 놓으면
(i) $D = (k+3)^2 - 16k \geq 0$
$$k^2 - 10k + 9 \geq 0, \ (k-1)(k-9) \geq 0$$
$$\therefore k \leq 1 \text{ 또는 } k \geq 9$$
(ii) $f(1) = 1 > 0$
(iii) 축이 1보다 커야하므로 $-\dfrac{-(k+3)}{8} > 1$
$$\therefore k > 5$$
(i), (ii), (iii)에서 $k \geq 9$
따라서 $4x + y$의 최솟값은 9이다.

답 ②

참고

이차방정식 $ax^2 + bx + c = 0 \ (a > 0)$의 판별식을 D라 하고,
$f(x) = ax^2 + bx + c$로 놓으면
이차방정식의 두 실근 α, β에 대하여

(i) 두 근이 모두 k보다 클 조건

$$D \geq 0, \ f(k) > 0, \ \frac{\alpha+\beta}{2} = -\frac{b}{2a} > k$$

(ii) 두 근이 모두 k보다 작을 조건

$$D \geq 0, \ f(k) > 0, \ \frac{\alpha+\beta}{2} = -\frac{b}{2a} < k$$

(iii) k가 두 근 사이에 있을 조건

$$f(k) < 0$$

42 ㄱ. $\log_2 8 < \log_2 10 < \log_2 16$, $\log_2 8 < \log_2 12 < \log_2 16$이므로

$f(10) = [\log_2 10] = 3, \ f(12) = [\log_2 12] = 3$

$\therefore f(10) = f(12)$ (참)

ㄴ. $\log_2 4 < \log_2 6 < \log_2 8$이므로

$$g(6) = \log_2 6 - [\log_2 6] = \log_2 6 - 2$$
$$= \log_2 \frac{6}{4} = \log_2 \frac{3}{2}$$

$\log_2 16 < \log_2 20 < \log_2 32$이므로

$$g(20) = \log_2 20 - [\log_2 20] = \log_2 20 - 4$$
$$= \log_2 \frac{20}{16} = \log_2 \frac{5}{4}$$

$$g(6) - g(20) = \log_2 \frac{3}{2} - \log_2 \frac{5}{4} = \log_2 \frac{6}{5} > 0$$

$\therefore g(6) > g(20)$ (거짓)

ㄷ. $\log_2 4 < \log_2 5 < \log_2 8$이므로

$$g(5) = \log_2 5 - [\log_2 5] = \log_2 5 - 2 = \log_2 \frac{5}{4}$$

$g(a) = \log_2 \frac{5}{4}$를 만족시키는 자연수 a는

$a = \frac{5}{4} \times 2^n$ (n은 자연수) 꼴이고, a가 두 자리의 자연수이

므로 $10 \leq \frac{5}{4} \times 2^n < 100, \ 8 \leq 2^n < 80$

즉, 자연수 n의 값이 3, 4, 5, 6일 때, 두 자리의 자연수 a의

개수는 10, 20, 40, 80의 4이다. (참)

따라서 옳은 것은 ㄱ, ㄷ이다.　　　　　　　　　　**답 ③**

43 $a^x = 32$에서 $a^x = 2^5, \ x = \log_a 2^5 = 5 \log_a 2$

$\therefore \frac{1}{x} = \frac{1}{5} \log_2 a$

$(\sqrt{b})^y = 32$에서 $b^{\frac{y}{2}} = 2^5, \ \frac{y}{2} = \log_b 2^5 = 5 \log_b 2$

$\therefore \frac{2}{y} = \frac{1}{5} \log_2 b$

$(\sqrt[3]{c})^z = 32$에서 $c^{\frac{z}{3}} = 2^5, \ \frac{z}{3} = \log_c 2^5 = 5 \log_c 2$

$\therefore \frac{3}{z} = \frac{1}{5} \log_2 c$

$$\therefore \frac{1}{x} + \frac{2}{y} + \frac{3}{z} = \frac{1}{5} \log_2 a + \frac{1}{5} \log_2 b + \frac{1}{5} \log_2 c$$
$$= \frac{1}{5} \log_2 abc$$
$$= \frac{1}{5} \log_2 2^{10} \ (\because abc = 1024)$$
$$= 2$$　　　　　　　　　　**답 2**

44 (i) m, n이 모두 홀수이면 mn도 홀수이므로

$$f(mn) = \log_3 mn = \log_3 m + \log_3 n$$
$$= f(m) + f(n)$$

순서쌍 (m, n)의 개수는

$10 \times 10 = 100$

(ii) m, n이 모두 짝수이면 mn도 짝수이므로

$$f(mn) = \log_2 mn$$
$$= \log_2 m + \log_2 n$$
$$= f(m) + f(n)$$

순서쌍 (m, n)의 개수는 $10 \times 10 = 100$

(iii) m이 짝수, n이 홀수이면 mn은 짝수이므로

$f(mn) = \log_2 mn = \log_2 m + \log_2 n$

$f(m) + f(n) = \log_2 m + \log_3 n$

$f(mn) = f(m) + f(n)$을 만족시키려면

$\log_2 n = \log_3 n$이어야 하므로 $n = 1$

순서쌍 (m, n)의 개수는 $10 \times 1 = 10$

(iv) m이 홀수, n이 짝수인 경우도 (iii)과 마찬가지이므로

순서쌍 (m, n)의 개수는 $10 \times 1 = 10$

(i) ~ (iv)에서 조건을 만족시키는 순서쌍 (m, n)의 개수는

$100 + 100 + 20 = 220$　　　　　　　　**답 ①**

45 $\log_3 n = f(n) + \alpha$ ($f(n)$은 정수, $0 \leq \alpha < 1$)라 하면

$$\log_3 2n = \log_3 2 + \log_3 n$$
$$= \log_3 2 + f(n) + \alpha \quad \cdots\cdots \text{㉠}$$

$f(2n) = f(n) + 1$이 성립하려면 ㉠에서

$f(n) + \log_3 2 + \alpha = (f(n) + 1) + (\log_3 2 + \alpha - 1)$

이어야 하므로

$0 \leq \log_3 2 + \alpha - 1 < 1, \ 1 - \log_3 2 \leq \alpha < 2 - \log_3 2$

$\therefore \log_3 \frac{3}{2} \leq \alpha < 1$

$f(n) + \log_3 \frac{3}{2} \leq f(n) + \alpha < f(n) + 1$

$f(n) + \log_3 \frac{3}{2} \leq \log_3 n < f(n) + 1$

$3^{f(n) + \log_3 \frac{3}{2}} \leq n < 3^{f(n)+1}$

$\therefore \frac{3}{2} \times 3^{f(n)} \leq n < 3 \times 3^{f(n)}$

(i) $f(n) = 2$일 때,

$\frac{3}{2} \times 3^2 \leq n < 3 \times 3^2$에서 $13.5 \leq n < 27$

$n = 14, 15, \cdots, 26$

따라서 n의 개수는 13이다.

(ii) $f(n) = 3$일 때,

$\frac{3}{2} \times 3^3 \leq n < 3 \times 3^3$에서 $40.5 \leq n < 81$

$n = 41, 42, \cdots, 80$

따라서 n의 개수는 40이다.

(iii) $f(n) = 4$일 때,

$\frac{3}{2} \times 3^4 \leq n < 3 \times 3^4$에서 $121.5 \leq n < 243$

$f(n)$이 4 이상일 때에는 조건을 만족시키는 두 자리의 자연수

가 존재하지 않는다.

(i), (ii), (iii)에서 조건을 만족시키는 두 자리의 자연수 n의 개수는

$13 + 40 = 53$　　　　　　　　**답 53**

01
$$\log 0.00135 = \log (1.35 \times 10^{-3})$$
$$= \log 1.35 + \log 10^{-3}$$
$$= 0.1303 - 3$$
$$= -2.8697$$
답 ②

02
$$\log_4 \sqrt{6} = \frac{\log \sqrt{6}}{\log 4} = \frac{\frac{1}{2}(\log 2 + \log 3)}{2\log 2}$$
$$= \frac{\frac{1}{2}(0.30 + 0.48)}{2 \times 0.30}$$
$$= 0.65$$
답 ③

03 x가 n자리의 자연수이면 $\log x$의 정수 부분은 $(n-1)$이므로
$$\frac{f(5555) + f(3333)}{f(333) + f(222) + f(111)} = \frac{3+3}{2+2+2} = 1$$
답 1

04 $[\log 62500] = 4$, $[\log 6.25] = 0$, $[\log 0.000625] = -4$이므로
$$\frac{[\log 62500] + [\log 6.25]}{[\log 0.000625]} = \frac{4+0}{-4} = -1$$
답 -1

05 $\log 100 < \log 200 < \log 1000$, 즉 $2 < \log 200 < 3$이므로
$\log 200$의 정수 부분은 2이다.
따라서 $\log 200$의 소수 부분은
$$\log 200 - 2 = \log 200 - \log 100 = \log 2$$
$$\therefore 1000^a = 1000^{\log 2} = 2^{\log 1000} = 2^3 = 8$$
답 8

06 ㄱ. $\log 100 < \log 441 < \log 1000$이므로 $2 < \log 441 < 3$
　　따라서 $\log 441$의 정수 부분은 2이다. (참)
ㄴ. $\log 44100$과 $\log 4.41$은 진수의 숫자 배열이 같고 소수점
　　의 위치만 다르므로 소수 부분이 같다. (참)
ㄷ. $\log 0.000441 = \log (4.41 \times 10^{-4})$
$$= \log 4.41 + \log 10^{-4}$$
$$= 0.6444 - 4 = -3.3556(거짓)$$
따라서 옳은 것은 ㄱ, ㄴ이다.
답 ③

07
$$\log 2^{30} = 30\log 2$$
$$= 30 \times 0.3010$$
$$= 9.03$$
따라서 $\log 2^{30}$의 정수 부분이 9이므로 2^{30}은 10자리의 정수이다.
답 ③

08 $\log x$와 $\log \sqrt{x}$의 소수 부분의 합이 1이므로
$$\log x + \log \sqrt{x} = \frac{3}{2}\log x = (정수)$$
$\log x$의 정수 부분이 3이므로
$$3 \le \log x < 4, \ \frac{9}{2} \le \frac{3}{2}\log x < 6$$
$\frac{3}{2}\log x$가 정수이므로
$$\frac{3}{2}\log x = 5 \quad \therefore \log x = \frac{10}{3}$$

따라서 $\log x = \frac{10}{3} = 3 + \frac{1}{3}$이므로 $\log x$의 소수 부분은 $\frac{1}{3}$이다.
답 $\frac{1}{3}$

다른 풀이
$\log x$의 정수 부분이 3이므로
$\log x = 3 + a \ (0 \le a < 1)$라 하면
$$\log \sqrt{x} = \frac{1}{2}\log x = \frac{3+a}{2}$$
$$= 1 + \frac{1+a}{2} \ \left(\frac{1}{2} \le \frac{1+a}{2} < 1\right)$$
$a + \frac{1+a}{2} = 1$이므로 $a = \frac{1}{3}$
따라서 $\log x$의 소수 부분은 $\frac{1}{3}$이다.

09 ① $\log 621 = \log (6.21 \times 10^2) = \log 6.21 + \log 10^2$
$$= 0.7931 + 2 = 2.7931$$
② $\log 0.0621 = \log (6.21 \times 10^{-2}) = \log 6.21 + \log 10^{-2}$
$$= 0.7931 - 2 = -1.2069$$
③ $\log 62.1 = \log (6.21 \times 10) = \log 6.21 + \log 10$
$$= 0.7931 + 1 = 1.7931$$
④ $\log 62100 = \log (6.21 \times 10^4) = \log 6.21 + \log 10^4$
$$= 0.7931 + 4 = 4.7931$$
⑤ $\log 0.00621 = \log (6.21 \times 10^{-3}) = \log 6.21 + \log 10^{-3}$
$$= 0.7931 - 3 = -2.2069$$
따라서 옳지 않은 것은 ④이다.
답 ④

10
$$\log 246 = \log (2.46 \times 10^2)$$
$$= \log 2.46 + \log 10^2$$
$$= 0.3909 + 2 = 2.3909$$
$$\log 0.631 = \log (6.31 \times 10^{-1})$$
$$= \log 6.31 + \log 10^{-1}$$
$$= 0.8000 - 1 = -0.2$$
$$\therefore \log (246 \times 0.631) = \log 246 + \log 0.631$$
$$= 2.3909 - 0.2$$
$$= 2.1909$$
답 ④

11
$$\log 25.6 = \log (2.56 \times 10)$$
$$= \log 2.56 + 1$$
$$= 1.4082$$
에서 $\log 2.56 = 0.4082$이므로
$$\log x = 2.4082 = 2 + 0.4082$$
$$= \log 10^2 + \log 2.56$$
$$= \log (10^2 \times 2.56)$$
$$= \log 256$$
$$\therefore x = 256$$
$$\log y = -2.5918 = -3 + 0.4082$$
$$= \log 10^{-3} + \log 2.56$$
$$= \log (10^{-3} \times 2.56)$$
$$= \log 0.00256$$
$$\therefore y = 0.00256$$
$$\therefore \log_2 (x + 10^5 y) = \log_2 (256 + 256)$$
$$= \log_2 512$$
$$= \log_2 2^9 = 9$$
답 9

12
$$\log\sqrt{10x}=\frac{1}{2}\log 10x=\frac{1}{2}(1+\log x)=1.271$$
$$\therefore \log x=1.542$$
$$\therefore \log\sqrt[3]{x}-\log\sqrt[4]{x^3}=\frac{1}{3}\log x-\frac{3}{4}\log x$$
$$=-\frac{5}{12}\log x$$
$$=-\frac{5}{12}\times 1.542$$
$$=-0.6425 \qquad\qquad \boxed{\text{답}}\ ⑤$$

13
$$\log_{12}54=\frac{\log 54}{\log 12}=\frac{\log 2+3\log 3}{2\log 2+\log 3}$$
$$=\frac{a+3b}{2a+b} \qquad\qquad \boxed{\text{답}}\ ④$$

14 $x=10^{2.7093}$으로 놓고, 양변에 상용로그를 취하면
$$\log x=2.7093$$
$\log 5.12=0.7093$이므로
$$\log(10^2\times 5.12)=2.7093$$
$$\therefore x=10^2\times 5.12=512 \qquad\qquad \boxed{\text{답}}\ 512$$

15 $\log x$의 정수 부분이 $f(x)$이므로
(i) $1\le x<10$일 때, $f(x)=0$
(ii) $10\le x<100$일 때, $f(x)=1$
(iii) $100\le x<200$일 때, $f(x)=2$
$$\therefore f(1)+f(3)+f(5)+\cdots+f(199)$$
$$=0\times 5+1\times 45+2\times 50=145 \qquad \boxed{\text{답}}\ 145$$

16 $\log x$의 정수 부분이 1이므로
$$1\le\log x<2,\ 10\le x<100$$
$$\therefore 10\le x\le 99\ (\text{단, }x\text{는 자연수}) \qquad \cdots\cdots ㉠$$
$\log y$의 정수 부분이 2이므로
$$2\le\log y<3,\ 100\le y<1000$$
$$\therefore 100\le y\le 999\ (\text{단, }y\text{는 자연수}) \quad \cdots\cdots ㉡$$
x, y가 모두 자연수이므로 $x+y$의 값도 자연수이고, ㉠+㉡을 하면
$$110\le x+y\le 1098 \qquad\qquad \cdots\cdots ㉢$$
따라서 ㉢을 만족시키는 자연수 $x+y$의 서로 다른 값의 개수는
$$1098-109=989 \qquad\qquad \boxed{\text{답}}\ ③$$

17 조건 ㈎에서 $6\le\log x<7$ $\cdots\cdots ㉠$
조건 ㈏에서
$$\log x^2-\log\frac{1}{x}=[\log x^2]-\left[\log\frac{1}{x}\right]$$이므로
$$3\log x=(\text{정수})$$
㉠에서 $18\le 3\log x<21$이므로
$3\log x$의 값은 18 또는 19 또는 20이다.
즉, 조건을 만족시키는 x의 값은 10^6, $10^{\frac{19}{3}}$, $10^{\frac{20}{3}}$
$$\therefore \log M=\log(10^6\times 10^{\frac{19}{3}}\times 10^{\frac{20}{3}})$$
$$=\log 10^{19}=19 \qquad\qquad \boxed{\text{답}}\ 19$$

18 $\log 500=\log(100\times 5)=\log 100+\log 5=2+\log 5$
$0<\log 5<1$이므로 $n=2$, $a=\log 5$

$$\therefore n+5^{\frac{1}{a}}=2+5^{\frac{1}{\log 5}}$$
$$=2+5^{\log_5 10}=2+10=12 \qquad\qquad \boxed{\text{답}}\ 12$$

19 $\log n$의 소수 부분이 $f(n)$이므로
(i) $1\le n\le 9$일 때,
$\log n$의 정수 부분은 0이므로 소수 부분 $f(n)$의 값은
$$\log 1, \log 2, \log 3, \cdots, \log 9 \qquad \cdots\cdots ㉠$$
의 9개이고, 이들은 서로 다른 값이다.
(ii) $10\le n\le 99$일 때,
$\log n$의 정수 부분은 1이므로 소수 부분 $f(n)$의 값은
$\log 10-1, \log 11-1, \log 12-1, \cdots, \log 99-1$, 즉
$$\log\frac{10}{10}, \log\frac{11}{10}, \log\frac{12}{10}, \cdots, \log\frac{99}{10} \quad \cdots\cdots ㉡$$
의 90개이고, 이들은 서로 다른 값이며, 이들 중
$$\log\frac{10}{10}, \log\frac{20}{10}, \log\frac{30}{10}, \cdots, \log\frac{90}{10}$$
의 9개는 ㉠의 값과 중복된다.
(iii) $100\le n\le 150$일 때,
$\log n$의 정수 부분은 2이므로 소수 부분 $f(n)$의 값은
$\log 100-2, \log 101-2, \log 102-2, \cdots, \log 150-2$, 즉
$$\log\frac{100}{100}, \log\frac{101}{100}, \log\frac{102}{100}, \cdots, \log\frac{150}{100}$$
의 51개이고, 이들은 서로 다른 값이며, 이들 중
$$\log\frac{100}{100}, \log\frac{110}{100}, \log\frac{120}{100}, \cdots, \log\frac{150}{100}$$
의 6개는 ㉠ 또는 ㉡의 값과 중복된다.
(i), (ii), (iii)에서 집합 A의 원소의 개수는
$$9+(90-9)+(51-6)=135 \qquad\qquad \boxed{\text{답}}\ 135$$

20
$$\log\frac{1}{A}=-\log A=-f(A)-g(A)$$
$$=\{-f(A)-1\}+\{1-g(A)\}$$
$$\therefore f\left(\frac{1}{A}\right)=-f(A)-1,\ g\left(\frac{1}{A}\right)=1-g(A)$$
두 점 $(f(A), g(A))$, $\left(f\left(\frac{1}{A}\right), g\left(\frac{1}{A}\right)\right)$의 중점의 좌표를 (x, y)라 하면
$$x=\frac{f(A)+\{-f(A)-1\}}{2}=-\frac{1}{2}$$
$$y=\frac{g(A)+\{1-g(A)\}}{2}=\frac{1}{2}$$
따라서 두 점의 중점의 좌표는 $\left(-\frac{1}{2}, \frac{1}{2}\right)$이다. $\boxed{\text{답}}\ ②$

21 이차방정식 $ax^2-(3a-1)x+a+1=0$의 두 근이 n, α이므로 근과 계수의 관계에 의하여
$$n+\alpha=\frac{3a-1}{a}=3-\frac{1}{a} \qquad \cdots\cdots ㉠$$
$$n\alpha=\frac{a+1}{a} \qquad\qquad\qquad \cdots\cdots ㉡$$
$a>1$에서 $0<\frac{1}{a}<1$이므로
$$2<3-\frac{1}{a}<3$$
㉠에서 $n=2$, $\alpha=1-\frac{1}{a}$

ⓛ에서 $2\left(1-\dfrac{1}{a}\right)=\dfrac{a+1}{a}$

$2a-2=a+1 \quad (\because a>1)$

$\therefore a=3$

$a=3$을 ⓐ에 대입하면 $n+a=3-\dfrac{1}{3}=\dfrac{8}{3}$

$\therefore \log A=n+a=\dfrac{8}{3}$

$\therefore A=10^{\frac{8}{3}}=10^2\times10^{\frac{2}{3}}=100\sqrt[3]{100}$ 　　　🔲 ⑤

22 ㄱ. 2014와 201.4는 숫자 배열이 같고 소수점의 위치만 다르므로 소수 부분이 같다.

　　즉, $<2014>=<201.4>$이므로

　　$<2014>+1\neq<201.4>+2$ (거짓)

ㄴ. $\log x$의 정수 부분이 5이므로 x는 정수 부분이 6자리인 수이다. (참)

ㄷ. $\log x=\ll x\gg+<x>$ ($\ll x\gg$는 정수, $0\leq<x><1$)이고

　　(ⅰ) $<x>=0$일 때

　　　$\log\dfrac{1}{x}=-\log x=-\ll x\gg-<x>$

　　　$\left<\dfrac{1}{x}\right>=-<x>$이고 $<x>=\left<\dfrac{1}{x}\right>$이므로

　　　$-<x>=<x>,\ <x>=0$

　　　$\therefore\left<\dfrac{1}{x}\right>=<x>=0$

　　(ⅱ) $0<<x><1$일 때

　　　$\log\dfrac{1}{x}=-\log x=-\ll x\gg-<x>$

　　　　　$=(-1-\ll x\gg)+(1-<x>)$

　　　$\left<\dfrac{1}{x}\right>=1-<x>$이고 $<x>=\left<\dfrac{1}{x}\right>$이므로

　　　$2\times\left<\dfrac{1}{x}\right>=1 \quad \therefore\left<\dfrac{1}{x}\right>=\dfrac{1}{2}$

　　(ⅰ), (ⅱ)에서 $\left<\dfrac{1}{x}\right>=0$ 또는 $\left<\dfrac{1}{x}\right>=\dfrac{1}{2}$ (거짓)

따라서 옳은 것은 ㄴ뿐이다. 　　🔲 ②

23 ㄱ. (ⅰ) $f(n)=g(n)$이면

　　　$f(n)$은 정수이고 $0\leq g(n)<1$이므로

　　　$f(n)=g(n)=0$

　　　$\log n=f(n)+g(n)$이므로

　　　$\log n=0 \quad \therefore n=1$

　　(ⅱ) $n=1$이면

　　　$\log 1=0$이므로 $f(1)=g(1)=0$

　　(ⅰ), (ⅱ)에서

　　　$f(n)=g(n)\Longleftrightarrow n=1$ (참)

ㄴ. $\log 50=1+\log 5$이므로

　　$f(50)=1,\ g(50)=\log 5$

　　$\therefore 10^{f(50)}\times10^{g(50)}=10^1\times10^{\log 5}$

　　　　　　　　　　　$=10\times5=50$ (참)

ㄷ. $\log 10n=1+\log n=1+f(n)+g(n)$이므로

　　$f(10n)=1+f(n),\ g(10n)=g(n)$

　　$\therefore f(10n)g(10n)=\{1+f(n)\}g(n)$

　　　　　　　　　　　$=f(n)g(n)+g(n)$ (참)

따라서 ㄱ, ㄴ, ㄷ 모두 옳다. 　　🔲 ⑤

24 $\left(\dfrac{1}{12}\right)^{20}=x$라 하면

$\log x=\log\left(\dfrac{1}{12}\right)^{20}=20\log\dfrac{1}{12}$

　　　$=-20\log 12=-20\log(2^2\times3)$

　　　$=-20(2\log 2+\log 3)$

　　　$=-20(2\times0.3010+0.4771)$

　　　$=-20\times1.0791=-21.582$

　　　$=-22+0.418$

따라서 $\log x$, 즉 $\log\left(\dfrac{1}{12}\right)^{20}$의 정수 부분이 -22이므로

$\left(\dfrac{1}{12}\right)^{20}$은 소수점 아래 22째 자리에서 처음으로 0이 아닌 숫자가 나타난다. 　　🔲 ③

25 7^{100}이 85자리의 정수이므로

$84\leq\log 7^{100}<85$

$\therefore 0.84\leq\log 7<0.85$

$\log 7^{30}=30\log 7$이므로

$25.2\leq30\log 7<25.5$

따라서 $\log 7^{30}$의 정수 부분이 25이므로 7^{30}은 26자리의 정수이다. 　　🔲 ②

26 $\log 3^{50}=50\log 3=50\times0.4771=23.855$

이므로 3^{50}은 24자리의 정수이다.

$\therefore a=24$

3의 거듭제곱의 일의 자리의 숫자는

$3,\ 9,\ 7,\ 1,\ 3,\ 9,\ 7,\ 1,\ \cdots$

$50=4\times12+2$이므로

3^{50}의 일의 자리의 숫자는 9

$\therefore b=9$

$\log 7=0.8451<0.855<\log 8=0.9030$이므로

$23.8451<23.855<23.9030$

$23+0.8451<23.855<23+3\times0.3010$에서

$\log 7+\log 10^{23}<23.855<3\log 2+\log 10^{23}$

$\log(7\times10^{23})<\log 3^{50}<\log(8\times10^{23})$

$\therefore 7\times10^{23}<3^{50}<8\times10^{23}$

따라서 3^{50}의 최고 자리의 숫자는 7이므로

$c=7$

$\therefore a+b+c=24+9+7=40$ 　　🔲 40

27 $10<x<100$이므로

$1<\log x<2 \quad \cdots\cdots$ ⓐ

$\log x$와 $\log\dfrac{1}{x}$의 소수 부분이 같으므로

$\log x-\log\dfrac{1}{x}=$ (정수)

$2\log x=$ (정수)

ⓐ에서 $2<2\log x<4$이므로

$2\log x=3$

$\therefore \log x=\dfrac{3}{2}$ 　　🔲 ③

28 조건 ㈎에서 $\log x$의 정수 부분이 4이므로

$4\leq\log x<5 \quad \cdots\cdots$ ⓐ

조건 (나)에서 $g(x^2)=g(x^{-1})$이므로

$\log x^2 - \log x^{-1}=$ (정수), $3\log x=$ (정수)

㉠에서 $12 \le 3\log x < 15$이므로

$3\log x$의 값은 12 또는 13 또는 14이다.

조건에서 $g(x) \ne 0$이므로 x의 값은

$10^{\frac{13}{3}}$, $10^{\frac{14}{3}}$

따라서 모든 x의 값의 곱 X는

$X=10^{\frac{13}{3}} \times 10^{\frac{14}{3}}=10^9$

$\therefore \log X = \log 10^9 = 9$ **답** 9

29 $\log a=1+\alpha$, $\log b=1+\beta$ $(0 \le \alpha < 1, 0 \le \beta < 1)$라 하면

조건 (가)에서 $\log a + \log b = 2 + (\alpha + \beta)$의 값이 정수이므로

$\alpha + \beta = 0$ 또는 $\alpha + \beta = 1$

$\therefore \alpha = \beta = 0$ 또는 $\beta = 1 - \alpha$ ……㉠

조건 (나)에서 $\log a - \log b = \alpha - \beta = 0.2$이므로

㉠에서 $\beta = 1 - \alpha$를 대입하면

$\alpha - (1-\alpha) = 0.2$, $2\alpha = 1.2$

$\therefore \alpha = 0.6$, $\beta = 0.4$

즉, $\log a = 1.6$이므로

$\log 3 = 0.4771 < 0.6 < \log 4 = 0.6020$

$1 + \log 3 < 1.6 < 1 + \log 4$

$\log(3 \times 10) < \log a < \log(4 \times 10)$

$\therefore 30 < a < 40$

따라서 a의 최고 자리의 숫자는 3이다. **답** 3

다른 풀이

$1 \le \log a < 2$, $1 \le \log b < 2$이므로 $2 \le \log a + \log b < 4$

(i) $\log a + \log b = 2$인 경우

조건 (나)에서 $\log a - \log b = 0.2$이므로

$\log a = 1.1$, $\log b = 0.9$가 되어 조건에 모순이다.

(ii) $\log a + \log b = 3$인 경우

조건 (나)에서 $\log a - \log b = 0.2$이므로

$\log a = 1.6$, $\log b = 1.4$

(i), (ii)에서 $\log a = 1.6$이므로 $30 < a < 40$

따라서 a의 최고 자리의 숫자는 3이다.

30 반감기가 h년인 어떤 물질의 현재 질량 A g이 t년 후에 M g으로 변한다고 하면 $M = A \times 2^{-\frac{t}{h}}$에서

양변에 상용로그를 취하면

$\log M = \log\left(A \times 2^{-\frac{t}{h}}\right) = \log A - \frac{t}{h}\log 2$

$\frac{t}{h}\log 2 = \log A - \log M = \log \frac{A}{M}$

$\therefore t = \frac{h}{\log 2} \times \log \frac{A}{M}$ (년) **답** ②

31 2000년으로부터 n년 후의 총인구를 S_n(만 명), 65세 이상의 인구를 T_n(만 명)이라 하면

$S_n = 1000 \times (1+0.003)^n$, $T_n = 50 \times (1+0.04)^n$

이므로 n년 후에 초고령화 사회로 진입한다고 하면

$\frac{T_n}{S_n} = \frac{50 \times 1.04^n}{1000 \times 1.003^n} \ge 0.2$

$\therefore \left(\frac{1.04}{1.003}\right)^n \ge 4$ ……㉠

㉠의 양변에 상용로그를 취하여 정리하면

$n(\log 1.04 - \log 1.003) \ge 2\log 2$

$n(0.0170 - 0.0013) \ge 2 \times 0.3010$

$\therefore n \ge \frac{0.6020}{0.0157} = 38.3 \times\times\times$

따라서 ④ 2038년 ~ 2040년에 초고령화 사회가 된다. **답** ④

32 조건 (가)에서 a^{100}은 70자리의 자연수이므로

$69 \le \log a^{100} < 70$, $69 \le 100 \log a < 70$

$0.69 \le \log a < 0.7$ ……㉠

조건 (나)에서 a^b은 15자리의 자연수이므로

$14 \le \log a^b < 15$

$14 \le b \log a < 15$ ……㉡

㉡÷㉠을 하면

$14 \times \frac{10}{7} < b < 15 \times \frac{100}{69}$

$\therefore 20 < b < 21.7 \times\times\times$

따라서 구하는 자연수 b는 21이다. **답** ④

33 $\log(x-y)$의 정수 부분이 4이므로

$4 \le \log(x-y) < 5$

$\therefore 10^4 \le x-y < 10^5$ ……㉠

$\log xy$의 정수 부분이 3이므로

$3 \le \log xy < 4$

$\therefore 10^3 \le xy < 10^4$ ……㉡

㉠÷㉡을 하면

$1 < \frac{x-y}{xy} < 10^2$

$\therefore 1 < \frac{1}{y} - \frac{1}{x} < 10^2$

따라서 $\frac{1}{y} - \frac{1}{x}$의 값의 범위에 있는 모든 자연수의 개수는

$100 - 1 - 1 = 98$ **답** 98

34 $1 \le n \le 100$이므로 $0 \le f(n) \le 2$이다.

(i) $f(n) = 0$, 즉 $1 \le n \le 9$일 때

$f(n+10) = 1$이어야 하므로

$10 \le n+10 < 100$, $0 \le n < 90$

$\therefore 1 \le n \le 9$

(ii) $f(n) = 1$, 즉 $10 \le n \le 99$일 때

$f(n+10) = 2$이어야 하므로

$100 \le n+10 < 1000$, $90 \le n < 990$

$\therefore 90 \le n \le 99$

(iii) $f(n) = 2$, 즉 $n = 100$일 때

$f(n+10) = f(110) = 2$이므로

$f(n+10) = 3$을 만족시키는 자연수 n은 존재하지 않는다.

(i), (ii), (iii)에서 구하는 자연수 n의 개수는

$9 + 10 = 19$ **답** 19

35 A, B는 세 자리의 자연수이고,

$\log B$의 소수 부분이 $\log A$의 소수 부분의 2배이므로

$\log A = 2 + \alpha$, $\log B = 2 + 2\alpha$ $\left(0 \le \alpha < \frac{1}{2}\right)$라 하면

$2\log A - \log B = \log \frac{A^2}{B} = 2$

즉, $\dfrac{A^2}{B}=100$이므로

$100B=A^2$ ······ ㉠

A는 10의 배수이므로 $A=10C$ (C는 자연수)라 하면

$100B=(10C)^2=100C^2$ ∴ $B=C^2$

따라서 B는 900보다 큰 세 자리의 자연수이면서 완전제곱수이다.

$30^2=900$, $31^2=961$, $32^2=1024$이므로

$B=31^2$

㉠에서 $A^2=100B=10^2\times31^2=(310)^2$이므로

$A=310$

冒 310

36 $10<x<100$이므로 $1<\log x<2$

$\log x=1+\alpha$ $(0<\alpha<1)$라 하면

$\log\sqrt{x}=\dfrac{1}{2}\log x=\dfrac{1+\alpha}{2}$

$\log\dfrac{1}{x}=-\log x=-1-\alpha=-2+(1-\alpha)$

$\log\sqrt{x}$의 소수 부분이 $\log\dfrac{1}{x}$의 소수 부분의 5배이므로

$\dfrac{1+\alpha}{2}=5(1-\alpha)$

∴ $\alpha=\dfrac{9}{11}$

따라서 $\log x=1+\alpha=1+\dfrac{9}{11}=\dfrac{20}{11}$이므로

$p+q=31$

冒 31

37 ㄱ. 2015는 네 자리의 자연수이므로 $\log 2015$의 정수 부분은 3이다.

$\log 2015=3+\alpha$ $(0\le\alpha<1)$라 하면

$\log\sqrt[3]{2015}=\dfrac{1}{3}\log 2015=1+\dfrac{\alpha}{3}$

$0\le\dfrac{\alpha}{3}<\dfrac{1}{3}$이므로 $\log\sqrt[3]{2015}$의 정수 부분은 1이다.

∴ $f(\sqrt[3]{2015})=1$ (거짓)

ㄴ. $0<\log 2<1$, $0<\log 6<1$, $1<\log 12<2$이므로

$g(2)=\log 2$, $g(6)=\log 6$, $g(12)=\log 12-1$

∴ $g(2)+g(6)=\log 2+\log 6=\log 12$

$\qquad\qquad\qquad\ =(\log 12-1)+1$

$\qquad\qquad\qquad\ =g(12)+1$ (참)

ㄷ. $\log a=f(a)+g(a)$

$\log b=f(b)+g(b)$

$\log ab=f(ab)+g(ab)$

이므로 $f(ab)=f(a)+f(b)$이면

$g(ab)=\log ab-f(ab)$

$\qquad\ =(\log a+\log b)-\{f(a)+f(b)\}$

$\qquad\ =\{\log a-f(a)\}+\{\log b-f(b)\}$

$\qquad\ =g(a)+g(b)$ (참)

따라서 옳은 것은 ㄴ, ㄷ이다.

冒 ④

38 양수 x에 대하여 $\log x=f(x)+g(x)$이므로

$\log a=f(a)+g(a)$ ······ ㉠

$\log b=f(b)+g(b)$ ······ ㉡

㉠$-$㉡을 하면

$\log a-\log b=f(a)-f(b)+g(a)-g(b)=2-\log 3$

이므로

$\log\dfrac{a}{b}=\log\dfrac{100}{3}$, $\dfrac{a}{b}=\dfrac{100}{3}$

∴ $3a=100b$

산술평균과 기하평균의 관계에 의하여

$3a+\dfrac{25}{b}=100b+\dfrac{25}{b}\ge 2\sqrt{100b\times\dfrac{25}{b}}=100$

$\left(\text{단, 등호는 }100b=\dfrac{25}{b}\text{, 즉 }b=\dfrac{1}{2}\text{일 때 성립한다.}\right)$

따라서 $3a+\dfrac{25}{b}$의 최솟값은 100이다.

冒 100

39 $1<\log 40<2$이므로

$f(2)=\log 40-1=\log 40-\log 10=\log 4$

그러므로 소수 부분이 $\log 4$인 수는 진수($=10a^2$)가

400, 4000, 40000이어야 하므로

$a=2\sqrt{10}$, 20, $20\sqrt{10}$

따라서 $f(a)=f(2)$를 만족시키는 100이하의 양수 a의 개수는 3이다.

冒 ②

40 $f(x)=\log x-[\log x]$이므로 $f(x)$는 $\log x$의 소수 부분이고

조건 ㈎에서 $\log a-f(a)=3$이므로 $\log a$의 정수 부분이 3이다.

$\log a=3+\alpha$ $(0\le\alpha<1)$라 하면

$\log\sqrt{a}=\dfrac{1}{2}\log a=\dfrac{1}{2}(3+\alpha)=1+\dfrac{1}{2}(1+\alpha)$

∴ $f(\sqrt{a})=\dfrac{1}{2}(1+\alpha)$

조건 ㈏에서 $f(a)+f(\sqrt{a})=\alpha+\dfrac{1}{2}(1+\alpha)=1$이므로

$\alpha=\dfrac{1}{3}$

∴ $\log a^9=9\log a=9\left(3+\dfrac{1}{3}\right)=30$

冒 30

41 $50=2\times5^2$이므로 50의 양의 약수의 집합은

$\{1, 2, 5, 10, 25, 50\}$

$1\le x<10$일 때, $0\le\log x<1$

$10\le x<100$일 때, $1\le\log x<2$이므로

(i) $\log 1$, $\log 2$, $\log 5$의 소수 부분은 각각

$\quad$ 0, $\log 2$, $\log 5$

(ii) $\log 10$, $\log 25$, $\log 50$의 소수 부분은 각각

$\quad$ 0, $\log 25-1$, $\log 50-1$

(i), (ii)에서

$f(a_1)+f(a_2)+f(a_3)+\cdots+f(a_n)$

$=\log 2+\log 5+(\log 25-1)+(\log 50-1)$

$=\log 125=3\log 5$

冒 ③

42 $1<a<10$이므로 $0<\log a<1$, $\log a=\alpha$ $(0<\alpha<1)$라 하면

$\log a^3=3\alpha$, $\log\sqrt{a}=\dfrac{1}{2}\alpha$

$\log a^3$과 $\log\sqrt{a}$의 소수 부분의 합이 1이므로

$3\alpha+\dfrac{1}{2}\alpha=\dfrac{7}{2}\alpha$는 정수이어야 한다.

$0<\dfrac{7}{2}\alpha<\dfrac{7}{2}$이므로

$\alpha=\dfrac{2}{7}, \dfrac{4}{7}, \dfrac{6}{7}$

따라서 모든 a의 값의 곱은
$$10^{\frac{2}{7}} \times 10^{\frac{4}{7}} \times 10^{\frac{6}{7}} = 10^{\frac{2}{7}+\frac{4}{7}+\frac{6}{7}} = 10^{\frac{12}{7}}$$
답 ⑤

43
$$\log \frac{x^2}{y} = 2\log x - \log y$$
$$= 2(6+\alpha) - (1+\beta)$$
$$= 11 + 2\alpha - \beta$$
$$= 10 + \{1 + (2\alpha - \beta)\} \ (\because -1 < 2\alpha - \beta < 0)$$

따라서 $\log \dfrac{x^2}{y}$ 의 정수 부분이 10이므로 $\dfrac{x^2}{y}$ 은 정수 부분이 11자리인 수이다.

$\therefore n = 11$

답 11

44 암석이 생성된 지 k년이 되었을 때 포타슘-40의 양이 아르곤-40의 양의 20배가 되었으므로

$P(k) = 20A(k)$에서
$$2^k = \left\{ 1 + 8.3 \times \frac{A(k)}{20A(k)} \right\}^c$$
$$= \left(1 + 8.3 \times \frac{1}{20} \right)^c$$
$$= 1.415^c$$

위의 식의 양변에 상용로그를 취하면
$$k \log 2 = c \log 1.415$$
$$\therefore k = \frac{\log 1.415}{\log 2} c$$
$$= \frac{0.15}{0.30} c$$
$$= \frac{1}{2} c$$

답 ②

45 $f(x) : f(x^2) : f(x^3) = 1 : 3 : 5$이므로
$$\log x = n + \alpha \ (0 \le \alpha < 1) \quad \cdots\cdots \ \bigcirc$$
$$\log x^2 = 3n + \beta \ (0 \le \beta < 1) \quad \cdots\cdots \ \bigcirc$$
$$\log x^3 = 5n + \gamma \ (0 \le \gamma < 1) \quad \cdots\cdots \ \boxdot$$

라 하면

조건 (나)에서 $g(x) + g(x^2) + g(x^3) = 2$이므로
$\alpha + \beta + \gamma = 2$이다.

$\log x^2 = 2\log x$, $\log x^3 = 3\log x$이므로

$\bigcirc + \bigcirc + \boxdot$을 하면
$$6\log x = 9n + (\alpha + \beta + \gamma)$$
$$= 9n + 2 \quad \cdots\cdots \ \boxdot$$

$\bigcirc$, $\boxdot$에서
$$6(n+\alpha) = 9n + 2$$
$$\therefore \alpha = \frac{3n+2}{6}$$

$0 \le \alpha < 1$이므로
$$0 \le \frac{3n+2}{6} < 1, \ 0 \le 3n+2 < 6$$
$$\therefore -\frac{2}{3} \le n < \frac{4}{3}$$

$n \ne 0$이므로 $n = 1$, $\alpha = \dfrac{5}{6}$

$\therefore \log x = 1 + \dfrac{5}{6} = \dfrac{11}{6}$

$\therefore p + q = 6 + 11 = 17$

답 17

46 20 이하의 두 자연수 a, b에 대하여

(i) $1 \le a \le 9$, $1 \le b \le 9$인 경우
$f(a) = f(b) = 0$이므로
$f(a)f(b) + 2 = 0 \times 0 + 2 = 2$
$1 \le ab \le 81$이므로 $0 \le f(ab) \le 1$
따라서 $f(ab) = f(a)f(b) + 2$를 만족시키는 두 자연수 a, b는 존재하지 않는다.

(ii) $1 \le a \le 9$, $10 \le b \le 20$인 경우
$f(a) = 0$, $f(b) = 1$이므로
$f(a)f(b) + 2 = 0 \times 1 + 2 = 2$
$10 \le ab \le 180$이므로 $1 \le f(ab) \le 2$
$f(ab) = 2$이려면 $100 \le ab \le 180$이어야 한다.
조건을 만족시키는 두 자연수 a, b를 순서쌍 (a, b)로 나타내면
$(5, 20)$
$(6, 17)$, $(6, 18)$, $(6, 19)$, $(6, 20)$
$(7, 15)$, $(7, 16)$, $\cdots$, $(7, 20)$
$(8, 13)$, $(8, 14)$, $\cdots$, $(8, 20)$
$(9, 12)$, $(9, 13)$, $\cdots$, $(9, 20)$
따라서 $a+b$의 최솟값은 21이다.

(iii) $10 \le a \le 20$, $1 \le b \le 9$인 경우
(ii)와 같은 방법으로 $a+b$의 최솟값은 21이다.

(iv) $10 \le a \le 20$, $10 \le b \le 20$인 경우
$f(a) = f(b) = 1$이므로
$f(a)f(b) + 2 = 1 \times 1 + 2 = 3$
$100 \le ab \le 400$이므로 $f(ab) = 2$
따라서 $f(ab) = f(a)f(b) + 2$를 만족시키는 두 자연수 a, b는 존재하지 않는다.

(i)~(iv)에서 $a+b$의 최솟값은 21이다.

답 ③

01 $f(a)=m$에서 $2^a=m$, $f(b)=n$에서 $2^b=n$
$mn=64$이므로
$2^a \times 2^b = 64$, $2^{a+b}=2^6$
$\therefore a+b=6$　　　　　　　　　　　　　　　　답 ⑤

02 $A=\sqrt[3]{\dfrac{1}{16}}=\left(\dfrac{1}{2^4}\right)^{\frac{1}{3}}=\left(\dfrac{1}{2}\right)^{\frac{4}{3}}$

$B=\sqrt[4]{\dfrac{1}{32}}=\left(\dfrac{1}{2^5}\right)^{\frac{1}{4}}=\left(\dfrac{1}{2}\right)^{\frac{5}{4}}$

$C=\sqrt[5]{\dfrac{1}{64}}=\left(\dfrac{1}{2^6}\right)^{\frac{1}{5}}=\left(\dfrac{1}{2}\right)^{\frac{6}{5}}$

지수함수 $y=\left(\dfrac{1}{2}\right)^x$의 밑 $\dfrac{1}{2}$은 0보다 크고 1보다 작으므로 x의
값이 증가하면 y의 값은 감소한다.

따라서 지수의 크기를 비교하면 $\dfrac{6}{5}<\dfrac{5}{4}<\dfrac{4}{3}$이므로

$\left(\dfrac{1}{2}\right)^{\frac{4}{3}}<\left(\dfrac{1}{2}\right)^{\frac{5}{4}}<\left(\dfrac{1}{2}\right)^{\frac{6}{5}}$

$\therefore A<B<C$　　　　　　　　　　　　　답 ①

03 지수함수 $y=2^x$의 그래프를 x축의 방향으로 2만큼, y축의 방향
으로 -3만큼 평행이동하면
$y=2^{x-2}-3$
이 함수의 그래프가 점 $(7, a)$를 지나므로
$a=2^5-3=29$　　　　　　　　　　　　　　답 29

04 $-2 \le x \le 1$에서 함수 $y=\left(\dfrac{2}{3}\right)^x$의 밑 $\dfrac{2}{3}$는 0보다 크고 1보다

작으므로 x의 값이 증가하면 y의 값은 감소한다.

$x=-2$일 때 최대이고, 최댓값은 $\left(\dfrac{2}{3}\right)^{-2}=\dfrac{9}{4}$

$x=1$일 때 최소이고, 최솟값은 $\dfrac{2}{3}$

따라서 $M=\dfrac{9}{4}$, $m=\dfrac{2}{3}$이므로

$Mm=\dfrac{3}{2}$　　　　　　　　　　　　　답 $\dfrac{3}{2}$

05 ㄱ. $y=\log_3 3x=\log_3 x+1$이므로 함수 $y=f(x)$의 그래프를
x축의 방향으로 -1만큼, y축의 방향으로 1만큼 평행이동
하면 함수 $y=\log_3 3x$의 그래프와 일치한다.
ㄴ. $y=3\log_3 x$는 $y=\log_3 (x-a)+b$ 꼴로 변형할 수 없으므로
평행이동하여도 함수 $y=f(x)$의 그래프와 일치하지 않는다.
ㄷ. $y=\dfrac{1}{3}\log_3 (x+1)^3=\log_3 (x+1)$이므로 함수 $y=f(x)$의

그래프를 x축의 방향으로 -2만큼 평행이동하면 함수

$y=\dfrac{1}{3}\log_3 (x+1)^3$의 그래프와 일치한다.

따라서 함수 $f(x)=\log_3 (x-1)$의 그래프를 평행이동하여
일치시킬 수 있는 그래프는 ㄱ, ㄷ이다.　　　　　答 ④

참고
함수 $y=3\log_3 x$의 그래프는 로그함수 $y=\log_3 x$의 그래프를
y축의 방향으로 3배 늘인 것이다.

06 함수 $f(x)=\log_6 x$의 역함수가 $y=g(x)$이므로
$g(\alpha)=\dfrac{1}{3}$, $g(\beta)=\dfrac{1}{2}$에서

$f\left(\dfrac{1}{3}\right)=\alpha$, $f\left(\dfrac{1}{2}\right)=\beta$

$\therefore \alpha=\log_6 \dfrac{1}{3}$, $\beta=\log_6 \dfrac{1}{2}$

$\alpha+\beta=\log_6 \dfrac{1}{3}+\log_6 \dfrac{1}{2}=\log_6 \dfrac{1}{6}=-1$이므로

$g(\alpha+\beta)=g(-1)=k$라 하면
$f(k)=-1$

$\log_6 k=-1$　　$\therefore k=\dfrac{1}{6}$

$\therefore g(\alpha+\beta)=\dfrac{1}{6}$　　　　　　　　　답 $\dfrac{1}{6}$

07 $f(x)=x^2-2x+4$로 놓으면 함수 $y=\log_{\frac{1}{3}} f(x)$의 밑 $\dfrac{1}{3}$은

0보다 크고 1보다 작으므로 $f(x)$의 값이 최소일 때 $\log_{\frac{1}{3}} f(x)$
의 값은 최대이다.
$f(x)=x^2-2x+4=(x-1)^2+3$이므로 $f(x)$는 $x=1$일 때
최솟값 3을 갖는다.
따라서 함수 $y=\log_{\frac{1}{3}} (x^2-2x+4)$의 최댓값은

$\log_{\frac{1}{3}} 3=-\log_3 3=-1$

$\therefore a=1, b=-1$
$\therefore a+b=0$　　　　　　　　　　　　　답 0

08 세 점 A, B, C는 각각
$A(k, \log_2 k)$, $B(k, \log_4 k)$, $C(k, \log_8 k)$이므로
$\overline{AB}=\log_2 k-\log_4 k=\log_2 k-\dfrac{1}{2}\log_2 k=\dfrac{1}{2}\log_2 k$

$\overline{BC}=\log_4 k-\log_8 k=\dfrac{1}{2}\log_2 k-\dfrac{1}{3}\log_2 k=\dfrac{1}{6}\log_2 k$

$\therefore \dfrac{\overline{AB}}{\overline{BC}}=\dfrac{\dfrac{1}{2}\log_2 k}{\dfrac{1}{6}\log_2 k}=3$　　　　　답 3

09 $f(1)=2^{a+b}$
　　　$=2^a \times 2^b=2$　　　……㉠
$f(2)=2^{2a+b}=2^{2a}\times 2^b$
　　　$=(2^a)^2 \times 2^b=16$　　……㉡
㉡÷㉠을 하면 $2^a=8$
$2^a=8$을 ㉠에 대입하면 $2^b=\dfrac{1}{4}$이므로

$a=3, b=-2$
$\therefore a^2+b^2=9+4=13$　　　　　　　답 13

10 $f(2)+f(-2)=a^2+a^{-2}=(a+a^{-1})^2-2=11$에서
$(a+a^{-1})^2=13$
$\therefore a+a^{-1}=\sqrt{13}$ $(\because a+a^{-1}>0)$
$(a-a^{-1})^2=a^2+a^{-2}-2=11-2=9$이므로
$a-a^{-1}=-3$ $(\because a<a^{-1})$
$\therefore f(2)-f(-2)=a^2-a^{-2}$
　　　　　　　　　　$=(a+a^{-1})(a-a^{-1})$
　　　　　　　　　　$=-3\sqrt{13}$　　　　　답 ①

11 $(a, b) \in A$이면 $\left(\dfrac{1}{2}\right)^a = b$

ㄱ. $\left(\dfrac{1}{2}\right)^{a+1} = \dfrac{1}{2} \times \left(\dfrac{1}{2}\right)^a = \dfrac{b}{2}$

$\quad \therefore \left(a+1, \dfrac{b}{2}\right) \in A$ (참)

ㄴ. $\left(\dfrac{1}{2}\right)^{2a} = \left\{\left(\dfrac{1}{2}\right)^a\right\}^2 = b^2 \ne 2b$

$\quad \therefore (2a, 2b) \notin A$ (거짓)

ㄷ. $\left(\dfrac{1}{2}\right)^{-2a} = \left\{\left(\dfrac{1}{2}\right)^a\right\}^{-2} = b^{-2} = \dfrac{1}{b^2} \ne \sqrt{b}$

$\quad \therefore (-2a, \sqrt{b}) \notin A$ (거짓)

따라서 옳은 것은 ㄱ뿐이다.　　　　　　　　답 ①

12 $A = \sqrt{2} = 2^{\frac{1}{2}}$

$B = \left(\dfrac{1}{4}\right)^{-\frac{1}{3}} = (2^{-2})^{-\frac{1}{3}} = 2^{\frac{2}{3}}$

$C = \sqrt[5]{8} = (2^3)^{\frac{1}{5}} = 2^{\frac{3}{5}}$

한편, 지수함수 $y = 2^x$의 밑 2는 1보다 크므로 x의 값이 증가하면 y의 값도 증가한다.

따라서 지수의 크기를 비교하면 $\dfrac{1}{2} < \dfrac{3}{5} < \dfrac{2}{3}$이므로

$2^{\frac{1}{2}} < 2^{\frac{3}{5}} < 2^{\frac{2}{3}}$

$\therefore A < C < B$　　　　　　　　답 ②

13 지수함수 $y = 3^x$의 그래프를 y축에 대하여 대칭이동하면 $y = 3^{-x}$이고, x축의 방향으로 a만큼, y축의 방향으로 b만큼 평행이동하면

$y = 3^{-(x-a)} + b$

점근선의 방정식은 $y = -3$이므로

$b = -3$

그래프가 점 $(-2, 0)$을 지나므로

$3^{2+a} - 3 = 0, \ 3^{2+a} = 3$　　$\therefore a = -1$

$\therefore a - b = -1 - (-3) = 2$　　　　　　　　답 2

14 두 점 C, D를 각각 $C(a, 0)$, $D(b, 0)$이라 하면 $A(b, 2^{b-3})$, $B(a, 2^{a+1})$이다.

두 점 A, B의 y좌표는 서로 같으므로

$2^{a+1} = 2^{b-3}$

$a + 1 = b - 3$

$\therefore b = a + 4$

즉, 정사각형 ABCD의 한 변의 길이는 4이다.

$2^{b-3} = 4 = 2^2$이므로 $b = 5$

따라서 점 D의 x좌표는 5이다.　　　　　　　　답 5

다른 풀이

두 곡선 $y = 2^{x-3}$, $y = 2^{x+1}$은 곡선 $y = 2^x$을 x축의 방향으로 각각 3, -1만큼 평행이동한 것이므로 $\overline{AB} = 4$

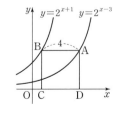

즉, 정사각형 ABCD의 한 변의 길이는 4이다.

점 D의 x좌표를 b라 하면

$2^{b-3} = 4 = 2^2$

$\therefore b = 5$

15 $y = 9^x - 2 \times 3^{x+1} + a = (3^x)^2 - 6 \times 3^x + a$에서

$3^x = t \ (t > 0)$로 놓으면

$y = t^2 - 6t + a$

$\quad = (t-3)^2 - 9 + a$　　……㉠

$1 \le x \le 2$이므로 $3 \le 3^x \le 3^2$

$\therefore 3 \le t \le 9$

즉, ㉠은 $t = 9$일 때, 최댓값이 18이므로

$(9-3)^2 - 9 + a = 18$

$\therefore a = -9$　　　　　　　　답 ②

16 $f(x) = -x^2 + 2x + 1$로 놓으면 함수 $y = a^{f(x)}$의 밑 a는 0보다 크고 1보다 작으므로 $f(x)$의 값이 최대일 때, $a^{f(x)}$의 값은 최소이다.

$f(x) = -x^2 + 2x + 1 = -(x-1)^2 + 2$

이므로 $f(x)$는 $x = 1$일 때, 최댓값 2를 갖는다.

따라서 함수 $y = a^{f(x)}$의 최솟값이 $\dfrac{1}{4}$이므로

$a^2 = \dfrac{1}{4}$　　$\therefore a = \dfrac{1}{2} \ (\because 0 < a < 1)$　　　답 ⑤

17 $y = 4^x + 4^{-x} - 2(2^x + 2^{-x}) + 3$

$\quad = (2^x + 2^{-x})^2 - 2(2^x + 2^{-x}) + 1$

에서 $2^x + 2^{-x} = t$로 놓으면

$y = t^2 - 2t + 1$

$\quad = (t-1)^2$　　……㉠

$2^x > 0, \ 2^{-x} > 0$이므로 산술평균과 기하평균의 관계에 의하여

$t = 2^x + 2^{-x} \ge 2\sqrt{2^x \times 2^{-x}} = 2$

(단, 등호는 $2^x = 2^{-x}$, 즉 $x = 0$일 때 성립한다.)

따라서 $t \ge 2$에서 ㉠은 $t = 2$일 때 최솟값 1을 가지므로 주어진 함수의 최솟값은 1이다.　　　　　　　　답 1

18

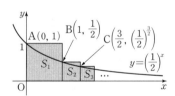

정사각형의 꼭짓점 중에서 곡선 $y = \left(\dfrac{1}{2}\right)^x$ 위의 점을 순서대로 A, B, C, …이라 하면 점 A의 좌표는 $(0, 1)$이므로 첫 번째 정사각형의 한 변의 길이는 1이다.

$\therefore S_1 = 1$

점 B의 좌표는 $\left(1, \dfrac{1}{2}\right)$이므로 두 번째 정사각형의 한 변의 길이는 $\dfrac{1}{2}$이다.

$\therefore S_2 = \left(\dfrac{1}{2}\right)^2 = \dfrac{1}{4}$

점 C의 좌표는 $\left(\dfrac{3}{2}, \left(\dfrac{1}{2}\right)^{\frac{3}{2}}\right)$이므로 세 번째 정사각형의 한 변의 길이는 $\left(\dfrac{1}{2}\right)^{\frac{3}{2}}$이다.

$\therefore S_3 = \left\{\left(\dfrac{1}{2}\right)^{\frac{3}{2}}\right\}^2 = \left(\dfrac{1}{2}\right)^3 = \dfrac{1}{8}$

$\therefore 8(S_1 + S_2 + S_3) = 8\left(1 + \dfrac{1}{4} + \dfrac{1}{8}\right) = 11$　　　답 11

19 $\overline{OB}=a$, $\overline{AB}=b$, $\overline{OD}=1$이므로
삼각형 ADO의 넓이는
$$\frac{1}{2}\times 1\times a=\frac{a}{2}$$
삼각형 AOB의 넓이는
$$\frac{1}{2}ab$$
즉, 삼각형 ADO와 삼각형 AOB의 넓이의 비는
$$\frac{a}{2}:\frac{ab}{2}=1:2$$이므로
$b=2$
$b=4^a=2$에서 $a=\frac{1}{2}$
따라서 삼각형 ACD의 넓이는
$$\frac{1}{2}\times a\times(b-1)=\frac{1}{2}\times\frac{1}{2}\times 1=\frac{1}{4}$$ 답 ①

20 직사각형 A는 가로의 길이가 2, 세로의 길이가 3^a이므로 넓이는
2×3^a
직사각형 B는 가로의 길이가 $b-a-2$, 세로의 길이가 3^{a+2}이므로 넓이는
$(b-a-2)\times 3^{a+2}$
두 직사각형 A, B의 넓이가 같으므로
$2\times 3^a=(b-a-2)\times 3^{a+2}$에서
$2=(b-a-2)\times 3^2$, $b-a-2=\frac{2}{9}$
$$\therefore b-a=\frac{20}{9}$$ 답 $\frac{20}{9}$

21 사각형 ACDB의 넓이는
$$\frac{1}{2}(2^n+2^{n+1})\times 1=\frac{2^n}{2}(1+2)=3\times 2^{n-1}$$
사각형 ABFE의 넓이는
$$\frac{1}{2}(n+n+1)(2^{n+1}-2^n)=\frac{2n+1}{2}\times 2^n$$
$$=(2n+1)\times 2^{n-1}$$
사각형 ACDB와 사각형 ABFE의 넓이의 비가 2 : 5이므로
$3\times 2^{n-1}:(2n+1)\times 2^{n-1}=2:5$에서
$3:(2n+1)=2:5$, $4n+2=15$
$$\therefore n=\frac{13}{4}$$ 답 ⑤

22 직사각형의 넓이를 S라 하면
$S=(\beta-\alpha)\times\{2^\alpha-(-2^{-\beta})\}=2(2^\alpha+2^{-\beta})$
$2^\alpha>0$, $2^{-\beta}>0$이므로 산술평균과 기하평균의 관계에 의하여
$2^\alpha+2^{-\beta}\geq 2\sqrt{2^\alpha\times 2^{-\beta}}=2\sqrt{2^{\alpha-\beta}}$
등호는 $2^\alpha=2^{-\beta}$일 때 성립하므로
$\alpha=-\beta$
$\therefore \alpha+\beta=0$ ······ ㉠
$\beta-\alpha=2$이므로 ㉠에서
$2\alpha+2=0$ $\therefore \alpha=-1$
㉠에 대입하면
$\beta=1$
즉, $2^\alpha+2^{-\beta}$은 $\alpha=-1$, $\beta=1$일 때, 최솟값 1을 갖는다.
따라서 $S=2(2^\alpha+2^{-\beta})\geq 2$이므로 S의 최솟값은 2이다.
답 ②

23 $f(f(x))=2$에서 $\log_2(\log_2 x)=2$이므로
$\log_2 x=2^2=4$
$\therefore x=2^4=16$ 답 ④

24 그래프에서 $\log_3 6=a$, $\log_3 10=b$이므로
$3^a=6$, $3^b=10$
$\therefore 3^a+3^b=16$
$\therefore \log_2(3^a+3^b)=\log_2 16$
$$=\log_2 2^4=4$$ 답 4

25 $(f\circ g)^{-1}(1)=(g^{-1}\circ f^{-1})(1)$
$$=g^{-1}(f^{-1}(1))$$
$f^{-1}(1)=a$라 하면 $f(a)=1$이므로
$2a+1=1$ $\therefore a=0$
즉, $f^{-1}(1)=0$
$g^{-1}(0)=b$라 하면 $g(b)=0$이므로
$\log_2 b=0$ $\therefore b=1$
$\therefore (f\circ g)^{-1}(1)=1$
$g^{-1}(-1)=c$라 하면 $g(c)=-1$이므로
$\log_2 c=-1$ $\therefore c=\frac{1}{2}$
$\therefore f(g^{-1}(-1))=f\left(\frac{1}{2}\right)=2\times\frac{1}{2}+1=2$
$\therefore (f\circ g)^{-1}(1)+f(g^{-1}(-1))=1+2=3$ 답 ③

26 ㄱ. $(a,b)\in G$이면
$b=\log_2 a$이므로
$2b=2\log_2 a=\log_2 a^2$
$\therefore (a^2,2b)\in G$ (참)
ㄴ. $(a,b)\in G$, $(c,d)\in G$이면
$b=\log_2 a$, $d=\log_2 c$이므로
$bd=\log_2 a\times\log_2 c\neq\log_2(a+c)$
$\therefore (a+c,bd)\notin G$ (거짓)
ㄷ. $(6\times 2^b,\log_2 3a)\in G$이면
$\log_2 3a=\log_2(6\times 2^b)$
$3a=6\times 2^b$에서
$a=2\times 2^b=2^{b+1}$
$\therefore b+1=\log_2 a$
$\therefore (a,b+1)\in G$ (참)
따라서 옳은 것은 ㄱ, ㄷ이다. 답 ③

27 $A=2\log_5\sqrt{5}=1=\log_{\frac{1}{3}}\frac{1}{3}$
$B=\log_{\frac{1}{3}}\frac{1}{2}$
$C=\log_{\frac{1}{9}}2=\frac{1}{2}\log_{\frac{1}{3}}2=\log_{\frac{1}{3}}\sqrt{2}$
로그함수 $y=\log_{\frac{1}{3}}x$의 밑 $\frac{1}{3}$은 0보다 크고 1보다 작으므로
x의 값이 증가하면 y의 값은 감소한다.
즉, $\frac{1}{3}<\frac{1}{2}<\sqrt{2}$이므로
$\log_{\frac{1}{3}}\sqrt{2}<\log_{\frac{1}{3}}\frac{1}{2}<\log_{\frac{1}{3}}\frac{1}{3}$
$\therefore C<B<A$ 답 ⑤

28 지수함수 $y=2^x$의 그래프를 직선 $y=x$에 대하여 대칭이동하면
$x=2^y$ $\therefore y=\log_2 x$ ……㉠
㉠의 그래프를 다시 x축의 방향으로 2만큼, y축의 방향으로 3만큼 평행이동하면
$y=\log_2(x-2)+3$ ……㉡
㉡의 그래프가 점 $(k, 6)$을 지나므로
$6=\log_2(k-2)+3$, $3=\log_2(k-2)$
$k-2=2^3$ $\therefore k=10$ 답 ④

29 $y=(\log_3 x)^2-3\log_3 x+1$에서 $\log_3 x=t$로 놓으면
$y=t^2-3t+1=\left(t-\dfrac{3}{2}\right)^2-\dfrac{5}{4}$ ……㉠
$3\le x\le 27$에서 $\log_3 3\le \log_3 x\le \log_3 27$
$\therefore 1\le t\le 3$
따라서 $1\le t\le 3$에서 ㉠은 $t=\dfrac{3}{2}$일 때 최솟값 $-\dfrac{5}{4}$를, $t=3$일 때 최댓값 1을 갖는다.
$\therefore M+m=1+\left(-\dfrac{5}{4}\right)=-\dfrac{1}{4}$ 답 $-\dfrac{1}{4}$

30 $x>1$에서 $\log_4 x^5>0$, $\log_x\sqrt{2}>0$이므로
산술평균과 기하평균의 관계에 의하여
$\log_4 x^5+\log_x\sqrt{2}=\dfrac{5}{2}\log_2 x+\dfrac{1}{2}\log_x 2$
$\qquad\qquad\geq 2\sqrt{\dfrac{5}{2}\log_2 x\times\dfrac{1}{2}\log_x 2}=2\sqrt{\dfrac{5}{4}}=\sqrt{5}$
등호는 $\dfrac{5}{2}\log_2 x=\dfrac{1}{2}\log_x 2$일 때 성립하므로
$5\log_2 x=\dfrac{1}{\log_2 x}$, $(\log_2 x)^2=\dfrac{1}{5}$
$\therefore \log_2 x=\dfrac{\sqrt{5}}{5}$ $(\because x>1$에서 $\log_2 x>0)$
따라서 $\log_2 a=\dfrac{\sqrt{5}}{5}$, $b=\sqrt{5}$이므로
$b\log_2 a=\sqrt{5}\times\dfrac{\sqrt{5}}{5}=1$ 답 ③

31 $y=2^{\log x}\times x^{\log 2}-4(2^{\log x}+x^{\log 2})$
$\quad=2^{\log x}\times 2^{\log x}-4(2^{\log x}+2^{\log x})$ $(\because 2^{\log x}=x^{\log 2})$
에서 $2^{\log x}=t$ $(t>1)$로 놓으면
$y=t^2-8t=(t-4)^2-16$
이고, $t=4$일 때 최솟값 -16을 가지므로
$2^{\log x}=4=2^2$에서
$\log x=2$ $\therefore x=100$
따라서 $a=100$, $b=-16$이므로
$a+b=84$ 답 84

32 세 점 A_x, B_x, C_x의 x좌표를 각각 a, b, c라 하면 세 점 A_y, B_y, C_y의 y좌표는 각각 $\log_2 a$, $\log_2 b$, $\log_2 c$이다.
$\overline{A_y B_y}=\overline{B_y C_y}=1$이므로
$\log_2 b-\log_2 a=\log_2 c-\log_2 b=1$
$\log_2\dfrac{b}{a}=\log_2\dfrac{c}{b}=1$
$\therefore \dfrac{b}{a}=\dfrac{c}{b}=2$

즉, $b=2a$이고 $c=2b=4a$이므로
$\overline{A_x B_x}=b-a=2a-a=a$,
$\overline{B_x C_x}=c-b=4a-2a=2a$
$\therefore \overline{A_x B_x}:\overline{B_x C_x}=1:2$ 답 ③

33 점 A의 좌표를 $(k, 2)$라 하면
$\log_a k=2$ $\therefore k=a^2$
즉, 점 C의 좌표는 $(a^2+2, 4)$이므로
$\log_a(a^2+2)=4$
$a^2+2=a^4$
$a^4-a^2-2=0$
$(a^2+1)(a^2-2)=0$
$\therefore a^2=2$ $(\because a^2>1)$
즉, $k=2$이므로 점 B의 좌표는 $(4, 2)$이다.
$\log_b 4=2$이므로 $b^2=4$
$\therefore b=2$ $(\because b>1)$ 답 2

34 두 점 A, C의 x좌표를 a라 하면
$\overline{AC}=\log_2 4a-\log_2 a=\log_2 4=2$
이므로 정삼각형 ABC의 한 변의 길이는 2이다.
또 선분 AC의 중점을 M이라 하면 선분 BM의 길이는 정삼각형 ABC의 높이이므로 $\sqrt{3}$이다.
두 점 M, B는 각각
$M(a, \log_2 a+1)$, $B(a-\sqrt{3}, \log_2 4(a-\sqrt{3}))$
이고 y좌표가 서로 같으므로
$\log_2 a+1=\log_2 4(a-\sqrt{3})$
$\log_2 2a=\log_2 4(a-\sqrt{3})$
$2a=4a-4\sqrt{3}$
$\therefore a=2\sqrt{3}$
따라서 점 B의 좌표는 $(\sqrt{3}, \log_2 4\sqrt{3})$이므로
$p=\sqrt{3}$, $q=\log_2 4\sqrt{3}$
$\therefore p^2\times 2^q=(\sqrt{3})^2\times 2^{\log_2 4\sqrt{3}}=12\sqrt{3}$ 답 $12\sqrt{3}$

35 두 점 A, B를 각각
$A(a, \log_3 a)$, $B(b, \log_3 b)$ $(a>0, b>0)$라 하면
조건 ㈎에서 선분 AB의 중점의 y좌표는 0이므로
$\dfrac{\log_3 a+\log_3 b}{2}=0$, $\log_3 ab=0$
$\therefore ab=1$ ……㉠
조건 ㈏에서 선분 AB를 $3:1$로 외분하는 점의 x좌표는 0이므로
$\dfrac{3b-a}{3-1}=0$
$\therefore a=3b$ ……㉡
㉠, ㉡을 연립하여 풀면
$a=\sqrt{3}$, $b=\dfrac{\sqrt{3}}{3}$ $(\because a>0, b>0)$
즉, $A\left(\sqrt{3}, \dfrac{1}{2}\right)$, $B\left(\dfrac{\sqrt{3}}{3}, -\dfrac{1}{2}\right)$
이므로 그림에서 삼각형 OBA의 넓이는
$\left(\dfrac{1}{2}\times\dfrac{2\sqrt{3}}{3}\times\dfrac{1}{2}\right)\times 2=\dfrac{\sqrt{3}}{3}$

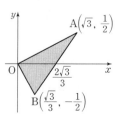

답 ①

36 삼각형 PQ′Q와 삼각형 PR′R의 넓이의 비가 $1:9$이고
$\triangle PQ'Q \backsim \triangle PR'R$이므로
$\overline{PQ'} : \overline{PR'} = 1:3$
즉, $\overline{PQ'} = k$, $\overline{PR'} = 3k$이므로 점 R의 x좌표는
$k+3k=4k$
세 점 P, Q, R의 y좌표는 각각
$-\log_3 k$, $\log_3 2k$, $\log_3 4k$
이므로
$\overline{QQ'} = \log_3 2k - (-\log_3 k)$
$\quad\quad = \log_3 2k^2$
$\overline{RR'} = \log_3 4k - (-\log_3 k)$
$\quad\quad = \log_3 4k^2$
$\overline{RR'} = 3\overline{QQ'}$이므로
$\log_3 4k^2 = 3\log_3 2k^2$
$4k^2 = (2k^2)^3$, $4k^2 = 8k^6$
$\therefore k^4 = \dfrac{1}{2}$ $(\because k \neq 0)$ 　　　답 ②

37 $y=2^x$에서 $x=\log_2 y$이므로 $y=f(x)$의 역함수는
$f^{-1}(x) = \log_2 x$
점 A의 y좌표가 1이므로
$\log_2 x = 1$에서 $x=2$
즉, 점 A의 좌표는 $(2, 1)$이므로 점 B의 좌표는 $(2, 4)$
한편, 점 C의 y좌표가 4이므로
$\log_2 x = 4$에서 $x=16$
즉, 점 C의 좌표는 $(16, 4)$
따라서 $a=16$, $b=4$이므로
$a-b=12$ 　　　답 ①

38 직선 $y=x$에 대하여 대칭인 그래프는 역함수의 그래프이므로
$y=\log_2(x-1)$에서 $2^y = x-1$
$x=2^y+1$　　$\therefore y=2^x+1$
즉, $f(x)=2^x+1$이므로
$b=f(2)=2^2+1=5$
또 $\log_2(a-1)=5$에서 $a-1=2^5$
$\therefore a=33$
$\therefore a+b=38$ 　　　답 38

39 네 점 A, B, C, D는 각각 $A(1, a)$, $B(0, 1)$, $C(1, 0)$, $D(b, 1)$
이다.
선분 AC와 선분 BD가 서로 수직이고 사각형 ABCD의 넓이가 5이므로
$\dfrac{1}{2} \times \overline{AC} \times \overline{BD} = \dfrac{1}{2}ab = 5$에서
$ab=10$
a, b는 1보다 큰 자연수이므로
$a=2$, $b=5$ 또는 $a=5$, $b=2$　　……㉠
직선 AD의 기울기가 -1보다 크므로
$\dfrac{1-a}{b-1} > -1$
$1-a > 1-b$　　$\therefore a < b$　　……㉡
㉠, ㉡에서 $a=2$, $b=5$
$\therefore 5a+2b = 5 \times 2 + 2 \times 5 = 20$ 　　　답 20

40
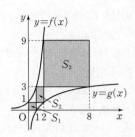
두 곡선 $f(x)=3^x$, $g(x)=\log_2 x$는 각각 점 $(0, 1)$과
점 $(1, 0)$을 지나므로
$S_1 = 1 \times 1 = 1$
$f(1)=3$이고, $g(x)=1$에서 $x=2$이므로
$S_2 = (2-1) \times (3-1) = 2$
$f(2)=9$이고, $g(x)=3$에서 $x=8$이므로
$S_3 = (8-2) \times (9-3) = 36$
$\therefore S_1 + S_2 + S_3 = 1+2+36 = 39$ 　　　답 39

41 직선 $y=-x+a$가 y축과 만나는 점을 D라 하면 $D(0, a)$이고,
두 곡선 $y=2^x$, $y=\log_2 x$가 직선 $y=x$에 대하여 대칭이므로
$C(a, 0)$에서
$\overline{BC} = \overline{AD}$　　……㉠
$\overline{BC} : \overline{CD} = 1:5$ $(\because$ 조건 ㈎, ㉠$)$이므로
$\triangle OCB = \dfrac{1}{5}\triangle OCD$
$\quad\quad\quad\quad = \dfrac{1}{10}a^2 = 40$
$\therefore a=20$
점 A는 직선 $y=-x+a$ 위의 점이므로
$q=-p+a$
$\therefore p+q=a=20$ 　　　답 20

다른 풀이
두 곡선 $y=2^x$, $y=\log_2 x$는 직선 $y=x$에 대하여 대칭이므로
점 A와 점 B도 직선 $y=x$에 대하여 대칭이다.
점 $A(p, q)$이므로 점 $B(q, p)$이고, 점 $C(a, 0)$이다.
조건 ㈎에서
점 B는 선분 AC를 $3:1$로 내분하는 점이므로
$q=\dfrac{3a+p}{4}$, $p=\dfrac{q}{4}$에서
$a=5p$, $q=4p$
또 삼각형 OCB의 넓이가 40이므로
$\dfrac{1}{2}ap = \dfrac{5}{2}p^2 = 40$
$p^2 = 16$에서 $p=4$
$\therefore a=20$
$(\because p<0$인 경우에는 문제의 조건을 만족시킬 수 없다.$)$
점 A는 직선 $y=-x+a$ 위의 점이므로
$q=-p+a$
$\therefore p+q=a=20$

42 그림과 같이 함수 $y=f(x)$의 그래프는
원점과 점 $A(1, 1)$을 지나며, 직선
OA의 기울기는 1이다.
곡선 $y=f(x)$ 위를 움직이는 점 P에
대하여 직선 OP의 기울기를 비교하면
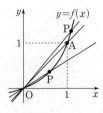

ㄱ. $x>1$이면 직선 OP의 기울기는 $\dfrac{f(x)}{x}>1$ (참)

ㄴ. $0<x<1$이면 직선 OP의 기울기는 $0<\dfrac{f(x)}{x}<1$ (참)

ㄷ. $x<0$이면 직선 OP의 기울기는 $\dfrac{f(x)}{x}>0$ (거짓)

따라서 옳은 것은 ㄱ, ㄴ이다.　　　　　　　　　目 ③

43 $f(2x)+2f\!\left(\dfrac{2}{x}\right)=4^x$　　……㉠

에서 x 대신 $\dfrac{1}{x}$을 대입하면

$f\!\left(\dfrac{2}{x}\right)+2f(2x)=4^{\frac{1}{x}}$　　……㉡

㉡$\times2-$㉠을 하면

$3f(2x)=2\times4^{\frac{1}{x}}-4^x$

$\therefore f(2x)=\dfrac{1}{3}\left(2\times4^{\frac{1}{x}}-4^x\right)$

따라서 $x=2$를 대입하면

$f(4)=\dfrac{1}{3}\left(2\times4^{\frac{1}{2}}-4^2\right)$

$=\dfrac{1}{3}(4-16)=-4$　　　　　　目 -4

다른 풀이

주어진 식에 $2x=4$ 즉, $x=2$와 $\dfrac{2}{x}=4$ 즉, $x=\dfrac{1}{2}$을 각각 대입

하면

$x=2$일 때,

$f(4)+2f(1)=16$　　……㉠

$x=\dfrac{1}{2}$일 때,

$f(1)+2f(4)=2$　　……㉡

㉠, ㉡을 연립하여 풀면

$f(4)=-4$

44 $a^2<a<b<b^2$이므로 $0<a<1<b$이다.

ㄱ. $0<a<1$이므로 함수 $y=a^x$의
그래프는 그림과 같다.

$a<\dfrac{1}{a}$이므로

$a^a>a^{\frac{1}{a}}$ (참)

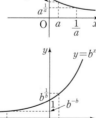

ㄴ. $b>1$이므로 함수 $y=b^x$의
그래프는 그림과 같다.

$\dfrac{1}{b}>-b$이므로

$b^{\frac{1}{b}}>b^{-b}$ (참)

ㄷ. $0<\dfrac{a}{b}<a<1$이므로 두 함수

$y=\left(\dfrac{a}{b}\right)^x,\ y=a^x$의 그래프는

그림과 같다.

$b>-b$이므로

$\left(\dfrac{a}{b}\right)^b<a^{-b}$ (참)

따라서 ㄱ, ㄴ, ㄷ 모두 옳다.　　　　　　目 ⑤

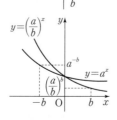

45 (i) $1<b<a$

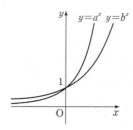

(ii) $0<b<1<a$

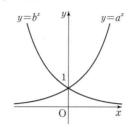

(iii) $0<b<a<1$

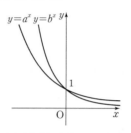

ㄱ. (i), (ii), (iii)에서 $x>0$일 때, $a^x>b^x$
$\therefore f(x)>g(x)$ (참)

ㄴ. [반례] $0<b<a<1$일 때, $f(x)<g(-x)$ (거짓)

ㄷ. $f(x)=g(-x)$이면 $a^x=b^{-x}$

$a=\dfrac{1}{b}$이므로

$a^{\frac{1}{x}}=\left(\dfrac{1}{b}\right)^{\frac{1}{x}}=(b^{-1})^{\frac{1}{x}}=b^{-\frac{1}{x}}$

$\therefore f\!\left(\dfrac{1}{x}\right)=g\!\left(-\dfrac{1}{x}\right)$ (참)

따라서 옳은 것은 ㄱ, ㄷ이다.　　　　　　目 ③

46 $f(x)=-x^2+2x+1$

$=-(x-1)^2+2$

$f(g(x))=f(a^x)$

$=-a^{2x}+2a^x+1$

$=-(a^x-1)^2+2\ (-1\le x\le2)$

$g(f(x))=a^{f(x)}$

$=a^{-x^2+2x+1}$

$=a^{-(x-1)^2+2}\ (-1\le x\le2)$

(i) $a>1$일 때,

$a^x=t\ (t>0)$로 놓으면

$f(g(x))=-(t-1)^2+2$

$-1\le x\le2$에서 $\dfrac{1}{a}\le t\le a^2$

$0<\dfrac{1}{a}<1$이고 $a^2>1$이므로 $t=1$일 때 $f(g(x))$의 최댓값

은 2이다.

한편, 함수 $g(f(x))=a^{f(x)}$은 $f(x)$가 최대일 때 최댓값을

가지므로 $x=1$일 때 최댓값은 a^2이다.

두 함수 $y=f(g(x))$, $y=g(f(x))$의 최댓값이 같으려면
$a^2=2$
$\therefore a=\sqrt{2}$ $(\because a>1)$

(ii) $0<a<1$일 때,
$a^x=s$ $(s>0)$로 놓으면
$f(g(x))=-(s-1)^2+2$
$-1\le x\le2$에서 $a^2\le s\le\dfrac{1}{a}$

$0<a^2<1$이고 $\dfrac{1}{a}>1$이므로 $s=1$일 때 $f(g(x))$의 최댓값
은 2이다.
한편, 함수 $g(f(x))=a^{f(x)}$은 $f(x)$가 최소일 때 최댓값을
가지므로 $x=-1$일 때 최댓값은 a^{-2}이다.
두 함수 $y=f(g(x))$, $y=g(f(x))$의 최댓값이 같으려면
$a^{-2}=2$
$\therefore a=\dfrac{1}{\sqrt{2}}=\dfrac{\sqrt{2}}{2}$ $(\because 0<a<1)$

(i), (ii)에서 모든 a의 값의 합은
$\sqrt{2}+\dfrac{\sqrt{2}}{2}=\dfrac{3\sqrt{2}}{2}$ **답** ①

47 점 A의 좌표가 $(a,\ 2^a)$이므로 점 B의 y좌표는 2^a이다.
점 B의 x좌표는
$2^a=15\times2^{-x}$
$2^{x+a}=15$, $x+a=\log_2 15$
$\therefore x=\log_2 15-a$
즉, $\overline{AB}=2a-\log_2 15$이므로
$1<\overline{AB}<100$에서 $1<2a-\log_2 15<100$
$1+\log_2 15<2a<100+\log_2 15$
$\dfrac{1}{2}(1+\log_2 15)<a<\dfrac{1}{2}(100+\log_2 15)$
$\log_2 15=3.\times\times\times$이므로
$2.\times\times\times<a<51.\times\times\times$
따라서 구하는 자연수 a의 개수는 $3,\ 4,\ \cdots,\ 51$의 49이다.
답 49

48 조건 ㈎에서
$-1\le x\le0$일 때, $f(x)=x+1-1=x$
$-2\le x<-1$일 때, $f(x)=-(x+1)-1=-x-2$
$\therefore f(x)=\begin{cases} x & (-1\le x\le0) \\ -x-2 & (-2\le x<-1) \end{cases}$

조건 ㈏에서 $f(x)=-f(-x)$이므로 함수 f는 원점에 대하여
대칭인 기함수이다.
또한, 조건 ㈐에서 함수 f는 $x=2$에 대하여 대칭이므로
두 함수 $y=f(x)$, $y=\left(\dfrac{1}{2}\right)^x$의 그래프는 그림과 같다.

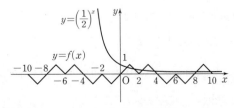

따라서 두 그래프가 만나는 점의 개수는 6이다.
답 ⑤

49 ㄱ. $0<b<1$이고 $a<b$이므로
$\log_b a>\log_b b$
$\therefore \log_b a>1$ (참)

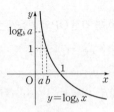

ㄴ. $0<a<b$에서 $1<a+1<b+1$이므로
$0<\log_{(b+1)}(a+1)<\log_{(b+1)}(b+1)$
$\therefore 0<\log_{(b+1)}(a+1)<1$
즉, $\log_{(b+1)}(a+1)=k$이면 $0<k<1$
$\therefore k>k^2$ (거짓)

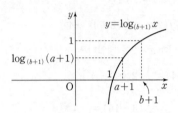

ㄷ. $0<a<b<1$이므로 두 함수 $y=\log_a x$, $y=\log_b x$의 그래프
는 그림과 같다.

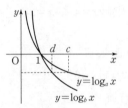

[반례] $\log_a c=\log_b d<0$이면 $c>d$이다. (거짓)
따라서 옳은 것은 ㄱ뿐이다. **답** ①

50 $y=(\log_3 x)(\log_{\frac{1}{3}} x)+2\log_3 x+10$
$\quad=(\log_3 x)(-\log_3 x)+2\log_3 x+10$
$\quad=-(\log_3 x)^2+2\log_3 x+10$
에서 $\log_3 x=t$로 놓으면
$y=-t^2+2t+10$
$\quad=-(t-1)^2+11$ $\cdots\cdots$ ㉠
$1\le x\le81$에서 $\log_3 1\le\log_3 x\le\log_3 81$
$\therefore 0\le t\le4$
따라서 $0\le t\le4$에서 ㉠은 $t=1$일 때 최댓값 11을, $t=4$일 때
최솟값 2를 갖는다.
$\therefore M+m=11+2=13$ **답** 13

51 $f(x)=9x^{-2+\log_3 x}$의 양변에 밑이 3인 로그를 취하면
$\log_3 f(x)=\log_3 9+\log_3 x^{-2+\log_3 x}$
$\qquad=2+(-2+\log_3 x)\log_3 x$
$\qquad=(\log_3 x)^2-2\log_3 x+2$
에서 $\log_3 x=t$로 놓으면
$\log_3 f(x)=t^2-2t+2=(t-1)^2+1$ $\cdots\cdots$ ㉠
$\dfrac{1}{3}\le x\le3$에서 $\log_3\dfrac{1}{3}\le\log_3 x\le\log_3 3$
$\therefore -1\le t\le1$

$-1 \le t \le 1$에서 ㉠은 $t=-1$일 때 최댓값 5를, $t=1$일 때 최솟값 1을 갖는다.

따라서 $\log_3 f(x)$의 최댓값이 5이므로 $f(x)$의 최댓값은 $3^5=243$, $\log_3 f(x)$의 최솟값이 1이므로 $f(x)$의 최솟값은 3

$\therefore M+m=243+3=246$ **目 246**

52

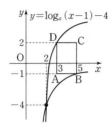

함수 $y=\log_a(x-1)-4$의 그래프는 a의 값에 관계없이 점 $(2, -4)$를 지나므로 직사각형 ABCD와 만나려면
$a>1$

즉, $y=\log_a(x-1)-4$는 x의 값이 증가하면 y의 값도 증가하므로 이 그래프가 점 $B(5, -1)$을 지날 때,
$\log_a 4-4=-1$, $\log_a 4=3$
$a^3=4$
$\therefore a=4^{\frac{1}{3}}$

점 $D(3, 2)$를 지날 때,
$\log_a 2-4=2$, $\log_a 2=6$
$a^6=2$
$\therefore a=2^{\frac{1}{6}}$

따라서 a의 최댓값 $M=2^{\frac{2}{3}}$, 최솟값 $N=2^{\frac{1}{6}}$이므로

$\left(\dfrac{M}{N}\right)^{12}=\left(\dfrac{2^{\frac{2}{3}}}{2^{\frac{1}{6}}}\right)^{12}=(2^{\frac{1}{2}})^{12}$
$\qquad =2^6=64$ **目 64**

53 점 A의 좌표를 $(a, 2\log_2 a)$라 하면
$\overline{AB}=2$
이므로 두 점 B, D는 각각
$B(a+2, 2\log_2 a)$, $D(a+2, 2\log_2(a+2))$
$\overline{BD}=2$이므로
$2\log_2(a+2)-2\log_2 a=2$
$\log_2 \dfrac{a+2}{a}=1$, $\dfrac{a+2}{a}=2$
$2a=a+2$ $\quad \therefore a=2$
즉, 점 C의 y좌표가 $2\log_2 4=4$이므로 점 C의 x좌표는
$2^{x-3}=4=2^2$
$x-3=2$ $\quad \therefore x=5$
$\therefore \overline{CD}=1$
따라서 사각형 ABCD의 넓이는
$\dfrac{1}{2}\times 2\times 2+\dfrac{1}{2}\times 2\times 1=2+1=3$ **目 3**

54 $A(\alpha, m\alpha)$, $B(\beta, m\beta)$라 하면
$\triangle OBD : \triangle OAC=4:1$이므로
$\overline{OB} : \overline{OA}=2:1$
$\therefore \beta=2\alpha$
두 점 A, B는 곡선 $y=\log_2 x$ 위에 있으므로

$m\alpha=\log_2 \alpha$ $\quad$ ……㉠
$m\beta=\log_2 \beta$ $\quad$ ……㉡
㉡에서 $2m\alpha=\log_2 2\alpha$ $(\because \beta=2\alpha)$
$2\log_2 \alpha=\log_2 2\alpha$ $(\because$ ㉠$)$이므로
$\alpha^2=2\alpha$, $\alpha(\alpha-2)=0$
$\therefore \alpha=2$, $\beta=4$ $(\because \alpha\ne 0)$
$\therefore A(2, 2m)$, $B(4, 4m)$
점 A는 곡선 $y=\log_2 x$ 위의 점이므로
$2m=\log_2 2$ $\quad \therefore m=\dfrac{1}{2}$
두 함수 $y=2^x$, $y=\log_2 x$는 직선 $y=x$에 대하여 대칭이므로 점 A도 점 C와 직선 $y=x$에 대하여 대칭이다.
즉, $A(2, 1)$, $C(1, 2)$이고
점 C는 직선 $y=nx$ 위의 점이므로
$n=2$
$\therefore m+n=\dfrac{5}{2}$ **目 $\dfrac{5}{2}$**

55 $f(x)$는 $\log x$의 소수 부분이므로 $0\le f(x)<1$이다.
(i) $1\le x<10$일 때,
$\quad 0\le \log x<1$이므로 $f(x)=\log x$
(ii) $10\le x<100$일 때,
$\quad 1\le \log x<2$이므로 $f(x)=\log x-1$
$\therefore f(x)=\begin{cases} \log x & (1\le x<10) \\ \log x-1 & (10\le x<100) \end{cases}$
즉, 곡선 $y=f(x)$와 직선 $y=2-\dfrac{x}{n}$는 그림과 같다.

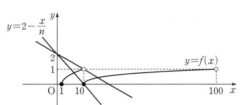

직선 $y=2-\dfrac{x}{n}$는 y절편이 2이므로 점 $(10, 0)$을 지날 때와 점 $(10, 1)$을 지날 때 사이에 위치하면 곡선 $y=f(x)$와 직선 $y=2-\dfrac{x}{n}$가 만나는 점이 2개가 된다.
(i) 직선 $y=2-\dfrac{x}{n}$가 점 $(10, 0)$을 지날 때,
$\quad 2-\dfrac{10}{n}=0$ $\quad \therefore n=5$
(ii) 직선 $y=2-\dfrac{x}{n}$가 점 $(10, 1)$을 지날 때,
$\quad 2-\dfrac{10}{n}=1$ $\quad \therefore n=10$
즉, $5\le n<10$일 때, 곡선 $y=f(x)$와 직선 $y=2-\dfrac{x}{n}$가 두 점에서 만난다.
따라서 자연수 n의 개수는 5, 6, 7, 8, 9의 5이다.
目 5

01 $8^{2x+1}=(2^3)^{2x+1}=2^{6x+3}$, $\sqrt[3]{2}=2^{\frac{1}{3}}$이므로
$8^{2x+1}=\sqrt[3]{2}$, $2^{6x+3}=2^{\frac{1}{3}}$
$6x+3=\dfrac{1}{3}$, $6x=-\dfrac{8}{3}$
$\therefore x=-\dfrac{4}{9}$

답 $-\dfrac{4}{9}$

02 $4^x+2^{x+3}-128=0$에서 $(2^x)^2+2^3\times2^x-128=0$
$2^x=t\ (t>0)$로 놓으면
$t^2+8t-128=0$, $(t+16)(t-8)=0$
$\therefore t=8\ (\because t>0)$
따라서 $2^x=8=2^3$이므로 $x=3$

답 $x=3$

03 $x-y=-1$에서 $y=x+1$ ......㉠
$9^x-3^y=54$에 대입하면
$9^x-3^{x+1}=54$, $3^{2x}-3\times3^x-54=0$
$3^x=t\ (t>0)$로 놓으면
$t^2-3t-54=0$, $(t+6)(t-9)=0$
$\therefore t=9\ (\because t>0)$
즉, $3^x=9=3^2$이므로 $x=2$
㉠에서 $y=3$
$\therefore x+y=5$

답 5

04 $3^{2x}-8\times3^x+9=0$에서
$(3^x)^2-8\times3^x+9=0$ ......㉠
$3^x=t\ (t>0)$로 놓으면
$t^2-8t+9=0$ ......㉡
㉠의 두 근이 α, β이므로 ㉡의 두 근은 3^α, 3^β이다.
따라서 이차방정식의 근과 계수의 관계에 의하여
$3^\alpha\times3^\beta=9$, $3^{\alpha+\beta}=3^2$
$\therefore \alpha+\beta=2$

답 ②

05 $\left(\dfrac{1}{5}\right)^{1-2x}\le5^{x+4}$에서 $5^{2x-1}\le5^{x+4}$
밑 5는 1보다 크므로
$2x-1\le x+4$ $\therefore x\le5$
따라서 부등식을 만족시키는 모든 자연수 x는 1, 2, 3, 4, 5이
므로 그 합은
$1+2+3+4+5=15$

답 ⑤

06 $\left(\dfrac{1}{2}\right)^{f(x)}<\left(\dfrac{1}{2}\right)^{g(x)}$에서 밑 $\dfrac{1}{2}$은 0보다 크고 1보다 작으므로
$f(x)>g(x)$
즉, 주어진 부등식의 해는 곡선 $y=f(x)$가 직선 $y=g(x)$보다
위쪽에 있는 부분의 x의 값의 범위이므로
$x<a$ 또는 $0<x<c$

답 ②

07 $9^x-3^{x+2}+15<0$에서 $3^x=t\ (t>0)$로 놓으면
$t^2-9t+15<0$이고

해가 $\alpha<x<\beta$이므로
$3^\alpha<t<3^\beta$
따라서 $t^2-9t+15=0$의 두 근은 3^α, 3^β이 되므로 근과 계수의
관계에 의하여
$3^\alpha\times3^\beta=15$

답 15

08 $4^x-5\times2^{x+1}+16<0$에서 $2^{2x}-10\times2^x+16<0$
$2^x=t\ (t>0)$로 놓으면
$t^2-10t+16<0$, $(t-2)(t-8)<0$
$\therefore 2<t<8$
즉, $2<2^x<8$이므로
$1<x<3$ ......㉠
$\left(\dfrac{1}{2}\right)^{3x+2}<\left(\dfrac{1}{2}\right)^{2x}$에서 밑 $\dfrac{1}{2}$은 0보다 크고 1보다 작으므로
$3x+2>2x$
$\therefore x>-2$ ......㉡
㉠, ㉡에서 $1<x<3$이므로
$a+b=4$

답 4

09 $\left(\dfrac{1}{3}\right)^{-3x}=3^{x^2-4}$에서 $3^{3x}=3^{x^2-4}$
즉, $3x=x^2-4$이므로 $x^2-3x-4=0$
$(x+1)(x-4)=0$
$\therefore x=-1$ 또는 $x=4$
따라서 모든 근의 곱은 -4이다.

답 ③

다른 풀이
이차방정식 $x^2-3x-4=0$의 근과 계수의 관계에 의하여 모든
근의 곱은 -4이다.

10 $(x-1)^{2(x+2)}=(x-1)^{x^2+1}$에서 양변의 밑이 $x-1$로 같으므로
지수가 같거나 밑이 1이어야 한다.
(ⅰ) $2(x+2)=x^2+1$일 때,
$x^2-2x-3=0$
$(x+1)(x-3)=0$
$\therefore x=3\ (\because x>1)$
(ⅱ) $x-1=1$, 즉 $x=2$일 때,
주어진 방정식은 $1^8=1^5$이므로 등식이 성립한다.
$\therefore x=2$
(ⅰ), (ⅱ)에서 모든 근의 합은
$3+2=5$

답 5

11 $2^x=3^{x-1}$의 양변에 상용로그를 취하면
$x\log2=(x-1)\log3$
$(\log3-\log2)x=\log3$
$\therefore x=\dfrac{\log3}{\log3-\log2}=\dfrac{0.4771}{0.4771-0.3010}=2.7\times\times\times$
따라서 $\alpha=2.7\times\times\times$이므로 옳은 것은 ④ $2<\alpha<3$이다.

답 ④

12 $9^x-3^{x+3}+140=0$에서
$(3^x)^2-27\times3^x+140=0$
$3^x=t\ (t>0)$로 놓으면
$t^2-27t+140=0$

$(t-7)(t-20)=0$

$\therefore t=7$ 또는 $t=20$

주어진 방정식의 두 근이 α, β이므로

$3^{\alpha}=7$, $3^{\beta}=20$이라 하면

$9^{\alpha}+9^{\beta}=3^{2\alpha}+3^{2\beta}=(3^{\alpha})^2+(3^{\beta})^2$

$=7^2+20^2=449$

답 449

13 $a^{2x}-a^x=2$에서 $(a^x)^2-a^x-2=0$

$a^x=t$ $(t>0)$로 놓으면

$t^2-t-2=0$, $(t+1)(t-2)=0$

$\therefore t=2$ $(\because t>0)$

즉, $a^x=2$의 해가 $x=\dfrac{1}{7}$이므로 $a^{\frac{1}{7}}=2$

$\therefore a=2^7=128$

답 128

14 $2^x+2^{2-x}=5$에서 $2^x+2^2\times2^{-x}=5$

$2^x=t$ $(t>0)$로 놓으면

$t+\dfrac{4}{t}=5$, $t^2-5t+4=0$

$(t-1)(t-4)=0$ $\therefore t=1$ 또는 $t=4$

즉, $2^x=1$ 또는 $2^x=4$이므로

$x=0$ 또는 $x=2$

따라서 방정식을 만족시키는 모든 x의 값의 합은

$0+2=2$

답 ⑤

15 $\begin{cases} 2^x-2^y=2 \\ 4^x-4^y=12 \end{cases}$에서 $2^x=X$, $2^y=Y$ $(X>0, Y>0)$로 놓으면

$\begin{cases} X-Y=2 & \cdots\cdots \text{㉠} \\ X^2-Y^2=12 & \cdots\cdots \text{㉡} \end{cases}$

㉡에서 $(X+Y)(X-Y)=12$이므로

㉠을 대입하면

$X+Y=6$ $\cdots\cdots$ ㉢

㉠+㉢을 하면 $2X=8$

$\therefore X=4$, $Y=2$

즉, $2^x=4$, $2^y=2$이므로

$x=2$, $y=1$

따라서 $\alpha=2$, $\beta=1$이므로

$\alpha^2+\beta^2=4+1=5$

답 5

16 $4^x+4^{-x}=(2^x+2^{-x})^2-2$이므로

$4^x+4^{-x}-3(2^x+2^{-x})+4=0$에서

$(2^x+2^{-x})^2-3(2^x+2^{-x})+2=0$

$2^x>0$, $2^{-x}>0$이므로 산술평균과 기하평균의 관계에 의하여

$2^x+2^{-x}\geq2\sqrt{2^x\times2^{-x}}=2$ (단, 등호는 $2^x=2^{-x}$일 때 성립한다.)

$2^x+2^{-x}=X$로 놓으면 주어진 방정식은

$X^2-3X+2=0$

$(X-1)(X-2)=0$

$\therefore X=2$ $(\because X\geq2)$

즉, $2^x+2^{-x}=2$이므로 양변에 2^x을 곱하여 정리하면

$(2^x)^2-2\times2^x+1=0$

$2^x=t$ $(t>0)$로 놓으면

$t^2-2t+1=0$

$(t-1)^2=0$ $\therefore t=1$

즉, $2^x=1$이므로 $x=0$

답 ③

17 $3^{2x}-2^{2y}=17$에서 $3^x=X$, $2^y=Y$ $(X>0, Y>0)$로 놓으면

$X^2-Y^2=17$

$(X+Y)(X-Y)=17$

x, y가 모두 양의 정수이므로

$X+Y$, $X-Y$도 모두 양의 정수이고, $X-Y<X+Y$

즉, $X-Y=1$, $X+Y=17$

두 식을 연립하여 풀면

$X=9$, $Y=8$

즉, $3^x=9$, $2^y=8$이므로

$x=2$, $y=3$

$\therefore x+y=5$

답 5

18 $2^{2x+1}-5\times2^x+k=0$에서

$2\times2^{2x}-5\times2^x+k=0$

$2^x=t$ $(t>0)$로 놓으면

$2t^2-5t+k=0$ $\cdots\cdots$ ㉠

주어진 방정식의 두 근을 α, β라 하면 $\alpha+\beta=-1$이고,

㉠의 두 근은 2^{α}, 2^{β}이다.

따라서 이차방정식의 근과 계수의 관계에 의하여

$2^{\alpha}\times2^{\beta}=2^{\alpha+\beta}=2^{-1}$

$=\dfrac{1}{2}=\dfrac{k}{2}$

$\therefore k=1$

답 ④

19 $3^{2x}-3\times3^x+2=0$에서 $3^x=t$ $(t>0)$로 놓으면

$t^2-3t+2=0$ $\cdots\cdots$ ㉠

주어진 방정식의 두 근이 α, β이므로 ㉠의 두 근은 3^{α}, 3^{β}이다.

따라서 이차방정식의 근과 계수의 관계에 의하여

$3^{\alpha}+3^{\beta}=3$, $3^{\alpha}\times3^{\beta}=2$

$\therefore 3^{3\alpha}+3^{3\beta}=(3^{\alpha}+3^{\beta})^3-3\times3^{\alpha}\times3^{\beta}\times(3^{\alpha}+3^{\beta})$

$=3^3-3\times2\times3=9$

답 ③

20 곡선 $y=3^{2x}-3^{x+1}$과 직선 $y=k$가 서로 다른 두 점에서 만나려면 방정식 $3^{2x}-3^{x+1}=k$가 서로 다른 두 실근을 가져야 한다.

위의 방정식에서 $3^x=t$ $(t>0)$로 놓으면

$t^2-3t-k=0$ $\cdots\cdots$ ㉠

㉠이 서로 다른 두 양수인 실근을 가져야 하므로

(ⅰ) 이차방정식 ㉠의 판별식을 D라 하면

$D=9+4k>0$

$\therefore k>-\dfrac{9}{4}$

(ⅱ) 이차방정식의 근과 계수의 관계에 의하여

(두 근의 합)$=3>0$, (두 근의 곱)$=-k>0$

$\therefore k<0$

(ⅰ), (ⅱ)에서

$-\dfrac{9}{4}<k<0$

따라서 정수 k의 값은 -2, -1이므로 그 합은

$(-2)+(-1)=-3$

답 -3

21 $\left(\dfrac{1}{3}\right)^{x^2-2}>\left(\dfrac{1}{9}\right)^{x+3}$에서 $\left(\dfrac{1}{3}\right)^{x^2-2}>\left(\dfrac{1}{3}\right)^{2x+6}$

밑 $\dfrac{1}{3}$은 0보다 크고 1보다 작으므로

$x^2-2<2x+6,\ x^2-2x-8<0$

$(x+2)(x-4)<0$

$\therefore -2<x<4$

따라서 정수 x의 개수는 $-1,\ 0,\ 1,\ 2,\ 3$의 5이다. 답 5

22 $\dfrac{1}{81}\leq3^x\leq\dfrac{1}{9}$에서 $3^{-4}\leq3^x\leq3^{-2}$

밑 3은 1보다 크므로

$-4\leq x\leq-2$ ······ ㉠

$\left(\dfrac{1}{2}\right)^{x+1}\leq64\leq\left(\dfrac{1}{4}\right)^x$에서 $\left(\dfrac{1}{2}\right)^{x+1}\leq\left(\dfrac{1}{2}\right)^{-6}\leq\left(\dfrac{1}{2}\right)^{2x}$

밑 $\dfrac{1}{2}$은 0보다 크고 1보다 작으므로

$2x\leq-6\leq x+1$

(i) $2x\leq-6$이므로 $x\leq-3$

(ii) $-6\leq x+1$이므로 $x\geq-7$

(i), (ii)에서

$-7\leq x\leq-3$ ······ ㉡

㉠, ㉡에서 $-4\leq x\leq-3$

따라서 $a=-4,\ b=-3$이므로

$a+b=-7$ 답 ①

23 (i) $0<x<1$일 때,

$x^{x^x}\leq x^{x^3}$에서 $x^x\geq x^3$

또 $x^x\geq x^3$에서 $x\leq3$

$\therefore 0<x<1$

(ii) $x=1$일 때,

$x^{x^x}\leq x^{x^3}$에서 $1^{1^1}=1^{1^3}$이므로 부등식은 성립한다.

$\therefore x=1$

(iii) $x>1$일 때,

$x^{x^x}\leq x^{x^3}$에서 $x^x\leq x^3$

또 $x^x\leq x^3$에서 $x\leq3$

$\therefore 1<x\leq3$

(i), (ii), (iii)에서 $0<x\leq3$ 답 ④

24 $\left(\dfrac{1}{4}\right)^x-10\left(\dfrac{1}{2}\right)^x+16\leq0$에서 $\left(\dfrac{1}{2}\right)^{2x}-10\left(\dfrac{1}{2}\right)^x+16\leq0$

$\left(\dfrac{1}{2}\right)^x=t\ (t>0)$로 놓으면

$t^2-10t+16\leq0$

$(t-2)(t-8)\leq0$

$\therefore 2\leq t\leq8$

즉, $\left(\dfrac{1}{2}\right)^{-1}\leq\left(\dfrac{1}{2}\right)^x\leq\left(\dfrac{1}{2}\right)^{-3}$이므로

$-3\leq x\leq-1$

따라서 $M=-1,\ m=-3$이므로

$M+m=-4$ 답 -4

25 $2^{4x+2}-5\times2^{2x}+1<0$에서

$4(4^x)^2-5\times4^x+1<0$

$4^x=t\ (t>0)$로 놓으면

$4t^2-5t+1<0$

$(4t-1)(t-1)<0$

$\therefore \dfrac{1}{4}<t<1$

즉, $4^{-1}<4^x<4^0$이므로 $-1<x<0$

따라서 $\alpha=-1,\ \beta=0$이므로

$\alpha+\beta=-1$ 답 ②

26 $4^{x+1}+2^{x+2}\leq2^{x+3}-1$에서

$4\times2^{2x}+4\times2^x\leq8\times2^x-1$

$2^x=t\ (t>0)$로 놓으면

$4t^2+4t\leq8t-1,\ 4t^2-4t+1\leq0$

$(2t-1)^2\leq0$ $\qquad\therefore t=\dfrac{1}{2}$

즉, $2^x=\dfrac{1}{2}$이므로 $x=-1$ 답 $x=-1$

27 $16a^{2x}-17a^x+1<0$에서 $a^x=t\ (t>0)$로 놓으면

$16t^2-17t+1<0$

$(16t-1)(t-1)<0$

$\therefore \dfrac{1}{16}<t<1$

즉, $\dfrac{1}{16}<a^x<1$ ······ ㉠

부등식의 해가 $0<x<4$이고 밑 a가 0보다 크고 1보다 작으므로

$a^4<a^x<a^0$ ······ ㉡

㉠, ㉡에서 $a^4=\dfrac{1}{16}$

$\therefore a=\dfrac{1}{2}$ 답 $\dfrac{1}{2}$

28 모든 실수 x에 대하여 주어진 부등식이 성립해야 하므로 x에 대한 이차방정식 $x^2-2(2^a+1)x-3(2^a-5)=0$의 판별식을 D라 하면 $D<0$이어야 한다. 즉,

$\dfrac{D}{4}=(2^a+1)^2+3(2^a-5)<0$

$2^a=t\ (t>0)$로 놓으면

$(t+1)^2+3(t-5)<0,\ t^2+5t-14<0$

$(t+7)(t-2)<0$

$\therefore 0<t<2\ (\because t>0)$

즉, $2^a<2$이므로 $a<1$ 답 ②

29 집합 B에서 $4^x-5\times2^{x+1}+16<0$이므로

$(2^x)^2-10\times2^x+16<0$

$2^x=t\ (t>0)$로 놓으면

$t^2-10t+16<0$

$(t-2)(t-8)<0$

$\therefore 2<t<8$

즉, $2<2^x<8$이므로 $1<x<3$

$\therefore B=\{x\,|\,1<x<3\}$

집합 A에서 $f(x)=x^2+4x+a$로 놓고, 이차방정식 $f(x)=0$의 두 근을 $\alpha,\ \beta\ (\alpha<\beta)$라 하면

$A=\{x\,|\,\alpha<x<\beta\}$

$A\cap B=B$에서 $B\subset A$이어야 하므로 함수 $y=f(x)$의 그래프는 그림과 같아야 한다.

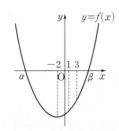

$f(1)=1+4+a\leq 0$ $\therefore a\leq -5$ ······㉠
$f(3)=9+12+a\leq 0$ $\therefore a\leq -21$ ······㉡
㉠, ㉡에서 $a\leq -21$
따라서 구하는 정수 a의 최댓값은 -21이다.   目①

30 방사성 물질의 질량은 $2048\,\mathrm{g}$이고 50년이 지날 때마다 그 질량이 절반으로 감소하므로 $50x$년이 지날 때 이 방사성 물질의 질량은 $2048\times\left(\dfrac{1}{2}\right)^{x}\mathrm{g}$이 된다.

$2048=2^{11}$, $\dfrac{1}{8}=2^{-3}$이므로

$2^{11}\times\left(\dfrac{1}{2}\right)^{x}=2^{-3}$, $\left(\dfrac{1}{2}\right)^{x}=2^{-14}$

$\therefore x=14$

따라서 $2048\,\mathrm{g}$에서 $\dfrac{1}{8}\,\mathrm{g}$으로 감소하는 데 걸리는 시간은

$50\times 14=700$ (년)   目⑤

31 $20\{1-a^{-0.7(t+0.4)}\}\geq 16$에서
$1-a^{-0.7(t+0.4)}\geq 0.8$
$0.2\geq a^{-0.7(t+0.4)}$
양변에 밑이 a인 로그를 취하면
$\log_a 0.2\geq -0.7(t+0.4)$
$-\log_a 5\geq -0.7(t+0.4)$
$-1.4\geq -0.7t-0.28$
$\therefore t\geq 1.6$
따라서 $16\,\mathrm{cm}$ 이상이 되기 위한 최소 연령은 1.6이다.
目②

32 $12^{x-7}=(24\sqrt{3})^{6-2x}$에서
$24\sqrt{3}=12\times 2\sqrt{3}=12\sqrt{12}=12^{\frac{3}{2}}$이므로
$12^{x-7}=(12^{\frac{3}{2}})^{6-2x}$
$12^{x-7}=12^{9-3x}$
$x-7=9-3x$이므로
$x=4$ 目 $x=4$

33 $(2^x-4)^3-(2^{-x}-2)^3=(2^x-2^{-x}-2)^3$에서
$2^x-4=a$, $2^{-x}-2=b$로 놓으면
$a-b=2^x-2^{-x}-2$이므로
$a^3-b^3=(a-b)^3$
$a^3-b^3=a^3-b^3-3ab(a-b)$
$3ab(a-b)=0$
$\therefore a=0$ 또는 $b=0$ 또는 $a-b=0$
(i) $a=0$일 때,
  $2^x-4=0$이므로 $2^x=2^2$
  $\therefore x=2$

(ii) $b=0$일 때,
  $2^{-x}-2=0$이므로 $2^{-x}=2$
  $\therefore x=-1$
(iii) $a-b=0$일 때,
  $2^x-2^{-x}-2=0$의 양변에 2^x을 곱하면
  $(2^x)^2-2\times 2^x-1=0$
  $2^x=t$ $(t>0)$로 놓으면
  $t^2-2t-1=0$
  $\therefore t=1+\sqrt{2}$ $(\because t>0)$
  즉, $2^x=1+\sqrt{2}$이므로
  $x=\log_2(1+\sqrt{2})$
(i), (ii), (iii)에서 모든 실수 x의 값의 합은
$2+(-1)+\log_2(1+\sqrt{2})=1+\log_2(1+\sqrt{2})$
$\phantom{2+(-1)+\log_2(1+\sqrt{2})}=\log_2 2(1+\sqrt{2})$ 目④

34 $2^{\log 10x}\times x^{\log 2}-\dfrac{1}{2}(2^{\log 10x}+16\times x^{\log 2})+4=0$에서
$2^{\log x}=t$ $(t>0)$로 놓으면 $x^{\log 2}=2^{\log x}=t$이고,
$2^{\log 10x}=2^{1+\log x}=2\times 2^{\log x}=2t$이므로 주어진 방정식은
$2t^2-\dfrac{1}{2}(2t+16t)+4=0$
$2t^2-9t+4=0$, $(2t-1)(t-4)=0$
$\therefore t=\dfrac{1}{2}$ 또는 $t=4$
즉, $2^{\log x}=\dfrac{1}{2}$ 또는 $2^{\log x}=4$이므로
$\log x=-1$ 또는 $\log x=2$
$\therefore x=\dfrac{1}{10}$ 또는 $x=100$
따라서 $\alpha=\dfrac{1}{10}$, $\beta=100$이므로
$10\alpha+\beta=1+100=101$ 目 101

35 $2^{2x}-(a+6)\times 2^x-2a(a-6)=0$에서
$2^x=t$ $(t>0)$로 놓으면 주어진 방정식의 서로 다른 두 근이 모두 양수이므로 $t>1$이다.   ······㉠
즉, $t^2-(a+6)\times t-2a(a-6)=0$
$(t-2a)(t+a-6)=0$
$\therefore t=2a$ 또는 $t=-a+6$
즉, $2^x=2a$ 또는 $2^x=-a+6$
주어진 방정식의 서로 다른 두 근이 모두 양수이므로
(i) $2a\neq -a+6$에서 $a\neq 2$
(ii) ㉠에서 $t>1$이므로
  $2a>1$ $\therefore a>\dfrac{1}{2}$
  $-a+6>1$ $\therefore a<5$
  $\therefore \dfrac{1}{2}<a<5$
(i), (ii)에서 $\dfrac{1}{2}<a<2$ 또는 $2<a<5$
따라서 정수 a의 개수는 1, 3, 4의 3이다.   目②

36 $a\times 4^x+2^{x-a}+b=0$에서
$a(2^x)^2+2^{-a}\times 2^x+b=0$
$2^x=t$ $(t>0)$로 놓으면
$a\times t^2+2^{-a}\times t+b=0$ ······㉠

주어진 방정식이 서로 다른 두 실근을 가지므로 ㉠은 서로 다른
두 양의 실근을 갖는다.

ㄱ. 이차방정식 ㉠의 근과 계수의 관계에 의하여 두 근의 곱은

$$\frac{b}{a}>0 \qquad \therefore ab>0 \ (참)$$

ㄴ. 이차방정식 ㉠의 근과 계수의 관계에 의하여 두 근의 합은

$$-\frac{2^{-a}}{a}>0$$

$2^{-a}>0$이므로 $a<0$ (참)

ㄷ. 이차방정식 ㉠의 판별식을 D라 하면

$$D=(2^{-a})^2-4ab>0$$

$$4^{-a}>4ab, \ 4^{-a-1}>ab$$

$$\therefore \frac{1}{4^{a+1}}>ab \ (참)$$

따라서 ㄱ, ㄴ, ㄷ 모두 옳다.   🖳 ⑤

37 $9^x=4\times3^x-k$에서 $9^x-4\times3^x+k=0$

$3^x=t \ (t>0)$로 놓으면

$$t^2-4t+k=0 \qquad\qquad \cdots\cdots ㉠$$

주어진 방정식이 오직 하나의 실근을 가지려면 ㉠은 오직 하나
의 양수인 실근을 가져야 한다.

(i) 하나는 양수인 실근, 다른 하나는 양수가 아닌 실근일 때

이차방정식의 근과 계수의 관계에 의하여

(두 근의 곱)$=k\le0$ $\cdots\cdots ㉡$

이차방정식 ㉠의 판별식을 D라 하면

$$\frac{D}{4}=4-k>0 \qquad \therefore k<4 \quad \cdots\cdots ㉢$$

㉡, ㉢에서 $k\le0$

(ii) 양수인 중근일 때

$$\frac{D}{4}=4-k=0 \qquad \therefore k=4$$

(i), (ii)에서 실수 k의 최댓값은 4이다.   🖳 4

38 $10^{x^2+2\log a}\ge a^{-2x}$의 양변에 상용로그를 취하면

$$x^2+2\log a\ge-2x\log a$$

$$x^2+2\log a\times x+2\log a\ge0$$

모든 실수 x에 대하여 부등식이 성립해야 하므로 이차방정식
$x^2+2\log a\times x+2\log a=0$의 판별식을 D라 하면

$$\frac{D}{4}=(\log a)^2-2\log a\le0$$

$$\log a(\log a-2)\le0$$

$$0\le\log a\le2$$

$$\therefore 1\le a\le100$$

따라서 양수 a의 최댓값은 100이다.   🖳 100

39 $2^{f(x)}<2$에서 $f(x)<1$ $\cdots\cdots ㉠$

$2^{f(x)}>2^{g(x)}$에서 $f(x)>g(x)$ $\cdots\cdots ㉡$

주어진 그래프에서

부등식 ㉠의 해는 $0<x<d$ $\cdots\cdots ㉢$

부등식 ㉡의 해는 $x<a$ 또는 $x>d$ $\cdots\cdots ㉣$

㉢, ㉣을 동시에 만족시키는 x의 값의 범위는

$$0<x<a$$

따라서 주어진 연립부등식의 해는

$$0<x<a$$ 🖳 ①

40 $2^{x+1}+3\times2^{-x}+4^{1-x}<9$에서 $2^x=t \ (t>0)$로 놓으면

$$2t+\frac{3}{t}+\frac{4}{t^2}<9$$

양변에 t^2을 곱하여 정리하면

$$2t^3-9t^2+3t+4<0$$

$f(t)=2t^3-9t^2+3t+4$로 놓으면

$f(1)=0$이므로 조립제법을 이용하여

인수분해하면

$$\begin{array}{r|rrrr} 1 & 2 & -9 & 3 & 4 \\ & & 2 & -7 & -4 \\ \hline & 2 & -7 & -4 & \underline{\ 0\ } \end{array}$$

$$f(t)=(t-1)(2t^2-7t-4)$$

$$\qquad=(t-1)(t-4)(2t+1)$$

$t>0$이므로 $(t-1)(t-4)(2t+1)<0$의 양변을 $(2t+1)$로
나누면

$$(t-1)(t-4)<0$$

$$\therefore 1<t<4$$

즉, $2^0<2^x<2^2$이므로 $0<x<2$

따라서 구하는 해의 집합은 $\{x\,|\,0<x<2\}$이다.   🖳 ①

41 $f(x)=4^x-5\times2^{x+2}$으로 놓으면

$f(a)=4^a-5\times2^{a+2}$이므로

$-3\le x\le2$에서 $f(x)\ge f(a)$가 항상 성립하도록 하는 정수
a의 값을 구하면 된다.

$4^x-5\times2^{x+2}$에서 $2^x=t \ (t>0)$로 놓으면 t^2-20t

$-3\le x\le2$에서 $2^{-3}\le2^x\le2^2$이므로

$$\frac{1}{8}\le t\le4$$

$g(t)=t^2-20t$로 놓으면

$$g(t)=(t-10)^2-100$$

이므로 그림에서 $4\le\beta\le16$인 임의의 실수 β에 대하여
$g(t)\ge g(\beta)$가 항상 성립한다.

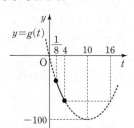

즉, $4\le2^a\le16$이면 $f(x)\ge f(a)$가 항상 성립하므로

$$2\le a\le4$$

따라서 모든 정수 a의 값의 합은

$$2+3+4=9$$ 🖳 9

42 $k\times2^x\le4^x-2^x+4$에서

$$4^x-(k+1)\times2^x+4\ge0$$

$2^x=t \ (t>0)$로 놓으면

$$t^2-(k+1)\times t+4\ge0$$

$f(t)=t^2-(k+1)t+4$로 놓으면

$$f(t)=\left(t-\frac{k+1}{2}\right)^2+4-\frac{(k+1)^2}{4}$$

$t>0$인 실수 t에 대하여 $f(t)\ge0$이 성립하려면

(i) 함수 $y=f(t)$의 그래프의 대칭축이 양수일 때

$$\frac{k+1}{2}>0$$에서 $k>-1$ $\cdots\cdots ㉠$

$f(t)$는 $t=\dfrac{k+1}{2}$일 때 최솟값 $4-\dfrac{(k+1)^2}{4}$을 가지므로

$$4-\frac{(k+1)^2}{4}\geq 0,\ (k+1)^2-16\leq 0$$

$$k^2+2k-15\leq 0,\ (k+5)(k-3)\leq 0$$

$$\therefore -5\leq k\leq 3 \qquad \cdots\cdots ㉡$$

㉠, ㉡에서 $-1<k\leq 3$

(ii) 함수 $y=f(t)$의 그래프의 대칭축이 0 또는 음수일 때

$\dfrac{k+1}{2}\leq 0$에서 $k\leq -1$

함수 $f(t)$는 $t=0$일 때 최솟값을 가지므로

$$f(0)=4>0$$

$f(t)\geq 0$이 항상 성립하므로 $k\leq -1$

(i), (ii)에서 $k\leq 3$ 답 ④

43 $t=0$일 때, $p=0.1$이므로

$$0.1=\frac{1}{1+k\times 10^0}=\frac{1}{1+k}$$

$$1+k=10 \quad \therefore k=9$$

n주 후의 물의 오염도가 0.64 이상이 되므로

$$\frac{1}{1+9\times 10^{-\frac{1}{12}n}}\geq 0.64$$

$$1+9\times 10^{-\frac{1}{12}n}\leq \frac{25}{16}$$

$$10^{-\frac{1}{12}n}\leq \frac{1}{16}$$

양변에 상용로그를 취하면

$$-\frac{1}{12}n\leq \log\frac{1}{16}$$

$$\therefore n\geq 48\log 2=48\times 0.3010=14.448$$

따라서 자연수 n의 최솟값은 15이다. 답 ③

44 처음 잔류 농약이 $0.1\,\mathrm{mg}$인 이 과일을 물에 담가 두고, 2시간이 지난 후의 잔류 농약은 $0.1\times\dfrac{a}{100}\,\mathrm{mg}$이고,

$2k$시간이 지난 후의 잔류 농약은 $0.1\times\left(\dfrac{a}{100}\right)^k\,\mathrm{mg}$이다.

6시간이 지난 후의 잔류 농약은

$2k=6$에서 $k=3$이므로

$$0.1\times\left(\frac{a}{100}\right)^3\,\mathrm{mg}$$

$0.1\times\left(\dfrac{a}{100}\right)^3=0.01$이므로

$$\frac{a}{100}=\left(\frac{1}{10}\right)^{\frac{1}{3}}$$

t시간이 지난 후의 잔류 농약은

$$0.1\times\left(\frac{a}{100}\right)^{\frac{t}{2}}=0.1\times\left\{\left(\frac{1}{10}\right)^{\frac{1}{3}}\right\}^{\frac{t}{2}}$$

$$=0.1\times\left(\frac{1}{10}\right)^{\frac{t}{6}}$$

즉, $0.1\times\left(\dfrac{1}{10}\right)^{\frac{t}{6}}\leq 0.001$에서

$$\left(\frac{1}{10}\right)^{\frac{t}{6}}\leq\left(\frac{1}{10}\right)^2,\ \frac{t}{6}\geq 2$$

$$\therefore t\geq 12$$

따라서 이 과일을 안전하게 섭취하려면 최소한 섭취하기 12시간 전에 물에 담가 두어야 한다. 답 12시간 전

45 $4^x-2^{x+1}+\dfrac{1}{9^y}-\dfrac{6}{3^y}=15$에서

$$(2^{2x}-2\times 2^x+1)+(3^{-2y}-6\times 3^{-y}+9)=25$$

$$\therefore (2^x-1)^2+(3^{-y}-3)^2=25$$

$2^x=X,\ 3^{-y}=Y\ (X>0,\ Y>0)$로 놓으면

$$(X-1)^2+(Y-3)^2=25$$

이므로 좌표평면 위에 나타내면 그림과 같다.

$Y=3$일 때, $X=6$으로 최대이고, X가 최대이면 x의 값도 최대가 되므로

$2^x=6$에서 $x=\log_2 6$

$\therefore \alpha=\log_2 6$

$X=1$일 때, $Y=8$로 최대이고, Y가 최대이면 y의 값은 최소이므로

$3^{-y}=8$에서 $y=-\log_3 8$

$\therefore \beta=-3\log_3 2$

$$\therefore \alpha\beta=\log_2 6\times(-3\log_3 2)$$

$$=\frac{\log_3 6}{\log_3 2}\times(-3\log_3 2)$$

$$=-3\log_3 6$$ 답 ①

46 $3^x+3^{-x}=t$로 놓으면 $3^x>0,\ 3^{-x}>0$이므로 산술평균과 기하평균의 관계에 의하여

$3^x+3^{-x}\geq 2\sqrt{3^x\times 3^{-x}}=2$ (단, 등호는 $3^x=3^{-x}$일 때 성립한다.)

따라서 $t\geq 2$이고, $9^x+9^{-x}=(3^x+3^{-x})^2-2=t^2-2$이므로 주어진 방정식은

$$(t^2-2)-nt+18=0$$

$$t^2-nt+16=0 \qquad \cdots\cdots ㉠$$

이므로 $t>2$인 범위에서 이차방정식 ㉠이 서로 다른 두 실근을 가져야 한다.

$f(t)=t^2-nt+16$이라 하면

(i) 대칭축 $t=\dfrac{n}{2}>2 \qquad \therefore n>4$

(ii) ㉠의 판별식을 D라 하면 $D=n^2-4\times 16>0$

$$(n+8)(n-8)>0$$

$$\therefore n<-8\ 또는\ n>8$$

(iii) $f(2)=4-2n+16=20-2n>0 \qquad \therefore n<10$

(i), (ii), (iii)에서 $8<n<10$

따라서 구하는 자연수 n은 9이다. 답 9

01 진수의 조건에서 $4+x>0$, $4-x>0$

$\therefore -4<x<4$ ······ ㉠

$\log_2 (4+x)+\log_2 (4-x)=3$에서

$\log_2 (4+x)(4-x)=\log_2 2^3$

$(4+x)(4-x)=8$

$16-x^2=8$, $x^2=8$

$\therefore x=\pm 2\sqrt{2}$

㉠에서 $-4<x<4$이므로 모든 x의 값의 곱은

$2\sqrt{2}\times(-2\sqrt{2})=-8$ 답 ②

02 $\log_{\frac{1}{3}} (\log_5 (\log_2 x))=0$에서

$\log_5 (\log_2 x)=1$

$\log_2 x=5$

$\therefore x=2^5=32$ 답 32

03 진수의 조건에서 $x>0$ ······ ㉠

$(\log_3 x)^2+4\log_9 x-3=0$에서 $(\log_3 x)^2+2\log_3 x-3=0$

$\log_3 x=t$로 놓으면

$t^2+2t-3=0$, $(t+3)(t-1)=0$

$\therefore t=-3$ 또는 $t=1$

즉, $\log_3 x=-3$ 또는 $\log_3 x=1$이므로

$x=\dfrac{1}{27}$ 또는 $x=3$

㉠에서 $x>0$이므로 모든 근의 곱은

$\dfrac{1}{27}\times 3=\dfrac{1}{9}$ 답 ①

04 $\log_2 x\times\log_2 \dfrac{x}{10}-\log_2 x=8$에서

$\log_2 x\times(\log_2 x-\log_2 10)-\log_2 x-8=0$

$\log_2 x=t$로 놓으면

$t(t-\log_2 10)-t-8=0$

$t^2-(1+\log_2 10)t-8=0$ ······ ㉠

주어진 방정식의 두 근이 α, β이므로 ㉠의 두 근은 $\log_2 \alpha$, $\log_2 \beta$이다.

따라서 이차방정식의 근과 계수의 관계에 의하여

$\log_2 \alpha+\log_2 \beta=1+\log_2 10$

$\log_2 \alpha\beta=\log_2 20$

$\therefore \alpha\beta=20$ 답 20

05 진수의 조건에서 $x>0$, $x>4$이므로 $x>4$ ······ ㉠

$\log_2 x(x-4)\leq\log_2 32$에서

$x^2-4x-32\leq 0$, $(x+4)(x-8)\leq 0$

$\therefore -4\leq x\leq 8$ ······ ㉡

㉠, ㉡에서 $4<x\leq 8$

따라서 모든 자연수 x의 값의 합은

$5+6+7+8=26$ 답 26

06 진수의 조건에서 $f(x)>0$, $g(x)>0$

$\therefore c<x<e$ ······ ㉠

$\log_{\frac{1}{2}} f(x)\leq\log_{\frac{1}{2}} g(x)$에서

밑 $\dfrac{1}{2}$은 0보다 크고 1보다 작으므로 $f(x)\geq g(x)$

$\therefore x\leq b$ 또는 $c\leq x\leq d$ ······ ㉡

㉠, ㉡의 공통 범위를 구하면

$c<x\leq d$ 답 ③

07 진수의 조건에서 $x>0$ ······ ㉠

$(\log_{\frac{1}{3}} x)^2-3\log_{\frac{1}{3}} x-4\leq 0$에서 $\log_{\frac{1}{3}} x=t$로 놓으면

$t^2-3t-4\leq 0$

$(t+1)(t-4)\leq 0$

$\therefore -1\leq t\leq 4$

즉, $-1\leq\log_{\frac{1}{3}} x\leq 4$이므로

$\dfrac{1}{81}\leq x\leq 3$ ······ ㉡

㉠, ㉡의 공통 범위를 구하면

$\dfrac{1}{81}\leq x\leq 3$이므로

$\alpha=\dfrac{1}{81}$, $\beta=3$

$\therefore \alpha\beta=\dfrac{1}{27}$ 답 $\dfrac{1}{27}$

08 (i) $\log_8 (\log_4 (\log_2 x))\leq 0$이므로

진수의 조건에서

$\log_4 (\log_2 x)>0$, $\log_2 x>1$

$x>2$ ······ ㉠

또 $\log_4 (\log_2 x)\leq 1$에서 $\log_2 x\leq 4$

$\therefore x\leq 16$ ······ ㉡

㉠, ㉡에서 $2<x\leq 16$

(ii) $\log_{\frac{1}{4}} (\log_{\sqrt{3}} x)\geq -1$이므로

진수의 조건에서

$\log_{\sqrt{3}} x>0$ $\therefore x>1$ ······ ㉢

또 $\log_{\frac{1}{4}} (\log_{\sqrt{3}} x)\geq -1$에서 $\log_{\sqrt{3}} x\leq 4$

$\therefore x\leq 9$ ······ ㉣

㉢, ㉣에서 $1<x\leq 9$

(i), (ii)에서 $2<x\leq 9$이므로 정수 x는 7개이다.   답 7

09 진수의 조건에서 $x+3>0$, $x+7>0$

$\therefore x>-3$ ······ ㉠

$\log_3 (x+3)-\log_9 (x+7)=1$에서

$\log_{3^2} (x+3)^2=\log_9 (x+7)+\log_9 9$

$\log_9 (x+3)^2=\log_9 9(x+7)$

$(x+3)^2=9(x+7)$

$x^2-3x-54=0$, $(x+6)(x-9)=0$

$\therefore x=-6$ 또는 $x=9$

그런데 ㉠에서 $x>-3$이므로 $x=9$ 답 9

10 $\log_2 x=n+\alpha$ (n은 정수, $0\leq\alpha<1$)라 하면

$[\log_2 x]=n$

$[\log_2 x]+\log_2 x=\dfrac{9}{2}$에서 $n+n+\alpha=\dfrac{9}{2}$

$2n+a=4+\dfrac{1}{2}$

n은 정수이고 a는 $0 \le a < 1$인 실수이므로

$2n=4,\ a=\dfrac{1}{2}$

$\therefore n=2,\ a=\dfrac{1}{2}$

따라서 $\log_2 x = 2 + \dfrac{1}{2} = \dfrac{5}{2}$이므로

$x = 2^{\frac{5}{2}} = 4\sqrt{2}$　　　　　　　　　　　　답 ①

11 $(2x)^{\log 2} = (3x)^{\log 3}$의 양변에 상용로그를 취하면

$\log 2 \times \log 2x = \log 3 \times \log 3x$

$\log 2(\log 2 + \log x) = \log 3(\log 3 + \log x)$

$(\log 2 - \log 3)\log x = (\log 3)^2 - (\log 2)^2$

$(\log 2 - \log 3)\log x = (\log 3 - \log 2)(\log 3 + \log 2)$

$\log x = -(\log 3 + \log 2)$

$\log x = \log \dfrac{1}{6}$

$\therefore x = \dfrac{1}{6}$　　　　　　　　　　　　답 ⑤

12 진수의 조건에서 $x > 0$　　$\cdots\cdots$ ㉠

$\left(\log_{\frac{1}{4}} x\right)^2 + 2\log_{\frac{1}{2}} x - 32 = 0$에서

$\left(\dfrac{1}{2}\log_{\frac{1}{2}} x\right)^2 + 2\log_{\frac{1}{2}} x - 32 = 0$

$\log_{\frac{1}{2}} x = t$로 놓으면

$\left(\dfrac{1}{2}t\right)^2 + 2t - 32 = 0$

$t^2 + 8t - 128 = 0,\ (t+16)(t-8) = 0$

$\therefore t = -16$ 또는 $t = 8$

즉, $\log_{\frac{1}{2}} x = -16$ 또는 $\log_{\frac{1}{2}} x = 8$이므로

$x = 2^{16}$ 또는 $x = 2^{-8}$

㉠에서 $x > 0$이므로

$\alpha = 2^{-8},\ \beta = 2^{16}\ (\because \alpha < \beta)$

$\therefore \log_2 \dfrac{\beta}{\alpha} = \log_2 \dfrac{2^{16}}{2^{-8}} = \log_2 2^{24} = 24$　　　답 24

13 진수의 조건, 밑의 조건에서 $x > 0,\ x \ne 1$　　$\cdots\cdots$ ㉠

$\log_3 x + 2\log_x 3 - 3 = 0$에서

$\log_3 x + \dfrac{2}{\log_3 x} - 3 = 0$

$\log_3 x = t$로 놓으면

$t + \dfrac{2}{t} - 3 = 0$

$t^2 - 3t + 2 = 0,\ (t-1)(t-2) = 0$

$\therefore t = 1$ 또는 $t = 2$

즉, $\log_3 x = 1$ 또는 $\log_3 x = 2$이므로

$x = 3$ 또는 $x = 9$

㉠에서 $x > 0,\ x \ne 1$이므로 모든 근의 합은

$3 + 9 = 12$　　　　　　　　　　　　답 ①

14 $\log_3 3x \times \log_3 \dfrac{x}{3} = 8$에서

$(\log_3 3 + \log_3 x)(\log_3 x - \log_3 3) = 8$

$\log_3 x = t$로 놓으면

$(1+t)(t-1) = 8$

$t^2 - 1 = 8,\ t^2 = 9$　$\therefore t = -3$ 또는 $t = 3$

즉, $\log_3 x = -3$ 또는 $\log_3 x = 3$

$\therefore x = \dfrac{1}{27}$ 또는 $x = 27$　　　　　　답 ①

15 $3^{\log x} = x^{\log 3}$이므로 $3^{\log x} \times x^{\log 3} - 5(3^{\log x} + x^{\log 3}) + 9 = 0$에서

$3^{\log x} = t$로 놓으면 $t^2 - 5 \times 2t + 9 = 0$

$t^2 - 10t + 9 = 0,\ (t-1)(t-9) = 0$

$\therefore t = 1$ 또는 $t = 9$

즉, $3^{\log x} = 1$ 또는 $3^{\log x} = 9$이므로

$\log x = 0$ 또는 $\log x = 2$

$\therefore x = 1$ 또는 $x = 100$

따라서 주어진 방정식의 모든 근의 합은

$1 + 100 = 101$　　　　　　　　　　　답 101

16 진수의 조건에서 $x > 0$　　$\cdots\cdots$ ㉠

$x^{\log x} - \dfrac{100}{x} = 0$에서 $x^{\log x} = \dfrac{100}{x}$

양변에 상용로그를 취하면

$\log x^{\log x} = \log \dfrac{100}{x}$

$\log x \times \log x = \log 100 - \log x$

$(\log x)^2 + \log x - 2 = 0$

$\log x = t$로 놓으면

$t^2 + t - 2 = 0,\ (t+2)(t-1) = 0$

$\therefore t = -2$ 또는 $t = 1$

즉, $\log x = -2$ 또는 $\log x = 1$이므로

$x = \dfrac{1}{100}$ 또는 $x = 10$

㉠에서 $x > 0$이므로 모든 근의 곱은

$\dfrac{1}{100} \times 10 = \dfrac{1}{10}$　　　　　　　답 ②

17 $3^x = 9^y$에서 $3^x = 3^{2y}$

$\therefore x = 2y$　　$\cdots\cdots$ ㉠

$\log_2 8x \times \log_2 4y = -1$에서

$(3 + \log_2 x)(2 + \log_2 y) = -1$

이 식에 ㉠을 대입하여 정리하면

$(3 + \log_2 2y)(2 + \log_2 y) = -1$

$(4 + \log_2 y)(2 + \log_2 y) = -1$

$(\log_2 y)^2 + 6\log_2 y + 9 = 0$

$\log_2 y = t$로 놓으면

$t^2 + 6t + 9 = 0,\ (t+3)^2 = 0$

$\therefore t = -3$

즉, $\log_2 y = -3$이므로 $y = \dfrac{1}{8}$

$y = \dfrac{1}{8}$을 ㉠에 대입하면 $x = \dfrac{1}{4}$

따라서 $\alpha = \dfrac{1}{4},\ \beta = \dfrac{1}{8}$이므로

$\alpha + \beta = \dfrac{1}{4} + \dfrac{1}{8} = \dfrac{3}{8}$　　　　　　답 ②

18 $(\log_3 x)^2 + k \log_3 x - 3 = 0$에서
$\log_3 x = t$로 놓으면
$t^2 + kt - 3 = 0$ ......㉠

주어진 방정식의 두 근을 α, β라 하면 $\alpha\beta = \dfrac{1}{9}$이고,

㉠의 두 근은 $\log_3 \alpha$, $\log_3 \beta$이다.
따라서 이차방정식의 근과 계수의 관계에 의하여
$-k = \log_3 \alpha + \log_3 \beta = \log_3 \alpha\beta$

$\qquad = \log_3 \dfrac{1}{9} = -2$

$\therefore k = 2$ 답 ④

19 $\log_2 x \times \log_2 \dfrac{16}{x} = \dfrac{m}{16}$에서

$\log_2 x \times (4 - \log_2 x) = \dfrac{m}{16}$

$\log_2 x = t$로 놓으면

$t(4-t) = \dfrac{m}{16}$

$t^2 - 4t + \dfrac{m}{16} = 0$ ......㉠

주어진 방정식의 해가 존재해야 하므로 ㉠도 해가 존재해야 한다. 이차방정식 ㉠의 판별식을 D라 하면

$\dfrac{D}{4} = 4 - \dfrac{m}{16} \ge 0$

$\dfrac{m}{16} \le 4$ $\therefore m \le 64$

따라서 실수 m의 최댓값은 64이다. 답 64

20 진수의 조건에서 $x > 0$, $8 - x > 0$
$\therefore 0 < x < 8$
$\log_2 x + \log_2 (8-x) - k = 0$에서
$\log_2 x(8-x) = k$
$x(8-x) = 2^k$
즉, 주어진 방정식이 서로 다른 두 실근을 갖기 위해서는 $0 < x < 8$에서 곡선 $y = x(8-x)$와 직선 $y = 2^k$이 서로 다른 두 점에서 만나야 한다.
그림에서 $0 < 2^k < 16$
$\therefore k < 4$
따라서 자연수 k의 개수는 1, 2, 3의 3이다. 답 ③

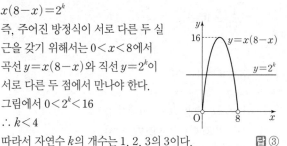

21 진수의 조건에서 $x - 4 > 0$, $x - 2 > 0$이므로
$x > 4$ ......㉠
$2\log_{\frac{1}{3}} (x-4) > \log_{\frac{1}{3}} (x-2)$에서
$\log_{\frac{1}{3}} (x-4)^2 > \log_{\frac{1}{3}} (x-2)$

밑 $\dfrac{1}{3}$은 0보다 크고 1보다 작으므로

$(x-4)^2 < x-2$
$x^2 - 9x + 18 < 0$, $(x-3)(x-6) < 0$
$\therefore 3 < x < 6$ ......㉡
㉠, ㉡의 공통 범위를 구하면 $4 < x < 6$
따라서 $a = 4$, $b = 6$이므로
$ab = 24$ 답 24

22 진수의 조건에서 $x > 0$, $\log_2 x - 3 > 0$
$\log_2 x - 3 > 0$에서 $\log_2 x > 3$이므로 $x > 8$
$\therefore x > 8$ ......㉠

$\log_8 (\log_2 x - 3) \le \dfrac{2}{3}$에서

$\log_8 (\log_2 x - 3) \le \log_8 8^{\frac{2}{3}}$
$\log_8 (\log_2 x - 3) \le \log_8 4$
밑 8은 1보다 크므로
$\log_2 x - 3 \le 4$
$\log_2 x \le 7$, $x \le 2^7$
$\therefore x \le 128$ ......㉡
㉠, ㉡의 공통 범위를 구하면
$8 < x \le 128$
따라서 구하는 정수 x의 개수는 120이다. 답 ④

23 $\log_x 25 > 2$에서 $\log_x 25 > \log_x x^2$
(i) $x > 1$일 때,
$\quad 25 > x^2$에서 $(x+5)(x-5) < 0$이므로
$\quad -5 < x < 5$
$\quad \therefore 1 < x < 5$
(ii) $0 < x < 1$일 때,
$\quad 25 < x^2$에서 $(x+5)(x-5) > 0$이므로
$\quad x < -5$ 또는 $x > 5$
$\quad$ 즉, 주어진 부등식을 만족시키는 정수 x는 없다.
(i), (ii)에서 $1 < x < 5$이므로 정수 x의 개수는 2, 3, 4의 3이다. 답 ③

24 진수의 조건에서 $x > 0$ ......㉠
$(\log_2 4x)(\log_2 8x) < 2$에서
$(\log_2 4 + \log_2 x)(\log_2 8 + \log_2 x) < 2$
$\log_2 x = t$로 놓으면 $(2+t)(3+t) < 2$
$t^2 + 5t + 4 < 0$, $(t+4)(t+1) < 0$
$\therefore -4 < t < -1$
즉, $-4 < \log_2 x < -1$이므로

$\dfrac{1}{16} < x < \dfrac{1}{2}$ ......㉡

㉠, ㉡의 공통 범위를 구하면 $\dfrac{1}{16} < x < \dfrac{1}{2}$

$\therefore \alpha\beta = \dfrac{1}{16} \times \dfrac{1}{2} = \dfrac{1}{32}$ 답 ①

25 진수의 조건에서 $x > 0$ ......㉠
$(\log_2 x)^2 - 3\log_2 x + 2 \le 0$에서 $\log_2 x = t$로 놓으면
$t^2 - 3t + 2 \le 0$
$(t-1)(t-2) \le 0$
$\therefore 1 \le t \le 2$
즉, $1 \le \log_2 x \le 2$이므로
$2 \le x \le 4$ ......㉡
㉠, ㉡의 공통 범위를 구하면 $2 \le x \le 4$
$\therefore B = \{x | 2 \le x \le 4\}$
$4^x - (a+1)2^x + a \le 0$에서 $2^x = S$ $(S > 0)$로 놓으면
$S^2 - (a+1)S + a \le 0$
$(S-1)(S-a) \le 0$

$A \cap B = B$에서 $B \subset A$이므로
$1 \leq S \leq a$
즉, $1 \leq 2^x \leq a$이므로 $0 \leq x \leq \log_2 a$이고,
$4 \leq \log_2 a$
$\therefore a \geq 16$
따라서 실수 a의 최솟값은 16이다. 　　　답 ⑤

26 진수의 조건, 밑의 조건에서 $x > 0$, $x \neq 1$ 　　…… ㉠
$\log_4 x^2 + \log_{\sqrt{x}} 8 \leq 7$에서
$\log_2 x + 6 \log_x 2 \leq 7$
$\log_2 x = t$로 놓으면 $\log_x 2 = \dfrac{1}{\log_2 x}$이므로
$t + \dfrac{6}{t} \leq 7$
양변에 t를 곱하여 정리하면
$t^2 - 7t + 6 \leq 0$
$(t-1)(t-6) \leq 0$
$\therefore 1 \leq t \leq 6$
즉, $1 \leq \log_2 x \leq 6$이므로
$2 \leq x \leq 64$ 　　　　　　　　　　…… ㉡
㉠, ㉡의 공통 범위를 구하면
$2 \leq x \leq 64$
따라서 자연수 x의 개수는
$64 - 2 + 1 = 63$ 　　　　　　　　　　　답 63

27 진수의 조건에서 $x > 0$ 　　　　　　…… ㉠
$x^{\log_{\frac{1}{2}} x} \geq \dfrac{1}{2}$의 양변에 밑이 $\dfrac{1}{2}$인 로그를 취하면
$\log_{\frac{1}{2}} x^{\log_{\frac{1}{2}} x} \leq \log_{\frac{1}{2}} \dfrac{1}{2}$
$\left(\log_{\frac{1}{2}} x\right)^2 \leq 1$
$\log_{\frac{1}{2}} x = t$로 놓으면 $t^2 \leq 1$
$(t+1)(t-1) \leq 0$
$\therefore -1 \leq t \leq 1$
즉, $-1 \leq \log_{\frac{1}{2}} x \leq 1$이므로 $\dfrac{1}{2} \leq x \leq 2$ 　…… ㉡
㉠, ㉡의 공통 범위를 구하면
$\dfrac{1}{2} \leq x \leq 2$ 　　　　　　　　답 $\dfrac{1}{2} \leq x \leq 2$

28 (i) $(\log_3 x)^2 - \log_3 x^4 + 3 \leq 0$에서 $(\log_3 x)^2 - 4\log_3 x + 3 \leq 0$
진수의 조건에서 $x > 0$ 　　　　…… ㉠
$\log_3 x = t$로 놓으면
$t^2 - 4t + 3 \leq 0$ 　　$\therefore 1 \leq t \leq 3$
즉, $1 \leq \log_3 x \leq 3$이므로 $3 \leq x \leq 27$ …… ㉡
㉠, ㉡에서 $3 \leq x \leq 27$
(ii) $\log_2 |x-4| < 3$
진수의 조건에서 $x \neq 4$ 　　　　…… ㉢
$0 < |x-4| < 2^3$, $-8 < x-4 < 8$
$\therefore -4 < x < 12$ 　　　　　…… ㉣
㉢, ㉣에서 $-4 < x < 4$ 또는 $4 < x < 12$
(i), (ii)에서 $3 \leq x < 4$, $4 < x < 12$
따라서 구하는 정수 x의 개수는 3, 5, 6, 7, 8, 9, 10, 11의 8이다.
답 8

29 $(\log_3 x)^2 + 2\log_3 a \times \log_3 x + 4\log_3 a > 0$에서
$\log_3 x = t$로 놓으면 $t^2 + 2t\log_3 a + 4\log_3 a > 0$
주어진 부등식이 모든 양수 x에 대하여 성립하므로 위의 부등식은 모든 실수 t에 대하여 성립한다.
이차방정식 $t^2 + 2t\log_3 a + 4\log_3 a = 0$의 판별식을 D라 하면
$\dfrac{D}{4} = (\log_3 a)^2 - 4\log_3 a < 0$
$\log_3 a = A$로 놓으면 $A^2 - 4A < 0$
$A(A-4) < 0$ 　　$\therefore 0 < A < 4$
즉, $0 < \log_3 a < 4$에서 $\log_3 1 < \log_3 a < \log_3 81$
$\therefore 1 < a < 81$
따라서 자연수 a의 최댓값은 80이다. 　　　답 80

30 음원으로부터 $10r\,(\mathrm{cm})$만큼 떨어진 지점에서 측정된 소리의 상대적 세기 $\mathrm{P}(I, 10r)$는
$$\mathrm{P}(I, 10r) = 10\left\{12 + \log \dfrac{I}{(10r)^2}\right\}$$
$$= 10\left\{12 + \log\left(\dfrac{I}{r^2} \times \dfrac{1}{10^2}\right)\right\}$$
$$= 10\left(12 + \log \dfrac{I}{r^2} - 2\right)$$
$$= 10\left(12 + \log \dfrac{I}{r^2}\right) - 20$$
$$= \mathrm{P}(I, r) - 20$$
따라서 소리의 상대적 세기는 20데시벨 감소한다.
답 20데시벨

31 n년 후의 시간당 임금은 $W(1+0.08)^n$, 시간당 생활비는 $C(1+0.03)^n$이므로 n년 후의 시간당 금전적 가치 V_n은
$$V_n = \dfrac{W \times 1.08^n \times (100-t)}{100 \times C \times 1.03^n}$$
즉, $\dfrac{W \times 1.08^n \times (100-t)}{100 \times C \times 1.03^n} \geq \dfrac{2W(100-t)}{100C}$에서
$\dfrac{1.08^n}{1.03^n} \geq 2$
양변에 상용로그를 취하면
$n(\log 1.08 - \log 1.03) \geq \log 2$
$n \geq \dfrac{0.3010}{0.0334 - 0.0128} = 14.\times\times\times$
따라서 현재의 2배 이상이 되는 것은 15년 후부터이다. 　　답 ④

32 처음 물에 섞여 있는 중금속의 양을 a라 하면 여과기를 n번 통과한 후 남아 있는 중금속의 양은 $a\left(1 - \dfrac{20}{100}\right)^n$이므로
$a\left(1 - \dfrac{20}{100}\right)^n \leq \dfrac{2}{100}a$, $\left(\dfrac{8}{10}\right)^n \leq \dfrac{2}{100}$
양변에 상용로그를 취하면
$n\log \dfrac{8}{10} \leq \log \dfrac{2}{100}$, $n(3\log 2 - 1) \leq \log 2 - 2$
$\therefore n \geq \dfrac{2 - \log 2}{1 - 3\log 2}$
$= \dfrac{2 - 0.3010}{1 - 3 \times 0.3010}$
$= \dfrac{1.6990}{0.0970} = 17.\times\times\times$
따라서 최소한 18번 통과시켜야 한다. 　　　답 ②

33 $\log_2 x^2 + \log_2 y^2 = \log_{\sqrt{2}}(x+y+3)$ 에서

$\log_2 x^2 + \log_2 y^2 = \log_{(\sqrt{2})^2}(x+y+3)^2$

$\log_2 x^2 y^2 = \log_2 (x+y+3)^2$

즉, $x^2 y^2 = (x+y+3)^2$이므로

$xy = x+y+3$ $(\because x, y$는 양의 정수$)$

$xy - x - y = 3,\ x(y-1)-(y-1)=4$

$(x-1)(y-1)=4$

$\therefore \begin{cases} x=2 \\ y=5 \end{cases}$ 또는 $\begin{cases} x=3 \\ y=3 \end{cases}$ 또는 $\begin{cases} x=5 \\ y=2 \end{cases}$

따라서 x^2+2y^2의 최솟값은 $x=3, y=3$일 때 27이다. **답** ⑤

34 $\alpha\beta=32,\ \alpha^{\log_4\beta}=8$에서 각각 양변에 밑이 2인 로그를 취하면

$\log_2 \alpha\beta = 5$ $\therefore \log_2 \alpha + \log_2 \beta = 5$ ······ ㉠

$\log_2 \alpha^{\log_4\beta}=3,\ \dfrac{1}{2}\log_2 \beta \times \log_2 \alpha = 3$

$\therefore \log_2 \alpha \times \log_2 \beta = 6$ ······ ㉡

㉠, ㉡에서 $\log_2 \alpha$와 $\log_2 \beta$를 두 근으로 하는 이차항의 계수가 1인 이차방정식은

$x^2 - 5x + 6 = 0,\ (x-2)(x-3)=0$

$\therefore x=2$ 또는 $x=3$

$0<\alpha<\beta$이므로 $\log_2 \alpha = 2,\ \log_2 \beta = 3$

따라서 $\alpha = 4,\ \beta = 8$이므로

$\beta^2 - \alpha^2 = 64 - 16 = 48$ **답** ①

35 주어진 두 방정식의 두 근을 α, β라 하자.

$2^{2x} - a \times 2^x + 8 = 0$에서 $2^x = t\ (t>0)$로 놓으면

$t^2 - at + 8 = 0$

이 이차방정식의 두 근은 $2^\alpha, 2^\beta$이므로 이차방정식의 근과 계수의 관계에 의하여

$2^\alpha + 2^\beta = a,\ 2^\alpha \times 2^\beta = 8$ ······ ㉠

또 $(\log_2 x)^2 - \log_2 x + b = 0$에서 $\log_2 x = S$로 놓으면

$S^2 - S + b = 0$

이 이차방정식의 두 근은 $\log_2 \alpha, \log_2 \beta$이므로 이차방정식의 근과 계수의 관계에 의하여

$\log_2 \alpha + \log_2 \beta = 1,\ \log_2 \alpha \times \log_2 \beta = b$ ······ ㉡

㉠, ㉡에서 $2^{\alpha+\beta}=2^3,\ \log_2 \alpha\beta = 1$이므로

$\alpha + \beta = 3,\ \alpha\beta = 2$

두 식을 연립하여 풀면 $\begin{cases} \alpha=1 \\ \beta=2 \end{cases}$ 또는 $\begin{cases} \alpha=2 \\ \beta=1 \end{cases}$이므로

$a = 2 + 2^2 = 6$

$b = \log_2 1 \times \log_2 2 = 0$

$\therefore a+b = 6$ **답** 6

36 주어진 이차방정식이 실근을 가지므로 판별식을 D라 하면

$D = p^2 - 4q \geq 0$ ······ ㉠

이차방정식의 근과 계수의 관계에 의하여

$\alpha + \beta = -p,\ \alpha\beta = q$ ······ ㉡

한편, $\log_2 (\alpha+\beta) = \log_2 \alpha + \log_2 \beta - 1$에서

$\log_2 (\alpha+\beta) = \log_2 \dfrac{\alpha\beta}{2}$

$\alpha + \beta = \dfrac{\alpha\beta}{2}$

이 식에 ㉡을 대입하면 $-p = \dfrac{q}{2}$

즉, $q = -2p$를 ㉠에 대입하면

$p^2 - 4q = p^2 + 8p = p(p+8) \geq 0$

$\therefore p \leq -8$ 또는 $p \geq 0$ ······ ㉢

진수의 조건에서 $\alpha+\beta = -p > 0,\ \alpha\beta = q > 0$

$\therefore p < 0,\ q > 0$ ······ ㉣

㉢, ㉣의 공통 범위를 구하면 $p \leq -8$이고,

$q = -2p$이므로 $q \geq 16$

따라서 $q-p$의 최솟값은 24이다. **답** ②

37 $\log_x y = t$로 놓으면 $\log_y x = \dfrac{1}{t}$이므로

$2\log_x y + 3 = 2\log_y x$에서 $2t + 3 = \dfrac{2}{t}$

$2t^2 + 3t - 2 = 0,\ (t+2)(2t-1)=0$

$\therefore t = -2$ 또는 $t = \dfrac{1}{2}$

즉, $\log_x y = -2$ 또는 $\log_x y = \dfrac{1}{2}$이므로

$y = \dfrac{1}{x^2}$ 또는 $y = \sqrt{x}$

그런데 $y = \dfrac{1}{x^2}$에서 $1 < x < 100$일 때, $y < 1$이므로 주어진 조건을 만족하지 않는다.

$\therefore y = \sqrt{x}$

따라서 순서쌍 (x, y)의 개수는 $(2^2, 2), (3^2, 3), \cdots, (9^2, 9)$의 8이다. **답** ②

38 진수의 조건에서 $x > 0,\ 2-x > 0$

$\therefore 0 < x < 2$

밑의 조건에서 $a > 0,\ a \neq 1$

$\log_a x + \log_a (2-x) = \log_a |a-1|$에서

$\log_a x(2-x) = \log_a |a-1|$

$x(2-x) = |a-1|$

이 방정식이 실근을 가지려면 두 함수 $y = x(2-x)$,

$y = |a-1|$의 그래프가 $0 < x < 2$인 범위에서 서로 만나야 한다.

즉, 그림에서

$0 < |a-1| \leq 1$

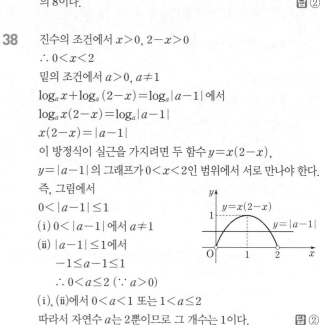

(ⅰ) $0 < |a-1|$에서 $a \neq 1$

(ⅱ) $|a-1| \leq 1$에서

$-1 \leq a-1 \leq 1$

$\therefore 0 < a \leq 2\ (\because a > 0)$

(ⅰ), (ⅱ)에서 $0 < a < 1$ 또는 $1 < a \leq 2$

따라서 자연수 a는 2뿐이므로 그 개수는 1이다. **답** ②

39 $|\log_2 a - \log_2 10| + \log_2 b \leq 1$에서

$\left| \log_2 \dfrac{a}{10} \right| \leq \log_2 \dfrac{2}{b}$

$-\log_2 \dfrac{2}{b} \leq \log_2 \dfrac{a}{10} \leq \log_2 \dfrac{2}{b}$

$\log_2 \dfrac{b}{2} \leq \log_2 \dfrac{a}{10} \leq \log_2 \dfrac{2}{b}$

$\therefore \dfrac{b}{2} \leq \dfrac{a}{10} \leq \dfrac{2}{b}$

즉, $5b \leq a$, $ab \leq 20$이므로

$5b^2 \leq ab \leq 20$

$5b^2 \leq 20$에서 $b^2 \leq 4$

$\therefore b=1$ 또는 $b=2$ ($\because b$는 자연수)

$b=1$이면 $5 \leq a \leq 20$이므로 a는 16개

$b=2$이면 $10 \leq a \leq 10$이므로 a는 1개

따라서 순서쌍 (a, b)의 개수는 17이다.　　　　**달 ②**

40 $\log_2 x + \dfrac{12}{\log_2 x} - \log_x y = 6$에서

$\log_2 x + \dfrac{12}{\log_2 x} - \dfrac{\log_2 y}{\log_2 x} = 6$

$\dfrac{(\log_2 x)^2 + 12 - \log_2 y}{\log_2 x} = 6$

$\log_2 y = (\log_2 x)^2 - 6\log_2 x + 12$

$\log_2 x = t$로 놓으면 $2 \leq x \leq 16$에서 $1 \leq t \leq 4$이고,

$\log_2 y = t^2 - 6t + 12$
$ = (t-3)^2 + 3$

$1 \leq t \leq 4$에서 $3 \leq \log_2 y \leq 7$

$\therefore 2^3 \leq y \leq 2^7$

따라서 M은 2^7, m은 2^3이다.

$\therefore \dfrac{M}{m} = 2^4 = 16$　　　　**달 16**

41 $x^{\log_{\frac{1}{5}} x} \leq ax^2$의 양변에 밑이 $\dfrac{1}{5}$인 로그를 취하면

$\log_{\frac{1}{5}} x^{\log_{\frac{1}{5}} x} \geq \log_{\frac{1}{5}} ax^2$

$(\log_{\frac{1}{5}} x)^2 - 2\log_{\frac{1}{5}} x - \log_{\frac{1}{5}} a \geq 0$

$\log_{\frac{1}{5}} x = t$로 놓으면

$t^2 - 2t - \log_{\frac{1}{5}} a \geq 0$

이 부등식이 항상 성립해야 하므로 이차방정식

$t^2 - 2t - \log_{\frac{1}{5}} a = 0$의 판별식을 D라 하면

$\dfrac{D}{4} = 1 + \log_{\frac{1}{5}} a \leq 0$

$\log_{\frac{1}{5}} a \leq -1$

$\therefore a \geq 5$

따라서 a의 최솟값은 5이다.　　　　**달 5**

42 진수의 조건에서 $a > 0$　　　……㉠

이차방정식 $(3 + \log_2 a)x^2 + 2(1 + \log_2 a)x + 1 = 0$이 서로 다른 두 실근을 가지므로

(i) $3 + \log_2 a \neq 0$

　　$\therefore a \neq \dfrac{1}{8}$　　　……㉡

(ii) 주어진 이차방정식의 판별식을 D라 하면

　　$\dfrac{D}{4} = (1 + \log_2 a)^2 - (3 + \log_2 a) > 0$

　　$(\log_2 a)^2 + \log_2 a - 2 > 0$

　　$\log_2 a = t$로 놓으면

　　$t^2 + t - 2 > 0$

　　$(t+2)(t-1) > 0$

　　$\therefore t < -2$ 또는 $t > 1$

　　즉, $\log_2 a < -2$ 또는 $\log_2 a > 1$이므로

$a < \dfrac{1}{4}$ 또는 $a > 2$　　　……㉢

㉠, ㉡, ㉢의 공통 범위를 구하면

$0 < a < \dfrac{1}{8}$ 또는 $\dfrac{1}{8} < a < \dfrac{1}{4}$ 또는 $a > 2$

따라서 a의 값이 될 수 있는 것은 ⑤ 4이다.　　　**달 ⑤**

43 $\log_2 \dfrac{x}{a} \times \log_2 \dfrac{x^3}{a} + 3 \geq 0$에서

$(\log_2 x - \log_2 a)(3\log_2 x - \log_2 a) + 3 \geq 0$

$3(\log_2 x)^2 - 4\log_2 a \times \log_2 x + (\log_2 a)^2 + 3 \geq 0$

$\log_2 x = t$로 놓으면

$3t^2 - 4t\log_2 a + (\log_2 a)^2 + 3 \geq 0$

모든 실수 t에 대하여 위의 부등식이 성립해야 하므로 이차방정식

$3t^2 - 4t\log_2 a + (\log_2 a)^2 + 3 = 0$의 판별식을 D라 하면

$\dfrac{D}{4} = (-2\log_2 a)^2 - 3\{(\log_2 a)^2 + 3\} \leq 0$

$(\log_2 a)^2 - 9 \leq 0$

$-3 \leq \log_2 a \leq 3$

$\therefore \dfrac{1}{8} \leq a \leq 8$

따라서 실수 a의 최댓값은 8, 최솟값은 $\dfrac{1}{8}$이므로 그 곱은 1이다.

달 1

44 1개의 메뉴 안에 선택할 수 있는 n개의 항목 중에 1개를 선택하는 데 걸리는 시간은 $T = 2 + \dfrac{1}{3}\log_2(n+1)$이므로 10개의 각 메뉴 안에 선택할 수 있는 n개의 항목 중에 1개를 선택하는 데 걸리는 전체 시간은 $10\left\{2 + \dfrac{1}{3}\log_2(n+1)\right\}$초이므로

$10\left\{2 + \dfrac{1}{3}\log_2(n+1)\right\} \leq 30$

$2 + \dfrac{1}{3}\log_2(n+1) \leq 3$, $\dfrac{1}{3}\log_2(n+1) \leq 1$

$\log_2(n+1) \leq 3$, $n+1 \leq 8$

$\therefore n \leq 7$

따라서 n의 최댓값은 7이다.　　　　**달 ①**

45 조건 ㈐에서 $\dfrac{\log_n a}{a-2} \leq \dfrac{1}{2}$이어야 하므로

$\log_n a \leq \dfrac{1}{2}(a-2)$ ($\because a \geq 3$)　　　……㉠

조건 ㈎에서 $a \geq 3$이므로

(i) ㉠에 $a=3$을 대입하면

　　$\log_n 3 \leq \dfrac{1}{2}$에서 $\log_n 3 \leq \log_n \sqrt{n}$

　　$\sqrt{n} \geq 3$ ($\because n > 3$)　　$\therefore n \geq 9$

　　따라서 $f(n) = 3$인 n의 값은 $n \geq 9$이다.

(ii) ㉠에 $a=4$를 대입하면

　　$\log_n 4 \leq 1$에서 $\log_n 4 \leq \log_n n$

　　$\therefore n \geq 4$ ($\because n > 3$)

(i), (ii)에서 $f(n) = \begin{cases} 4 & (4 \leq n \leq 8) \\ 3 & (n \geq 9) \end{cases}$

$\therefore f(4) + f(5) + f(6) + \cdots + f(20) = 4 \times 5 + 3 \times 12 = 56$

달 56

46

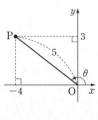

삼각형 OAB의 넓이는

$$\frac{1}{2}(a+2)(3^n+b)-\frac{1}{2}\times 2\times 3^n-\frac{1}{2}ab$$

$$=\frac{1}{2}(a\times 3^n+ab+2\times 3^n+2b)-3^n-\frac{1}{2}ab$$

$$=\frac{3^n}{2}a+b$$

넓이가 15 이하이므로

$$\frac{3^n}{2}a+b\leq 15$$

$$\therefore 3^n a+2b\leq 30 \quad\cdots\cdots\ \bigcirc$$

(ⅰ) $n=1$일 때,

　　$\bigcirc$에서 $3a+2b\leq 30$이므로 a는 9 이하의 자연수이다.

　　$b\leq\log_2 a$를 만족시키는 a, b를 찾으면

　　$a=1$일 때, b는 존재하지 않는다.

　　$2\leq a<2^2$일 때, $b=1$

　　$2^2\leq a<2^3$일 때, $b=1$, 2

　　$a=8$일 때, $b=1$, 2, 3

　　$a=9$일 때, $b=1$

　　$f(1)$은 순서쌍 (a, b)의 개수와 같으므로

　　$f(1)=1\times(2^2-2)+2\times(2^3-2^2)+3+1$

　　　　$=2+8+3+1$

　　　　$=14$

(ⅱ) $n=2$일 때,

　　$\bigcirc$에서 $9a+2b\leq 30$이므로 a는 3 이하의 자연수이다.

　　$b\leq\log_2 a$를 만족시키는 a, b를 찾으면

　　$a=1$일 때, b는 존재하지 않는다.

　　$a=2$일 때, $b=1$

　　$a=3$일 때, $b=1$

　　$f(2)$는 순서쌍 (a, b)의 개수와 같으므로

　　$f(2)=2$

(ⅰ), (ⅱ)에서

$f(1)+f(2)=14+2=16$ 　　　　　　　답 16

---

07 삼각함수의 뜻

본책 069~076쪽

01　ㄱ. $\dfrac{\pi}{3}=\dfrac{\pi}{3}\times\dfrac{180°}{\pi}=60°$ (참)

　　ㄴ. $225°=225\times\dfrac{\pi}{180}=\dfrac{5}{4}\pi$ (참)

　　ㄷ. $-\dfrac{7}{6}\pi=-\dfrac{7}{6}\pi\times\dfrac{180°}{\pi}=-210°$ (참)

　　ㄹ. $\pi=\pi\times\dfrac{180°}{\pi}=180°$ (거짓)

　　따라서 옳은 것은 ㄱ, ㄴ, ㄷ이다. 　　　답 ③

02　각 θ의 동경과 각 5θ의 동경이 일치하므로

　　$5\theta-\theta=2n\pi$ (n은 정수) 　　$\therefore \theta=\dfrac{n\pi}{2}$

　　$0<\theta<2\pi$에서 $0<\dfrac{n\pi}{2}<2\pi$이므로

　　$0<n<4$

　　그런데 n은 정수이므로 n은 1, 2, 3

　　$n=1$일 때, $\theta=\dfrac{\pi}{2}$

　　$n=2$일 때, $\theta=\pi$

　　$n=3$일 때, $\theta=\dfrac{3}{2}\pi$

　　$\therefore \dfrac{\pi}{2}+\pi+\dfrac{3}{2}\pi=3\pi$ 　　　답 ③

03　부채꼴의 반지름의 길이를 r, 중심각의 크기를 θ, 넓이를 S라 하면

　　$S=\dfrac{1}{2}r^2\theta$에서 $12\pi=\dfrac{1}{2}\times r^2\times\dfrac{2}{3}\pi$

　　$r^2=36$ 　　$\therefore r=6$ ($\because r>0$)

　　이 부채꼴의 호의 길이를 l이라 하면

　　$l=r\theta=6\times\dfrac{2}{3}\pi=4\pi$

　　따라서 부채꼴의 둘레의 길이는

　　$2r+l=2\times 6+4\pi=12+4\pi$(cm) 　　답 $(12+4\pi)$cm

04　부채꼴의 반지름의 길이를 r, 호의 길이를 l, 넓이를 S라 하면

　　$2r+l=20$에서 $l=20-2r$

　　따라서 부채꼴의 넓이는

　　$S=\dfrac{1}{2}r(20-2r)=-r^2+10r=-(r-5)^2+25$

　　이므로 $r=5$일 때, 최대 넓이는 25이다. 　　답 25

05　원점과 점 $P(-4, 3)$에 대하여

　　$x=-4$, $y=3$, $r=\sqrt{16+9}=5$

　　이므로

　　$\sin\theta=\dfrac{y}{r}=\dfrac{3}{5}$

　　$\tan\theta=\dfrac{y}{x}=\dfrac{3}{-4}=-\dfrac{3}{4}$

　　$\therefore 5\sin\theta+4\tan\theta=5\times\dfrac{3}{5}+4\times\left(-\dfrac{3}{4}\right)=0$ 　　답 0

06 (i) $\sin\theta\cos\theta > 0$에서 $\sin\theta$와 $\cos\theta$의 부호는 서로 같으므로 각 θ는 제1사분면의 각 또는 제3사분면의 각이다.

(ii) $\cos\theta\tan\theta < 0$에서 $\cos\theta$와 $\tan\theta$의 부호는 서로 다르므로 각 θ는 제3사분면의 각 또는 제4사분면의 각이다.

(i), (ii)에서 각 θ는 제3사분면의 각이므로 제3사분면의 각이 아닌 것은 ⑤ $\dfrac{5}{3}\pi$이다.　　　　　　　　　　　　**답** ⑤

07 $\sin x + \cos x = \sqrt{2}$의 양변을 제곱하면

$\sin^2 x + 2\sin x\cos x + \cos^2 x = 2$

$2\sin x\cos x = 1$

$\therefore \sin x\cos x = \dfrac{1}{2}$

$\therefore \dfrac{1}{\sin x} + \dfrac{1}{\cos x} = \dfrac{\sin x + \cos x}{\sin x\cos x} = \dfrac{\sqrt{2}}{\frac{1}{2}} = 2\sqrt{2}$　　**답** $2\sqrt{2}$

참고

$(\sin\theta \pm \cos\theta)^2 = \sin^2\theta \pm 2\sin\theta\cos\theta + \cos^2\theta$
$= 1 \pm 2\sin\theta\cos\theta$ (복부호 동순)

08 이차방정식 $3x^2 - x + k = 0$의 두 근이 $\sin\theta$, $\cos\theta$이므로 근과 계수의 관계에 의하여

$\sin\theta + \cos\theta = \dfrac{1}{3}$, $\sin\theta\cos\theta = \dfrac{k}{3}$

$\sin\theta + \cos\theta = \dfrac{1}{3}$의 양변을 제곱하면

$1 + 2\sin\theta\cos\theta = \dfrac{1}{9}$

$2\sin\theta\cos\theta = -\dfrac{8}{9}$

$\therefore \sin\theta\cos\theta = -\dfrac{4}{9}$

$\therefore k = 3\sin\theta\cos\theta = 3 \times \left(-\dfrac{4}{9}\right) = -\dfrac{4}{3}$　　　**답** $-\dfrac{4}{3}$

09 ㄱ. 1라디안 $= \dfrac{180°}{\pi}$ (참)

ㄴ. $120° = 120 \times \dfrac{\pi}{180} = \dfrac{2}{3}\pi$ (참)

ㄷ. $-200° = 360° \times (-1) + 160°$이므로 제2사분면의 각이다. (거짓)

ㄹ. 1라디안은 호의 길이와 반지름의 길이가 같은 부채꼴의 중심각의 크기이다. (참)

따라서 옳은 것은 ㄱ, ㄴ, ㄹ이다.　　　　　　　**답** ⑤

10 $\theta = 2n\pi + \dfrac{3}{4}\pi$ (n은 정수)이므로

$-3\pi < 2n\pi + \dfrac{3}{4}\pi < 3\pi$

$-\dfrac{15}{4}\pi < 2n\pi < \dfrac{9}{4}\pi$

$\therefore -\dfrac{15}{8} < n < \dfrac{9}{8}$

따라서 정수 n은 -1, 0, 1의 3개이므로 구하는 각 θ의 개수는 3이다.　　　　　　　　　　　　　　　　　**답** 3

11 각 θ가 제3사분면의 각이므로

$360° \times n + 180° < \theta < 360° \times n + 270°$ (n은 정수)

각 변을 2로 나누면

$180° \times n + 90° < \dfrac{\theta}{2} < 180° \times n + 135°$

(i) $n = 2k$ (k는 정수)일 때,

$360° \times k + 90° < \dfrac{\theta}{2} < 360° \times k + 135°$

즉, 각 $\dfrac{\theta}{2}$는 제2사분면의 각이다.

(ii) $n = 2k+1$ (k는 정수)일 때,

$360° \times k + 270° < \dfrac{\theta}{2} < 360° \times k + 315°$

즉, 각 $\dfrac{\theta}{2}$는 제4사분면의 각이다.

(i), (ii)에서 각 $\dfrac{\theta}{2}$는 제2, 4사분면의 각이다.　　**답** ④

12 각 θ를 나타내는 동경과 각 6θ를 나타내는 동경이 일직선 위에 있고 방향이 반대이므로

$6\theta - \theta = 2n\pi + \pi$ (n은 정수)

$5\theta = (2n+1)\pi$

$\therefore \theta = \dfrac{2n+1}{5}\pi$

$0 < \theta < \dfrac{\pi}{2}$이므로 $0 < \dfrac{2n+1}{5}\pi < \dfrac{\pi}{2}$

$0 < \dfrac{2n+1}{5} < \dfrac{1}{2}$

$\therefore -\dfrac{1}{2} < n < \dfrac{3}{4}$

그런데 n은 정수이므로 $n = 0$　　$\therefore \theta = \dfrac{\pi}{5}$

$\therefore \sin\left(\theta + \dfrac{2}{15}\pi\right) = \sin\left(\dfrac{\pi}{5} + \dfrac{2}{15}\pi\right) = \sin\dfrac{\pi}{3} = \dfrac{\sqrt{3}}{2}$　**답** ⑤

13 각 3θ를 나타내는 동경과 각 5θ를 나타내는 동경이 x축에 대하여 대칭이므로

$3\theta + 5\theta = 2n\pi$ (n은 정수)

$8\theta = 2n\pi$　　$\therefore \theta = \dfrac{n}{4}\pi$

$0 < \theta < 2\pi$이므로

$0 < \dfrac{n}{4}\pi < 2\pi$　　$\therefore 0 < n < 8$

따라서 정수 n은 1, 2, $\cdots$, 7이므로 각 θ의 개수는 $\dfrac{\pi}{4}$, $\dfrac{\pi}{2}$, $\cdots$, $\dfrac{7}{4}\pi$의 7이다.　　　　　　　　　　　　　　　　　**답** 7

14 그림에서

$\alpha = 2l\pi + \dfrac{\pi}{2} + \theta$ (l은 정수)

$\beta = 2m\pi + \pi - \theta$ (m은 정수)

$\therefore \alpha + \beta = 2(l+m)\pi + \dfrac{3}{2}\pi$

$= 2n\pi + \dfrac{3}{2}\pi$ ($n = l+m$)　　　**답** ⑤

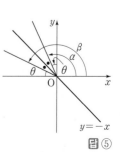

15 부채꼴의 반지름의 길이를 r, 호의 길이를 l이라 하면
부채꼴의 둘레의 길이가 2π이므로
$2r+l=2\pi$에서
$2\times2+l=2\pi$ $\therefore l=2\pi-4$
따라서 부채꼴의 넓이는

$S=\dfrac{1}{2}\times2\times(2\pi-4)=2\pi-4$

또 $l=r\theta$에서

$2\pi-4=2\theta$ $\therefore \theta=\pi-2$ 🖐 $S=2\pi-4,\ \theta=\pi-2$

16 한 호에 대한 중심각의 크기는 원주각
의 크기의 2배이므로
$\angle POB=2\angle PAB=2\theta$
부채꼴 POB의 반지름의 길이를 r,
호의 길이를 l이라 하면

$r=\dfrac{1}{2}$이므로 $l=\dfrac{1}{2}\times2\theta=\theta$

따라서 부채꼴 POB의 둘레의 길이는

$2r+l=2\times\dfrac{1}{2}+\theta=1+\theta$ 🖐 ④

17 부채꼴의 반지름의 길이를 r, 중심각의 크기를 θ, 호의 길이를 l,
넓이를 S라 하면
$2r+l=10$에서 $l=10-2r$
부채꼴의 넓이는

$S=\dfrac{1}{2}r(10-2r)=-\left(r-\dfrac{5}{2}\right)^2+\dfrac{25}{4}$

이므로 $r=\dfrac{5}{2}$일 때, 넓이의 최댓값이 $\dfrac{25}{4}$이다.

$S=\dfrac{1}{2}r^2\theta$에서

$\dfrac{25}{4}=\dfrac{1}{2}\times\left(\dfrac{5}{2}\right)^2\times\theta$ $\therefore \theta=2$ 🖐 ②

18 주어진 부채꼴의 넓이를 S라 하면

$S=\dfrac{1}{2}rl$

반지름의 길이 r를 10% 줄이고, 호의 길이 l을 10% 늘인 부채꼴
의 넓이를 S'이라 하면

$S'=\dfrac{1}{2}\times\left(1-\dfrac{10}{100}\right)r\times\left(1+\dfrac{10}{100}\right)l$

$=\dfrac{1}{2}\times\dfrac{9}{10}r\times\dfrac{11}{10}l$

$=\dfrac{99}{100}\times\dfrac{1}{2}rl$

$=\dfrac{99}{100}S$

따라서 처음 부채꼴의 넓이에서 1% 줄어든다. 🖐 ②

19 부채꼴의 반지름의 길이를 r, 호의 길이를 l, 넓이를 S라 하면

$S=\dfrac{1}{2}rl=4a^2$에서 $l=\dfrac{8a^2}{r}$

부채꼴의 둘레의 길이는

$2r+l=2r+\dfrac{8a^2}{r}$

산술평균과 기하평균의 관계에 의하여

$2r+\dfrac{8a^2}{r}\geq2\sqrt{2r\times\dfrac{8a^2}{r}}=8a$

(단, 등호는 $r=2a$일 때 성립한다.)
따라서 부채꼴의 둘레의 길이의 최솟값은 $8a$이다. 🖐 ⑤

20 부채꼴 AOB의 반지름의 길이를 r, 중심각의 크기를 θ, 호의
길이를 l이라 하면

$\theta=\dfrac{\pi}{3}$, $l=\dfrac{4}{3}\pi$이므로 $l=r\theta$에서

$\dfrac{4}{3}\pi=\dfrac{\pi}{3}r$ $\therefore r=4$

부채꼴 AOB의 넓이 S는

$S=\dfrac{1}{2}r^2\theta=\dfrac{1}{2}\times4^2\times\dfrac{\pi}{3}=\dfrac{8}{3}\pi$

한편, 직각삼각형 AOH에서

$\overline{AH}=4\times\sin\dfrac{\pi}{3}=4\times\dfrac{\sqrt{3}}{2}=2\sqrt{3}$

$\overline{OH}=4\times\cos\dfrac{\pi}{3}=4\times\dfrac{1}{2}=2$

이므로 직각삼각형 AOH의 넓이는

$\dfrac{1}{2}\times2\times2\sqrt{3}=2\sqrt{3}$

따라서 구하는 넓이는

$\dfrac{8}{3}\pi-2\sqrt{3}$ 🖐 $\dfrac{8}{3}\pi-2\sqrt{3}$

21 $\overline{OP}=\sqrt{5^2+(-12)^2}=13$이므로

$\sin\theta=-\dfrac{12}{13}$, $\cos\theta=\dfrac{5}{13}$,

$\tan\theta=-\dfrac{12}{5}$

$\therefore 13(\sin\theta-\cos\theta)+10\tan\theta$

$=13\times\left(-\dfrac{12}{13}-\dfrac{5}{13}\right)+10\times\left(-\dfrac{12}{5}\right)$

$=-17-24=-41$ 🖐 ①

22 점 P의 좌표를 $(-k,\ \sqrt{3}k)\ (k>0)$라 하면
$x=-k$, $y=\sqrt{3}k$, $r=\sqrt{k^2+3k^2}=2k$이므로

$\sin\theta=\dfrac{y}{r}=\dfrac{\sqrt{3}k}{2k}=\dfrac{\sqrt{3}}{2}$

$\cos\theta=\dfrac{x}{r}=\dfrac{-k}{2k}=-\dfrac{1}{2}$

$\tan\theta=\dfrac{y}{x}=\dfrac{\sqrt{3}k}{-k}=-\sqrt{3}$

$\therefore \sin\theta+\cos\theta+\tan\theta=\dfrac{\sqrt{3}}{2}+\left(-\dfrac{1}{2}\right)+(-\sqrt{3})$

$=-\dfrac{1}{2}-\dfrac{\sqrt{3}}{2}$

🖐 $-\dfrac{1}{2}-\dfrac{\sqrt{3}}{2}$

23 원 $x^2+y^2=4$와 직선 $y=\dfrac{1}{\sqrt{3}}x$의 교점을 구하면

$x^2+\dfrac{1}{3}x^2=4$, $x^2=3$

$\therefore x=\pm\sqrt{3}$, $y=\pm1$ (복부호 동순)
따라서 두 점 P, Q의 좌표는 각각 $(\sqrt{3},\ 1)$, $(-\sqrt{3},\ -1)$이다.

$\overline{OP}=2$, $\overline{OQ}=2$이므로

$\sin\alpha=\dfrac{1}{2}$, $\cos\beta=-\dfrac{1}{2}$

$\therefore \sin\alpha+\cos\beta=\dfrac{1}{2}+\left(-\dfrac{1}{2}\right)=0$ **답 ③**

24 $\sin\theta\tan\theta>0$에서 $\sin\theta$와 $\tan\theta$의 부호는 같고

$\sin\theta+\tan\theta<0$이므로

$\sin\theta<0$, $\tan\theta<0$

따라서 각 θ는 제4사분면에 존재할 수 있다.   **답 ④**

25 각 θ가 제3사분면의 각이므로 $\cos\theta<0$

즉, $1-\cos\theta>0$이므로

$|\cos\theta|+\sqrt{(1-\cos\theta)^2}=-\cos\theta+(1-\cos\theta)$

$\qquad\qquad\qquad\qquad\quad =1-2\cos\theta$ **답 ①**

26 $\dfrac{\sqrt{\sin\theta}}{\sqrt{\cos\theta}}=-\sqrt{\tan\theta}$에서

$\dfrac{\sqrt{\sin\theta}}{\sqrt{\cos\theta}}=-\sqrt{\dfrac{\sin\theta}{\cos\theta}}$이므로

$\sin\theta>0$, $\cos\theta<0$, 즉 $1+\sin\theta>0$, $1-\cos\theta>0$

$\therefore |\sin\theta|-\sqrt{\cos^2\theta}+|1+\sin\theta|+\sqrt{(1-\cos\theta)^2}$

$\quad =\sin\theta+\cos\theta+(1+\sin\theta)+(1-\cos\theta)$

$\quad =2+2\sin\theta$ **답 ④**

27 $\dfrac{1}{2}\left(\dfrac{1+\sin\theta}{\cos\theta}+\dfrac{\cos\theta}{1+\sin\theta}\right)$

$=\dfrac{1}{2}\times\dfrac{(1+\sin\theta)^2+\cos^2\theta}{\cos\theta(1+\sin\theta)}$

$=\dfrac{1}{2}\times\dfrac{1+2\sin\theta+\sin^2\theta+\cos^2\theta}{\cos\theta(1+\sin\theta)}$

$=\dfrac{1}{2}\times\dfrac{2(1+\sin\theta)}{\cos\theta(1+\sin\theta)}$

$=\dfrac{1}{\cos\theta}$ **답 ⑤**

28 ㄱ. $\cos^2\theta-\sin^4\theta=1-\sin^2\theta-\sin^4\theta$

$\qquad\qquad\qquad\quad \neq 1-2\sin^2\theta$ (거짓)

ㄴ. $(\sin\theta-\cos\theta)^2+(\sin\theta+\cos\theta)^2$

$\quad =1-2\sin\theta\cos\theta+1+2\sin\theta\cos\theta=2$ (참)

ㄷ. $\tan^2\theta-\sin^2\theta=\left(\dfrac{\sin\theta}{\cos\theta}\right)^2-\sin^2\theta$

$\qquad\qquad\qquad =\sin^2\theta\left(\dfrac{1}{\cos^2\theta}-1\right)$

$\qquad\qquad\qquad =\sin^2\theta\times\dfrac{1-\cos^2\theta}{\cos^2\theta}$

$\qquad\qquad\qquad =\sin^2\theta\times\dfrac{\sin^2\theta}{\cos^2\theta}$

$\qquad\qquad\qquad =\sin^2\theta\tan^2\theta$

$\qquad\qquad\qquad =\tan^2\theta\sin^2\theta$ (참)

따라서 옳은 것은 ㄴ, ㄷ이다.   **답 ㄴ, ㄷ**

29 $\sin\theta+\cos\theta=\dfrac{4}{3}$의 양변을 제곱하면

$1+2\sin\theta\cos\theta=\dfrac{16}{9}$, $2\sin\theta\cos\theta=\dfrac{7}{9}$

$\therefore \sin\theta\cos\theta=\dfrac{7}{18}$

$\therefore \dfrac{\sin^2\theta}{\cos\theta}+\dfrac{\cos^2\theta}{\sin\theta}$

$\quad =\dfrac{\sin^3\theta+\cos^3\theta}{\sin\theta\cos\theta}$

$\quad =\dfrac{(\sin\theta+\cos\theta)(\sin^2\theta-\sin\theta\cos\theta+\cos^2\theta)}{\sin\theta\cos\theta}$

$\quad =\dfrac{(\sin\theta+\cos\theta)(1-\sin\theta\cos\theta)}{\sin\theta\cos\theta}$

$\quad =\dfrac{\dfrac{4}{3}\left(1-\dfrac{7}{18}\right)}{\dfrac{7}{18}}$

$\quad =\dfrac{44}{21}$ **답 ⑤**

30 $f(n)=\sin^n\theta+\cos^n\theta$에서

$f(4)=\sin^4\theta+\cos^4\theta$

$\quad =(\sin^2\theta+\cos^2\theta)^2-2\sin^2\theta\cos^2\theta$

$\quad =1-2\sin^2\theta\cos^2\theta$

$\therefore \sin^2\theta\cos^2\theta=\dfrac{1}{2}\{1-f(4)\}$ ……㉠

$f(6)=\sin^6\theta+\cos^6\theta$

$\quad =(\sin^2\theta+\cos^2\theta)^3-3\sin^2\theta\cos^2\theta(\sin^2\theta+\cos^2\theta)$

$\quad =1-3\sin^2\theta\cos^2\theta$

$\quad =1-\dfrac{3}{2}\{1-f(4)\}$ ($\because$ ㉠)

$\quad =\dfrac{3}{2}f(4)-\dfrac{1}{2}$

$\therefore 2f(6)=2\left\{\dfrac{3}{2}f(4)-\dfrac{1}{2}\right\}$

$\qquad\quad =3f(4)-1$ **답 ③**

31 이차방정식 $2x^2+kx+1=0$의 두 근이 $\sin\theta$, $\cos\theta$이므로 근과 계수의 관계에 의하여

$\sin\theta+\cos\theta=-\dfrac{k}{2}$ ……㉠

$\sin\theta\cos\theta=\dfrac{1}{2}$ ……㉡

㉠의 양변을 제곱하여 정리하면

$1+2\sin\theta\cos\theta=\dfrac{k^2}{4}$

이 식에 ㉡을 대입하면

$1+2\times\dfrac{1}{2}=\dfrac{k^2}{4}$, $k^2=8$

$\therefore k=2\sqrt{2}$ ($\because k>0$)

즉, $2x^2+2\sqrt{2}x+1=0$에서

$(\sqrt{2}x+1)^2=0$

$\therefore x=-\dfrac{1}{\sqrt{2}}$ (중근)

따라서 $\sin\theta=\cos\theta=-\dfrac{1}{\sqrt{2}}$이므로

$\tan\theta=1$

$\therefore k\tan\theta=2\sqrt{2}$ **답 $2\sqrt{2}$**

32 이차방정식의 근과 계수의 관계에 의하여

$$\sin\theta+\cos\theta=-\frac{\sqrt{2}}{2},\ \sin\theta\cos\theta=-\frac{1}{4}$$

한편, $\tan\theta$, $\dfrac{1}{\tan\theta}$ 을 두 근으로 하고 이차항의 계수가 1인 이차방정식은

$$x^2-\left(\tan\theta+\frac{1}{\tan\theta}\right)x+1=0$$

$$\tan\theta+\frac{1}{\tan\theta}=\frac{\sin\theta}{\cos\theta}+\frac{\cos\theta}{\sin\theta}$$
$$=\frac{\sin^2\theta+\cos^2\theta}{\sin\theta\cos\theta}$$
$$=\frac{1}{\sin\theta\cos\theta}=-4$$

따라서 구하는 이차방정식은 $x^2+4x+1=0$

🔲 $x^2+4x+1=0$

33 그림에서 $\overline{\mathrm{OD}}=2$, $\overline{\mathrm{OE}}=1$이므로 직각삼각형 DOE에서

$\overline{\mathrm{DE}}=\sqrt{3}$, $\angle\mathrm{DOE}=60°$

$\therefore \angle\mathrm{AOD}=30°=\dfrac{\pi}{6}$

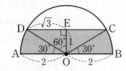

따라서 자갈길의 넓이는

2(삼각형 DOE의 넓이)+2(부채꼴 AOD의 넓이)

$$=2\times\left(\frac{1}{2}\times\sqrt{3}\times1\right)+2\times\left(\frac{1}{2}\times2^2\times\frac{\pi}{6}\right)$$

$$=\sqrt{3}+\frac{2}{3}\pi\ (\mathrm{m^2})$$

🔲 ③

34 그림과 같이 두 사분원이 만나는 점을 T라 하면 세 선분 PQ, PT, QT는 모두 사분원의 반지름이므로

$\overline{\mathrm{PQ}}=\overline{\mathrm{PT}}=\overline{\mathrm{QT}}$

즉, 삼각형 PQT는 정삼각형이므로

$\angle\mathrm{QPT}=\dfrac{\pi}{3}$

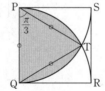

부채꼴 QPT의 넓이는 $\dfrac{1}{2}\times20^2\times\dfrac{\pi}{3}=\dfrac{200}{3}\pi$

정삼각형 PQT의 넓이는 $\dfrac{\sqrt{3}}{4}\times20^2=100\sqrt{3}$

활꼴 QT의 넓이는

(부채꼴 QPT의 넓이)$-\triangle\mathrm{PQT}=\dfrac{200}{3}\pi-100\sqrt{3}$

따라서 구하는 넓이는

(부채꼴 PQT의 넓이)+(활꼴 QT의 넓이)

$$=\frac{200}{3}\pi+\left(\frac{200}{3}\pi-100\sqrt{3}\right)$$

$$=\frac{400}{3}\pi-100\sqrt{3}$$

🔲 $\dfrac{400}{3}\pi-100\sqrt{3}$

35 두 각 θ, 20θ가 모두 제1사분면의 각이고, $\sin20\theta=\sin\theta$이므로 각 20θ를 나타내는 동경과 각 θ를 나타내는 동경이 일치해야 한다.

$20\theta-\theta=2n\pi$ (n은 정수) $\qquad \therefore \theta=\dfrac{2n}{19}\pi$

$0<\theta<\dfrac{\pi}{2}$이므로 $0<\dfrac{2n}{19}\pi<\dfrac{\pi}{2}$

$\therefore 0<n<\dfrac{19}{4}$

따라서 정수 n은 1, 2, 3, 4이므로 각 θ의 개수는

$\dfrac{2}{19}\pi$, $\dfrac{4}{19}\pi$, $\dfrac{6}{19}\pi$, $\dfrac{8}{19}\pi$의 4이다.

🔲 ④

36 각 θ를 나타내는 동경과 각 3θ를 나타내는 동경이 x축에 대하여 대칭이므로

$\theta+3\theta=2k\pi$ (k는 정수) $\qquad \therefore \theta=\dfrac{k}{2}\pi$

$0<\theta<2\pi$이므로 $0<\dfrac{k}{2}\pi<2\pi$

$\therefore 0<k<4$

따라서 정수 k는 1, 2, 3이므로 각 θ는 $\dfrac{\pi}{2}$, π, $\dfrac{3}{2}\pi$

$\therefore \sin^2\dfrac{\pi}{2}+\sin^2\pi+\sin^2\dfrac{3}{2}\pi=1+0+1=2$

🔲 2

37 그림에서 $\overline{\mathrm{AC}}=3a$, $\overline{\mathrm{BC}}=3b$라 하고, 점 D에서 변 CA에 내린 수선의 발을 F라 하면 직각삼각형 DCF에서 피타고라스 정리에 의하여

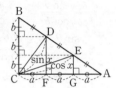

$$\overline{\mathrm{CD}}^2=a^2+(2b)^2$$
$$=a^2+4b^2=\sin^2x \quad\cdots\cdots\ \text{㉠}$$

또한, 점 E에서 변 CA에 내린 수선의 발을 G라 하면 직각삼각형 ECG에서 피타고라스 정리에 의하여

$$\overline{\mathrm{CE}}^2=(2a)^2+b^2$$
$$=4a^2+b^2=\cos^2x \quad\cdots\cdots\ \text{㉡}$$

㉠+㉡을 하면

$5(a^2+b^2)=\sin^2x+\cos^2x=1$

$\therefore a^2+b^2=\dfrac{1}{5}$

따라서 직각삼각형 ABC에서 피타고라스 정리에 의하여

$$\overline{\mathrm{AB}}^2=(3a)^2+(3b)^2=9(a^2+b^2)=9\times\frac{1}{5}=\frac{9}{5}$$

$\therefore \overline{\mathrm{AB}}=\sqrt{\dfrac{9}{5}}=\dfrac{3\sqrt{5}}{5}$ ($\because \overline{\mathrm{AB}}>0$)

🔲 $\dfrac{3\sqrt{5}}{5}$

다른 풀이

삼각형 ABC에서 $\overline{\mathrm{BC}}=p$, $\overline{\mathrm{AC}}=q$, $\overline{\mathrm{AE}}=\overline{\mathrm{DE}}=\overline{\mathrm{BD}}=r$라 하면 $\overline{\mathrm{AB}}=3r$이므로 피타고라스 정리에 의하여

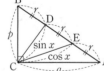

$p^2+q^2=(3r)^2=9r^2 \quad\cdots\cdots\ \text{㉠}$

또한, 점 D와 점 E는 각각 선분 BE와 선분 AD의 중점이므로 두 삼각형 BCE와 ACD에서 중선 정리에 의하여

$\cos^2x+p^2=2(r^2+\sin^2x)\cdots\cdots\ \text{㉡}$

$q^2+\sin^2x=2(r^2+\cos^2x)\cdots\cdots\ \text{㉢}$

㉡+㉢을 하면

$\cos^2x+\sin^2x+p^2+q^2=4r^2+2(\sin^2x+\cos^2x)$

$1+9r^2=4r^2+2$ ($\because$ ㉠)

$5r^2=1$, $r^2=\dfrac{1}{5}$ $\qquad \therefore r=\dfrac{\sqrt{5}}{5}$ ($\because r>0$)

$\therefore \overline{\mathrm{AB}}=3r=\dfrac{3\sqrt{5}}{5}$

38 그림과 같이 두 직선 l, l'에 동시에 접하는 원의 중심을 C, 점 O′에서 선분 OC의 연장선 위에 내린 수선의 발을 P라 하면 $\overline{\text{OP}}=8$이고, $\angle\text{OO}'\text{P}=30°$이므로

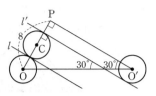

$$\sin 30°=\frac{\overline{\text{OP}}}{\overline{\text{OO}'}}=\frac{8}{\overline{\text{OO}'}}=\frac{1}{2}$$

$$\therefore \overline{\text{OO}'}=16$$

답 16

39 원 $x^2+y^2=6$의 반지름의 길이는 $\sqrt{6}$이고, 원 $x^2+y^2=6$과 직선 $y=\left|\frac{\sqrt{2}}{2}x\right|$의 교점의 x좌표를 구하면

$$x^2+\frac{1}{2}x^2=6,\ x^2=4\quad\therefore x=-2\ \text{또는}\ x=2$$

즉, 두 교점 P, Q의 좌표는 각각 $\text{P}(2,\sqrt{2})$, $\text{Q}(-2,\sqrt{2})$

따라서 $\cos\alpha=\frac{\sqrt{6}}{3}$, $\tan\beta=-\frac{\sqrt{2}}{2}$이므로

$$\frac{2}{\cos\alpha}+\frac{\sqrt{2}}{\tan\beta}=\sqrt{6}-2$$

답 $\sqrt{6}-2$

40 곡선 $y=\frac{4}{x}$ 위의 점 P의 좌표를 $\left(a,\frac{4}{a}\right)(a>0)$라 하면

$$\overline{\text{OP}}=\sqrt{a^2+\frac{16}{a^2}}$$

또 $\sin\theta=\dfrac{\frac{4}{a}}{\overline{\text{OP}}}$, $\cos\theta=\dfrac{a}{\overline{\text{OP}}}$이므로

$$\sin\theta\cos\theta=\frac{4}{\overline{\text{OP}}^2}=\frac{4}{a^2+\frac{16}{a^2}}$$

산술평균과 기하평균의 관계에 의하여

$$a^2+\frac{16}{a^2}\ge 2\sqrt{a^2\times\frac{16}{a^2}}=8\ \text{(단, 등호는 $a=2$일 때 성립한다.)}$$

$$\therefore \sin\theta\cos\theta=\frac{4}{a^2+\frac{16}{a^2}}\le\frac{4}{8}=\frac{1}{2}$$

따라서 $\sin\theta\cos\theta$의 최댓값은 $\frac{1}{2}$이다.

답 $\frac{1}{2}$

41 $2x+y\sin\theta+\cos\theta=0$에서

$$y=-\frac{2}{\sin\theta}x-\frac{\cos\theta}{\sin\theta}$$

그림에서 기울기는 양수이고, y절편은 음수이므로

$$-\frac{2}{\sin\theta}>0,\ -\frac{\cos\theta}{\sin\theta}<0$$

$$\therefore \sin\theta<0,\ \cos\theta<0$$

$y=x\sin\theta+\tan\theta\cos\theta=x\sin\theta+\sin\theta$에서 $\sin\theta<0$이므로 기울기와 y절편은 모두 음수이다.

따라서 직선 $y=x\sin\theta+\tan\theta\cos\theta$는 그림과 같으므로 이 직선이 지나지 않는 사분면은 제1사분면이다.

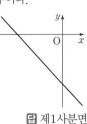

답 제1사분면

42 이차방정식 $2x^2+x\cos\theta+3\cos\theta\tan\theta=0$의 두 실근을 α, β라 하면 근과 계수의 관계에 의하여

$$\alpha+\beta=-\frac{\cos\theta}{2}$$

$$\alpha\beta=\frac{3\cos\theta\tan\theta}{2}$$

$$=\frac{3}{2}\sin\theta$$

두 실근 α, β가 서로 다른 부호이고, 음수인 근의 절댓값이 양수인 근보다 커야 하므로

$$-\frac{\cos\theta}{2}<0,\ \frac{3}{2}\sin\theta<0$$

$$\therefore \cos\theta>0,\ \sin\theta<0$$

따라서 각 θ는 제4사분면의 각이므로 θ의 값이 될 수 있는 것은 ②이다.

답 ②

43 모든 실수 x에 대하여 $kx^2-2kx+2-k>0$이 성립하므로

(ⅰ) $k>0$

(ⅱ) 이차방정식 $kx^2-2kx+2-k=0$의 판별식을 D라 하면 $D<0$이어야 하므로

$$\frac{D}{4}=k^2-k(2-k)<0$$

$$k(k-1)<0$$

$$\therefore 0<k<1$$

(ⅰ), (ⅱ)에서 $0<k<1$

k의 단위는 라디안이므로 각 k는 제1사분면의 각이다.

ㄱ. $\cos k>0$ (참)

ㄴ. $\sin k>0$ (참)

ㄷ. $0<2k<2$이므로 각 $2k$는 제1사분면의 각 또는 제2사분면의 각이다.

$\quad\therefore \sin 2k>0$ (참)

ㄹ. 각 $2k$가 제1사분면의 각이면 $\cos 2k>0$이지만 제2사분면의 각이면 $\cos 2k<0$ (거짓)

따라서 옳은 것은 ㄱ, ㄴ, ㄷ이다.

답 ④

44 $A_n=3+(-1)^n$에서 $A_1=2$, $A_2=4$, $A_3=2$, $A_4=4$, $\cdots$이므로

$\text{P}_1\left(2\cos\frac{2\pi}{3},2\sin\frac{2\pi}{3}\right)$, 즉 $\text{P}_1(-1,\sqrt{3})$

$\text{P}_2\left(4\cos\frac{4\pi}{3},4\sin\frac{4\pi}{3}\right)$, 즉 $\text{P}_2(-2,-2\sqrt{3})$

$\text{P}_3\left(2\cos\frac{6\pi}{3},2\sin\frac{6\pi}{3}\right)$, 즉 $\text{P}_3(2,0)$

$\text{P}_4\left(4\cos\frac{8\pi}{3},4\sin\frac{8\pi}{3}\right)$, 즉 $\text{P}_4(-2,2\sqrt{3})$

$\text{P}_5\left(2\cos\frac{10\pi}{3},2\sin\frac{10\pi}{3}\right)$, 즉 $\text{P}_5(-1,-\sqrt{3})$

$\text{P}_6\left(4\cos\frac{12\pi}{3},4\sin\frac{12\pi}{3}\right)$, 즉 $\text{P}_6(4,0)$

$\text{P}_7\left(2\cos\frac{14\pi}{3},2\sin\frac{14\pi}{3}\right)$, 즉 $\text{P}_7(-1,\sqrt{3})$

$$\vdots$$

$2021=6\times336+5$이므로 점 P_{2021}과 같은 점은 P_5이다.

답 ⑤

45

$\angle EBC = \theta$이므로

$\angle BEC = \angle DEF = \dfrac{\pi}{2} - \theta$

삼각형 DEF에서 $\angle DFE = \dfrac{\pi}{2}$이므로

$\angle EDF = \theta$

한편, $\overline{EC} = \tan\theta$이므로 $\overline{DE} = 1 - \tan\theta$이고, 선분 DE의 중점을 M이라 하면

$\overline{DM} = \dfrac{1 - \tan\theta}{2}$

직선 DF가 작은 원과 접하는 점을 N이라 하면
직각삼각형 DMN에서

$\overline{MN} = \left(\dfrac{1 - \tan\theta}{2}\right) \times \sin\theta$

$\therefore r(\theta) = \dfrac{1}{2} \times \left\{\dfrac{1 - \tan\theta}{2} - \left(\dfrac{1 - \tan\theta}{2}\right) \times \sin\theta\right\}$

$\qquad = \dfrac{1}{2} \times \left\{\dfrac{1 - \tan\theta}{2} \times (1 - \sin\theta)\right\}$

$\qquad = \dfrac{(1 - \tan\theta)(1 - \sin\theta)}{4}$ 　　**답 ②**

---

46 반원의 중심을 O라 하고,

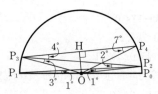

$\overline{OP_1} = \overline{OP_2}$이므로

$\angle OP_2P_1 = \angle OP_1P_2 = 1°$

$\therefore \angle OP_2P_3 = \angle OP_2P_1 + \angle P_1P_2P_3 = 3°$

$\overline{OP_2} = \overline{OP_3}$이므로

$\angle OP_3P_2 = \angle OP_2P_3 = 3°$

$\therefore \angle OP_3P_4 = \angle OP_3P_2 + \angle P_2P_3P_4 = 7°$

반원의 중심 O에서 선분 P_3P_4에 내린 수선의 발을 H라 하면

$\overline{HP_3} = \dfrac{1}{2}\overline{P_3P_4} = 15$

이므로

$\dfrac{\overline{HP_3}}{\overline{OP_3}} = \cos 7°$에서

$\overline{OP_3} = \dfrac{\overline{HP_3}}{\cos 7°} = \dfrac{15}{\cos 7°}$

따라서 이 반원의 반지름의 길이는 $\dfrac{15}{\cos 7°}$이다. 　　**답 ④**

---

47 $\angle FCG = \dfrac{\pi}{3}$이므로 $\overline{CG} = 1$이다.

원의 중심 P가 움직인 거리는 그림과 같으므로

$2a + 4(a - 1) + 4 \times \left(\sqrt{3} \times \dfrac{2}{3}\pi\right)$

$= 23 + \dfrac{8\sqrt{3}}{3}\pi$

$\therefore a = \dfrac{9}{2}$ 　　**답 $\dfrac{9}{2}$**

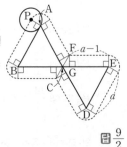

---

48 두 선분 OP, OQ가 출발한 지 30초, 60초, 90초, 120초 후의 원의 내부는 각각 다음과 같다.

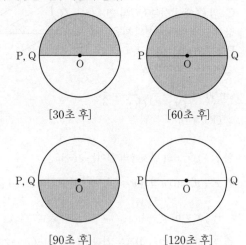

[30초 후]　　　[60초 후]

[90초 후]　　　[120초 후]

120초 후에는 모두 흰색으로 바뀌므로 처음과 같고,
$800 = 120 \times 6 + 80$이므로 800초 후의 검은색 부분의 넓이는 80초 후의 검은색 부분의 넓이와 같다.

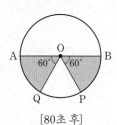

[80초 후]

따라서 구하는 넓이는

$100\pi \times \dfrac{120°}{360°} = \dfrac{100}{3}\pi$ 　　**답 $\dfrac{100}{3}\pi$**

01 (주기)$\times n=2$(n은 자연수)인 함수를 찾으면 된다.

각각의 주기를 찾아보면

① $\dfrac{2\pi}{2}=\pi$ ② 2π

③ $\dfrac{\pi}{2}$ ④ $\dfrac{2\pi}{\pi}=2$

⑤ $\dfrac{2\pi}{\frac{\pi}{2}}=4$

따라서 조건을 만족시키는 것은 ④이다.   달 ④

02 ㄱ. $y=\sin(2x-\pi)=\sin 2\left(x-\dfrac{\pi}{2}\right)$의 그래프는 $y=\sin 2x$

의 그래프를 x축의 방향으로 $\dfrac{\pi}{2}$만큼 평행이동한 것이다.

ㄴ. $y=\sin 3x+1$의 그래프는 $y=\sin 2x$의 그래프를 평행이 동 또는 대칭이동하여 일치시킬 수 없다.

ㄷ. $y=\sin\left(2x-\dfrac{\pi}{2}\right)+2=\sin 2\left(x-\dfrac{\pi}{4}\right)+2$의 그래프는

$y=\sin 2x$의 그래프를 x축의 방향으로 $\dfrac{\pi}{4}$만큼, y축의 방향 으로 2만큼 평행이동한 것이다.

ㄹ. $y=-\sin 2x-3$의 그래프는 $y=\sin 2x$의 그래프를 x축 에 대하여 대칭이동한 후, y축의 방향으로 -3만큼 평행이 동한 것이다.

따라서 평행이동 또는 대칭이동하여 일치시킬 수 있는 식은 ㄱ, ㄷ, ㄹ이다.   달 ④

03 $y=2\cos\left(\dfrac{x}{2}-\dfrac{\pi}{4}\right)+2$

$\quad=2\cos\dfrac{1}{2}\left(x-\dfrac{\pi}{2}\right)+2$

이므로 최댓값은 $|2|+2=4$, 최솟값은 $-|2|+2=0$, 주기는

$\dfrac{2\pi}{\frac{1}{2}}=4\pi$이다.

따라서 $a=4$, $b=0$, $c=4\pi$이므로

$a+b+c=4+4\pi$ 달 $4+4\pi$

04 주어진 함수의 그래프에서 최댓값이 1, 최솟값이 -1이므로

$a=1$ $(\because a>0)$

$b>0$이고 주기가 $2\left(\dfrac{3}{4}\pi-\dfrac{\pi}{4}\right)=\pi$이므로

$\dfrac{2\pi}{b}=\pi$에서 $b=2$

즉, $y=\sin(2x+c)$이고 그래프가 점 $(0,-1)$을 지나므로

$-1=\sin c$

$\therefore c=-\dfrac{\pi}{2}$ $\left(\because -\pi<c<\pi\right)$

$\therefore abc=1\times 2\times\left(-\dfrac{\pi}{2}\right)=-\pi$ 달 $-\pi$

05 $\sin\dfrac{7}{3}\pi\cos\dfrac{13}{6}\pi+\cos\left(-\dfrac{7}{6}\pi\right)\tan\dfrac{4}{3}\pi$

$=\sin\dfrac{7}{3}\pi\cos\dfrac{13}{6}\pi+\cos\dfrac{7}{6}\pi\tan\dfrac{4}{3}\pi$

$=\sin\left(2\pi+\dfrac{\pi}{3}\right)\cos\left(2\pi+\dfrac{\pi}{6}\right)+\cos\left(\pi+\dfrac{\pi}{6}\right)\tan\left(\pi+\dfrac{\pi}{3}\right)$

$=\sin\dfrac{\pi}{3}\cos\dfrac{\pi}{6}-\cos\dfrac{\pi}{6}\tan\dfrac{\pi}{3}$

$=\dfrac{\sqrt{3}}{2}\times\dfrac{\sqrt{3}}{2}-\dfrac{\sqrt{3}}{2}\times\sqrt{3}$

$=\dfrac{3}{4}-\dfrac{3}{2}$

$=-\dfrac{3}{4}$ 달 $-\dfrac{3}{4}$

06 $y=\cos^2 x-2\sin x-1$

$\quad=(1-\sin^2 x)-2\sin x-1$

$\quad=-\sin^2 x-2\sin x$

$\sin x=t$ $(-1\le t\le 1)$로 놓으면

$y=-(t+1)^2+1$이므로

$t=-1$일 때, 최댓값 $M=1$

$t=1$일 때, 최솟값 $m=-3$

$\therefore M-m=1-(-3)=4$ 달 4

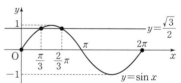

07 $2\sin x=\sqrt{3}$에서 $\sin x=\dfrac{\sqrt{3}}{2}$

$0\le x\le 2\pi$에서 함수 $y=\sin x$의 그래프와 직선 $y=\dfrac{\sqrt{3}}{2}$은

그림과 같다.

교점의 x좌표를 구하면 $\alpha=\dfrac{\pi}{3}$, $\beta=\dfrac{2}{3}\pi$ $(\because \alpha<\beta)$이므로

$\tan(\beta-\alpha)=\tan\left(\dfrac{2}{3}\pi-\dfrac{\pi}{3}\right)$

$\qquad\qquad=\tan\dfrac{\pi}{3}$

$\qquad\qquad=\sqrt{3}$ 달 $\sqrt{3}$

08 $2\sin^2 x-3\cos x>0$

$2(1-\cos^2 x)-3\cos x>0$

$2\cos^2 x+3\cos x-2<0$

$(\cos x+2)(2\cos x-1)<0$

$\therefore 2\cos x-1<0$ $(\because \cos x+2>0)$

$\therefore \cos x<\dfrac{1}{2}$

그림에서

$\cos x<\dfrac{1}{2}$의 해는

$\dfrac{\pi}{3}<x<\dfrac{5}{3}\pi$

$\therefore a+b=\dfrac{\pi}{3}+\dfrac{5}{3}\pi=2\pi$ 달 2π

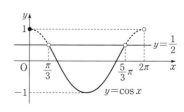

09 ① 주기는 $\dfrac{2\pi}{2}=\pi$ (참)

② 최댓값은 $|-4|+2=6$ (참)

③ 최솟값은 $-|-4|+2=-2$ (거짓)

④ $f(\pi)=-4\sin\pi+2=2$ (참)

⑤ $f(x)=-4\sin2\left(x-\dfrac{\pi}{2}\right)+2$의 그래프는 직선 $x=\dfrac{\pi}{4}$에 대하여 대칭인 $f(x)=-4\sin2x+2$의 그래프를 x축의 방향으로 $\dfrac{\pi}{2}$만큼 평행이동한 것이므로 직선 $x=\dfrac{3}{4}\pi$에 대하여 대칭이다. (참) **답** ③

10 $y=\sin\dfrac{\pi}{2}x$에서 주기는 $\dfrac{2\pi}{\dfrac{\pi}{2}}=4$

이므로 그래프는 그림과 같이 직선 $x=1$에 대하여 대칭이고, $\overline{BC}=\dfrac{4}{3}$

이므로 점 C의 x좌표는 $\dfrac{5}{3}$이다.

$\therefore \overline{CD}=\sin\left(\dfrac{\pi}{2}\times\dfrac{5}{3}\right)$

$=\sin\dfrac{5}{6}\pi$

$=\dfrac{1}{2}$ **답** $\dfrac{1}{2}$

11 $f(x)=a\cos\dfrac{x}{2}+b$의 최댓값이 4이고 $a>0$이므로

$a+b=4$ ······ ㉠

$f\left(\dfrac{2}{3}\pi\right)=\dfrac{5}{2}$이므로

$a\cos\dfrac{\pi}{3}+b=\dfrac{a}{2}+b=\dfrac{5}{2}$

$a+2b=5$ ······ ㉡

㉠, ㉡을 연립하여 풀면 $a=3$, $b=1$

$\therefore ab=3$ **답** ④

12 그림에서 함수 $y=a\sin x$의 주기는 2π이므로 함수 $y=\dfrac{3}{4}\cos ax$의 주기는 π이다.

이때, $a>0$이므로 $\dfrac{2\pi}{a}=\pi$

$\therefore a=2$ **답** 2

13 $y=\sin x$의 주기는 2π이므로

$b=\pi-a$, $c=\pi+a$, $d=2\pi-a$, $e=2\pi+a$, $f=3\pi-a$

$\therefore a+b+c+d+e+f=9\pi$

$\therefore \cos(a+b+c+d+e+f)=\cos9\pi$

$=-1$ **답** ③

14 $a>0$이고 주어진 그래프에서 주기는 $\dfrac{2}{3}\pi+\dfrac{\pi}{3}=\pi$이므로

$\dfrac{2\pi}{a}=\pi$

$\therefore a=2$

따라서 주어진 그래프는 $y=\cos2x$의 그래프를 x축의 방향으로 $-\dfrac{\pi}{3}$만큼, y축의 방향으로 1만큼 평행이동한 것이므로

$y=\cos2\left(x+\dfrac{\pi}{3}\right)+1$ $\therefore b=\dfrac{\pi}{3}$

$\therefore ab=2\times\dfrac{\pi}{3}=\dfrac{2}{3}\pi$ **답** $\dfrac{2}{3}\pi$

15 $b>0$이고, $f(x)=a\tan bx$의 주기가 $\dfrac{\pi}{4}$이므로

$\dfrac{\pi}{b}=\dfrac{\pi}{4}$ $\therefore b=4$

$f\left(\dfrac{\pi}{16}\right)=5$이므로

$f\left(\dfrac{\pi}{16}\right)=a\tan\left(4\times\dfrac{\pi}{16}\right)=a\tan\dfrac{\pi}{4}=a=5$

$\therefore ab=5\times4=20$ **답** ④

16 $f(x)=a\tan(bx+c)+d$

$=a\tan b\left(x+\dfrac{c}{b}\right)+d$

이때, $b>0$이고 주기가 $\dfrac{\pi}{2}$이므로

$\dfrac{\pi}{b}=\dfrac{\pi}{2}$ $\therefore b=2$

또 $y=a\tan bx$의 그래프를 x축의 방향으로 $\dfrac{\pi}{4}$만큼, y축의 방향으로 -1만큼 평행이동하면

$y=a\tan b\left(x-\dfrac{\pi}{4}\right)-1$

$\dfrac{c}{b}=-\dfrac{\pi}{4}$ $\therefore c=-\dfrac{\pi}{2}$, $d=-1$

즉, $f(x)=a\tan\left(2x-\dfrac{\pi}{2}\right)-1$이므로

$f\left(\dfrac{\pi}{3}\right)=a\tan\left(2\times\dfrac{\pi}{3}-\dfrac{\pi}{2}\right)-1$

$=a\tan\dfrac{\pi}{6}-1$

$=\dfrac{1}{\sqrt{3}}a-1=\sqrt{3}-1$

에서 $\dfrac{1}{\sqrt{3}}a=\sqrt{3}$ $\therefore a=3$

$\therefore abcd=3\times2\times\left(-\dfrac{\pi}{2}\right)\times(-1)=3\pi$ **답** ⑤

17 $b>0$이고 주어진 함수의 그래프에서 주기는

$\pi-\dfrac{\pi}{3}=\dfrac{2}{3}\pi$이므로

$\dfrac{\pi}{b}=\dfrac{2}{3}\pi$ $\therefore b=\dfrac{3}{2}$

따라서 주어진 그래프는 $y=a\tan\dfrac{3}{2}x$의 그래프를 x축의 방향으로 $\dfrac{\pi}{3}$만큼 평행이동한 것이므로

$y=a\tan\dfrac{3}{2}\left(x-\dfrac{\pi}{3}\right)$

$=a\tan\left(\dfrac{3}{2}x-\dfrac{\pi}{2}\right)$

$\therefore c=-\dfrac{\pi}{2}$

또 그래프가 점 $\left(\dfrac{\pi}{2}, \dfrac{4}{3}\right)$를 지나므로

$\dfrac{4}{3}=a\tan\left(\dfrac{3}{2}\times\dfrac{\pi}{2}-\dfrac{\pi}{2}\right)=a\tan\dfrac{\pi}{4}=a$

$\therefore abc=\dfrac{4}{3}\times\dfrac{3}{2}\times\left(-\dfrac{\pi}{2}\right)=-\pi$ 　　　답 $-\pi$

18 $y=\sin x-|\sin x|=\begin{cases}0 & (\sin x\geq0)\\ 2\sin x & (\sin x<0)\end{cases}$ 이므로

함수 $y=\sin x-|\sin x|$의 그래프는 그림과 같다.

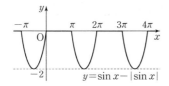

① 주기는 2π이다. (참)

② 최댓값은 0이다. (참)

③ 최솟값은 -2이다. (참)

④ 원점에 대하여 대칭이 아니다. (거짓)

⑤ 직선 $x=\dfrac{\pi}{2}$에 대하여 대칭이다. (참)

따라서 옳지 않은 것은 ④이다. 　　　답 ④

19 ㄱ. $y=|\cos x|$, $y=\sin|x|$의 그래프는 각각 그림과 같으므로 두 함수의 그래프는 일치하지 않는다.

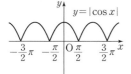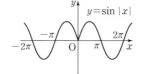

ㄴ. $y=|\sin x|$, $y=\left|\cos\left(x+\dfrac{\pi}{2}\right)\right|$의 그래프는 각각 그림과 같으므로 두 함수의 그래프는 일치한다.

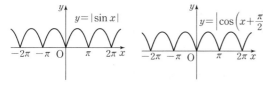

ㄷ. $y=\cos|x|$, $y=|\sin(x-\pi)|$의 그래프는 각각 그림과 같으므로 두 함수의 그래프는 일치하지 않는다.

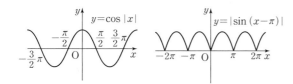

따라서 두 함수의 그래프가 일치하는 것은 ㄴ뿐이다. 　　　답 ②

20 $|\tan ax|\geq0$이므로 $y=|\tan ax|+b$의 최솟값은 b이다.

그런데 주어진 그림에서 최솟값이 -2이므로 $b=-2$

또 $a>0$이고 주기가 2π이므로

$\dfrac{\pi}{a}=2\pi$　　　$\therefore a=\dfrac{1}{2}$

$\therefore ab=\dfrac{1}{2}\times(-2)=-1$ 　　　답 -1

21 $\dfrac{\sin\left(\dfrac{\pi}{2}-\theta\right)}{\sin\left(\dfrac{\pi}{2}+\theta\right)\cos^2\theta}+\dfrac{\sin(\pi+\theta)\tan^2(\pi-\theta)}{\cos\left(\dfrac{3}{2}\pi+\theta\right)}$

$=\dfrac{\cos\theta}{\cos\theta\cos^2\theta}+\dfrac{-\sin\theta\tan^2\theta}{\sin\theta}$

$=\dfrac{1}{\cos^2\theta}-\tan^2\theta$

$=\dfrac{1-\sin^2\theta}{\cos^2\theta}$

$=\dfrac{\cos^2\theta}{\cos^2\theta}=1$ 　　　답 ③

22 A, B, C가 삼각형의 세 내각의 크기이므로

$A+B+C=\pi$에서 $B+C=\pi-A$

ㄱ. $\sin(B+C)=\sin(\pi-A)$

　　$=\sin A$ (참)

ㄴ. $\cos(B+C)=\cos(\pi-A)$

　　$=-\cos A$ (거짓)

ㄷ. $\cos\left(\dfrac{B}{2}+\dfrac{C}{2}\right)=\cos\left(\dfrac{B+C}{2}\right)$

　　$=\cos\left(\dfrac{\pi-A}{2}\right)$

　　$=\cos\left(\dfrac{\pi}{2}-\dfrac{A}{2}\right)$

　　$=\sin\dfrac{A}{2}$ (참)

따라서 옳은 것은 ㄱ, ㄷ이다. 　　　답 ③

23 $10\theta=2\pi$에서 $5\theta=\pi$이므로

$\sin6\theta=\sin(5\theta+\theta)=\sin(\pi+\theta)=-\sin\theta$

$\sin7\theta=\sin(5\theta+2\theta)=\sin(\pi+2\theta)=-\sin2\theta$

$\sin8\theta=\sin(5\theta+3\theta)=\sin(\pi+3\theta)=-\sin3\theta$

$\sin9\theta=\sin(5\theta+4\theta)=\sin(\pi+4\theta)=-\sin4\theta$

$\therefore \sin\theta+\sin2\theta+\cdots+\sin10\theta$

$=(\sin\theta+\sin6\theta)+(\sin2\theta+\sin7\theta)+(\sin3\theta+\sin8\theta)$

　　　　$+(\sin4\theta+\sin9\theta)+\sin5\theta+\sin10\theta$

$=(\sin\theta-\sin\theta)+(\sin2\theta-\sin2\theta)+(\sin3\theta-\sin3\theta)$

　　　　$+(\sin4\theta-\sin4\theta)+\sin\pi+\sin2\pi$

$=0$ 　　　답 0

24 $y=-3\sin^2 x+3\cos x+2$

　　$=-3(1-\cos^2 x)+3\cos x+2$

　　$=3\cos^2 x+3\cos x-1$

이때, $\cos x=t\ (-1\leq t\leq1)$로 놓으면

$y=3t^2+3t-1$

　$=3\left(t+\dfrac{1}{2}\right)^2-\dfrac{7}{4}$

이므로 그래프는 그림과 같다.

따라서 $t=1$일 때 최댓값 $M=5$,

$t=-\dfrac{1}{2}$일 때 최솟값 $m=-\dfrac{7}{4}$을 갖는다.

$\therefore M+m=\dfrac{13}{4}$ 　　　답 $\dfrac{13}{4}$

25

$y=-\cos^2\left(x+\dfrac{\pi}{2}\right)+\cos(x-\pi)$

$\quad =-\cos^2\left(\dfrac{\pi}{2}+x\right)+\cos(\pi-x)$

$\quad =-\sin^2x-\cos x$

$\quad =-(1-\cos^2x)-\cos x$

$\quad =\cos^2x-\cos x-1$

$\cos x=t$로 놓으면 $0\le x\le\pi$

이므로 $-1\le t\le1$이고 주어진

함수는

$y=t^2-t-1$

$\quad =\left(t-\dfrac{1}{2}\right)^2-\dfrac{5}{4}$

따라서 그래프는 그림과 같으므로

$t=\dfrac{1}{2}$일 때 최솟값 $-\dfrac{5}{4}$를 갖는다.

$\therefore b=-\dfrac{5}{4}$

이때, $t=\dfrac{1}{2}$, 즉 $\cos x=\dfrac{1}{2}$에서

$x=\dfrac{\pi}{3}$이므로 $a=\dfrac{\pi}{3}$

$\therefore ab=\dfrac{\pi}{3}\times\left(-\dfrac{5}{4}\right)$

$\quad =-\dfrac{5}{12}\pi$

답 ①

26

$y=a\cos^2\theta+a\sin\theta+2$

$\quad =a(1-\sin^2\theta)+a\sin\theta+2$

$\quad =-a\sin^2\theta+a\sin\theta+a+2$

이때, $\sin\theta=t\ (-1\le t\le1)$로 놓으면

$y=-at^2+at+a+2$

$\quad =-a\left(t-\dfrac{1}{2}\right)^2+\dfrac{5}{4}a+2$

$a>0$이므로 $t=\dfrac{1}{2}$일 때, 최댓값 $\dfrac{5}{4}a+2$이다.

따라서 $\dfrac{5}{4}a+2=7$이므로

$a=4$

답 ④

27

$y=-|\cos\theta-4|+1$에서

$\cos\theta=t\ (-1\le t\le1)$로 놓으면

$y=-|t-4|+1=\begin{cases}-t+5 & (t\ge4)\\ t-3 & (t<4)\end{cases}$

이므로 그래프는 그림과 같다.

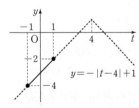

따라서 $t=1$일 때 최댓값 $M=-2$, $t=-1$일 때 최솟값

$m=-4$를 갖는다.

$\therefore M+m=-6$

답 -6

28

$y=\dfrac{2\tan x+3}{\tan x+2}$에서 $\tan x=t$로 놓으면

$y=\dfrac{2t+3}{t+2}=-\dfrac{1}{t+2}+2$

$0\le x\le\dfrac{\pi}{4}$에서 $0\le t\le1$이므로

그래프는 그림과 같다.

따라서 $t=1$일 때

최댓값 $M=\dfrac{5}{3}$,

$t=0$일 때 최솟값 $m=\dfrac{3}{2}$을 갖는다.

$\therefore M+m=\dfrac{19}{6}$

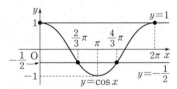

답 $\dfrac{19}{6}$

29

$\tan^2x+\dfrac{1}{\tan^2x}=\left(\tan x+\dfrac{1}{\tan x}\right)^2-2$

이므로 주어진 함수에서 $\tan x+\dfrac{1}{\tan x}=a$로 놓으면

$y=a^2-2+2a+3$

$\quad =a^2+2a+1$

$\quad =(a+1)^2$

한편, $\pi<x<\dfrac{3}{2}\pi$에서 $\tan x>0$이므로 산술평균과 기하평균

의 관계에 의하여

$a=\tan x+\dfrac{1}{\tan x}\ge2\sqrt{\tan x\times\dfrac{1}{\tan x}}=2$

$\left(\text{단, 등호는 }x=\dfrac{5}{4}\pi\text{일 때 성립}\right)$

따라서 함수 $y=(a+1)^2\ (a\ge2)$은 $a=2$일 때 최솟값 9를 갖

는다.

답 9

30

$2\sin^2x+\cos x-1=0$에서

$2(1-\cos^2x)+\cos x-1=0$

$2\cos^2x-\cos x-1=0$

$(2\cos x+1)(\cos x-1)=0$

$\therefore \cos x=-\dfrac{1}{2}$ 또는 $\cos x=1$

$0\le x\le2\pi$에서 함수 $y=\cos x$의 그래프와 두 직선 $y=-\dfrac{1}{2}$,

$y=1$은 그림과 같다.

교점의 x좌표를 구하면

$\cos x=-\dfrac{1}{2}$에서 $x=\dfrac{2}{3}\pi$ 또는 $x=\dfrac{4}{3}\pi$

$\cos x=1$에서 $x=0$ 또는 $x=2\pi$

따라서 모든 근의 합은

$\dfrac{2}{3}\pi+\dfrac{4}{3}\pi+0+2\pi=4\pi$

답 ⑤

31 $\sqrt{3}\tan x = 2\sin x$에서

$\sqrt{3} \times \dfrac{\sin x}{\cos x} = 2\sin x \; (\cos x \neq 0)$

$\sqrt{3}\sin x = 2\sin x\cos x$

$2\sin x\cos x - \sqrt{3}\sin x = 0$

$\sin x(2\cos x - \sqrt{3}) = 0$

$\therefore \sin x = 0$ 또는 $\cos x = \dfrac{\sqrt{3}}{2}$

(ⅰ) $\sin x = 0$일 때,

  $x = 0$ 또는 $x = \pi \; (\because 0 \leq x < 2\pi)$

(ⅱ) $\cos x = \dfrac{\sqrt{3}}{2}$일 때,

  $0 \leq x < 2\pi$에서 함수 $y = \cos x$의 그래프와 직선 $y = \dfrac{\sqrt{3}}{2}$

  은 그림과 같다.

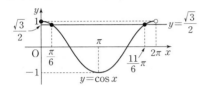

  $\therefore x = \dfrac{\pi}{6}$ 또는 $x = \dfrac{11}{6}\pi$

(ⅰ), (ⅱ)에서 모든 근의 합은

$0 + \pi + \dfrac{\pi}{6} + \dfrac{11}{6}\pi = 3\pi$　　　　　🔲 ⑤

32 $0 \leq x < 2\pi$에서 함수 $y = \tan x$의 그래프와 두 직선 $y = 2$, $y = -2$는 그림과 같다.

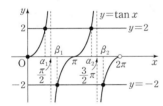

그림에서 $\tan x = 2$의 근을 α_1, α_2, $\tan x = -2$의 근을 β_1, β_2 라 하면

$\dfrac{\alpha_1 + \beta_1}{2} = \dfrac{\pi}{2}$에서 $\alpha_1 + \beta_1 = \pi$

$\dfrac{\alpha_2 + \beta_2}{2} = \dfrac{3}{2}\pi$에서 $\alpha_2 + \beta_2 = 3\pi$

$\therefore \alpha_1 + \alpha_2 + \beta_1 + \beta_2 = 4\pi$　　　　🔲 ④

33 $2\cos\left(x + \dfrac{\pi}{6}\right) + \sqrt{3} = 0$에서 $x + \dfrac{\pi}{6} = t$로 놓으면

$2\cos t + \sqrt{3} = 0$, 즉 $\cos t = -\dfrac{\sqrt{3}}{2}$

$\dfrac{\pi}{6} \leq x < \dfrac{3}{2}\pi$에서 $\dfrac{\pi}{3} \leq t < \dfrac{5}{3}\pi$

이 범위에서 함수 $y = \cos t$의 그래프와 직선 $y = -\dfrac{\sqrt{3}}{2}$ 은 그림과 같다.

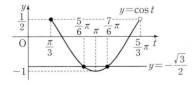

교점의 t좌표를 구하면

$t = \dfrac{5}{6}\pi$ 또는 $t = \dfrac{7}{6}\pi$

즉, $x + \dfrac{\pi}{6} = \dfrac{5}{6}\pi$ 또는 $x + \dfrac{\pi}{6} = \dfrac{7}{6}\pi$이므로

$x = \dfrac{2}{3}\pi$ 또는 $x = \pi$

$\therefore \alpha = \dfrac{2}{3}\pi, \; \beta = \pi \; (\because \alpha < \beta)$

$\therefore \dfrac{\alpha\beta}{\pi^2} = \dfrac{\dfrac{2}{3}\pi^2}{\pi^2} = \dfrac{2}{3}$　　　　🔲 ②

34 $\pi\cos x = t$로 놓으면

$0 \leq x \leq \dfrac{3}{2}\pi$에서 $-1 \leq \cos x \leq 1$이므로

$-\pi \leq t \leq \pi$

이 범위에서 $\cos t = 0$을 만족시키는 t의 값은

$t = -\dfrac{\pi}{2}$ 또는 $t = \dfrac{\pi}{2}$

즉, $\pi\cos x = -\dfrac{\pi}{2}$ 또는 $\pi\cos x = \dfrac{\pi}{2}$이므로

$\cos x = -\dfrac{1}{2}$ 또는 $\cos x = \dfrac{1}{2}$

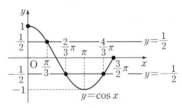

그림에서 주어진 방정식의 근은

$x = \dfrac{\pi}{3}$ 또는 $x = \dfrac{2}{3}\pi$ 또는 $x = \dfrac{4}{3}\pi$

$\therefore \theta_1 + \theta_2 + \theta_3 = \dfrac{7}{3}\pi$　　　　🔲 ③

35 $4\cos^2 x - 4\sin x + a = 0$에서

$4(1 - \sin^2 x) - 4\sin x + a = 0$

$4\sin^2 x + 4\sin x - 4 = a$

이 방정식이 실근을 가지려면 함수 $y = 4\sin^2 x + 4\sin x - 4$의 그래프와 직선 $y = a$가 교점을 가져야 한다.

$y = 4\sin^2 x + 4\sin x - 4$에서

$\sin x = t \; (-1 \leq t \leq 1)$로 놓으면

$y = 4t^2 + 4t - 4$

$\quad = 4\left(t + \dfrac{1}{2}\right)^2 - 5$

이므로 그래프는 그림과 같다.

즉, 함수 $y = 4t^2 + 4t - 4$의 그래프 와 직선 $y = a$가 만나기 위한 a의 값의 범위는 $-5 \leq a \leq 4$이므로

$\alpha = -5, \; \beta = 4$

$\therefore \alpha + \beta = -1$

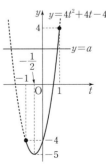

🔲 -1

36 $\pi \leq \theta \leq 2\pi$에서 함수 $y = \cos \theta$의 그래프와 두 직선 $y = \frac{1}{2}$,

$y = \frac{\sqrt{2}}{2}$는 그림과 같다.

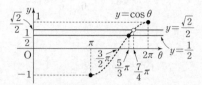

교점의 θ좌표를 구하면

$\cos \theta = \frac{1}{2}$에서 $\theta = \frac{5}{3}\pi$

$\cos \theta = \frac{\sqrt{2}}{2}$에서 $\theta = \frac{7}{4}\pi$

따라서 $\frac{1}{2} \leq \cos \theta < \frac{\sqrt{2}}{2}$를 만족시키는 θ의 값의 범위는

$\frac{5}{3}\pi \leq \theta < \frac{7}{4}\pi$ 　　　　　　　 답 $\frac{5}{3}\pi \leq \theta < \frac{7}{4}\pi$

37 $2\sin^2 x - \cos x - 1 < 0$에서

$2(1 - \cos^2 x) - \cos x - 1 < 0$

$2\cos^2 x + \cos x - 1 > 0$

$(2\cos x - 1)(\cos x + 1) > 0$

$0 \leq x < 2\pi$에서 $\cos x + 1 \geq 0$이므로

$2\cos x - 1 > 0$

$\therefore \cos x > \frac{1}{2}$

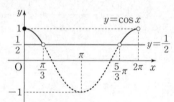

그림에서 주어진 부등식의 해는

$0 \leq x < \frac{\pi}{3}$ 또는 $\frac{5}{3}\pi < x < 2\pi$

따라서 $\alpha = \frac{\pi}{3}$, $\beta = \frac{5}{3}\pi$이므로

$\frac{\beta}{\alpha} = \frac{\frac{5}{3}\pi}{\frac{\pi}{3}} = 5$ 　　　　　　　　　　 답 ④

38 $\frac{\pi}{2} < x < \pi$에서 $0 < 2\sin x < 2$

삼각형의 세 변의 길이가 1, 2, $2\sin x$이므로

$1 + 2\sin x > 2$에서 $\sin x > \frac{1}{2}$ 　　　　 ……㉠

또 이 삼각형이 둔각삼각형이 되려면 가장 긴 변의 길이의 제곱
이 다른 두 변의 길이의 제곱의 합보다 커야 하므로

$1 + (2\sin x)^2 < 4$에서 $4\sin^2 x < 3$

$\sin^2 x < \frac{3}{4}$

$0 < \sin x < \frac{\sqrt{3}}{2}$ $(\because \frac{\pi}{2} < x < \pi$이므로 $\sin x > 0)$ ……㉡

㉠, ㉡에서 $\frac{1}{2} < \sin x < \frac{\sqrt{3}}{2}$

$\frac{\pi}{2} < x < \pi$에서 함수 $y = \sin x$의 그래프와 두 직선 $y = \frac{1}{2}$,

$y = \frac{\sqrt{3}}{2}$은 그림과 같다.

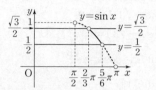

교점의 x좌표를 구하면

$\sin x = \frac{1}{2}$에서 $x = \frac{5}{6}\pi$

$\sin x = \frac{\sqrt{3}}{2}$에서 $x = \frac{2}{3}\pi$

따라서 구하는 x의 값의 범위는

$\frac{2}{3}\pi < x < \frac{5}{6}\pi$ 　　　　　　　　　　 답 ③

39 $2\cos\left(2x - \frac{\pi}{3}\right) < \sqrt{3}$에서 $2x - \frac{\pi}{3} = t$로 놓으면

$2\cos t < \sqrt{3}$, 즉 $\cos t < \frac{\sqrt{3}}{2}$ 　　　 ……㉠

한편, $0 \leq x \leq \pi$에서 $-\frac{\pi}{3} \leq t \leq \frac{5}{3}\pi$

이 범위에서 함수 $y = \cos t$의 그래프와 직선 $y = \frac{\sqrt{3}}{2}$은 그림과
같다.

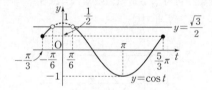

교점의 t좌표를 구하면 $t = -\frac{\pi}{6}$ 또는 $t = \frac{\pi}{6}$

즉, 부등식 ㉠의 해는 $-\frac{\pi}{3} \leq t < -\frac{\pi}{6}$ 또는 $\frac{\pi}{6} < t \leq \frac{5}{3}\pi$

$\therefore 0 \leq x < \frac{\pi}{12}$ 또는 $\frac{\pi}{4} < x \leq \pi$

답 $0 \leq x < \frac{\pi}{12}$ 또는 $\frac{\pi}{4} < x \leq \pi$

40 $x + \frac{\pi}{3} = t$로 놓으면 $0 \leq x < \pi$에서

$\frac{\pi}{3} \leq t < \frac{4}{3}\pi$

이고 주어진 부등식은

$\tan t < 1$ 　　　 ……㉠

그림에서 ㉠을 만족시키는
t의 값의 범위는

$\frac{\pi}{2} < t < \frac{5}{4}\pi$

즉, $\frac{\pi}{2} < x + \frac{\pi}{3} < \frac{5}{4}\pi$이므로

$\frac{\pi}{6} < x < \frac{11}{12}\pi$

따라서 $\alpha = \frac{\pi}{6}$, $\beta = \frac{11}{12}\pi$이므로

$\alpha + \beta = \frac{\pi}{6} + \frac{11}{12}\pi = \frac{13}{12}\pi$ 　　　 답 ④

41

$\sin^2\left(x+\dfrac{\pi}{2}\right)+2\sin x+k\leq 0$에서

$\cos^2 x+2\sin x+k\leq 0$

$(1-\sin^2 x)+2\sin x+k\leq 0$

$\therefore \sin^2 x-2\sin x-k-1\geq 0$

$\sin x=t \ (-1\leq t\leq 1)$로 놓으면

$t^2-2t-k-1\geq 0$

이 부등식이 항상 성립하려면 $-1\leq t\leq 1$에서 함수

$y=t^2-2t-k-1$의 최솟값이 0보다 크거나 같아야 한다.

즉, $y=(t-1)^2-k-2$에서 $t=1$일 때 최소이므로

$-k-2\geq 0$

$\therefore k\leq -2$

답 $k\leq -2$

42

$\sin \pi x-\dfrac{1}{5}x=0$에서 $\sin \pi x=\dfrac{1}{5}x$

방정식 $\sin \pi x=\dfrac{1}{5}x$의 실근은 함수 $y=\sin \pi x$의 그래프와

직선 $y=\dfrac{1}{5}x$의 교점의 x좌표와 같다.

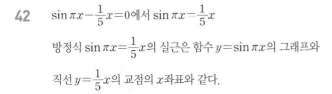

그림에서 교점의 개수가 11이므로 주어진 방정식의 실근의 개수는 11이다.

답 ⑤

43

방정식 $2\cos \pi x=\dfrac{1}{3}|x-1|$의 실근은 함수 $y=2\cos \pi x$의

그래프와 직선 $y=\dfrac{1}{3}|x-1|$의 교점의 x좌표와 같다.

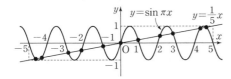

그림에서 교점의 개수가 12이므로 주어진 방정식의 실근의 개수는 12이다.

답 ⑤

44

$g(x)=\sqrt{1-\cos^2 2\pi x}$

$\quad =\sqrt{\sin^2 2\pi x}$

$\quad =|\sin 2\pi x|$

이므로 방정식 $f(x)=g(x)$, 즉 $\dfrac{1}{4}x^2=|\sin 2\pi x|$의 실근은

두 곡선 $y=\dfrac{1}{4}x^2$, $y=|\sin 2\pi x|$의 교점의 x좌표와 같다.

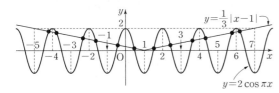

그림에서 교점의 개수가 15이므로 주어진 방정식의 실근의 개수는 15이다.

답 ③

45

그림에서 두 함수의 주기는 12로 서로 같다.

또 $y=f(x)$의 그래프를 x축의 방향으로 4만큼 평행이동시킨 $y=f(x-4)$와 $y=g(x)$는 $x=1$일 때 최솟값을 갖고 $x=7$일 때 최댓값을 갖는다.

$y=g(x)$의 최댓값과 최솟값은 각각 2, -2이고

$y=f(x)$의 최댓값과 최솟값은 각각 4, -4이므로 $y=g(x)$의

그래프와 $y=\dfrac{1}{2}f(x-4)$의 그래프가 일치한다.

$\therefore g(x)=\dfrac{1}{2}f(x-4)$

답 ①

46

$\cos (\pi-\theta)=-\cos \theta$에서 $\cos^2(\pi-\theta)=\cos^2 \theta$이므로

$\cos^2 \dfrac{\pi}{10}=\cos^2 \dfrac{9\pi}{10}$

$\cos^2 \dfrac{2\pi}{10}=\cos^2 \dfrac{8\pi}{10}$

$\cos^2 \dfrac{3\pi}{10}=\cos^2 \dfrac{7\pi}{10}$

$\cos^2 \dfrac{4\pi}{10}=\cos^2 \dfrac{6\pi}{10}$

한편, $\cos\left(\dfrac{\pi}{2}-\theta\right)=\sin \theta$에서 $\cos^2\left(\dfrac{\pi}{2}-\theta\right)=\sin^2 \theta$이므로

$\cos^2 \dfrac{\pi}{10}+\cos^2 \dfrac{4\pi}{10}=\cos^2 \dfrac{\pi}{10}+\sin^2 \dfrac{\pi}{10}=1$

$\cos^2 \dfrac{2\pi}{10}+\cos^2 \dfrac{3\pi}{10}=\cos^2 \dfrac{2\pi}{10}+\sin^2 \dfrac{2\pi}{10}=1$

$\therefore \left(\cos^2 \dfrac{\pi}{10}+\cos^2 \dfrac{2\pi}{10}+\cos^2 \dfrac{3\pi}{10}+\cdots+\cos^2 \dfrac{9\pi}{10}\right)$

$\qquad\qquad\qquad\qquad\qquad\qquad\qquad -\cos^2 \dfrac{\pi}{2}$

$=2\left(\cos^2 \dfrac{\pi}{10}+\cos^2 \dfrac{2\pi}{10}+\cos^2 \dfrac{3\pi}{10}+\cos^2 \dfrac{4\pi}{10}\right)$

$\qquad\qquad\qquad\qquad\qquad +\cos^2 \dfrac{5\pi}{10}-\cos^2 \dfrac{\pi}{2}$

$=2\left(\cos^2 \dfrac{\pi}{10}+\cos^2 \dfrac{2\pi}{10}+\cos^2 \dfrac{3\pi}{10}+\cos^2 \dfrac{4\pi}{10}\right)$

$=2(1+1)$

$=4$

답 4

47

$\angle BAD=\angle CAD=\theta$라 하면

$\angle ADC=\angle ABD+\angle BAD$에서

$45^\circ=\alpha+\theta$

$\therefore \theta=45^\circ-\alpha$ ……㉠

또 $\angle ACE=\angle ADC+\angle CAD$에서

$\beta=45^\circ+\theta=90^\circ-\alpha$ ($\because$ ㉠)

$\therefore \sin^2 \alpha+\sin^2 \beta=\sin^2 \alpha+\sin^2(90^\circ-\alpha)$

$\qquad\qquad\qquad\quad =\sin^2 \alpha+\cos^2 \alpha$

$\qquad\qquad\qquad\quad =1$

답 1

48

ㄱ. (반례) $\alpha=2\pi-\dfrac{\pi}{3}$, $\beta=\dfrac{3}{2}\pi-\dfrac{\pi}{3}$이면

$\sin \alpha=\cos \beta=-\dfrac{\sqrt{3}}{2}$이지만

$\sin (\alpha+\beta)=\sin\left(2\pi+\dfrac{5}{6}\pi\right)=\sin \dfrac{5}{6}\pi=\dfrac{1}{2}$ (거짓)

ㄴ. $\sin\alpha=\cos\beta$이므로

$\cos^2\alpha+\cos^2\beta=\cos^2\alpha+\sin^2\alpha=1$ (참)

ㄷ. (반례) $\alpha=2\pi-\dfrac{\pi}{3}$, $\beta=\dfrac{3}{2}\pi-\dfrac{\pi}{3}$이면

$\sin\alpha=\cos\beta=-\dfrac{\sqrt{3}}{2}$이지만

$\tan\alpha+\tan\beta=-\sqrt{3}+\dfrac{\sqrt{3}}{3}$

$\qquad\qquad\qquad=-\dfrac{2}{3}\sqrt{3}$ (거짓)　　　답 ②

참고

$\pi<\alpha<2\pi$, $\pi<\beta<2\pi$에 대하여 $\sin\alpha=\cos\beta$인 경우는

$\alpha=\pi+\theta$, $\beta=\dfrac{3}{2}\pi-\theta$ 또는 $\alpha=2\pi-\theta$, $\beta=\dfrac{3}{2}\pi-\theta$

일 때, 성립한다. $\left(\text{단, } 0<\theta\leq\dfrac{\pi}{2}\right)$

49　$y=2\sin^2 x+a\cos x+3$

$\quad=2(1-\cos^2 x)+a\cos x+3$

$\quad=-2\cos^2 x+a\cos x+5$

$\cos x=t$로 놓으면

$0\leq x\leq\dfrac{\pi}{2}$이므로 $0\leq t\leq 1$

$y=-2t^2+at+5$

$\quad=-2\left(t^2-\dfrac{a}{2}t\right)+5$

$\quad=-2\left(t-\dfrac{a}{4}\right)^2+\dfrac{a^2}{8}+5$

(i) $0<\dfrac{a}{4}\leq 1$일 때, 즉 $0<a\leq 4$일 때

$t=\dfrac{a}{4}$에서 최댓값이 $\dfrac{a^2}{8}+5$

이므로 $\dfrac{a^2}{8}+5=\dfrac{49}{8}$

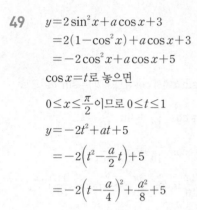

$\dfrac{a^2}{8}=\dfrac{9}{8}$

$a^2=9$

$\therefore a=3$ $(\because 0<a\leq 4)$

(ii) $\dfrac{a}{4}>1$일 때, 즉 $a>4$일 때

$t=1$에서 최댓값이 $a+3$이므로

$a+3=\dfrac{49}{8}$

$\therefore a=\dfrac{25}{8}$

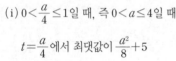

이때 $\dfrac{25}{8}<4$이므로 조건을

만족시키지 않는다.

따라서 양수 a의 값은 3이다.　　　답 ②

50　$2\sin x\cos x-\sin x-2\cos x+1=0$에서

$\sin x(2\cos x-1)-(2\cos x-1)=0$

$(2\cos x-1)(\sin x-1)=0$

$\therefore \cos x=\dfrac{1}{2}$ 또는 $\sin x=1$

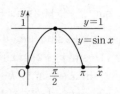

그림에서 주어진 방정식의 근은 $x=\dfrac{\pi}{3}$ 또는 $x=\dfrac{\pi}{2}$

따라서 $\alpha=\dfrac{\pi}{3}$, $\beta=\dfrac{\pi}{2}$ $(\because \alpha<\beta)$이므로

$\beta-\alpha=\dfrac{\pi}{2}-\dfrac{\pi}{3}=\dfrac{\pi}{6}$　　　답 $\dfrac{\pi}{6}$

51　$0<x<\dfrac{3}{2}\pi$에서 함수 $y=\cos 2x$의 그래프와 직선 $y=p$는

그림과 같다.

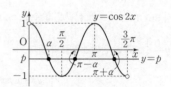

교점의 x좌표를 구하면

$x=\alpha$ 또는 $x=\pi-\alpha$ 또는 $x=\pi+\alpha\left(0<\alpha<\dfrac{\pi}{2}\right)$

즉, $k=\alpha+(\pi-\alpha)+(\pi+\alpha)=2\pi+\alpha$이므로

$\cos k=\cos(2\pi+\alpha)=\cos\alpha=\dfrac{1}{2}$

$\therefore \alpha=\dfrac{\pi}{3}\left(\because 0<\alpha<\dfrac{\pi}{2}\right)$

따라서 $k=2\pi+\dfrac{\pi}{3}$이므로

$2\left(\cos\dfrac{k}{2}-\sin\dfrac{k}{2}\right)=2\left\{\cos\left(\pi+\dfrac{\pi}{6}\right)-\sin\left(\pi+\dfrac{\pi}{6}\right)\right\}$

$\qquad\qquad\qquad\qquad=2\left(-\cos\dfrac{\pi}{6}+\sin\dfrac{\pi}{6}\right)$

$\qquad\qquad\qquad\qquad=2\left(-\dfrac{\sqrt{3}}{2}+\dfrac{1}{2}\right)$

$\qquad\qquad\qquad\qquad=1-\sqrt{3}$　　　답 ④

52　$\alpha+\beta=\dfrac{\pi}{2}$에서 $\beta=\dfrac{\pi}{2}-\alpha$이므로

$\sin\alpha+\cos\beta=\sin\alpha+\cos\left(\dfrac{\pi}{2}-\alpha\right)$

$\qquad\qquad\quad=\sin\alpha+\sin\alpha$

$\qquad\qquad\quad=2\sin\alpha$

즉, $-1<\sin\alpha+\cos\beta\leq\sqrt{3}$에서

$-1<2\sin\alpha\leq\sqrt{3}$

$\therefore -\dfrac{1}{2}<\sin\alpha\leq\dfrac{\sqrt{3}}{2}$　　…… ㉠

$0\leq\alpha<2\pi$에서 함수 $y=\sin\alpha$의 그래프와 두 직선 $y=-\dfrac{1}{2}$,

$y=\dfrac{\sqrt{3}}{2}$은 그림과 같다.

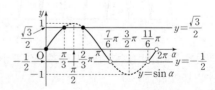

교점의 α좌표를 구하면

$\sin \alpha = \dfrac{\sqrt{3}}{2}$에서 $\alpha = \dfrac{\pi}{3}$ 또는 $\alpha = \dfrac{2}{3}\pi$

$\sin \alpha = -\dfrac{1}{2}$에서 $\alpha = \dfrac{7}{6}\pi$ 또는 $\alpha = \dfrac{11}{6}\pi$

따라서 ㉠을 만족시키는 α의 값의 범위는

$0 \leq \alpha \leq \dfrac{\pi}{3}$ 또는 $\dfrac{2}{3}\pi \leq \alpha < \dfrac{7}{6}\pi$ 또는 $\dfrac{11}{6}\pi < \alpha < 2\pi$

이므로 α의 값의 범위에 속하지 않는 것은 ②이다.　　답 ②

53 $2\cos^2 x - \cos x - 1 - k = 0$에서

$2\cos^2 x - \cos x - 1 = k$

$\cos x = t \, (-1 \leq t < 1)$로 놓으면

$2t^2 - t - 1 = k$는 $-1 < t < 1$에서

서로 다른 2개의 실근을 가져야 한다.

$y = 2t^2 - t - 1$

　　$= 2\left(t - \dfrac{1}{4}\right)^2 - \dfrac{9}{8}$

의 그래프는 $-1 < t < 1$의 범위에서

그림과 같으므로 함수 $y = 2t^2 - t - 1$의 그래프와 직선 $y = k$가

서로 다른 두 점에서 만나기 위한 k의 값의 범위는

$-\dfrac{9}{8} < k < 0$

$\therefore \alpha = -\dfrac{9}{8}, \beta = 0$

$\therefore \beta - \alpha = \dfrac{9}{8}$　　답 $\dfrac{9}{8}$

54 (i) 이차방정식 $x^2 + x \cos \theta + \sin \theta - 1 = 0$의 판별식을 D라

하면

　　$D = \cos^2 \theta - 4(\sin \theta - 1)$

　　　$= 1 - \sin^2 \theta - 4\sin \theta + 4$

　　　$= -\sin^2 \theta - 4\sin \theta + 5$

　　　$= -(\sin \theta + 2)^2 + 9 \geq 0 \ (\because 1 \leq \sin \theta + 2 \leq 3)$

(ii) $f(-1) = 1 - \cos \theta + \sin \theta - 1 = -\cos \theta + \sin \theta > 0$

이므로 $\sin \theta > \cos \theta$

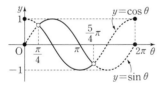

그림에서 $\sin \theta > \cos \theta$를 만족시키는 θ의 값의 범위는

$\dfrac{\pi}{4} < \theta < \dfrac{5}{4}\pi$

(iii) $f(1) = 1 + \cos \theta + \sin \theta - 1 = \cos \theta + \sin \theta > 0$

이므로 $\sin \theta > -\cos \theta$

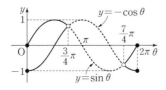

그림에서 $\sin \theta > -\cos \theta$를 만족시키는 θ의 값의 범위는

$0 \leq \theta < \dfrac{3}{4}\pi$ 또는 $\dfrac{7}{4}\pi < \theta \leq 2\pi$

(iv) 주어진 함수의 축의 방정식은 $x = -\dfrac{\cos \theta}{2}$이므로

　　$-1 < -\dfrac{\cos \theta}{2} < 1$

즉, $-1 < \dfrac{\cos \theta}{2} < 1$　　……㉠

그런데 $-1 \leq \cos \theta \leq 1$에서 $-\dfrac{1}{2} \leq \dfrac{\cos \theta}{2} \leq \dfrac{1}{2}$이므로

㉠이 항상 성립한다.

(i)~(iv)에 의하여 구하는 θ의 값의 범위는

$\dfrac{\pi}{4} < \theta < \dfrac{3}{4}\pi$　　답 $\dfrac{\pi}{4} < \theta < \dfrac{3}{4}\pi$

55

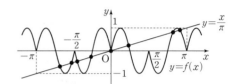

함수 $y = f(x)$의 그래프는 그림과 같으므로 직선 $y = \dfrac{x}{\pi}$와 만

나는 점의 개수는 8이다.　　답 ⑤

56 $f(\cos x) = f\left(\sin\left(\dfrac{\pi}{2} - x\right)\right)$

　　　　　$= -\cos 2\left(\dfrac{\pi}{2} - x\right)$

　　　　　$= -\cos(\pi - 2x)$

　　　　　$= \cos 2x$

즉, $f(\cos x) = \dfrac{4}{5\pi}x$에서

$\cos 2x = \dfrac{4}{5\pi}x$

함수 $y = \cos 2x$의 그래프와 직선 $y = \dfrac{4}{5\pi}x$는 그림과 같다.

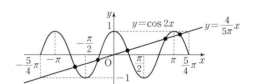

따라서 교점의 개수가 5이므로 주어진 방정식의 실근의 개수는

5이다.　　답 ③

57 두 점 P, Q의 $t \, (t > 0)$초 후의 y좌표를 각각 $f(t)$, $g(t)$라 하

면 $f(t) = \sin \dfrac{2}{3}\pi t$, $g(t) = \sin \dfrac{4}{3}\pi t$이므로 두 함수

$y = f(t)$, $y = g(t)$의 그래프는 그림과 같다.

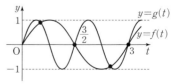

즉, 출발 후 3초가 될 때까지 $f(t)$, $g(t)$의 값이 4회 같아지므

로 99초가 될 때까지 132회 같아진다.

따라서 출발 후 100초가 될 때까지는 133회 같아진다.　　답 ②

58 $\cos x = s$, $\sin x = t$로 각각 놓으면

$$\frac{\sin x + 1}{-\cos x - 3} = \frac{t+1}{-s-3}$$

$-1 \leq s \leq 1$, $-1 \leq t \leq 1$, $s^2 + t^2 = 1$

이때, $\dfrac{t+1}{-s-3} = k$ (k는 상수)라 하면

$t + 1 = -k(s+3)$

$\therefore t = -k(s+3) - 1$ ······ ㉠

직선 ㉠은 기울기가 $-k$이고 점 $(-3, -1)$을 지나는 직선이다.

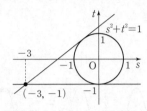

그림에서 직선 $t = -k(s+3) - 1$, 즉 $ks + t + 3k + 1 = 0$과 원 $s^2 + t^2 = 1$이 접할 때, $-k$가 최댓값과 최솟값을 가지므로

$$\frac{|3k+1|}{\sqrt{k^2+1}} = 1$$에서 $|3k+1| = \sqrt{k^2+1}$

양변을 제곱하면

$9k^2 + 6k + 1 = k^2 + 1$

$4k^2 + 3k = 0$

$k(4k+3) = 0$

$\therefore k = 0$ 또는 $k = -\dfrac{3}{4}$

따라서 $M = 0$, $m = -\dfrac{3}{4}$이므로

$M + m = -\dfrac{3}{4}$ 답 ①

59 $\overline{PM} = x$, $\overline{PN} = y$라 하면

$\triangle ABC = \triangle ABP + \triangle APC$에서

$$\frac{1}{2} \times 2 \times 3 \times \sin 30°$$
$$= \frac{1}{2} \times 2 \times x + \frac{1}{2} \times 3 \times y$$

$\therefore 2x + 3y = 3$

$\dfrac{\overline{AB}}{\overline{PM}} + \dfrac{\overline{AC}}{\overline{PN}} = \dfrac{2}{x} + \dfrac{3}{y}$이므로

$$3\left(\frac{2}{x} + \frac{3}{y}\right) = (2x + 3y)\left(\frac{2}{x} + \frac{3}{y}\right)$$

$$= 13 + \frac{6x}{y} + \frac{6y}{x}$$

$$\geq 13 + 2\sqrt{\frac{6x}{y} \times \frac{6y}{x}} = 25$$

$\left(\text{단, 등호는 } x = y = \dfrac{3}{5} \text{일 때 성립한다.}\right)$

즉, $\dfrac{2}{x} + \dfrac{3}{y} \geq \dfrac{25}{3}$이므로 $\dfrac{2}{x} + \dfrac{3}{y}$의 최솟값은 $\dfrac{25}{3}$이다.

답 $\dfrac{25}{3}$

01 삼각형 ABC에서 사인법칙에 의하여

$$\frac{4}{\sin 45°} = \frac{\overline{AC}}{\sin 30°}, \quad \frac{4}{\frac{\sqrt{2}}{2}} = \frac{\overline{AC}}{\frac{1}{2}}$$

$\therefore \overline{AC} = 2\sqrt{2}$ 답 $2\sqrt{2}$

02 삼각형 ABC의 외접원의 반지름의 길이가 12이므로 사인법칙에 의하여

$$\frac{a}{\sin 30°} = 2 \times 12$$

$\therefore a = 24 \sin 30° = 24 \times \dfrac{1}{2} = 12$ 답 12

03 $C = 180° - (75° + 45°) = 60°$이므로 제일 코사인법칙에 의하여

$a = 10 \cos 60° + 5\sqrt{6} \cos 45°$

$= 10 \times \dfrac{1}{2} + 5\sqrt{6} \times \dfrac{\sqrt{2}}{2}$

$= 5(1 + \sqrt{3})$ 답 ②

04 삼각형 ABC에서 제이 코사인법칙에 의하여

$\overline{AB}^2 = \overline{AC}^2 + \overline{BC}^2 - 2 \times \overline{AC}$
$\times \overline{BC} \cos 60°$

$= 64 + 36 - 2 \times 8 \times 6 \times \dfrac{1}{2}$

$= 52$

$\therefore \overline{AB} = \sqrt{52} = 2\sqrt{13}$

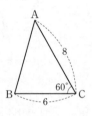

답 $2\sqrt{13}$

05 사인법칙에 의하여

$\sin A : \sin B : \sin C = a : b : c$
$= 4 : 5 : 6$

이므로 $a = 4k$, $b = 5k$, $c = 6k$ ($k > 0$)라 하면 제이 코사인법칙에 의하여

$$\cos A = \frac{b^2 + c^2 - a^2}{2bc}$$

$$= \frac{(5k)^2 + (6k)^2 - (4k)^2}{2 \times 5k \times 6k}$$

$$= \frac{3}{4}$$

$0° < \angle A < 180°$이므로

$\sin A = \sqrt{1 - \cos^2 A} = \sqrt{1 - \left(\dfrac{3}{4}\right)^2} = \dfrac{\sqrt{7}}{4}$ 답 $\dfrac{\sqrt{7}}{4}$

06 삼각형 ABC의 외접원의 반지름의 길이를 R라 하면 사인법칙에 의하여

$\sin A = \dfrac{a}{2R}$, $\sin B = \dfrac{b}{2R}$

$a \sin A = b \sin B$이므로

$a \times \dfrac{a}{2R} = b \times \dfrac{b}{2R}$, $\dfrac{a^2}{2R} = \dfrac{b^2}{2R}$

즉, $a^2=b^2$이므로
$a=b$ $(\because a>0,\ b>0)$
따라서 삼각형 ABC는 $a=b$인 이등변삼각형이다.　답 ①

07 $\cos A=\dfrac{3}{5}$이므로
$$\sin^2 A=1-\cos^2 A$$
$$=1-\dfrac{9}{25}=\dfrac{16}{25}$$

$0°<\angle A<180°$이므로 $\sin A>0$
$$\therefore \sin A=\dfrac{4}{5}$$

따라서 삼각형 ABC의 넓이는

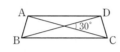

$$\dfrac{1}{2}\times\overline{\mathrm{CA}}\times\overline{\mathrm{AB}}\times\sin A$$
$$=\dfrac{1}{2}\times 6\times 10\times\dfrac{4}{5}=24$$　답 24

08 등변사다리꼴 ABCD는 두 대각선
AC와 BD의 길이가 같으므로
$\overline{\mathrm{AC}}=\overline{\mathrm{BD}}=a$라 하면
$$\square\mathrm{ABCD}=\dfrac{1}{2}\times\overline{\mathrm{AC}}\times\overline{\mathrm{BD}}\times\sin 30°$$
$$=\dfrac{1}{2}\times a\times a\times\dfrac{1}{2}$$
$$=8$$
$a^2=32$
$$\therefore a=\sqrt{32}=4\sqrt{2}\ (\because a>0)$$　답 $4\sqrt{2}$

09 점 A에서 변 BC에 내린 수선의
발을 H라 하면
$\overline{\mathrm{AH}}=\overline{\mathrm{HC}}=1$
$$\overline{\mathrm{BH}}=\sqrt{\overline{\mathrm{AB}}^2-\overline{\mathrm{AH}}^2}$$
$$=\sqrt{10-1}=3$$
이므로
$\overline{\mathrm{BC}}=3+1=4$
사인법칙에 의하여
$$\dfrac{\overline{\mathrm{BC}}}{\sin A}=\dfrac{\sqrt{10}}{\sin 45°},\ \dfrac{4}{\sin A}=\dfrac{\sqrt{10}}{\dfrac{\sqrt{2}}{2}}$$
$$\therefore \sin A=\dfrac{2\sqrt{5}}{5}$$　답 ②

10 삼각형 ABC에서 $\angle A+\angle B+\angle C=\pi$이므로
$\angle A+\angle B=\pi-\angle C$
$$5\sin(A+B)\sin C=5\sin(\pi-C)\sin C$$
$$=5\sin^2 C=4$$
$$\therefore \sin C=\dfrac{2}{\sqrt{5}}\ (\because 0<\angle C<\pi)$$
삼각형 ABC의 외접원의 반지름의 길이가 $\sqrt{5}$이므로 사인법칙에 의하여
$$\dfrac{\overline{\mathrm{AB}}}{\sin C}=2\sqrt{5}$$
$$\therefore \overline{\mathrm{AB}}=2\sqrt{5}\sin C=2\sqrt{5}\times\dfrac{2}{\sqrt{5}}=4$$　답 4

11 $\overline{\mathrm{BM}}=\overline{\mathrm{CM}}=k$, $\angle\mathrm{BMA}=\theta$라 하면
삼각형 ABM에서 사인법칙에 의하여
$$\dfrac{k}{\sin\alpha}=\dfrac{10}{\sin\theta}$$
$$\therefore \sin\alpha=\dfrac{k\sin\theta}{10}$$
삼각형 ACM에서 사인법칙에 의하여
$$\dfrac{k}{\sin\beta}=\dfrac{8}{\sin(\pi-\theta)}=\dfrac{8}{\sin\theta}$$
$$\therefore \sin\beta=\dfrac{k\sin\theta}{8}$$
$$\therefore \dfrac{\sin\beta}{\sin\alpha}=\dfrac{\dfrac{k\sin\theta}{8}}{\dfrac{k\sin\theta}{10}}=\dfrac{5}{4}$$　답 $\dfrac{5}{4}$

12 사인법칙에 의하여
$\sin A:\sin B:\sin C=a:b:c=3:6:5$
$a=3k,\ b=6k,\ c=5k\ (k>0)$라 하면
$$\dfrac{b+2c}{2a+b}=\dfrac{6k+10k}{6k+6k}=\dfrac{4}{3}$$　답 $\dfrac{4}{3}$

13 $(a+b):(b+c):(c+a)=5:7:6$이므로
$k>0$에 대하여
$$\begin{cases}a+b=5k & \cdots\cdots\ \bigcirc\\ b+c=7k & \cdots\cdots\ \bigcirc\\ c+a=6k & \cdots\cdots\ \bigcirc\end{cases}$$
$\bigcirc+\bigcirc+\bigcirc$을 하면
$2(a+b+c)=18k$ $\therefore a+b+c=9k$ $\cdots\cdots\ \textcircled{2}$
$\textcircled{2}-\bigcirc$에서 $c=4k$
$\textcircled{2}-\bigcirc$에서 $a=2k$
$\textcircled{2}-\bigcirc$에서 $b=3k$
$\therefore a:b:c=2:3:4$
사인법칙에 의하여
$\sin A:\sin B:\sin C=a:b:c=2:3:4$
$\sin A=2l,\ \sin B=3l,\ \sin C=4l\ (l>0)$이라 하면
$$\dfrac{\sin^2 C}{\sin A\sin B}=\dfrac{(4l)^2}{2l\times 3l}=\dfrac{16l^2}{6l^2}=\dfrac{8}{3}$$　답 ⑤

14 그림과 같이 등대의 꼭대기 C에서
지면에 내린 수선의 발을 H라 하면
삼각형 AHC에서
$\angle\mathrm{ACH}=60°$
삼각형 BHC에서

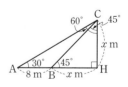

$\angle\mathrm{BCH}=\angle\mathrm{CBH}=45°$이므로 삼각형 BHC는 $\overline{\mathrm{BH}}=\overline{\mathrm{CH}}$인
직각이등변삼각형이다.
$\overline{\mathrm{BH}}=\overline{\mathrm{CH}}=x\,\mathrm{m}$라 하면 삼각형 AHC에서 사인법칙에 의하여
$$\dfrac{\overline{\mathrm{CH}}}{\sin 30°}=\dfrac{\overline{\mathrm{AH}}}{\sin 60°},\ \dfrac{x}{\sin 30°}=\dfrac{8+x}{\sin 60°}$$
$x\sin 60°=(8+x)\sin 30°,\ \sqrt{3}x=8+x$
$$(\sqrt{3}-1)x=8 \quad \therefore x=\dfrac{8}{\sqrt{3}-1}=4(\sqrt{3}+1)\,(\mathrm{m})$$
따라서 등대의 높이는 $4(\sqrt{3}+1)\,\mathrm{m}$이다.　답 ⑤

15 사인법칙에 의하여

$$\frac{\overline{AB}}{\sin 45°}=\frac{4}{\sin 30°}, \ \frac{\overline{AB}}{\frac{\sqrt{2}}{2}}=\frac{4}{\frac{1}{2}}$$

$$\therefore \overline{AB}=4\times\frac{\sqrt{2}}{2}\times 2=4\sqrt{2}$$

따라서 제일 코사인법칙에 의하여

$$a=\overline{AC}\cos C+\overline{AB}\cos B$$
$$=4\cos 45°+4\sqrt{2}\cos 30°$$
$$=2\sqrt{2}+2\sqrt{6} \hspace{3cm} \text{탑 ⑤}$$

16 그림에서

$\angle POB=2\angle PAB=2\theta$,

$\angle AOP=\pi-2\theta$

$\overline{OP}$는 반원 O의 반지름이므로

$\overline{OP}=\overline{AO}=\sqrt{3}$

삼각형 AOP에서 제이 코사인법칙에 의하여

$$3^2=(\sqrt{3})^2+(\sqrt{3})^2-2\times\sqrt{3}\times\sqrt{3}\times\cos(\pi-2\theta)$$

$$9=6+6\cos 2\theta \hspace{1cm} \therefore \cos 2\theta=\frac{1}{2} \hspace{1cm} \text{탑 } \frac{1}{2}$$

17 삼각형 ABD에서

제이 코사인법칙에 의하여

$$\overline{BD}^2=3^2+3^2-2\times 3\times 3\times\cos 120°$$

$$=18-18\times\left(-\frac{1}{2}\right)=27$$
$$\cdots\cdots ㉠$$

원에 내접하는 사각형의 대각의

크기의 합은 180°이므로

$\angle C=60°$

$\overline{BC}=x$라 하면 삼각형 BCD에서 제이 코사인법칙에 의하여

$$\overline{BD}^2=x^2+3^2-2\times x\times 3\times\cos 60°$$

$$27=x^2+9-6x\times\frac{1}{2} \ (\because ㉠)$$

$$x^2-3x-18=0, \ (x+3)(x-6)=0$$

$$\therefore x=6 \ (\because x>0)$$

따라서 변 BC의 길이는 6이다. \hspace{2cm} 탑 6

18 삼각형 ABC에서 제이 코사인법칙에 의하여

$$\cos B=\frac{9^2+8^2-7^2}{2\times 9\times 8}=\frac{96}{144}=\frac{2}{3}$$

또 삼각형 ABD에서 제이 코사인법칙에 의하여

$$\overline{AD}^2=8^2+6^2-2\times 8\times 6\times\cos B$$

$$=64+36-2\times 8\times 6\times\frac{2}{3}$$

$$=100-64=36$$

$$\therefore \overline{AD}=\sqrt{36}=6 \hspace{3cm} \text{탑 6}$$

19 사인법칙에 의하여

$\sin A:\sin B:\sin C=a:b:c=3:5:7$에서

$a=3k, \ b=5k, \ c=7k \ (k>0)$라 하면

c가 가장 긴 변이고 $\angle C$의 크기가 최대이므로 제이 코사인법칙에 의하여

$$\cos C=\frac{a^2+b^2-c^2}{2ab}$$

$$=\frac{9k^2+25k^2-49k^2}{2\times 3k\times 5k}=-\frac{1}{2}$$

$$\therefore \angle C=120° \ (\because 0°<\angle C<180°) \hspace{1cm} \text{탑 ③}$$

20 삼각형 AFH에서

$\overline{AF}=\sqrt{\overline{AB}^2+\overline{BF}^2}=\sqrt{2^2+1^2}=\sqrt{5}$

$\overline{FH}=\sqrt{\overline{FG}^2+\overline{GH}^2}=\sqrt{4^2+2^2}=2\sqrt{5}$

$\overline{AH}=\sqrt{\overline{AE}^2+\overline{EH}^2}=\sqrt{1^2+4^2}=\sqrt{17}$

제이 코사인법칙에 의하여

$$\cos\theta=\frac{(\sqrt{5})^2+(2\sqrt{5})^2-(\sqrt{17})^2}{2\times\sqrt{5}\times 2\sqrt{5}}$$

$$=\frac{8}{20}=\frac{2}{5} \hspace{3cm} \text{탑 } \frac{2}{5}$$

21 $\overline{BE}=\sqrt{3^2+1^2}=\sqrt{10}$

$\overline{BF}=\sqrt{3^2+1^2}=\sqrt{10}$

$\overline{EF}=\sqrt{2^2+2^2}=2\sqrt{2}$

$\angle BEF=\theta$이므로 제이 코사인법칙에

의하여

$$\cos\theta=\frac{(\sqrt{10})^2+(2\sqrt{2})^2-(\sqrt{10})^2}{2\times\sqrt{10}\times 2\sqrt{2}}$$

$$=\frac{1}{\sqrt{5}}$$

$$\therefore \sin\theta=\sqrt{1-\cos^2\theta} \ (\because \sin\theta>0)$$

$$=\sqrt{1-\left(\frac{1}{\sqrt{5}}\right)^2}=\frac{2\sqrt{5}}{5} \hspace{1cm} \text{탑 ⑤}$$

22 삼각형 OAB에서 $\overline{AB}=k$라 하면

두 원 $x^2+y^2=100$, $x^2+y^2=64$의

반지름의 길이가 각각 10, 8이므로

$2<k<18$이다.

$$\cos A=\frac{10^2+k^2-8^2}{2\times 10\times k}=\frac{k^2+36}{20k}$$

$$=\frac{1}{20}\left(k+\frac{36}{k}\right)$$

산술평균과 기하평균의 관계에 의하여

$$\cos A=\frac{1}{20}\left(k+\frac{36}{k}\right)\geq\frac{1}{20}\times 2\sqrt{k\times\frac{36}{k}}=\frac{3}{5}$$

$$(\text{단, 등호는 } k=6\text{일 때 성립한다.})$$

따라서 $\cos A$의 최솟값은 $\frac{3}{5}$이다. \hspace{1.5cm} 탑 $\frac{3}{5}$

23 삼각형 ABC에서 $\angle BAC=120°$이므로

제이 코사인법칙에 의하여

$$\overline{BC}^2=300^2+100^2-2\times 300\times 100$$
$$\times\cos 120°$$

$$=300^2+100^2-2\times 300\times 100$$
$$\times\left(-\frac{1}{2}\right)$$

$$=90000+10000+30000$$

$$=130000$$

$$\therefore \overline{BC}=100\sqrt{13} \; (\because \overline{BC}>0)$$
따라서 두 지점 B, C 사이의 거리는 $100\sqrt{13}$ m이다.

탑 $100\sqrt{13}$ m

24 삼각형 ABC에서 $\overline{AB}=c$, $\overline{BC}=a$, $\overline{AC}=b$라 하면 사인법칙에 의하여

$$\sin A=\frac{a}{2R}, \; \sin B=\frac{b}{2R}, \; \sin C=\frac{c}{2R}$$

(단, R는 외접원의 반지름의 길이이다.)

이것을 $a\sin A=b\sin B+c\sin C$에 대입하면

$$a\times\frac{a}{2R}=b\times\frac{b}{2R}+c\times\frac{c}{2R}$$

$$\therefore a^2=b^2+c^2$$

따라서 삼각형 ABC는 빗변이 $\overline{BC}$인 직각삼각형이다.

탑 ③

25 삼각형 ABC에서 제이 코사인법칙에 의하여

$$\cos C=\frac{a^2+b^2-c^2}{2ab}, \; \cos B=\frac{c^2+a^2-b^2}{2ca}$$

이것을 $b\cos C-c\cos B=a$에 대입하면

$$b\times\frac{a^2+b^2-c^2}{2ab}-c\times\frac{c^2+a^2-b^2}{2ca}=a$$

$$b^2-c^2=a^2 \qquad \therefore b^2=a^2+c^2$$

따라서 삼각형 ABC는 $\angle B=90°$인 직각삼각형이다.

탑 ④

26 삼각형 ABC에서 $\overline{AB}=c$, $\overline{BC}=a$, $\overline{AC}=b$라 하면 사인법칙에 의하여

$$\sin A=\frac{a}{2R}, \; \sin B=\frac{b}{2R}, \; \sin C=\frac{c}{2R}$$

(단, R는 외접원의 반지름의 길이이다.)

제이 코사인법칙에 의하여

$$\cos C=\frac{a^2+b^2-c^2}{2ab}$$

이것을 $2\sin B\cos C+\sin C=\sin A+\sin B$에 대입하면

$$2\times\frac{b}{2R}\times\frac{a^2+b^2-c^2}{2ab}+\frac{c}{2R}=\frac{a}{2R}+\frac{b}{2R}$$

$$a^2+b^2-c^2+ac=a^2+ab$$

$$b^2-c^2+ac-ab=0$$

$$(b+c)(b-c)-a(b-c)=0$$

$$(b+c-a)(b-c)=0$$

$b+c>a$이므로 $b=c$ $\quad\therefore \overline{AC}=\overline{AB}$

따라서 삼각형 ABC는 $\overline{AB}=\overline{AC}$인 이등변삼각형이다.

탑 ①

27 $\overline{AD}=x$라 하면 $\triangle ABC=\triangle ABD+\triangle ADC$이므로

$$\frac{1}{2}\times 4\times 6\times\sin 60°=\frac{1}{2}\times 4x\times\sin 30°+\frac{1}{2}\times 6x\times\sin 30°$$

$$6\sqrt{3}=x+\frac{3}{2}x, \; 5x=12\sqrt{3}$$

$$\therefore x=\frac{12\sqrt{3}}{5}$$

탑 ①

28 $$\triangle ABD=\frac{1}{2}\times 2\times 6\times\sin 30°$$
$$=3$$

삼각형 BCD에서 헤론의 공식에 의하여

$s=\frac{1}{2}(4+6+6)=8$이므로

삼각형 BCD의 넓이 S는

$$S=\sqrt{8(8-4)(8-6)(8-6)}=8\sqrt{2}$$

$$\therefore \square ABCD=\triangle ABD+\triangle BCD$$
$$=3+8\sqrt{2}$$

탑 $3+8\sqrt{2}$

29 삼각형 ABC의 세 변의 길이가 a, 8, b이고 외접원의 반지름의 길이가 5이므로 삼각형의 넓이 S는

$$S=\frac{8ab}{4\times 5}$$에서 $8=\frac{8ab}{4\times 5}$

$$\therefore ab=20$$

$a>0$, $b>0$이므로 산술평균과 기하평균의 관계에 의하여

$a+b\geq 2\sqrt{ab}=2\sqrt{20}$ (단, 등호는 $a=b$일 때 성립한다.)

따라서 $a+b$의 최솟값은 $2\sqrt{20}$이다.

탑 $2\sqrt{20}$

30 $$\triangle A'BC'=\frac{1}{2}\times\overline{A'B}\times\overline{BC'}\times\sin B$$
$$=\frac{1}{2}\times 4\overline{AB}\times\frac{1}{3}\overline{BC}\times\sin B$$
$$=\frac{2}{3}\times\overline{AB}\times\overline{BC}\times\sin B$$
$$=\frac{4}{3}\left(\frac{1}{2}\times\overline{AB}\times\overline{BC}\times\sin B\right)$$
$$=\frac{4}{3}\times\triangle ABC$$

따라서 삼각형 A'BC'의 넓이는 삼각형 ABC의 넓이의 $\frac{4}{3}$배이다.

탑 $\frac{4}{3}$배

31 점 O에서 삼각형 ABC의 세 변에 내린 수선의 발을 각각 P, Q, R라 하면

$\overline{BP}=\overline{BQ}=4$, $\overline{CR}=\overline{CQ}=3$이므로

$\overline{AP}=\overline{AR}=5-3=2$

헤론의 공식에 의하여

$s=\frac{1}{2}(7+5+6)=9$이므로

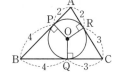

삼각형 ABC의 넓이 S는

$$S=\sqrt{9(9-7)(9-5)(9-6)}$$
$$=6\sqrt{6} \quad\cdots\cdots \text{㉠}$$

한편, 삼각형 ABC의 내접원의 반지름의 길이를 r라 하면

$$S=\frac{1}{2}r(7+5+6)$$
$$=9r \quad\cdots\cdots \text{㉡}$$

㉠, ㉡에서

$$9r=6\sqrt{6} \qquad \therefore r=\frac{2\sqrt{6}}{3}$$

탑 ①

32 $\angle ABC=\theta$라 하면

$\angle A$가 둔각이므로 $0<\theta<\frac{\pi}{2}$

평행사변형 ABCD의 넓이가 $10\sqrt{3}$이므로
$4\times5\times\sin\theta=10\sqrt{3}$

$\therefore \sin\theta=\dfrac{\sqrt{3}}{2}$

$\cos^2\theta=1-\sin^2\theta=1-\dfrac{3}{4}=\dfrac{1}{4}$

$\therefore \cos\theta=\dfrac{1}{2}\left(0<\theta<\dfrac{\pi}{2}\right)$

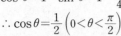

따라서 삼각형 ABC에서 제이 코사인법칙에 의하여
$\overline{\mathrm{AC}}^2=4^2+5^2-2\times4\times5\times\cos\theta$

$\qquad=16+25-20=21$

$\therefore \overline{\mathrm{AC}}=\sqrt{21}\ (\because \overline{\mathrm{AC}}>0)$ 　 🔖 $\sqrt{21}$

33 삼각형 ADC에서
$\angle\mathrm{ADC}=180°-30°=150°$이므로
$\overline{\mathrm{AC}}^2=3^2+(\sqrt{3})^2-2\times3\times\sqrt{3}\times\cos150°$

$\qquad=21$

$\therefore \overline{\mathrm{AC}}=\sqrt{21}\ (\because \overline{\mathrm{AC}}>0)$

삼각형 ABD에서
$\overline{\mathrm{AB}}^2=1^2+(\sqrt{3})^2-2\times1\times\sqrt{3}\times\cos30°=1$

$\therefore \overline{\mathrm{AB}}=1\ (\because \overline{\mathrm{AB}}>0)$

삼각형 ABD에서
$\dfrac{\overline{\mathrm{AD}}}{\sin B}=\dfrac{\overline{\mathrm{AB}}}{\sin 30°}$이므로

$\sin B=\dfrac{\overline{\mathrm{AD}}}{\overline{\mathrm{AB}}}\sin30°=\dfrac{\sqrt{3}}{1}\times\dfrac{1}{2}=\dfrac{\sqrt{3}}{2}$

따라서 삼각형 ABC의 외접원의 반지름의 길이를 R라 하면

$R=\dfrac{\overline{\mathrm{AC}}}{2\sin B}=\dfrac{\sqrt{21}}{2\times\dfrac{\sqrt{3}}{2}}=\sqrt{7}$ 　 🔖 $\sqrt{7}$

34 그림과 같이 $\angle\mathrm{AOP}=\angle\mathrm{AOS}$,
$\angle\mathrm{BOP}=\angle\mathrm{BOT}$가 되도록
두 부채꼴 AOS와 BOT를 만들면
$\angle\mathrm{SOT}=75°\times2=150°$
$\overline{\mathrm{PQ}}=\overline{\mathrm{SQ}},\ \overline{\mathrm{RP}}=\overline{\mathrm{RT}}$이므로
$\overline{\mathrm{PQ}}+\overline{\mathrm{QR}}+\overline{\mathrm{RP}}=\overline{\mathrm{SQ}}+\overline{\mathrm{QR}}+\overline{\mathrm{RT}}\geq\overline{\mathrm{ST}}$

삼각형 SOT에서 제이 코사인법칙에 의하여
$\overline{\mathrm{ST}}^2=4^2+4^2-2\times4\times4\times\cos150°$

$\qquad=16(2+\sqrt{3})$

$\therefore k^2=16(2+\sqrt{3})$ 　 🔖 ⑤

35 그림과 같이 직선 $x=2$와 x축, $y=x$,
$y=2x$의 교점을 각각 A, B, C라 하면
$\overline{\mathrm{BC}}=\overline{\mathrm{AC}}-\overline{\mathrm{AB}}=2$
$\overline{\mathrm{OB}}=\sqrt{2^2+2^2}=2\sqrt{2}$
$\overline{\mathrm{OC}}=\sqrt{2^2+4^2}=2\sqrt{5}$
삼각형 OBC에서 제이 코사인법칙에
의하여

$\cos\theta=\dfrac{(2\sqrt{5})^2+(2\sqrt{2})^2-2^2}{2\times2\sqrt{5}\times2\sqrt{2}}=\dfrac{24}{8\sqrt{10}}=\dfrac{3}{\sqrt{10}}$

$\sin^2\theta=1-\cos^2\theta$

$\qquad=1-\dfrac{9}{10}=\dfrac{1}{10}$

$\therefore \sin\theta=\dfrac{\sqrt{10}}{10}\ (\because\theta는 예각)$ 　 🔖 ③

36 두 점 E, F는 두 변 BC, CD를
삼등분하는 점이므로
$\overline{\mathrm{BE}}=\overline{\mathrm{DF}}=\dfrac{1}{3}\times6=2$

$\therefore \overline{\mathrm{CE}}=\overline{\mathrm{CF}}=6-2=4$

피타고라스 정리에 의하여
$\overline{\mathrm{AE}}=\overline{\mathrm{AF}}=\sqrt{6^2+2^2}=2\sqrt{10}$
$\overline{\mathrm{EF}}=\sqrt{4^2+4^2}=4\sqrt{2}$

삼각형 AEF에서 제이 코사인법칙에 의하여

$\cos\alpha=\dfrac{(2\sqrt{10})^2+(2\sqrt{10})^2-(4\sqrt{2})^2}{2\times2\sqrt{10}\times2\sqrt{10}}=\dfrac{3}{5}$

$\sin^2\alpha=1-\cos^2\alpha$

$\qquad=1-\dfrac{9}{25}=\dfrac{16}{25}$

$\therefore \sin\alpha=\dfrac{4}{5}\ (\because 0°<\alpha<90°)$ 　 🔖 $\dfrac{4}{5}$

37 광장의 국기 계양대가 세워져 있는 모퉁이를 A, 광장의 임의의
한 지점을 P, $\overline{\mathrm{AP}}=x\,\mathrm{m}$라 하면 피타고라스 정리에 의하여

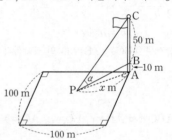

$\overline{\mathrm{BP}}=\sqrt{x^2+10^2}$
$\overline{\mathrm{CP}}=\sqrt{x^2+60^2}$

삼각형 PBC에서 $45°\leq\alpha<90°$이므로 제이 코사인법칙에 의하여

$0<\cos\alpha=\dfrac{(\sqrt{x^2+10^2})^2+(\sqrt{x^2+60^2})^2-50^2}{2\times\sqrt{x^2+10^2}\times\sqrt{x^2+60^2}}\leq\dfrac{\sqrt{2}}{2}$

$400\leq x^2\leq900$ 　 $\therefore 20\leq x\leq30$

따라서 구하는 넓이는 그림의 어두운 부분과 같으므로

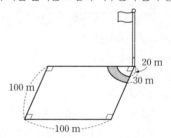

$\dfrac{1}{4}(900\pi-400\pi)=125\pi\ (\mathrm{m}^2)$ 　 🔖 $125\pi\ \mathrm{m}^2$

38 원의 반지름의 길이를 r라 하면 삼각형 ABC에서 제이 코사인
법칙에 의하여

$(2\sqrt{6})^2=(2r)^2+(r+2\sqrt{3})^2-2\times2r\times(r+2\sqrt{3})\times\cos\dfrac{\pi}{3}$

$\therefore r=2\ (\because r>0)$

삼각형 ABC에서 사인법칙에 의하여

$$\frac{2\sqrt{6}}{\sin\frac{\pi}{3}}=\frac{4}{\sin C}, \ 2\sqrt{6}\sin C=4\times\frac{\sqrt{3}}{2}$$

$$\sin C=\frac{1}{\sqrt{2}} \qquad \therefore \angle C=\frac{\pi}{4}$$

$\angle A=\pi-\left(\frac{\pi}{3}+\frac{\pi}{4}\right)=\frac{5}{12}\pi$이므로 구하는 부분의 넓이의 합은

$$\frac{1}{2}\times2^2\times\frac{\pi}{3}+\frac{1}{2}\times2^2\times\frac{5}{12}\pi=\frac{3}{2}\pi \qquad \text{답}\ \frac{3}{2}\pi$$

39 직원뿔의 밑면의 둘레의 길이와 부채꼴 OAA′의 호의 길이가 같으므로 호 AA′의 길이를 l이라 하면

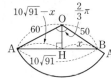

$l=2\pi\times20=40\pi$

부채꼴 OAA′의 중심각의 크기를 θ 라 하면

$l=r\theta$에서 $40\pi=60\theta$

$$\therefore \theta=\frac{2}{3}\pi$$

삼각형 OAB에서 제이 코사인법칙에 의하여

$$\overline{AB}^2=60^2+50^2-2\times60\times50\times\cos\frac{2}{3}\pi$$

$$=9100$$

$\therefore \overline{AB}=10\sqrt{91} \quad (\because \overline{AB}>0)$

점 O에서 선분 AB에 내린 수선의 발을 H라 하면 선분 HB가 내리막길이므로 $\overline{HB}=x$라 하면

$\overline{OH}^2=\overline{OA}^2-\overline{AH}^2=\overline{OB}^2-\overline{HB}^2$에서

$60^2-(10\sqrt{91}-x)^2=50^2-x^2$

$3600-(9100-20\sqrt{91}x+x^2)=2500-x^2$

$20\sqrt{91}x=8000 \qquad \therefore x=\frac{400\sqrt{91}}{91}$

따라서 내리막길의 길이는 $\frac{400\sqrt{91}}{91}$ 이다. 답 ③

40 삼각형 ABC에서 $\overline{AB}=c, \overline{BC}=a, \overline{AC}=b$라 하면 사인법칙에 의하여

$$\sin A=\frac{a}{2R}, \ \sin B=\frac{b}{2R}$$

(단, R는 외접원의 반지름의 길이이다.)

제이 코사인법칙에 의하여

$$\cos A=\frac{b^2+c^2-a^2}{2bc}, \ \cos B=\frac{c^2+a^2-b^2}{2ca}$$

이것을 $\sin^2 A\cos B=\cos A\sin^2 B$에 대입하면

$$\left(\frac{a}{2R}\right)^2\times\frac{c^2+a^2-b^2}{2ca}=\frac{b^2+c^2-a^2}{2bc}\times\left(\frac{b}{2R}\right)^2$$

$a(a^2+c^2-b^2)=b(b^2+c^2-a^2)$

$a^3+ac^2-ab^2=b^3+bc^2-a^2b$

$a^3-b^3+ac^2-bc^2-ab^2+a^2b=0$

$(a-b)(a^2+ab+b^2)+(a-b)c^2+ab(a-b)=0$

$(a-b)(a^2+2ab+b^2+c^2)=0$

$(a-b)\{(a+b)^2+c^2\}=0$

$(a+b)^2>0, c^2>0$이므로 $a=b$

$$\therefore \overline{BC}=\overline{AC}$$

따라서 삼각형 ABC는 $\overline{AC}=\overline{BC}$인 이등변삼각형이다.

답 ④

41 $\tan A\sin^2 B=\tan B\sin^2 A$에서

$$\frac{\sin A}{\cos A}\times\sin^2 B=\frac{\sin B}{\cos B}\times\sin^2 A, \ \frac{\sin B}{\cos A}=\frac{\sin A}{\cos B}$$

$\therefore \sin A\cos A=\sin B\cos B \qquad \cdots\cdots \ ㉠$

삼각형 ABC의 외접원의 반지름의 길이를 R라 하면 사인법칙에 의하여

$$\sin A=\frac{a}{2R}, \ \sin B=\frac{b}{2R}$$

제이 코사인법칙에 의하여

$$\cos A=\frac{b^2+c^2-a^2}{2bc}, \ \cos B=\frac{c^2+a^2-b^2}{2ca}$$

이것을 ㉠에 대입하면

$$\frac{a}{2R}\times\frac{b^2+c^2-a^2}{2bc}=\frac{b}{2R}\times\frac{c^2+a^2-b^2}{2ca}$$

$a^2(b^2+c^2-a^2)=b^2(c^2+a^2-b^2)$

$a^2c^2-a^4=b^2c^2-b^4, \ (a^2-b^2)c^2-(a^4-b^4)=0$

$(a^2-b^2)c^2-(a^2-b^2)(a^2+b^2)=0$

$(a^2-b^2)(c^2-a^2-b^2)=0$

$(a+b)(a-b)(c^2-a^2-b^2)=0$

$\therefore a=b$ 또는 $c^2=a^2+b^2 \ (\because a>0, b>0)$

따라서 삼각형 ABC는 $a=b$인 이등변삼각형 또는 $\angle C=90°$인 직각삼각형이다. 답 ③

42 $\overline{AP}=x, \overline{AQ}=y$라 하면 $3\triangle APQ=\triangle ABC$이므로

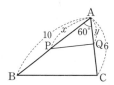

$$3\times\frac{1}{2}xy\sin60°=\frac{1}{2}\times10\times6\times\sin60°$$

$\therefore xy=20$

산술평균과 기하평균의 관계에 의하여

$x+y\geq2\sqrt{xy}=2\sqrt{20}=4\sqrt{5}$ (단, 등호는 $x=y$일 때 성립한다.)

따라서 $\overline{AP}+\overline{AQ}$의 최솟값은 $4\sqrt{5}$이다. 답 ④

43 $\overline{AC}=\sqrt{2^2+4^2}=2\sqrt{5}$

$\overline{MC}=2$이므로 $\overline{MD}=\sqrt{2^2+2^2}=2\sqrt{2}$

사다리꼴 AMCD의 넓이는

$$\frac{1}{2}\times(2+4)\times2=\frac{1}{2}\times\overline{AC}\times\overline{MD}\times\sin\theta$$

$$=\frac{1}{2}\times2\sqrt{5}\times2\sqrt{2}\times\sin\theta$$

$$=6$$

$$\therefore \sin\theta=\frac{3}{\sqrt{10}}$$

$$\therefore \cos\theta=\sqrt{1-\left(\frac{3}{\sqrt{10}}\right)^2}=\frac{\sqrt{10}}{10} \ (\because \cos\theta>0)$$

답 ②

44 두 원이 외접할 때 두 원의 중심거리는 반지름의 길이의 합과 같으므로

$\overline{AB}=3+4=7, \overline{BC}=4+2=6, \overline{CA}=2+3=5$

제이 코사인법칙에 의하여

$$\cos B=\frac{7^2+6^2-5^2}{2\times7\times6}=\frac{5}{7}$$

$$\therefore \sin B=\sqrt{1-\cos^2 B}=\sqrt{1-\left(\frac{5}{7}\right)^2}=\frac{2\sqrt{6}}{7}$$

삼각형 ABC의 외접원의 반지름의 길이가 R이므로 사인법칙에 의하여

$$2R=\frac{\overline{CA}}{\sin B}=\frac{5}{\frac{2\sqrt{6}}{7}}=\frac{35\sqrt{6}}{12} \qquad \therefore R=\frac{35\sqrt{6}}{24}$$

삼각형 ABC의 넓이를 S라 하면

$$S=\frac{1}{2}\times\overline{AB}\times\overline{BC}\times\sin B=\frac{1}{2}\times7\times6\times\frac{2\sqrt{6}}{7}$$
$$=6\sqrt{6}$$

삼각형 ABC의 내접원의 반지름의 길이가 r이므로

$$S=\frac{1}{2}r(6+5+7)=9r,\ 9r=6\sqrt{6} \qquad \therefore r=\frac{2\sqrt{6}}{3}$$

$$\therefore R-r=\frac{35\sqrt{6}}{24}-\frac{2\sqrt{6}}{3}=\frac{19\sqrt{6}}{24} \qquad \qquad \boxed{\text{답}}\ ③$$

45 $\overline{AE}=x\ (0\le x\le1)$라 하면
삼각형 ABE에서 제이 코사인법칙에 의하여

$$\overline{BE}^2=1^2+x^2-2\times1\times x\times\cos60°$$
$$=x^2-x+1$$
$$\therefore \overline{BE}=\sqrt{x^2-x+1}\quad(\because \overline{BE}>0)$$

$\triangle ABE\equiv\triangle ACE$ (SAS 합동)이므로
$$\overline{BE}=\overline{CE}=\sqrt{x^2-x+1}$$

삼각형 BCE에서 제이 코사인법칙에 의하여

$$\cos\theta=\frac{\overline{BE}^2+\overline{CE}^2-\overline{BC}^2}{2\times\overline{BE}\times\overline{CE}}$$
$$=\frac{2(x^2-x+1)-1}{2(x^2-x+1)}$$
$$=1-\frac{1}{2}\times\frac{1}{x^2-x+1}$$
$$=1-\frac{1}{2}\times\frac{1}{\left(x-\frac{1}{2}\right)^2+\frac{3}{4}}$$

$f(x)=\left(x-\frac{1}{2}\right)^2+\frac{3}{4}$으로 놓으면 $0\le x\le1$에서

(i) $x=\frac{1}{2}$일 때, $f(x)$는 최소이고 최솟값은

$$f\left(\frac{1}{2}\right)=\frac{3}{4}$$

이때 $\cos\theta$의 값도 최소이므로

$$m=1-\frac{1}{2}\times\frac{1}{\frac{3}{4}}=\frac{1}{3}$$

(ii) $x=0$ 또는 $x=1$일 때, $f(x)$는 최대이고 최댓값은
$$f(0)=f(1)=1$$
이때 $\cos\theta$의 값도 최대이므로

$$M=1-\frac{1}{2}\times\frac{1}{1}=\frac{1}{2}$$

(i), (ii)에서

$$M+m=\frac{1}{2}+\frac{1}{3}=\frac{5}{6} \qquad\qquad \boxed{\text{답}}\ \frac{5}{6}$$

46 일등석은 그림의 어두운 부분에 만들 수 있다.

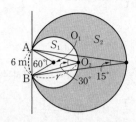

중심이 O_1인 원의 반지름의 길이는 6이고, 중심이 O_2인 원의 반지름의 길이를 r라 하면
삼각형 ABO_2에서 제이 코사인법칙에 의하여

$$6^2=r^2+r^2-2r^2\times\cos30°$$
$$36=2r^2-\sqrt{3}\,r^2$$
$$\therefore r^2=\frac{36}{2-\sqrt{3}}=36(2+\sqrt{3})$$

그림과 같이 두 원이 선분 AB에 의하여 잘려 나간 부분을 제외한 부분의 넓이를 각각 S_1, S_2라 하면

$$S_1=\frac{1}{2}\times6^2\times\frac{5}{3}\pi+\frac{1}{2}\times6^2\times\sin60°=30\pi+9\sqrt{3}$$

$$S_2=\frac{1}{2}\times r^2\times\frac{11}{6}\pi+\frac{1}{2}\times r^2\times\sin30°$$

$$=\frac{1}{2}\times36(2+\sqrt{3})\times\frac{11}{6}\pi+\frac{1}{2}\times36(2+\sqrt{3})\times\frac{1}{2}$$

$$=33(2+\sqrt{3})\pi+9(2+\sqrt{3})$$

따라서 구하는 넓이는

$$S_2-S_1=33(2+\sqrt{3})\pi+9(2+\sqrt{3})-(30\pi+9\sqrt{3})$$
$$=(36+33\sqrt{3})\pi+18 \qquad\qquad \boxed{\text{답}}\ ④$$

01 등차수열 $\{a_n\}$의 공차를 d라 하면

$$a_{12}=a_1+11d=-2+11d \;(\because a_1=-2)$$
$$\qquad\qquad\qquad =6$$

$11d=8$이므로 $d=\dfrac{8}{11}$

$$\therefore a_{34}=a_1+33d$$
$$\qquad =-2+33\times\dfrac{8}{11}$$
$$\qquad =22$$

답 22

02 등차수열 $\{a_n\}$의 공차가 -4이므로

$$a_{n+1}-a_n=-4,$$
$$\therefore a_n-a_{n+1}=4$$

즉, $a_1-a_2=a_3-a_4=a_5-a_6=\cdots=a_{99}-a_{100}=4$

$$\therefore a_1-a_2+a_3-a_4+a_5-\cdots+a_{99}-a_{100}$$
$$=(a_1-a_2)+(a_3-a_4)+(a_5-a_6)+\cdots+(a_{99}-a_{100})$$
$$=4+4+4+\cdots+4$$
$$=4\times50=200$$

답 200

03 등차수열 $\{a_n\}$의 첫째항을 a라 하면

$$a_n=a+(n-1)\times3$$
$$\therefore a_4=a+9,\; a_9=a+24$$

$(a+9):(a+24)=2:5$에서

$$2(a+24)=5(a+9)$$
$$\therefore a=1$$
$$\therefore a_{15}=1+(15-1)\times3=43$$

답 ②

04 $5,\; x,\; 11$이 이 순서대로 등차수열을 이루므로

$$2x=5+11 \qquad \therefore x=8$$

또 $x,\; 11,\; y$, 즉 $8,\; 11,\; y$도 이 순서대로 등차수열을 이루므로

$$2\times11=8+y \qquad \therefore y=14$$
$$\therefore y-x=14-8=6$$

답 6

05 등차수열 $\{a_n\}$의 첫째항을 a, 공차를 d라 하면

$$a_2=a+d=8 \qquad\qquad \cdots\cdots ㉠$$
$$a_{10}=a+9d=24 \qquad\quad \cdots\cdots ㉡$$

㉠, ㉡을 연립하여 풀면

$$a=6,\; d=2$$

따라서 첫째항부터 제10항까지의 합은

$$\dfrac{10\{2\times6+(10-1)\times2\}}{2}=150$$

답 ⑤

06 등차수열 $\{a_n\}$의 첫째항을 a, 공차를 d라 하면

$$a_1+a_2+a_3+a_4=\dfrac{4\{2a+(4-1)d\}}{2}=32$$
$$\therefore 2a+3d=16 \qquad\quad \cdots\cdots ㉠$$
$$a_1+a_2+\cdots+a_8=\dfrac{8\{2a+(8-1)d\}}{2}$$
$$\qquad\qquad\qquad\qquad =32+96=128$$
$$\therefore 2a+7d=32 \qquad\quad \cdots\cdots ㉡$$

㉠, ㉡을 연립하여 풀면

$$a=2,\; d=4$$

$$\therefore a_1+a_2+\cdots+a_{12}=\dfrac{12\{2\times2+(12-1)\times4\}}{2}$$
$$\qquad\qquad\qquad\qquad\qquad =288$$

답 288

07 등차수열 $\{a_n\}$의 첫째항이 305, 공차가 -4이므로

$$a_n=305+(n-1)\times(-4)$$
$$\qquad =-4n+309$$

$-4n+309>0$에서 $n<77.25$

즉, 수열 $\{a_n\}$은 첫째항부터 제77항까지 양수이고, 제78항부터는 음수이다. 따라서 첫째항부터 제77항까지의 합 S_{77}이 최대가 되므로

$$n=77$$

답 77

08 $S_n=n^2+n$에서

(i) $n\geq2$일 때,

$$a_n=S_n-S_{n-1}$$
$$\qquad =(n^2+n)-\{(n-1)^2+(n-1)\}$$
$$\qquad =2n$$

(ii) $n=1$일 때,

$$a_1=S_1=1^2+1=2$$

$a_1=2$는 $a_n=2n$에 $n=1$을 대입한 것과 같다.

$$\therefore a_n=2n=2+2(n-1)$$

따라서 $a_{30}=60,\; d=2$이므로

$$a_{30}+d=62$$

답 62

09 주어진 등차수열의 첫째항을 a, 공차를 d, 일반항을 a_n이라 하면

$$a_3=a+2d=7 \qquad\qquad \cdots\cdots ㉠$$
$$a_6=a+5d=-2 \qquad\quad \cdots\cdots ㉡$$

㉠, ㉡을 연립하여 풀면 $a=13,\; d=-3$

$$\therefore a-2d=13-2\times(-3)=19$$

답 ③

10 등차수열 $\{a_n\}$의 첫째항을 a, 공차를 d라 하면 제3항과 제8항은 절댓값이 같고 부호가 반대이므로

$$a_3=-a_8$$
$$a+2d=-(a+7d)$$
$$\therefore 2a+9d=0 \qquad\quad \cdots\cdots ㉠$$

또 제5항이 -1이므로

$$a_5=-1$$
$$\therefore a+4d=-1 \qquad\quad \cdots\cdots ㉡$$

㉠, ㉡을 연립하여 풀면

$$a=-9,\; d=2$$
$$\therefore a_n=-9+(n-1)\times2=2n-11$$

233을 제n항이라 하면

$$2n-11=233$$
$$\therefore n=122$$

따라서 233은 제122항이다.

답 ⑤

11 등차수열 $1,\; x_1,\; x_2,\; x_3,\; \cdots,\; x_{13},\; 71$의 공차를 d라 하면 71은 제15항이고, 수열의 첫째항은 1이므로

$$71=1+(15-1)\times d$$
$$\therefore d=5$$

x_5는 이 등차수열의 제6항이므로

$$x_5=1+(6-1)\times5=26$$

답 26

12 등차수열 $\{a_n\}$의 첫째항을 a, 공차를 d라 하면
$$a_5+a_6+a_7=(a+4d)+(a+5d)+(a+6d)$$
$$=3a+15d=63$$
$$\therefore a+5d=21 \qquad \cdots\cdots \text{㉠}$$
$$a_{11}+a_{12}=(a+10d)+(a+11d)$$
$$=2a+21d=86 \qquad \cdots\cdots \text{㉡}$$
㉠, ㉡을 연립하여 풀면 $a=1$, $d=4$
따라서 등차수열 $\{a_n\}$의 공차는 4이다. **답** 4

13 등차수열 $\{a_n\}$의 첫째항을 a, 공차를 d라 하면
$a_1+a_3=\log 64$에서 $a+(a+2d)=\log 2^6$
$$2a+2d=6\log 2 \qquad \therefore a+d=3\log 2 \qquad \cdots\cdots \text{㉠}$$
$a_4-a_2=\log 16$에서 $(a+3d)-(a+d)=\log 2^4$
$$2d=4\log 2 \qquad \therefore d=2\log 2 \qquad \cdots\cdots \text{㉡}$$
㉡을 ㉠에 대입하면 $a=\log 2$
$$\therefore a_n=\log 2+(n-1)\times 2\log 2$$
$$=(2n-1)\log 2$$
$$a_6+a_8=11\log 2+15\log 2$$
$$=26\log 2=\log 2^{26}$$
이므로 $A=2^{26}$
$$\therefore \log_2 A=\log_2 2^{26}=26$$ **답** ②

14 등차수열 $\{a_n\}$의 공차를 d라 하면
$$(a_1+a_2):(a_3+a_4)=(2a_1+d):(2a_1+5d)$$
$$=1:2$$
이므로 $2a_1+5d=4a_1+2d$
$$\therefore 2a_1=3d$$
$$\therefore a_1:a_4=a_1:(a_1+3d)=a_1:3a_1=1:3$$ **답** ②

15 등차수열 $\{a_n\}$의 첫째항이 30, 공차가 -4이므로
$$a_n=30+(n-1)\times(-4)$$
$$=-4n+34$$
$-4n+34<0$에서 $n>\dfrac{34}{4}=8.5$
따라서 처음으로 음수가 되는 항은 제9항이다. **답** ①

16 등차수열 $\{a_n\}$의 첫째항을 a, 공차를 d라 하면
$a_3+a_5=36$에서 $(a+2d)+(a+4d)=36$
$$2a+6d=36 \qquad \therefore a+3d=18 \qquad \cdots\cdots \text{㉠}$$
$a_2a_4=180$에서 $(a+d)(a+3d)=180$
이 식에 ㉠을 대입하면 $18(a+d)=180$
$$\therefore a+d=10 \qquad \cdots\cdots \text{㉡}$$
㉠, ㉡을 연립하여 풀면 $a=6$, $d=4$
$$\therefore a_n=6+(n-1)\times 4=4n+2$$
$a_n<100$에서 $4n+2<100$
$$\therefore n<24.5$$
따라서 자연수 n의 최댓값은 24이다. **답** 24

17 등차수열 $\{a_n\}$의 첫째항을 a, 공차를 d라 하면
$$a_3=a+2d=8 \qquad \cdots\cdots \text{㉠}$$
$a_7:a_{11}=(a+6d):(a+10d)=5:8$에서
$$5(a+10d)=8(a+6d)$$
$$\therefore 2d=3a \qquad \cdots\cdots \text{㉡}$$

㉡을 ㉠에 대입하면 $a=2$, $d=3$
$$\therefore a_n=2+(n-1)\times 3=3n-1$$
$3n-1\geq100$에서
$$n\geq33.6\times\times\times$$
따라서 처음으로 100 이상이 되는 항은 제34항이다. **답** ④

18 첫 번째 가로줄에서 -2, □, 4

-2	1	4
a	3	⑦
0	5	⑩
b	7	13

$$\therefore □=\dfrac{-2+4}{2}=1$$
세 번째 세로줄에서 4, ○, △, 13
$$13=4+3d \qquad \therefore d=3$$
$$\therefore ○=7, \quad △=10$$
이와 같이 공차를 찾거나 등차중항의 성질을 이용하여 빈칸에 알맞은 수를 써넣으면 표와 같다.
따라서 $a=-1$, $b=1$이므로
$$a+b=0$$ **답** ①

19 x, y, z가 이 순서대로 등차수열을 이루므로
$$2y=x+z \qquad \cdots\cdots \text{㉠}$$
세 수의 합이 6이므로
$$x+y+z=3y=6 \qquad \therefore y=2$$
$y=2$를 ㉠에 대입하면
$$x+z=4 \qquad \cdots\cdots \text{㉡}$$
세 수의 제곱의 합이 30이므로
$x^2+y^2+z^2=30$에서
$$x^2+z^2=26$$
$$x^2+(4-x)^2=26 \ (\because \text{㉡에서 } z=4-x)$$
$$x^2-4x-5=0, \ (x+1)(x-5)=0$$
$$\therefore x=-1 \ (\because x\leq y)$$ **답** -1

다른 풀이
$x=a-d$, $y=a$, $z=a+d$라 하면 $x\leq y\leq z$이므로
$d\geq0$이다.
$$x+y+z=(a-d)+a+(a+d)=6 \qquad \cdots\cdots \text{㉠}$$
$$x^2+y^2+z^2=(a-d)^2+a^2+(a+d)^2=30 \qquad \cdots\cdots \text{㉡}$$
㉠에서 $a=2$
$a=2$를 ㉡에 대입하면
$$(2-d)^2+2^2+(2+d)^2=30$$
$$2d^2=18, \ d^2=9$$
$$\therefore d=3 \ (\because d\geq0)$$
$$\therefore x=a-d=2-3=-1$$

20 사각형 ABCD의 네 각 $\angle$A, $\angle$B, $\angle$C, $\angle$D의 크기가 순서대로 등차수열을 이루므로 각각
$$a-3d, \ a-d, \ a+d, \ a+3d \ (d>0)$$
로 놓으면
$$\angle A+\angle B+\angle C+\angle D=4a=360°$$
$$\therefore a=90°$$
최대인 각의 크기가 최소인 각의 크기의 3배이므로
$$3(a-3d)=a+3d, \ 2a=12d$$
$$\therefore d=\dfrac{a}{6}=\dfrac{90°}{6}=15°$$
따라서 최대인 각의 크기는
$$a+3d=90°+45°=135°$$ **답** ④

21 등차수열 $\{a_n\}$의 공차를 d라 하면

$a_2+a_3=(2+d)+(2+2d)=16$

$4+3d=16, 3d=12$　　$\therefore d=4$

$\therefore a_1+a_2+\cdots+a_{20}=\dfrac{20\{2\times2+(20-1)\times4\}}{2}$

$\phantom{\therefore a_1+a_2+\cdots+a_{20}}=800$　　　　　　**답 800**

22 등차수열 $\{a_n\}$의 첫째항을 a, 공차를 d, 첫째항부터 제n항까지의 합을 S_n이라 하면

$a_8=a+7d=29$　　$\cdots\cdots\bigcirc$

$a_{20}=a+19d=-7$　　$\cdots\cdots\bigcirc\!\!\bigcirc$

$\bigcirc$, $\bigcirc\!\!\bigcirc$을 연립하여 풀면 $a=50, d=-3$

$S_n=\dfrac{n\{2\times50+(n-1)\times(-3)\}}{2}=\dfrac{n}{2}(103-3n)$

S_n이 처음으로 음수가 되는 n의 값은

$\dfrac{n}{2}(103-3n)<0$을 만족시키는 자연수 n의 최솟값이므로

$103-3n<0$　　$\therefore n>\dfrac{103}{3}=34.3\times\times\times$

따라서 첫째항부터 제35항까지의 합이 처음으로 음수가 된다.

답 ④

23 등차수열 $\{a_n\}$의 공차를 d라 하면

$a_{100}-a_{90}=10d=-30$　　$\therefore d=-3$

따라서 수열 $\{a_n\}$은 첫째항이 2, 공차가 -3인 등차수열이다.

$\therefore a_{11}+a_{12}+\cdots+a_{20}$

$=S_{20}-S_{10}$

$=\dfrac{20\{2\times2+(20-1)\times(-3)\}}{2}$

$-\dfrac{10\{2\times2+(10-1)\times(-3)\}}{2}$

$=-530-(-115)$

$=-415$　　　　　　**답 ②**

24 등차수열 $\{a_n\}$의 공차를 d라 하면

$a_{10}=6+9d=-12$에서 $d=-2$

$\therefore a_n=6+(n-1)\times(-2)=-2n+8$

$n\le4$일 때 $a_n\ge0$이고, $n>4$일 때 $a_n<0$이므로

$|a_1|+|a_2|+|a_3|+\cdots+|a_{20}|$

$=a_1+a_2+a_3+a_4-(a_5+a_6+\cdots+a_{20})$

$=(6+4+2+0)+(2+4+6+\cdots+32)$

$=12+\dfrac{16(2+32)}{2}$

$=12+272=284$　　　　　　**답 ②**

25 주어진 등차수열의 첫째항을 a, 공차를 d, 첫째항부터 제n항까지의 합을 S_n이라 하면

$S_5=\dfrac{5\{2a+(5-1)d\}}{2}=-25$

$\therefore a+2d=-5$　　$\cdots\cdots\bigcirc$

또 제6항부터 제15항까지의 합이 100이므로

$S_{15}=\dfrac{15\{2a+(15-1)d\}}{2}=-25+100=75$

$\therefore a+7d=5$　　$\cdots\cdots\bigcirc\!\!\bigcirc$

$\bigcirc$, $\bigcirc\!\!\bigcirc$을 연립하여 풀면 $a=-9, d=2$

따라서 제16항부터 제30항까지의 합은

$S_{30}-S_{15}=\dfrac{30\{2\times(-9)+(30-1)\times2\}}{2}-75$

$\phantom{S_{30}-S_{15}}=600-75$

$\phantom{S_{30}-S_{15}}=525$　　　　　　**답 ②**

다른 풀이

$a=-9, d=2$이므로 일반항 a_n은

$a_n=-9+(n-1)\times2=2n-11$

$\therefore a_{16}=21, a_{30}=49$

따라서 제16항부터 제30항까지의 합은

$\dfrac{15(21+49)}{2}=525$

26 등차수열 $\{a_n\}$의 첫째항이 -90, 공차가 3이므로

$S_n=\dfrac{n\{2\times(-90)+(n-1)\times3\}}{2}=\dfrac{n(3n-183)}{2}$

$S_n>0$에서 $\dfrac{n(3n-183)}{2}>0$이므로

$n(n-61)>0$　　$\therefore n>61\,(\because n>0)$

$\therefore \alpha=62$

한편, $a_n=-90+(n-1)\times3=3n-93$이므로

$3n-93>0$에서 $n>31$

즉, $1\le n\le31$일 때 $a_n\le0$이고, $n\ge32$일 때 $a_n>0$이다.

또한, $a_{31}=0$이므로 $S_{30}=S_{31}$이 최솟값이다.

$\therefore \beta=S_{31}=\dfrac{31(93-183)}{2}$

$=31\times(-45)$

$=-1395$

$\therefore \alpha-\beta=1457$　　　　　　**답 1457**

27 $S_n=n^2+3n+1$에서

(i) $n\ge2$일 때,

$a_n=S_n-S_{n-1}$

$=(n^2+3n+1)-\{(n-1)^2+3(n-1)+1\}$

$=2n+2$

(ii) $n=1$일 때,

$a_1=S_1=1^2+3\times1+1=5$

$a_1=5$는 $a_n=2n+2$에 $n=1$을 대입한 것과 같지 않으므로

$a_1=5, a_n=2n+2\,(n\ge2)$

$\therefore a_1+a_{10}=5+22=27$　　　　　　**답 27**

다른 풀이

$S_n=n^2+3n+1$이므로

$a_1=S_1=1^2+3\times1+1=5$

$a_{10}=S_{10}-S_9$

$\phantom{a_{10}}=(10^2+3\times10+1)-(9^2+3\times9+1)$

$\phantom{a_{10}}=131-109=22$

$\therefore a_1+a_{10}=27$

28 $S_n=n^2+3n$에서

(i) $n\ge2$일 때,

$a_n=S_n-S_{n-1}$

$=(n^2+3n)-\{(n-1)^2+3(n-1)\}$

$=2n+2$

(ii) $n=1$일 때,
$$a_1=S_1=1^2+3\times1=4$$
$a_1=4$는 $a_n=2n+2$에 $n=1$을 대입한 것과 같으므로
$$a_n=2n+2$$
$$\therefore a_{2n-1}=2(2n-1)+2=4n$$
$$a_1+a_3+a_5+\cdots+a_{2n-1}=\frac{n(4+4n)}{2}=2n^2+2n$$
$2n^2+2n=220$에서 $n^2+n-110=0$
$$(n+11)(n-10)=0$$
$$\therefore n=10\ (\because n\geq1)$$ 답 ③

29 ㄱ. $S_{n+1}-S_n$
$$=\{-(n+1)^2+5(n+1)+6\}-(-n^2+5n+6)$$
$$=-2n+4$$
따라서 수열 $\{S_{n+1}-S_n\}$은 $2,\ 0,\ -2,\ -4,\ -6,\ \cdots$이므로
공차가 -2인 등차수열이다. (참)

ㄴ. (i) $n\geq2$일 때,
$$a_n=S_n-S_{n-1}$$
$$=(-n^2+5n+6)-\{-(n-1)^2+5(n-1)+6\}$$
$$=-2n+6$$
(ii) $n=1$일 때,
$$a_1=S_1=-1^2+5\times1+6=10$$
$a_1=10$은 $a_n=-2n+6$에 $n=1$을 대입한 것과 같지 않다.
$$\therefore a_1=10,\ a_n=-2n+6\ (n\geq2)$$
따라서 수열 $\{a_n\}$은 $10,\ 2,\ 0,\ -2,\ -4,\ \cdots$이므로 등차수열
이 아니다. (거짓)

ㄷ. (i) $a_n<0$에서 $-2n+6<0$ $\quad\therefore n>3$
(ii) $S_n>0$에서 $-n^2+5n+6>0$
$$n^2-5n-6<0,\ (n+1)(n-6)<0$$
$$\therefore 0<n<6\ (\because n\text{은 자연수})$$
(i), (ii)에서 $3<n<6$
즉, 구하는 자연수 n의 값은 $4,\ 5$로 2개이다. (참)
따라서 옳은 것은 ㄱ, ㄷ이다. 답 ③

30 선분 AB를 10등분하는 9개의 점을 $P_1,\ P_2,\ P_3,\ \cdots,\ P_9$라 하고
각각의 x좌표를 $x_1,\ x_2,\ x_3,\ \cdots,\ x_9$라 하면 그림과 같이 나타낼
수 있다.

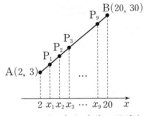

$2,\ x_1,\ x_2,\ x_3,\ \cdots,\ x_9,\ 20$은 이 순서대로 등차수열을 이루므로
$$2+x_1+x_2+x_3+\cdots+x_9+20=\frac{11(2+20)}{2}=121$$
$$\therefore x_1+x_2+x_3+\cdots+x_9=121-22=99$$ 답 99

31 마지막 날을 제외한 독서량은 등차수열을 이루므로 공차를 d라
하면
$$\frac{7\{2\times35+(7-1)d\}}{2}+20=\frac{5\{2\times70+(5-1)d\}}{2}+25$$
$$245+21d=350+10d+5\quad\therefore d=10$$

따라서 책의 쪽수는
$$\frac{7(2\times35+6\times10)}{2}+20=475$$ 답 ①

32 $2\leq x\leq3$에서 두 곡선 $y=x^2,\ y=(x-2)^2$으로 잘려진 선분의
길이를 $f(x)$라 하면
$$f(x)=x^2-(x-2)^2=4x-4$$
$$l_1=f(2)=4,\ l_{10}=f(3)=8$$
이고, $l_1,\ l_2,\ l_3,\ \cdots,\ l_{10}$은 등차수열을 이루므로
$$l_1+l_2+l_3+\cdots+l_{10}=\frac{10(l_1+l_{10})}{2}$$
$$=\frac{10(4+8)}{2}$$
$$=60$$ 답 60

33 첫 번째 수열은 $2a_1+d_1,\ 2a_1+5d_1,\ 2a_1+9d_1,\ \cdots$이므로
공차가 $d_2=4d_1$이고,
두 번째 수열은 $3a_1+3d_1,\ 3a_1+12d_1,\ 3a_1+21d_1,\ \cdots$이므로
공차가 $d_3=9d_1$이다.
$$\therefore 9d_2=4d_3$$ 답 ⑤

34 두 등차수열 $\{a_n\},\ \{b_n\}$의 첫째항을 각각 $a,\ b$라 하고, 공차를
각각 $d_1,\ d_2$라 하면
$a_3+b_{14}=10$에서 $(a+2d_1)+(b+13d_2)=10$ $\quad\cdots\cdots$ ㉠
$a_{24}+b_5=28$에서 $(a+23d_1)+(b+4d_2)=28$ $\quad\cdots\cdots$ ㉡
㉡$-$㉠을 하면
$$21d_1-9d_2=18$$
$$\therefore 7d_1-3d_2=6$$
$$(a_{17}+b_8)-(a_3+b_{14})=\{(a+16d_1)+(b+7d_2)\}$$
$$-\{(a+2d_1)+(b+13d_2)\}$$
$$=14d_1-6d_2$$
이므로
$$a_{17}+b_8=a_3+b_{14}+(14d_1-6d_2)$$
$$=a_3+b_{14}+2(7d_1-3d_2)$$
$$=10+2\times6$$
$$=22$$ 답 22

다른 풀이
$c_n=a_{7n-4}+b_{17-3n}$이라 하면 수열 $\{c_n\}$도 등차수열이다.
$c_1=a_3+b_{14}=10,\ c_4=a_{24}+b_5=28$이므로
등차수열 $\{c_n\}$의 공차를 d라 하면
$$c_4-c_1=3d=18\quad\therefore d=6$$
$$\therefore a_{17}+b_8=c_3=10+6\times2=22$$

35 이차방정식 $x^2-2x-8=0$에서 근과 계수의 관계에 의하여
$$\alpha+\beta=2,\ \alpha\beta=-8$$
세 수 $\alpha,\ p,\ \beta$는 이 순서대로 등차수열을 이루므로
$$p=\frac{1}{2}(\alpha+\beta)=\frac{1}{2}\times2=1$$
세 수 $\dfrac{1}{\alpha},\ \dfrac{1}{q},\ \dfrac{1}{\beta}$은 이 순서대로 등차수열을 이루므로
$$\frac{1}{q}=\frac{1}{2}\left(\frac{1}{\alpha}+\frac{1}{\beta}\right)=\frac{\alpha+\beta}{2\alpha\beta}=\frac{2}{2\times(-8)}=-\frac{1}{8}$$
$$\therefore q=-8$$

따라서 구하는 이차방정식은 $x^2-(p+q)x+pq=0$이므로
$x^2-(1-8)x+1\times(-8)=0$
$\therefore x^2+7x-8=0$ **답** ②

36 (주어진 식)
$=a_1(a_3-a_1)+a_2(a_4-a_2)+\cdots+a_{10}(a_{12}-a_{10})$
$=2da_1+2da_2+\cdots+2da_{10}$
$=2\times3\times a_1+2\times3\times a_2+\cdots+2\times3\times a_{10}$
$=6a_1+6a_2+\cdots+6a_{10}$
$=6(a_1+a_2+\cdots+a_{10})$
$=6\times100$
$=600$ **답** 600

37 $a_1=21>0$이고 $a_6a_7<0$이므로
$a_6>0$, $a_7<0$
즉, $21+5d>0$, $21+6d<0$이므로
$-\dfrac{21}{5}<d<-\dfrac{7}{2}$
$\therefore -4.2<d<-3.5$
공차 d는 정수이므로 $d=-4$
또 제7항부터 음수인 항이 나타나므로 첫째항부터 제6항까지의 합이 최대이다.
$\therefore n=6$
$\therefore d+n=-4+6=2$ **답** 2

38 ㄱ. $a_3=a_1+2d=10$에서 $a_1=10-2d$
　$S_9=\dfrac{9(2a_1+8d)}{2}>0$이므로 $a_1+4d>0$
　$10-2d+4d>0$
　$\therefore d>-5$
　$S_{10}=\dfrac{10(2a_1+9d)}{2}<0$이므로 $2a_1+9d<0$
　$2(10-2d)+9d<0$
　$\therefore d<-4$
　$\therefore -5<d<-4$ (참)
ㄴ. $a_5=a_3+2d=10+2d$
　ㄱ에서 $-10<2d<-8$이므로
　$0<10+2d<2$, 즉 $0<a_5<2$
　$a_6=a_3+3d=10+3d$
　ㄱ에서 $-15<3d<-12$이므로
　$-5<10+3d<-2$, 즉 $-5<a_6<-2$
　$\therefore a_5>0$, $a_6<0$ (참)
ㄷ. $a_1=10-2d$이므로
　$-5<d<-4$에서 $18<10-2d<20$
　즉, $18<a_1<20$
　a_1이 정수이므로 $a_1=19$
　$a_3=a_1+2d=10$에서 $19+2d=10$
　$d=-\dfrac{9}{2}$
　$\therefore a_9=19+8\times\left(-\dfrac{9}{2}\right)=-17$
　$\therefore a_1+a_9=2$ (거짓)
따라서 옳은 것은 ㄱ, ㄴ이다. **답** ③

39 $A=\{3n-2\,|\,n$은 자연수$\}$
　$=\{1,\ 4,\ 7,\ 10,\ 13,\ 16,\ 19,\ \cdots\}$
$B=\{4n-1\,|\,n$은 자연수$\}$
　$=\{3,\ 7,\ 11,\ 15,\ 19,\ \cdots\}$
$\therefore A\cap B=\{7,\ 19,\ 31,\ \cdots\}$
즉, $A\cap B$는 첫째항이 7, 공차가 12인 등차수열의 항을 원소로 갖는 집합이므로
$A\cap B=\{12n-5\,|\,n$은 자연수$\}$
$12\times8-5=91$, $12\times9-5=103$이므로 100 이하의 자연수 중에서 집합 $A\cap B$의 원소의 최댓값은 91이다.
$12n-5=91$에서 $n=8$
따라서 조건을 만족시키는 모든 x의 값의 합은
$\dfrac{8(7+91)}{2}=392$ **답** ③

40 수열 $a_1,\ b_1,\ a_2,\ b_2,\ \cdots,\ a_{10},\ b_{10}$의 공차를 d라 하면
수열 $a_1,\ a_2,\ a_3,\ \cdots,\ a_{10}$의 공차는 $2d$이므로
$S=\dfrac{10(2a_1+9\times2d)}{2}$
　$=10(a_1+9d)$
수열 $b_1,\ b_2,\ b_3,\ \cdots,\ b_{10}$의 공차도 $2d$이므로
$T=\dfrac{10(2b_1+9\times2d)}{2}$
　$=10(b_1+9d)$
$T-S=50$에서
$10(b_1+9d)-10(a_1+9d)=50$
$b_1-a_1=5$
$\therefore d=b_1-a_1=5$
$b_{10}=a_1+19d=99$이므로
$a_1+19\times5=99$
$\therefore a_1=4$ **답** ④

41 등차수열 $\{a_n\}$의 공차를 d라 하면
$S_{12}=a_{12}=S_{12}-S_{11}$이므로
$S_{11}=\dfrac{11(30+10d)}{2}=0$
$\therefore d=-3$
$\therefore a_n=15+(n-1)\times(-3)$
　$=-3n+18$
$a_5=3$, $a_6=0$이므로 $S_5=S_6$이 최댓값이다.
따라서 $S_5=\dfrac{5(15+3)}{2}=45$이므로 S_n의 최댓값은 45이다.
답 ③

42 수열 $\{S_{2n-1}\}$은 공차가 -3인 등차수열이므로
$S_{2n-1}=S_1+(n-1)\times(-3)$
　$=-3n+3+S_1$
또 수열 $\{S_{2n}\}$은 공차가 2인 등차수열이므로
$S_{2n}=S_2+(n-1)\times2$
　$=2n-2+S_2$
$a_8=S_8-S_7$
　$=(6+S_2)-(-9+S_1)$
　$=15+S_2-S_1$
이고, $S_2-S_1=a_2=1$이므로 $a_8=16$ **답** 16

43 등차수열 $\{a_n\}$의 첫째항부터 제n항까지의 합 S_n은

$pn^2+qn=n(pn+q)$ (p, q는 상수) 꼴이므로

$S_n : S_n'=(2n-1):(3n+2)$에서 0이 아닌 상수 k에 대하여

$S_n=kn(2n-1)$, $S_n'=kn(3n+2)$

로 놓으면

$a_5=S_5-S_4$

$\quad=5k\times9-4k\times7=17k$

$b_5=S_5'-S_4'$

$\quad=5k\times17-4k\times14=29k$

$\therefore a_5 : b_5=17k : 29k=17:29$ 답 ②

참고

등차수열 $\{a_n\}$의 첫째항을 a, 공차를 d라 하면 첫째항부터 제n항까지의 합 S_n은

$S_n=\dfrac{n\{2a+(n-1)d\}}{2}$

$\quad=\dfrac{d}{2}n^2+\dfrac{2a-d}{2}n$

$\quad=pn^2+qn\left(\text{단, }\dfrac{d}{2}=p,\ \dfrac{2a-d}{2}=q\right)$

이므로 n에 대한 이차식이며 상수항은 없다.

44 두 수열 $\{a_n\}$, $\{b_n\}$의 첫째항부터 제n항까지의 합을 각각 S_n, T_n이라 하면

$S_n=2n^2+pn$, $T_n=3n^2-2n$

$a_n=S_n-S_{n-1}$

$\quad=(2n^2+pn)-\{2(n-1)^2+p(n-1)\}$

$\quad=4n+p-2\ (n\geq2)$

$a_1=S_1=2+p$

$\therefore a_n=4n+p-2$

$b_n=T_n-T_{n-1}$

$\quad=(3n^2-2n)-\{3(n-1)^2-2(n-1)\}$

$\quad=6n-5\ (n\geq2)$

$b_1=T_1=3-2=1$

$\therefore b_n=6n-5$

따라서 $a_{10}=b_{10}$에서 $38+p=55$이므로

$p=17$ 답 17

45 점 P_i ($i=1, 2, 3, \cdots, n-1$)의 x좌표를

a_i ($i=1, 2, 3, \cdots, n-1$)라 하면

수열 $1, a_1, a_2, a_3, \cdots, a_{n-1}, 39$는 등차수열이고,

그 합이 400이므로

$\dfrac{(n+1)(1+39)}{2}=400$

$\therefore n=19$

이 등차수열의 공차를 d라 하면

$39=1+(20-1)d$

$\therefore d=2$

따라서 점 P_{10}의 x좌표는

$a_{10}=1+(11-1)\times2=21$

또한, 점 Q_{10}의 y좌표를 b_{10}이라 하면 점 (a_{10}, b_{10})은 두 점 A, C를 지나는 직선 $y=2x$ 위에 있으므로

$b_{10}=2a_{10}=2\times21=42$

$\therefore a_{10}+b_{10}=21+42=63$ 답 63

46 $f(m)=a_2+a_4+\cdots+a_{2m}$

$\quad=\dfrac{m\{2(a_1+d)+(m-1)\times2d\}}{2}$

$\quad=m(a_1+md)$

$\quad=ma_1+m^2d=350$ ……㉠

$g(m)=a_1+a_3+\cdots+a_{2m-1}$

$\quad=\dfrac{m\{2a_1+(m-1)\times2d\}}{2}$

$\quad=m(a_1+md-d)$

$\quad=ma_1+m^2d-md=301$ ……㉡

㉠-㉡을 하면

$md=49=7^2$

d, m은 2 이상의 자연수이므로

$d=m=7$

$\therefore d+m=14$ 답 ④

47 등차수열 $\{a_n\}$의 첫째항을 a (4의 배수인 양의 정수)라 하면

$a_n=a-\dfrac{3}{4}(n-1)$

이고, 수열 $\{b_n\}$의 최솟값이 $b_{11}=|a_{11}+a_{12}|$이므로

$a_{11}>0$, $a_{12}<0$ ……㉠

즉, $a_{11}=a-\dfrac{3}{4}\times10>0$, $a_{12}=a-\dfrac{3}{4}\times11<0$이므로

$\dfrac{30}{4}<a<\dfrac{33}{4}$, $7.5<a<8.25$

첫째항 a는 4의 배수인 양의 정수이므로 $a=8$

$\therefore a_n=8-\dfrac{3}{4}(n-1)$

$\qquad=-\dfrac{3}{4}n+\dfrac{35}{4}$ ($n=1, 2, 3, \cdots$)

㉠에서 $a_{12}<0$이므로 수열 $\{a_n\}$은 제12항부터 음수이다.

$\therefore |a_1|+|a_5|+|a_9|+\cdots+|a_{37}|$

$\quad=(a_1+a_5+a_9)-(a_{13}+a_{17}+\cdots+a_{37})$

$\quad=(8+5+2)+(1+4+\cdots+19)$

$\quad=15+\dfrac{7(1+19)}{2}=85$ 답 85

참고

등차수열 $\{a_n\}$이 양의 정수 k에 대하여

$a_1>a_2>a_3>\cdots>a_k>0>a_{k+1}>a_{k+2}>\cdots$

을 만족시키면

$|a_1+a_2|>|a_2+a_3|>\cdots>|a_{k-1}+a_k|>|a_k+a_{k+1}|$
$<|a_{k+1}+a_{k+2}|<\cdots$

이므로 연속하는 두 항의 합의 절댓값의 최솟값은 $|a_k+a_{k+1}|$이다.

즉, $a_k>0$, $a_{k+1}<0$일 때 최솟값은 $|a_k+a_{k+1}|$이 된다.

11 등비수열

01 등비수열 $\{a_n\}$의 첫째항을 a, 공비를 r라 하면
$a_4=ar^3=24$ ······㉠
$a_8=ar^7=384$ ······㉡
㉡÷㉠을 하면 $r^4=16$ ∴ $r=\pm2$
그런데 $r>0$이므로 $r=2$
$r=2$를 ㉠에 대입하면 $a=3$
∴ $a_n=3\times2^{n-1}$
∴ $a_{12}=3\times2^{11}$　　　　　　　　　　　　📋②

02 첫째항이 1, 공비가 3인 등비수열의 일반항 a_n은
$a_n=3^{n-1}$
제n항에서 처음으로 2000보다 커진다고 하면
$3^{n-1}>2000$
$3^6=729,\ 3^7=2187$이므로
$n-1\geq7$ ∴ $n\geq8$
따라서 제8항부터 2000보다 커진다.　　　📋③

03 등비수열 $\{a_n\}$의 첫째항을 a, 공비를 r라 하면
$a_3+a_4=ar^2+ar^3$
$\qquad\quad=ar^2(1+r)=2$ ······㉠
$a_5+a_6=ar^4+ar^5$
$\qquad\quad=ar^4(1+r)=6$ ······㉡
㉡÷㉠을 하면 $r^2=3$
$r^2=3$을 ㉠에 대입하면 $a(1+r)=\dfrac{2}{3}$
∴ $a_7+a_8=ar^6+ar^7=ar^6(1+r)$
$\qquad\qquad=a(1+r)\times r^6=\dfrac{2}{3}\times3^3=18$　📋18

04 두 수 $a,\ b$의 등비중항이 3이므로 $ab=3^2=9$
두 수 $a,\ b$의 합이 7이므로 $a+b=7$
∴ $a^2+b^2=(a+b)^2-2ab$
$\qquad\qquad=7^2-2\times9=31$　　　　　📋31

05 $-4,\ a,\ 8$이 이 순서대로 등차수열을 이루므로
$a=\dfrac{-4+8}{2}=2$
$a,\ 6,\ b$가 이 순서대로 등비수열을 이루므로
$ab=6^2=36$ ∴ $b=\dfrac{36}{2}=18$
∴ $a+b=2+18=20$　　　　　　　　　📋20

06 첫째항부터 제10항까지의 합은
$\left(1+\dfrac{1}{2}\right)+\left(2+\dfrac{1}{4}\right)+\left(3+\dfrac{1}{8}\right)+\cdots+\left(10+\dfrac{1}{1024}\right)$
$=(1+2+3+\cdots+10)+\left(\dfrac{1}{2}+\dfrac{1}{4}+\dfrac{1}{8}+\cdots+\dfrac{1}{1024}\right)$
$=\dfrac{10(1+10)}{2}+\dfrac{\dfrac{1}{2}\left\{1-\left(\dfrac{1}{2}\right)^{10}\right\}}{1-\dfrac{1}{2}}$
$=56-\left(\dfrac{1}{2}\right)^{10}$　　　　　　　　　　📋③

07 등비수열 $\{a_n\}$의 첫째항을 a, 공비를 r라 하면
$a+ar+ar^2+\cdots+ar^9=9$ ······㉠
또 $ar^{10}+ar^{11}+ar^{12}+\cdots+ar^{19}=27$
$r^{10}(a+ar+ar^2+\cdots+ar^9)=27$ ······㉡
㉡÷㉠을 하면 $r^{10}=3$
따라서 제21항부터 제30항까지의 합은
$ar^{20}+ar^{21}+ar^{22}+\cdots+ar^{29}$
$=r^{20}(a+ar+ar^2+\cdots+ar^9)$
$=3^2\times9=81$　　　　　　　　　　　📋81

다른 풀이
첫째항부터 제10항까지의 합을 A,
제11항부터 제20항까지의 합을 B,
제21항부터 제30항까지의 합을 C라 하면
$A,\ B,\ C$는 이 순서대로 등비수열을 이룬다.
$9,\ 27,\ C$에서 $27^2=9C$이므로
$C=81$

참고
등비수열 $\{a_n\}$에서 $S_n,\ S_{2n}-S_n,\ S_{3n}-S_{2n}$은 이 순서대로 등비수열을 이룬다.

08 $S_n=3^{n+1}-3$이므로
$a_1=S_1=3^2-3=6$
$a_5=S_5-S_4=(3^6-3)-(3^5-3)$
$\qquad=726-240=486$
∴ $a_1+a_5=6+486=492$　　　　　　📋492

09 등비수열 $\{a_n\}$의 공비를 r라 하면 모든 항이 양수이므로 $r>0$
$\dfrac{a_3}{a_2}+\dfrac{a_5}{a_3}=\dfrac{a_1r^2}{a_1r}+\dfrac{a_1r^4}{a_1r^2}=r+r^2=6$이므로
$r^2+r-6=0,\ (r+3)(r-2)=0$
$r>0$이므로 $r=2$
∴ $a_5=a_1r^4=\sqrt{2}\times2^4=16\sqrt{2}$　📋$16\sqrt{2}$

10 수열 $\{a_n\}$은 첫째항이 2, 공비가 3인 등비수열이므로
$a_n=2\times3^{n-1}$
$\log_2 a_n=\log_2(2\times3^{n-1})=\log_2 2+\log_2 3^{n-1}$
$\qquad\quad=1+(n-1)\log_2 3$
따라서 수열 $\log_2 a_1,\ \log_2 a_2,\ \log_2 a_3,\ \cdots,\ \log_2 a_n$은 첫째항이 1, 공차가 $\log_2 3$인 등차수열이다.　📋①

11 등비수열 $\{a_n\}$의 공비를 r라 하면
$a_{13}=5\times r^{12}=135$에서 $r^{12}=27$
∴ $a_9=5\times r^8=5\times(r^4)^2$
$\qquad=5\times3^2=45$　　　　　　　　　📋④

12 등비수열 $\{a_n\}$의 첫째항을 a, 공비를 r라 하면
$a_3=ar^2=512$ ······㉠
$a_7:a_{11}=4:1$에서
$ar^6:ar^{10}=1:r^4=4:1$
$r^4=\dfrac{1}{4}$ ∴ $r^2=\dfrac{1}{2}$ ($\because r$는 실수)
$r^2=\dfrac{1}{2}$을 ㉠에 대입하면 $a=1024$　📋④

13 공비를 r라 하면 조건 ㈎에서

$a+b+c=a+ar+ar^2$

$\qquad =a(1+r+r^2)=\dfrac{7}{2}$ ······ ㉠

조건 ㈏에서

$abc=a\times ar\times ar^2=a^3r^3=(ar)^3=1$

$\therefore ar=1$ ······ ㉡

㉠÷㉡을 하면

$\dfrac{1+r+r^2}{r}=\dfrac{7}{2}$, $2r^2+2r+2=7r$

$2r^2-5r+2=0$, $(2r-1)(r-2)=0$

$\therefore r=\dfrac{1}{2}$ 또는 $r=2$

㉡에서 $a=2$ 또는 $a=\dfrac{1}{2}$이므로 세 수는 $2, 1, \dfrac{1}{2}$이다.

$\therefore a^2+b^2+c^2=2^2+1^2+\left(\dfrac{1}{2}\right)^2=\dfrac{21}{4}$ 🖺 $\dfrac{21}{4}$

14 등비수열 $\{a_n\}$의 첫째항을 a, 공비를 r라 하면

$a_n=ar^{n-1}$

$a_n+2a_{n+1}=ar^{n-1}+2ar^n=(a+2ar)r^{n-1}$

즉, 수열 $\{a_n+2a_{n+1}\}$은 첫째항이 $a+2ar$, 공비가 r인 등비수열이므로

$a+2ar=16$, $r=\dfrac{1}{2}$

$a+2ar=a+2a\times\dfrac{1}{2}=2a=16$

$\therefore a=8$ 🖺 8

15 a, b, c가 이 순서대로 등차수열을 이루므로

$2b=a+c$ ······ ㉠

b, a, c가 이 순서대로 등비수열을 이루므로

$a^2=bc$ ······ ㉡

세 수의 곱이 8이므로

$abc=8$ ······ ㉢

㉡을 ㉢에 대입하면 $a^3=8$ $\therefore a=2$

$a=2$를 ㉠, ㉡에 각각 대입하면

$2b=2+c$, $4=bc$

두 식을 연립하면 $2=b(b-1)$

$(b+1)(b-2)=0$

$\therefore b=-1$ 또는 $b=2$

그런데 a, b, c는 서로 다른 세 수이므로

$b=-1$, $c=-4$

$\therefore a+b+c=2+(-1)+(-4)=-3$ 🖺 ①

16 이차방정식의 근과 계수의 관계에 의하여

$\alpha+\beta=-a$, $\alpha\beta=b$

세 수 $\alpha, -4, \beta$는 이 순서대로 등차수열을 이루므로

$\alpha+\beta=2\times(-4)=-8$

$\therefore a=8$

또 세 수 $\alpha, 2, \beta$는 이 순서대로 등비수열을 이루므로

$\alpha\beta=2^2=4$

$\therefore b=4$

$\therefore a+b=12$ 🖺 12

17 $\cos\theta, \dfrac{\sqrt5}{5}, \sin\theta$가 이 순서대로 등비수열을 이루므로

$\sin\theta\times\cos\theta=\left(\dfrac{\sqrt5}{5}\right)^2$ $\therefore \sin\theta\cos\theta=\dfrac{1}{5}$

$\therefore \tan\theta+\dfrac{1}{\tan\theta}=\dfrac{\sin\theta}{\cos\theta}+\dfrac{\cos\theta}{\sin\theta}=\dfrac{\sin^2\theta+\cos^2\theta}{\sin\theta\cos\theta}$

$\qquad =\dfrac{1}{\sin\theta\cos\theta}=5$ 🖺 ④

18 1마리가 1시간 후 2마리, 2시간 후 4마리, 3시간 후 8마리로 증가하므로 t시간 후에는 2^t마리로 증가한다.

$2^t\geq2000$에서

$2^{10}=1024$, $2^{11}=2048$이므로 $t\geq11$

따라서 11시간 후 처음으로 2000마리 이상이 되므로 t의 최솟값은 11이다. 🖺 11

19 올해 1월에 1000대를 생산하고, n개월 후에 생산해야 할 자동차의 수를 a_n이라 하면

$a_1=1000\times(1+0.1)$

$a_2=1000\times(1+0.1)\times(1+0.1)=1000\times(1+0.1)^2$

$\vdots$

$a_n=1000\times(1+0.1)^n$

따라서 올해 12월에 생산해야 할 자동차의 수는

$a_{11}=1000\times(1+0.1)^{11}$

$\qquad =1000\times2.85=2850$(대) 🖺 ②

20 준석이가 새 자전거를 구입한 가격을 A라 하고, 중고 자전거의 가격의 연평균 하락률을 r라 하면

$A(1-r)^8=\dfrac{1}{4}A$ $\therefore (1-r)^8=\dfrac{1}{4}$

위의 식의 양변에 상용로그를 취하면

$8\log(1-r)=-2\log2$

$\log(1-r)=\dfrac{-2\times0.30}{8}=-0.075=-1+0.925$

$\qquad =-\log10+\log8.4=\log\dfrac{1}{10}+\log8.4$

$\qquad =\log0.84$

$1-r=0.84$

$\therefore r=0.16$

따라서 이 자전거는 1년에 16 %씩 가격이 하락한다. 🖺 16 %

21 $\log_2 4+\log_2 4^3+\log_2 4^9+\cdots+\log_2 4^{3^{n-1}}$

$=\log_2 2^2+\log_2 2^6+\log_2 2^{18}+\cdots+\log_2 2^{2\times3^{n-1}}$

$=2+6+18+\cdots+2\times3^{n-1}$

즉, 첫째항이 2, 공비가 3인 등비수열의 첫째항부터 제n항까지의 합이므로

$\dfrac{2(3^n-1)}{3-1}=3^n-1$ 🖺 ④

22 등비수열 $\{a_n\}$의 첫째항을 a, 공비를 r라 하면

$a_4=ar^3=1$ ······ ㉠

$a_3 : a_7=16 : 1$에서

$ar^2 : ar^6=16 : 1$

$$r^4 = \frac{1}{16} \qquad \therefore r = \frac{1}{2} \ (\because r > 0)$$

$r = \frac{1}{2}$을 ㉠에 대입하면 $a = 8$

따라서 첫째항이 8, 공비가 $\frac{1}{2}$인 등비수열의 첫째항부터

제20항까지의 합은

$$\frac{8\left\{1 - \left(\frac{1}{2}\right)^{20}\right\}}{1 - \frac{1}{2}} = 16\left(1 - \frac{1}{2^{20}}\right) \qquad \boxed{\text{답}} \ ②$$

23 등비수열 $3, a_1, a_2, \cdots, a_n, -1536$에서
첫째항이 3, 공비가 r이고
-1536은 제$(n+2)$항이므로
$$-1536 = 3r^{n+1} \qquad \cdots\cdots ㉠$$
첫째항부터 제$(n+2)$항까지의 합을 S_{n+2}라 하면
$$S_{n+2} = \frac{3(1 - r^{n+2})}{1 - r} = \frac{3 - 3r^{n+2}}{1 - r}$$
$$= \frac{3 - r \times 3r^{n+1}}{1 - r}$$
$$= \frac{3 - (-1536)r}{1 - r} \ (\because ㉠) = -1023$$
$$3 + 1536r = -1023 + 1023r \qquad \therefore r = -2$$
$r = -2$를 ㉠에 대입하면
$$-1536 = 3 \times (-2)^{n+1}$$
$$(-2)^{n+1} = -512 = (-2)^9$$
$$\therefore n = 8$$
$$\therefore n + r = 8 + (-2) = 6 \qquad \boxed{\text{답}} \ 6$$

24 등비수열 $\{a_n\}$의 첫째항을 a, 공비를 r, 첫째항부터 제n항까지의 합을 S_n이라 하면
$$a_1 + a_2 + a_3 + a_4 + a_5 = S_5 = \frac{a(r^5 - 1)}{r - 1} = 2 \qquad \cdots\cdots ㉠$$
$a_6 + a_7 + a_8 + a_9 + a_{10} = S_{10} - S_5 = 6$이므로
$$S_{10} = S_5 + 6 = 8$$
$$\therefore S_{10} = \frac{a(r^{10} - 1)}{r - 1} = \frac{a(r^5 - 1)(r^5 + 1)}{r - 1} = 8 \qquad \cdots\cdots ㉡$$
㉡÷㉠을 하면 $r^5 + 1 = 4$, $r^5 = 3$
$$\therefore a_1 + a_2 + a_3 + \cdots + a_{30} = S_{30}$$
$$= \frac{a(r^{30} - 1)}{r - 1}$$
$$= \frac{a(r^{10} - 1)(r^{20} + r^{10} + 1)}{r - 1}$$
$$= \frac{a(r^{10} - 1)}{r - 1} \times (r^{20} + r^{10} + 1)$$
$$= 8 \times (3^4 + 3^2 + 1) = 728 \qquad \boxed{\text{답}} \ 728$$

25 등비수열 $\{a_n\}$의 공비를 r라 하면
$$a_3 = a_1 r^2 = 4 \qquad \cdots\cdots ㉠$$
$$a_7 = a_1 r^6 = 16 \qquad \cdots\cdots ㉡$$
㉡÷㉠을 하면 $r^4 = 4$
$$\therefore r^2 = 2 \ (\because r \text{는 실수})$$
$r^2 = 2$를 ㉠에 대입하면
$$2a_1 = 4$$
$$\therefore a_1 = 2$$

따라서 $a_1{}^2 + a_2{}^2 + a_3{}^2 + \cdots + a_{10}{}^2$은 첫째항이 $a_1{}^2 = 2^2 = 4$, 공비가 $r^2 = 2$인 등비수열의 첫째항부터 제10항까지의 합이므로
$$\frac{4(2^{10} - 1)}{2 - 1} = 4 \times 1023 = 4092 \qquad \boxed{\text{답}} \ ①$$

26 첫째항이 2, 제5항이 162이므로 공비를 r라 하면
$$2 \times r^4 = 162 \qquad \therefore r = 3 \ (\because r > 0)$$
첫째항이 2, 공비가 3이므로 등비수열 $\{a_n\}$의 첫째항부터 제n항까지의 합을 S_n이라 하면
$$S_n = \frac{2 \times (3^n - 1)}{3 - 1} = 3^n - 1$$
$$S_n > 10^6 \text{에서} \ 3^n - 1 > 10^6 \qquad \cdots\cdots ㉠$$
㉠을 만족시키는 자연수 n의 최솟값은 $3^n > 10^6$을 만족시키는 자연수 n의 최솟값과 같다.
$3^n > 10^6$의 양변에 상용로그를 취하면
$$\log 3^n > \log 10^6, \ n \log 3 > 6$$
$$\therefore n > \frac{6}{\log 3} = \frac{6}{0.4771} = 12.\times\times\times$$
따라서 첫째항부터 제13항까지의 합이 처음으로 10^6보다 커지므로 자연수 n의 최솟값은 13이다. $\qquad \boxed{\text{답}} \ 13$

27 삼각형 OPQ는 $\overline{OP} = \overline{OQ} = 2$인 직각이등변삼각형이므로 내접시킨 정사각형 $OA_1B_1C_1$의 한 변의 길이는 1이다.
즉, $\overline{OA_1} = 1$
마찬가지로 $\overline{A_1A_2} = \frac{1}{2}$, $\overline{A_2A_3} = \frac{1}{4}, \cdots$
만들어지는 정사각형의 넓이는 $1^2, \left(\frac{1}{2}\right)^2, \left(\frac{1}{4}\right)^2, \cdots$이므로 구하는 정사각형의 넓이의 합은 첫째항이 1이고, 공비가 $\frac{1}{4}$인 등비수열의 첫째항부터 제5항까지의 합이다.
$$\therefore \frac{1\left\{1 - \left(\frac{1}{4}\right)^5\right\}}{1 - \frac{1}{4}} = \frac{4}{3}\left\{1 - \left(\frac{1}{2}\right)^{10}\right\} \qquad \boxed{\text{답}} \ ②$$

28 2001년에 발생한 결핵 환자의 수를 a라 하고 매년 결핵에 걸리는 환자의 수가 전년도에 발생한 환자의 수의 r배라 하면 2001년부터 2020년까지 발생한 환자의 수는
$$a + ar + \cdots + ar^{19} = \frac{a(1 - r^{20})}{1 - r} = 90000 \qquad \cdots\cdots ㉠$$
또 2011년부터 2020년까지 발생한 환자의 수는
$$ar^{10} + ar^{11} + \cdots + ar^{19} = \frac{ar^{10}(1 - r^{10})}{1 - r} = 30000 \qquad \cdots\cdots ㉡$$
㉠÷㉡을 하면
$$\frac{1 - r^{20}}{r^{10}(1 - r^{10})} = \frac{(1 + r^{10})(1 - r^{10})}{r^{10}(1 - r^{10})} = 3$$
$$\frac{1 + r^{10}}{r^{10}} = 3$$
$$1 + r^{10} = 3r^{10}$$
$$\therefore r^{10} = \frac{1}{2}$$
따라서 2021년에 발생한 환자의 수는
$$ar^{20} = a(r^{10})^2 = a\left(\frac{1}{2}\right)^2 = \frac{1}{4}a$$
이므로 2001년에 발생한 환자의 수의 $\frac{1}{4}$배이다. $\qquad \boxed{\text{답}} \ ②$

29 매년 초에 30만 원씩 연이율 6%의 복리로 10년간 적립한 원리합계를 S라 하면

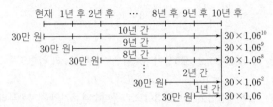

$$S=30\times1.06+30\times1.06^2+30\times1.06^3+\cdots+30\times1.06^{10}$$
$$=\frac{30\times1.06(1.06^{10}-1)}{1.06-1}$$
$$=\frac{30\times1.06(1.8-1)}{0.06}$$
$$=424(\text{만 원})\qquad\qquad\text{답 }④$$

30 매월 초에 적립하는 금액을 a원이라 하고, 월이율 1%의 복리로 5년간 적립하므로 기간은 $12\times5=60$개월이다.
5년 동안 적립하여 2020만 원을 만들어야 하므로
$$a(1+0.01)+a(1+0.01)^2+\cdots+a(1+0.01)^{60}=20200000$$
$$\frac{a(1+0.01)\{(1+0.01)^{60}-1\}}{(1+0.01)-1}=20200000$$
$$\frac{a\times1.01(1.8-1)}{0.01}=20200000$$
$$80.8a=20200000\qquad\therefore a=250000$$
따라서 매달 적립해야 할 금액은 25만 원이다. 답 ③

31 $10^5+10^5(1.01)+\cdots+10^5(1.01)^{n-1}$
$$=\frac{10^5\times\{(1.01)^n-1\}}{1.01-1}\geq10^7$$
$$10^7\times\{(1.01)^n-1\}\geq10^7,\ (1.01)^n\geq2$$
양변에 상용로그를 취하면
$$n\log1.01\geq\log2$$
$$\therefore n\geq\frac{\log2}{\log1.01}=\frac{0.3010}{0.0043}=70$$
따라서 70개월 후에 차를 살 수 있다. 답 ④

32 등비수열 $\{a_n\}$의 첫째항을 a라 하면
$$a_1a_4+a_2a_3=a\times ar^3+ar\times ar^2$$
$$=2a^2r^3=6$$
$$\therefore a^2r^3=3\qquad\qquad\cdots\cdots㉠$$
$$a_1a_3+a_2a_4=a\times ar^2+ar\times ar^3$$
$$=a^2r^2(1+r^2)=10\qquad\cdots\cdots㉡$$
㉠÷㉡을 하면 $\dfrac{r}{1+r^2}=\dfrac{3}{10}$
$$3r^2-10r+3=0,\ (3r-1)(r-3)=0$$
$$\therefore r=3\ (\because r>1)\qquad\qquad\text{답 }④$$

33 등비수열 $\{a_n\}$의 첫째항을 a, 공비를 r라 하면
$a_5=ar^4$, $a_6=ar^5$이므로 $a_5a_6=2$에서
$$a^2r^9=2$$
$$\therefore f(10)=a_1\times a_2\times a_3\times\cdots\times a_{10}$$
$$=a\times ar\times ar^2\times\cdots\times ar^9$$
$$=a^{10}r^{1+2+3+\cdots+9}$$
$$=a^{10}r^{45}=(a^2r^9)^5$$
$$=2^5=32\qquad\qquad\text{답 }32$$

34 등비수열 $\{a_n\}$의 첫째항을 a, 공비를 r라 하면
$$a_1+a_2+a_3+a_4+a_5=a+ar+ar^2+ar^3+ar^4$$
$$=a(1+r+r^2+r^3+r^4)=\frac{31}{2}$$
$$a_1\times a_2\times a_3\times a_4\times a_5=a\times ar\times ar^2\times ar^3\times ar^4$$
$$=a^5r^{10}=(ar^2)^5$$
$$=32$$
$$\therefore ar^2=2$$
$$\therefore \frac{1}{a_1}+\frac{1}{a_2}+\frac{1}{a_3}+\frac{1}{a_4}+\frac{1}{a_5}$$
$$=\frac{1}{a}+\frac{1}{ar}+\frac{1}{ar^2}+\frac{1}{ar^3}+\frac{1}{ar^4}$$
$$=\frac{1}{ar^4}(1+r+r^2+r^3+r^4)$$
$$=\frac{1}{(ar^2)^2}\times a(1+r+r^2+r^3+r^4)$$
$$=\frac{1}{2^2}\times\frac{31}{2}$$
$$=\frac{31}{8}\qquad\qquad\text{답 }②$$

35 $\dfrac{a_{10}-a_9}{S_{10}-S_8}+\dfrac{S_5-S_3}{a_5-a_4}=\dfrac{a_{10}-a_9}{a_{10}+a_9}+\dfrac{a_5+a_4}{a_5-a_4}$
$$=\frac{\frac{a_{10}}{a_9}-1}{\frac{a_{10}}{a_9}+1}+\frac{\frac{a_5}{a_4}+1}{\frac{a_5}{a_4}-1}$$
$$=\frac{\sqrt3-1}{\sqrt3+1}+\frac{\sqrt3+1}{\sqrt3-1}$$
$$=\frac{(\sqrt3-1)^2+(\sqrt3+1)^2}{2}=4\qquad\text{답 }4$$

36 조건 ㈎에서 등비수열 $\{a_n\}$의 공비를 r라 하면
$$a_1+a_2=a_1+a_1r=a_1(1+r)=288\qquad\cdots\cdots㉠$$
$$a_4+a_5=a_1r^3+a_1r^4=a_1r^3(1+r)=36\qquad\cdots\cdots㉡$$
㉡÷㉠을 하면 $r^3=\dfrac{1}{8}$이므로
$$r=\frac{1}{2},\ a_1=192$$
$$\therefore a_n=192\left(\frac{1}{2}\right)^{n-1}$$
조건 ㈏에서 등차수열 $\{b_n\}$의 공차를 d라 하면
$$b_1+b_2+b_3+b_4+b_5=\frac{5(2b_1+4d)}{2}$$
$$=5(b_1+2d)$$
$$=5(84+2d)=290$$
$$\therefore d=-13$$
$$\therefore b_n=-13n+97$$
자연수 n에 대하여 두 수열 $\{a_n\}$, $\{b_n\}$의 값의 변화를 살펴보면 다음과 같다.

n	1	2	3	4	5	6	7	8	$\cdots$
a_n	192	96	48	24	12	6	3	$\frac{3}{2}$	$\cdots$
b_n	84	71	58	45	32	19	6	-7	$\cdots$

따라서 부등식 $a_n < b_n$이 성립하도록 하는 모든 자연수 n의 값의 합은

$3+4+5+6+7=25$ **답 25**

37 이차방정식 $x^2 - \frac{1}{2}ax + 1 = 0$의 두 근이 α, β이므로 근과 계수의 관계에 의하여

$\alpha + \beta = \frac{1}{2}a$, $\alpha\beta = 1$

이차방정식 $x^2 - \frac{1}{2}bx + 2 = 0$의 두 근이 p, q이므로 근과 계수의 관계에 의하여

$p + q = \frac{1}{2}b$, $pq = 2$

$a > 0$, $b > 0$이므로 α, β, p, q는 모두 양수이다.

네 수 α, p, β, q가 이 순서대로 등비수열을 이루므로 공비를 r $(r > 0)$라 하면

$p = \alpha r$, $\beta = \alpha r^2$, $q = \alpha r^3$

$\alpha\beta = 1$에서 $\alpha^2 r^2 = 1$ ······ ㉠

$pq = 2$에서 $\alpha^2 r^4 = 2$ ······ ㉡

㉡÷㉠을 하면 $r^2 = 2$

$r^2 = 2$를 ㉠에 대입하면 $\alpha^2 = \frac{1}{2}$

$a > 0$, $r > 0$이므로 $\alpha = \frac{1}{\sqrt{2}}$, $r = \sqrt{2}$

$\therefore \alpha = \frac{1}{\sqrt{2}}$, $p = 1$, $\beta = \sqrt{2}$, $q = 2$

$a = 2(\alpha + \beta) = 2\left(\frac{1}{\sqrt{2}} + \sqrt{2}\right) = 3\sqrt{2}$

$b = 2(p + q) = 2(1 + 2) = 6$

$\therefore a^2 + b^2 = 18 + 36 = 54$ **답 54**

38 (i) 세 수 a, b, c가 이 순서대로 등차수열을 이룰 때,

$a + c = 2b$이므로

$a + b + c = 3b = 12$

$\therefore b = 4$

공차를 d라 하면 $a = 4 - d$, $c = 4 + d$이므로

$abc = (4 - d) \times 4 \times (4 + d) = -512$

$16 - d^2 = -128$

$d^2 = 144$

$\therefore d = 12$ $(\because d > 0)$

따라서 $a = -8$, $b = 4$, $c = 16$이므로 $p = 16$이다.

(ii) 세 수 a, b, c가 이 순서대로 등비수열을 이룰 때,

$ac = b^2$이므로

$abc = b^3 = -512$

$\therefore b = -8$

$a + b + c = a - 8 + c = 12$에서 $a + c = 20$이고

$ac = 64$이므로 a, c를 두 근으로 하고 이차항의 계수가 1인 이차방정식은

$t^2 - 20t + 64 = 0$

$(t - 4)(t - 16) = 0$

$\therefore t = 4$ 또는 $t = 16$

따라서 $a = 4$, $b = -8$, $c = 16$이므로 $q = 16$이다.

(i), (ii)에서 $p + q = 16 + 16 = 32$ **답 32**

39 ㄱ. a, b, c가 이 순서대로 등차수열을 이루므로

$2b = a + c$

$\therefore f(1) = a + 2b + c = 2b + 2b = 4b$ (참)

ㄴ. 이차방정식 $ax^2 + 2bx + c = 0$의 판별식을 D라 하면

$D = (2b)^2 - 4ac = (a + c)^2 - 4ac$

$\qquad = (a - c)^2 > 0$ $(\because a \neq c)$

이므로 함수 $y = f(x)$의 그래프는 x축과 서로 다른 두 점에서 만난다. (참)

ㄷ. a, b, c가 이 순서대로 등비수열을 이루므로

$b^2 = ac$

이차방정식 $ax^2 + 2bx + c = 0$의 판별식을 D라 하면

$\frac{D}{4} = b^2 - ac = 0$

이므로 함수 $y = f(x)$의 그래프는 x축에 접한다. (거짓)

따라서 옳은 것은 ㄱ, ㄴ이다. **답 ③**

40 등비수열 $\{a_n\}$의 공비를 r라 하면

수열 a_1, a_3, a_5, $\cdots$은 첫째항이 3, 공비가 r^2이므로

$a_1 + a_3 + a_5 + \cdots + a_{2n-1} = \frac{3\{(r^2)^n - 1\}}{r^2 - 1}$

$\qquad\qquad\qquad\qquad = \frac{3(r^{2n} - 1)}{r^2 - 1}$ ······ ㉠

$a_3 + a_5 + a_7 + \cdots + a_{2n+1} = r^2(a_1 + a_3 + a_5 + \cdots + a_{2n-1})$

$\qquad\qquad\qquad\qquad = r^2(2^{30} - 1) = 2^{32} - 4$

$\therefore r^2 = 4$

㉠에서 $\frac{3(4^n - 1)}{4 - 1} = 4^n - 1 = 2^{2n} - 1 = 2^{30} - 1$

따라서 $2n = 30$이므로

$n = 15$ **답 15**

41 수열 4, a_1, a_2, a_3, $\cdots$, a_n, 10의 공비를 r $(r \neq 1)$라 하면

$10 = 4 \times r^{(n+2)-1} = 4r^{n+1}$

$\therefore r^{n+1} = \frac{5}{2}$ ······ ㉠

수열 $\{a_n\}$은 첫째항이 $4r$, 공비가 r인 등비수열이므로

$a_1 + a_2 + a_3 + \cdots + a_n = \frac{4r(1 - r^n)}{1 - r}$

수열 $\left\{\frac{1}{a_n}\right\}$은 첫째항이 $\frac{1}{4r}$, 공비가 $\frac{1}{r}$인 등비수열이므로

$\frac{1}{a_1} + \frac{1}{a_2} + \frac{1}{a_3} + \cdots + \frac{1}{a_n} = \frac{\frac{1}{4r}\left\{\left(\frac{1}{r}\right)^n - 1\right\}}{\frac{1}{r} - 1}$

$\qquad\qquad\qquad\qquad = \frac{1 - r^n}{4r^n(1 - r)}$

즉, $\frac{4r(1 - r^n)}{1 - r} = p\left\{\frac{1 - r^n}{4r^n(1 - r)}\right\}$이므로 $4r = \frac{p}{4r^n}$

$\therefore p = 4r \times 4r^n = 16r^{n+1} = 16 \times \frac{5}{2} = 40$ $(\because ㉠)$ **답 40**

42 $f(f(x)) = (x^{10} + x^9 + \cdots + x^3 + x^2 + x + 2)^{10}$

$\qquad\qquad + (x^{10} + x^9 + \cdots + x^3 + x^2 + x + 2)^9 + \cdots$

$\qquad\qquad + (x^{10} + x^9 + \cdots + x^3 + x^2 + x + 2)^3$

$\qquad\qquad + (x^{10} + x^9 + \cdots + x^3 + x^2 + x + 2)^2$

$\qquad\qquad + (x^{10} + x^9 + \cdots + x^3 + x^2 + x + 2) + 2$

이므로 합성함수 $y=f(f(x))$의 상수항은

$$2^{10}+2^9+\cdots+2^3+2^2+2+2=\frac{2(2^{10}-1)}{2-1}+2$$
$$=2^{11}$$

답 ②

43 그림과 같이 도형 C_1은 반지름의 길이가 $\sqrt{2}$인 원이다. 같은 방법으로 생각하면 도형 C_n은 반지름의 길이가 $(\sqrt{2})^n$인 원이 되므로 넓이 S_n은

$$S_n=\pi\{(\sqrt{2})^n\}^2=2^n\pi$$

$$\therefore \frac{1}{S_n}=\frac{1}{2^n\pi}$$

$$\therefore \frac{1}{S_1}+\frac{1}{S_2}+\cdots+\frac{1}{S_5}=\frac{\frac{1}{2}\left\{1-\left(\frac{1}{2}\right)^5\right\}}{1-\frac{1}{2}}\times\frac{1}{\pi}$$
$$=\frac{31}{32}\times\frac{1}{\pi}$$

$$\therefore p+q=32+31=63$$

답 63

44 10억 원의 10년 후의 원리합계는

$10(1+0.08)^{10}$(억 원) ······㉠

2023년 말에 a억 원을 갚는다고 할 때, 매년 말에 전년도에 갚은 돈보다 8 %씩 더 갚기로 하여 5회에 걸쳐 갚는 금액의 원리합계는

2023년 말: $a\times(1+0.08)^4$

2024년 말: $a\times(1+0.08)\times(1+0.08)^3$

2025년 말: $a\times(1+0.08)^2\times(1+0.08)^2$

2026년 말: $a\times(1+0.08)^3\times(1+0.08)$

2027년 말: $a\times(1+0.08)^4$

에서 $5a(1+0.08)^4$(억 원) ······㉡

㉠과 ㉡이 같아야 하므로

$10(1+0.08)^{10}=5a(1+0.08)^4$

$$\therefore a=2\times1.08^6=2\times1.6=3.2$$

따라서 1회째에 갚아야 할 금액은 3억 2천만 원이다.

답 ④

45 두 점 A_n, B_n의 x좌표를 각각 a_n, b_n이라 하면

$l_n=a_n-b_n$

$2, a_1, a_2, \cdots, a_7, 2^9$은 등차수열이므로

$$2+a_1+a_2+a_3+\cdots+a_7+2^9=\frac{9(2+2^9)}{2}$$
$$=2313$$

$$\therefore a_1+a_2+a_3+\cdots+a_7=2313-(2+2^9)$$
$$=1799$$

$2, b_1, b_2, \cdots, b_7, 2^9$은 등비수열이므로 공비를 r라 하면

$2^9=2r^8$에서 $r=2$ $(\because r>0)$

$$\therefore b_1+b_2+b_3+\cdots+b_7=\frac{4(2^7-1)}{2-1}$$
$$=508$$

$$\therefore l_1+l_2+l_3+\cdots+l_7$$
$$=(a_1-b_1)+(a_2-b_2)+\cdots+(a_7-b_7)$$
$$=(a_1+a_2+\cdots+a_7)-(b_1+b_2+\cdots+b_7)$$
$$=1799-508$$
$$=1291$$

답 1291

46 두 로그함수 $y=\log_2 x$, $y=\log_3 x$의 그래프와 직선 $y=n$이 만나는 점을 각각 $A_n(2^n, n)$, $B_n(3^n, n)$이라 하면 $a_n=2^n$, $b_n=3^n$이므로 $c_n=3^n-2^n+1$이다.

$$\therefore c_1+c_2+c_3+\cdots+c_{10}$$
$$=(3-2+1)+(3^2-2^2+1)+(3^3-2^3+1)+\cdots$$
$$+(3^{10}-2^{10}+1)$$
$$=(3+3^2+3^3+\cdots+3^{10})-(2+2^2+2^3+\cdots+2^{10})+10$$
$$=\frac{3(3^{10}-1)}{3-1}-\frac{2(2^{10}-1)}{2-1}+10$$
$$=\frac{1}{2}\times3^{11}-2^{11}+\frac{21}{2}$$

답 ④

12 수열의 합

본책 121~130쪽

01

$$\sum_{k=1}^{n}(a_{2k-1}+a_{2k})=(a_1+a_2)+(a_3+a_4)+\cdots+(a_{2n-1}+a_{2n})$$
$$=n^2$$
$$\therefore \sum_{k=1}^{2n}a_k=n^2$$
$$\therefore \sum_{k=1}^{10}a_k=5^2=25$$

답 ③

02

$$\sum_{k=1}^{10}(2a_k-3)^2=\sum_{k=1}^{10}(4a_k{}^2-12a_k+9)$$
$$=4\sum_{k=1}^{10}a_k{}^2-12\sum_{k=1}^{10}a_k+\sum_{k=1}^{10}9$$
$$=4\times20-12\times10+9\times10$$
$$=50$$

답 50

03

$$\sum_{k=1}^{n}(2k-2)=2\times\frac{n(n+1)}{2}-2n$$
$$=n^2-n$$
$$=210$$
$$n^2-n-210=0,\ (n+14)(n-15)=0$$
$$\therefore n=15\ (\because n\text{은 자연수})$$

답 ③

04

$$\sum_{k=1}^{7}k=1+2+3+4+5+6+7$$
$$\sum_{k=2}^{7}k=2+3+4+5+6+7$$
$$\sum_{k=3}^{7}k=3+4+5+6+7$$
$$\sum_{k=4}^{7}k=4+5+6+7$$
$$\sum_{k=5}^{7}k=5+6+7$$
$$\sum_{k=6}^{7}k=6+7$$
$$\sum_{k=7}^{7}k=7$$
$$\therefore (\text{주어진 식})=1+2\times2+3\times3+4\times4+5\times5+6\times6+7\times7$$
$$=\sum_{k=1}^{7}k^2$$

답 ②

05

$$\sum_{k=1}^{5}(2^{k+1}+5k+1)=\sum_{k=1}^{5}2^{k+1}+5\sum_{k=1}^{5}k+\sum_{k=1}^{5}1$$
$$=\frac{4(2^5-1)}{2-1}+5\times\frac{5\times6}{2}+1\times5$$
$$=124+75+5$$
$$=204$$

답 204

06

$$\sum_{l=1}^{10}\left\{\sum_{k=1}^{4}(k+l+1)\right\}=\sum_{l=1}^{10}\left(\sum_{k=1}^{4}k+4l+4\right)$$
$$=\sum_{l=1}^{10}\left(\frac{4\times5}{2}+4l+4\right)$$
$$=\sum_{l=1}^{10}(4l+14)$$
$$=4\sum_{l=1}^{10}l+\sum_{l=1}^{10}14$$
$$=4\times\frac{10\times11}{2}+140$$
$$=360$$

답 ②

07

수열 $\dfrac{1}{1\times3},\ \dfrac{1}{3\times5},\ \dfrac{1}{5\times7},\ \cdots,\ \dfrac{1}{99\times101},\ \cdots$ 의 일반항을 a_n이라 하면

$$a_n=\frac{1}{(2n-1)(2n+1)}=\frac{1}{2}\left(\frac{1}{2n-1}-\frac{1}{2n+1}\right)$$

주어진 식은 수열 $\{a_n\}$의 첫째항부터 제50항까지의 합이므로

$$\sum_{k=1}^{50}a_k=\frac{1}{2}\sum_{k=1}^{50}\left(\frac{1}{2k-1}-\frac{1}{2k+1}\right)$$
$$=\frac{1}{2}\left\{\left(1-\frac{1}{3}\right)+\left(\frac{1}{3}-\frac{1}{5}\right)+\cdots+\left(\frac{1}{99}-\frac{1}{101}\right)\right\}$$
$$=\frac{1}{2}\left(1-\frac{1}{101}\right)=\frac{50}{101}$$
$$\therefore p+q=101+50=151$$

답 151

08

$$\sum_{k=1}^{12}\frac{1}{\sqrt{2k-1}+\sqrt{2k+1}}$$
$$=\sum_{k=1}^{12}\frac{\sqrt{2k-1}-\sqrt{2k+1}}{(\sqrt{2k-1}+\sqrt{2k+1})(\sqrt{2k-1}-\sqrt{2k+1})}$$
$$=-\frac{1}{2}\sum_{k=1}^{12}(\sqrt{2k-1}-\sqrt{2k+1})$$
$$=-\frac{1}{2}\{(\sqrt{1}-\sqrt{3})+(\sqrt{3}-\sqrt{5})+\cdots+(\sqrt{23}-\sqrt{25})\}$$
$$=-\frac{1}{2}(\sqrt{1}-\sqrt{25})$$
$$=-\frac{1}{2}(1-5)=2$$

답 2

09

$$\sum_{k=1}^{9}f(k+1)=f(2)+f(3)+\cdots+f(9)+f(10)$$
$$\sum_{k=2}^{10}f(k-1)=f(1)+f(2)+f(3)+\cdots+f(9)$$
$$\therefore \sum_{k=1}^{9}f(k+1)-\sum_{k=2}^{10}f(k-1)=f(10)-f(1)$$
$$=50-3=47$$

답 47

10

$$\sum_{k=1}^{10}(a_k{}^2+b_k{}^2)=\sum_{k=1}^{10}\{(a_k+b_k)^2-2a_kb_k\}$$
$$=\sum_{k=1}^{10}(a_k+b_k)^2-2\sum_{k=1}^{10}a_kb_k$$
$$=40-2\times5=30$$

답 ⑤

11

$$\sum_{k=11}^{20}(2a_k+b_k)=2\sum_{k=11}^{20}a_k+\sum_{k=11}^{20}b_k$$
$$=2\left(\sum_{k=1}^{20}a_k-\sum_{k=1}^{10}a_k\right)+\left(\sum_{k=1}^{20}b_k-\sum_{k=1}^{10}b_k\right)$$
$$=2(45-25)+(30-15)$$
$$=40+15=55$$

답 ⑤

12

$$\sum_{k=1}^{10}(4k+2)^2-\sum_{k=1}^{10}(4k-1)^2$$
$$=\sum_{k=1}^{10}\{(4k+2)^2-(4k-1)^2\}$$
$$=\sum_{k=1}^{10}\{(16k^2+16k+4)-(16k^2-8k+1)\}$$
$$=\sum_{k=1}^{10}(24k+3)$$
$$=24\sum_{k=1}^{10}k+\sum_{k=1}^{10}3$$
$$=24\times\frac{10\times11}{2}+3\times10$$
$$=1350$$

답 ③

13 $\displaystyle\sum_{k=6}^{10}(k^2+2^{k-1})=\sum_{k=1}^{10}k^2-\sum_{k=1}^{5}k^2+\sum_{k=6}^{10}2^{k-1}$

$\qquad\qquad\qquad\quad=\dfrac{10\times11\times21}{6}-\dfrac{5\times6\times11}{6}+\dfrac{2^5(2^5-1)}{2-1}$

$\qquad\qquad\qquad\quad=385-55+992$

$\qquad\qquad\qquad\quad=1322$ 〔답〕④

14 $\displaystyle\sum_{k=1}^{n}(k^2-2)-\sum_{k=1}^{n-1}(k^2+3)$

$\qquad=\left(\sum_{k=1}^{n}k^2-\sum_{k=1}^{n}2\right)-\left(\sum_{k=1}^{n-1}k^2+\sum_{k=1}^{n-1}3\right)$

$\qquad=\left(\sum_{k=1}^{n}k^2-\sum_{k=1}^{n-1}k^2\right)-2n-3(n-1)$

$\qquad=\left(\sum_{k=1}^{n-1}k^2+n^2-\sum_{k=1}^{n-1}k^2\right)-2n-3n+3$

$\qquad=n^2-5n+3=53$

$\qquad n^2-5n-50=0,\ (n+5)(n-10)=0$

$\qquad\therefore n=10\ \ (\because n\text{은 자연수})$ 〔답〕10

15 $\displaystyle\sum_{k=1}^{30}\log_2 a_k$

$\qquad=(\log_2 a_1+\log_2 a_2)+(\log_2 a_3+\log_2 a_4)+\cdots$

$\qquad\qquad\qquad\qquad\qquad\qquad+(\log_2 a_{29}+\log_2 a_{30})$

$\qquad=\sum_{k=1}^{15}(\log_2 a_{2k-1}+\log_2 a_{2k})$

$\qquad=\sum_{k=1}^{15}\log_2(a_{2k-1}a_{2k})$

$\qquad=\sum_{k=1}^{15}\log_2\left\{\left(\dfrac{1}{3}\right)^k\times6^k\right\}$

$\qquad=\sum_{k=1}^{15}\log_2 2^k=\sum_{k=1}^{15}k$

$\qquad=\dfrac{15\times16}{2}=120$ 〔답〕④

16 이차방정식 $x^2-2nx-n^2=0$의 두 근이 $a_n,\ b_n$이므로 근과 계수의 관계에 의하여

$\quad a_n+b_n=2n,\ a_nb_n=-n^2$

$\quad\therefore\sum_{k=1}^{10}(a_k+2)(b_k+2)$

$\qquad=\sum_{k=1}^{10}\{a_kb_k+2(a_k+b_k)+4\}$

$\qquad=\sum_{k=1}^{10}(-k^2+4k+4)$

$\qquad=-\sum_{k=1}^{10}k^2+4\sum_{k=1}^{10}k+\sum_{k=1}^{10}4$

$\qquad=-\dfrac{10\times11\times21}{6}+4\times\dfrac{10\times11}{2}+4\times10$

$\qquad=-385+220+40$

$\qquad=-125$ 〔답〕-125

17 $f(x)=\displaystyle\sum_{k=1}^{10}\left(kx-\dfrac{1}{k}\right)^2=\sum_{k=1}^{10}\left(k^2x^2-2x+\dfrac{1}{k^2}\right)$

$\qquad\quad=\left(\sum_{k=1}^{10}k^2\right)x^2-\sum_{k=1}^{10}2x+\sum_{k=1}^{10}\dfrac{1}{k^2}$

$\qquad\quad=\dfrac{10\times11\times21}{6}x^2-2x\times10+\sum_{k=1}^{10}\dfrac{1}{k^2}$

$\qquad\quad=385x^2-20x+\sum_{k=1}^{10}\dfrac{1}{k^2}$

따라서 $f(x)$는 $x=\dfrac{10}{385}=\dfrac{2}{77}$일 때, 최솟값을 갖는다.

$\therefore a=\dfrac{2}{77}$ 〔답〕②

18 주어진 수열 $2^2,\ 5^2,\ 8^2,\ \cdots$의 일반항을 a_n이라 하면

$a_n=(3n-1)^2$이므로

$\displaystyle\sum_{k=1}^{12}a_k=\sum_{k=1}^{12}(3k-1)^2=\sum_{k=1}^{12}(9k^2-6k+1)$

$\qquad\quad=9\sum_{k=1}^{12}k^2-6\sum_{k=1}^{12}k+\sum_{k=1}^{12}1$

$\qquad\quad=9\times\dfrac{12\times13\times25}{6}-6\times\dfrac{12\times13}{2}+12$

$\qquad\quad=5394$ 〔답〕①

19 주어진 수열 $1,\ 2+4,\ 3+6+9,\ \cdots$의 일반항을 a_n이라 하면

$a_n=n+2n+3n+\cdots+n^2=\displaystyle\sum_{k=1}^{n}kn=\dfrac{1}{2}(n^3+n^2)$

$\therefore\displaystyle\sum_{k=1}^{10}a_k=\sum_{k=1}^{10}\dfrac{1}{2}(k^3+k^2)=\dfrac{1}{2}\left(\sum_{k=1}^{10}k^3+\sum_{k=1}^{10}k^2\right)$

$\qquad\quad=\dfrac{1}{2}\left\{\left(\dfrac{10\times11}{2}\right)^2+\dfrac{10\times11\times21}{6}\right\}$

$\qquad\quad=1705$ 〔답〕③

20 $1^2-2^2+3^2-4^2+\cdots+(2n-1)^2-(2n)^2+(2n+1)^2$

$=\{1^2+3^2+\cdots+(2n-1)^2+(2n+1)^2\}$

$\qquad\qquad\qquad\qquad\qquad-\{2^2+4^2+\cdots+(2n)^2\}$

$=\displaystyle\sum_{k=1}^{n+1}(2k-1)^2-\sum_{k=1}^{n}(2k)^2$

$=\displaystyle\sum_{k=1}^{n}\{(2k-1)^2-(2k)^2\}+(2n+1)^2$

$=\displaystyle\sum_{k=1}^{n}(-4k+1)+(2n+1)^2$

$=-4\displaystyle\sum_{k=1}^{n}k+\sum_{k=1}^{n}1+(2n+1)^2$

$=-4\times\dfrac{n(n+1)}{2}+n+(2n+1)^2$

$=2n^2+3n+1$

$=(n+1)(2n+1)$ 〔답〕②

21 첫째항부터 제n항까지의 합을 S_n이라 하면

$\displaystyle\sum_{k=1}^{n}a_k=S_n=3n^2+2n$이므로

(ⅰ) $n\geq2$일 때,

$\quad a_n=S_n-S_{n-1}$

$\qquad=(3n^2+2n)-\{3(n-1)^2+2(n-1)\}$

$\qquad=6n-1$

(ⅱ) $n=1$일 때,

$\quad a_1=S_1=3\times1^2+2=5$

$a_1=5$는 $a_n=6n-1$에 $n=1$을 대입한 것과 같다.

$\therefore a_n=6n-1$

$\therefore\displaystyle\sum_{k=1}^{10}a_{2k-1}=\sum_{k=1}^{10}\{6(2k-1)-1\}=\sum_{k=1}^{10}(12k-7)$

$\qquad\qquad\quad=12\sum_{k=1}^{10}k-\sum_{k=1}^{10}7$

$\qquad\qquad\quad=12\times\dfrac{10\times11}{2}-7\times10=590$ 〔답〕③

22 첫째항부터 제n항까지의 합을 S_n이라 하면

$\sum\limits_{k=1}^{n} a_k = S_n = n(n+3) = n^2 + 3n$이므로

(i) $n \geq 2$일 때,

$\quad a_n = S_n - S_{n-1}$

$\quad\quad = (n^2 + 3n) - \{(n-1)^2 + 3(n-1)\}$

$\quad\quad = 2n + 2$

(ii) $n = 1$일 때,

$\quad a_1 = S_1 = 1^2 + 3 \times 1 = 4$

$a_1 = 4$는 $a_n = 2n + 2$에 $n = 1$을 대입한 것과 같다.

$\therefore a_n = 2n + 2$

$\therefore \sum\limits_{k=1}^{5} k a_{2k} = \sum\limits_{k=1}^{5} k(2 \times 2k + 2) = \sum\limits_{k=1}^{5} (4k^2 + 2k)$

$\quad\quad = 4 \sum\limits_{k=1}^{5} k^2 + 2 \sum\limits_{k=1}^{5} k$

$\quad\quad = 4 \times \dfrac{5 \times 6 \times 11}{6} + 2 \times \dfrac{5 \times 6}{2} = 250$ 　답 ⑤

23 $a_1, a_2, a_3, \cdots, a_n$의 평균이 $n+1$이므로

$\dfrac{a_1 + a_2 + a_3 + \cdots + a_n}{n} = n + 1$

$\therefore a_1 + a_2 + a_3 + \cdots + a_n = n(n+1) = n^2 + n$

즉, 첫째항부터 제n항까지의 합 S_n은

$S_n = n^2 + n$이므로

(i) $n \geq 2$일 때,

$\quad a_n = S_n - S_{n-1}$

$\quad\quad = n^2 + n - \{(n-1)^2 + (n-1)\}$

$\quad\quad = 2n$

(ii) $n = 1$일 때,

$\quad a_1 = S_1 = 1^2 + 1 = 2$

$a_1 = 2$는 $a_n = 2n$에 $n = 1$을 대입한 것과 같다.

$\therefore a_n = 2n$

$\therefore \sum\limits_{k=1}^{10} a_{3k} = \sum\limits_{k=1}^{10} 6k = 6 \sum\limits_{k=1}^{10} k$

$\quad\quad = 6 \times \dfrac{10 \times 11}{2} = 330$ 　답 330

24 $\sum\limits_{i=1}^{n} \left(\sum\limits_{j=1}^{7} ij \right) = \sum\limits_{i=1}^{n} \left(i \sum\limits_{j=1}^{7} j \right) = \sum\limits_{i=1}^{n} i \times \dfrac{7 \times 8}{2}$

$\quad\quad = \sum\limits_{i=1}^{n} 28i = 28 \times \dfrac{n(n+1)}{2}$

$\quad\quad = 14n(n+1) = 420$

이므로 $n(n+1) = 30$에서

$n^2 + n - 30 = 0$, $(n+6)(n-5) = 0$

$\therefore n = 5$ ($\because n$은 자연수) 　답 ③

25 $\sum\limits_{n=1}^{8} \left\{ \sum\limits_{k=1}^{n} k(n-k) \right\}$

$= \sum\limits_{n=1}^{8} \left(n \sum\limits_{k=1}^{n} k - \sum\limits_{k=1}^{n} k^2 \right)$

$= \sum\limits_{n=1}^{8} \left\{ n \times \dfrac{n(n+1)}{2} - \dfrac{n(n+1)(2n+1)}{6} \right\}$

$= \sum\limits_{n=1}^{8} \dfrac{n(n+1)(n-1)}{6} = \dfrac{1}{6} \sum\limits_{n=1}^{8} (n^3 - n)$

$= \dfrac{1}{6} \left\{ \left(\dfrac{8 \times 9}{2} \right)^2 - \dfrac{8 \times 9}{2} \right\} = 210$ 　답 210

26 $\sum\limits_{m=1}^{n} \left\{ \sum\limits_{l=1}^{l} \left(\sum\limits_{k=1}^{m} 2 \right) \right\} = \sum\limits_{m=1}^{n} \left(\sum\limits_{l=1}^{m} 2l \right)$

$\quad\quad = \sum\limits_{m=1}^{n} \left\{ 2 \times \dfrac{m(m+1)}{2} \right\}$

$\quad\quad = \sum\limits_{m=1}^{n} (m^2 + m)$

$\quad\quad = \dfrac{n(n+1)(2n+1)}{6} + \dfrac{n(n+1)}{2}$

$\quad\quad = \dfrac{1}{3} n(n+1)(n+2)$ 　답 ①

27 $\dfrac{2}{3^2 - 1} + \dfrac{2}{5^2 - 1} + \dfrac{2}{7^2 - 1} + \cdots + \dfrac{2}{21^2 - 1}$

$= \sum\limits_{k=1}^{10} \dfrac{2}{(2k+1)^2 - 1} = \sum\limits_{k=1}^{10} \dfrac{2}{(2k+1-1)(2k+1+1)}$

$= \sum\limits_{k=1}^{10} \dfrac{2}{2k(2k+2)} = \dfrac{1}{2} \sum\limits_{k=1}^{10} \dfrac{1}{k(k+1)}$

$= \dfrac{1}{2} \sum\limits_{k=1}^{10} \left(\dfrac{1}{k} - \dfrac{1}{k+1} \right)$

$= \dfrac{1}{2} \left\{ \left(1 - \dfrac{1}{2} \right) + \left(\dfrac{1}{2} - \dfrac{1}{3} \right) + \cdots + \left(\dfrac{1}{10} - \dfrac{1}{11} \right) \right\}$

$= \dfrac{1}{2} \left(1 - \dfrac{1}{11} \right) = \dfrac{5}{11}$ 　답 ③

28 $\sum\limits_{k=1}^{n} \log_2 \left(\dfrac{1}{k} + 1 \right)$

$= \sum\limits_{k=1}^{n} \log_2 \dfrac{k+1}{k}$

$= \log_2 \dfrac{2}{1} + \log_2 \dfrac{3}{2} + \log_2 \dfrac{4}{3} + \cdots + \log_2 \dfrac{n+1}{n}$

$= \log_2 \left(\dfrac{2}{1} \times \dfrac{3}{2} \times \dfrac{4}{3} \times \cdots \times \dfrac{n+1}{n} \right)$

$= \log_2 (n+1) = 5$

$n + 1 = 2^5$이므로

$n = 2^5 - 1 = 31$ 　답 31

29 첫째항부터 제n항까지의 합을 S_n이라 하면

$\sum\limits_{k=1}^{n} a_k = S_n = 2n^2 + n$이므로

(i) $n \geq 2$일 때,

$\quad a_n = S_n - S_{n-1}$

$\quad\quad = 2n^2 + n - \{2(n-1)^2 + (n-1)\}$

$\quad\quad = 4n - 1$

(ii) $n = 1$일 때,

$\quad a_1 = S_1 = 2 \times 1^2 + 1 = 3$

$a_1 = 3$은 $a_n = 4n - 1$에 $n = 1$을 대입한 것과 같다.

$\therefore a_n = 4n - 1$

$\therefore \sum\limits_{k=1}^{10} \dfrac{1}{a_k a_{k+1}} = \sum\limits_{k=1}^{10} \dfrac{1}{(4k-1)(4k+3)}$

$\quad\quad = \dfrac{1}{4} \sum\limits_{k=1}^{10} \left(\dfrac{1}{4k-1} - \dfrac{1}{4k+3} \right)$

$\quad\quad = \dfrac{1}{4} \left\{ \left(\dfrac{1}{3} - \dfrac{1}{7} \right) + \left(\dfrac{1}{7} - \dfrac{1}{11} \right) + \cdots \right.$

$\quad\quad\quad\quad\quad\quad\quad \left. + \left(\dfrac{1}{39} - \dfrac{1}{43} \right) \right\}$

$\quad\quad = \dfrac{1}{4} \left(\dfrac{1}{3} - \dfrac{1}{43} \right) = \dfrac{10}{129}$

따라서 $p = 129$, $q = 10$이므로 $p + q = 139$ 　답 ①

30 이차방정식 $x^2-x+n(n+2)=0$의 두 근이 α_n, β_n이므로 근과 계수의 관계에 의하여

$\alpha_n+\beta_n=1$, $\alpha_n\beta_n=n(n+2)$

$$\therefore \sum_{k=1}^{9}\left(\frac{1}{\alpha_k}+\frac{1}{\beta_k}\right)=\sum_{k=1}^{9}\frac{\alpha_k+\beta_k}{\alpha_k\beta_k}$$

$$=\sum_{k=1}^{9}\frac{1}{k(k+2)}$$

$$=\frac{1}{2}\sum_{k=1}^{9}\left(\frac{1}{k}-\frac{1}{k+2}\right)$$

$$=\frac{1}{2}\left\{\left(1-\frac{1}{3}\right)+\left(\frac{1}{2}-\frac{1}{4}\right)+\cdots\right.$$

$$\left.+\left(\frac{1}{8}-\frac{1}{10}\right)+\left(\frac{1}{9}-\frac{1}{11}\right)\right\}$$

$$=\frac{1}{2}\left(1+\frac{1}{2}-\frac{1}{10}-\frac{1}{11}\right)$$

$$=\frac{36}{55}$$ 달 ④

31 $\dfrac{3}{1^2}+\dfrac{5}{1^2+2^2}+\dfrac{7}{1^2+2^2+3^2}+\cdots+\dfrac{19}{1^2+2^2+\cdots+9^2}$

$$=\sum_{k=1}^{9}\frac{2k+1}{\sum_{i=1}^{k}i^2}$$

$$=\sum_{k=1}^{9}\frac{2k+1}{\frac{k(k+1)(2k+1)}{6}}$$

$$=\sum_{k=1}^{9}\frac{6}{k(k+1)}=6\sum_{k=1}^{9}\left(\frac{1}{k}-\frac{1}{k+1}\right)$$

$$=6\left\{\left(1-\frac{1}{2}\right)+\left(\frac{1}{2}-\frac{1}{3}\right)+\cdots+\left(\frac{1}{9}-\frac{1}{10}\right)\right\}$$

$$=6\left(1-\frac{1}{10}\right)=\frac{27}{5}$$ 달 ①

32 수열 $\left\{\dfrac{a_n}{n+1}\right\}$의 첫째항부터 제$n$항까지의 합을 S_n이라 하면

$\displaystyle\sum_{k=1}^{n}\frac{a_k}{k+1}=S_n=n^2+n$이므로

(i) $n\geq2$일 때,

$$\frac{a_n}{n+1}=S_n-S_{n-1}$$

$$=n^2+n-\{(n-1)^2+(n-1)\}$$

$$=2n$$

$$\therefore a_n=2n(n+1)$$

(ii) $n=1$일 때,

$$S_1=\frac{a_1}{2}=2$$

$$\therefore a_1=4$$

$a_1=4$는 $a_n=2n(n+1)$에 $n=1$을 대입한 것과 같으므로

$a_n=2n(n+1)$

$$\therefore \sum_{k=1}^{10}\frac{1}{a_k}=\sum_{k=1}^{10}\frac{1}{2k(k+1)}$$

$$=\frac{1}{2}\sum_{k=1}^{10}\left(\frac{1}{k}-\frac{1}{k+1}\right)$$

$$=\frac{1}{2}\left\{\left(1-\frac{1}{2}\right)+\left(\frac{1}{2}-\frac{1}{3}\right)+\cdots+\left(\frac{1}{10}-\frac{1}{11}\right)\right\}$$

$$=\frac{1}{2}\left(1-\frac{1}{11}\right)=\frac{5}{11}$$ 달 ①

33
$$\frac{1}{\sqrt{a_{k+1}}+\sqrt{a_k}}=\frac{\sqrt{a_{k+1}}-\sqrt{a_k}}{(\sqrt{a_{k+1}}+\sqrt{a_k})(\sqrt{a_{k+1}}-\sqrt{a_k})}$$

$$=\frac{\sqrt{a_{k+1}}-\sqrt{a_k}}{a_{k+1}-a_k}$$

$$=\sqrt{a_{k+1}}-\sqrt{a_k}\;(\because a_{k+1}-a_k=1)$$

이고, $a_n=n$이므로

$$\frac{1}{\sqrt{a_2}+\sqrt{a_1}}+\frac{1}{\sqrt{a_3}+\sqrt{a_2}}+\frac{1}{\sqrt{a_4}+\sqrt{a_3}}+\cdots$$

$$+\frac{1}{\sqrt{a_{100}}+\sqrt{a_{99}}}$$

$$=\sum_{k=1}^{99}\frac{1}{\sqrt{a_{k+1}}+\sqrt{a_k}}=\sum_{k=1}^{99}(\sqrt{a_{k+1}}-\sqrt{a_k})$$

$$=\sum_{k=1}^{99}(\sqrt{k+1}-\sqrt{k})$$

$$=(\sqrt{2}-\sqrt{1})+(\sqrt{3}-\sqrt{2})+\cdots+(\sqrt{100}-\sqrt{99})$$

$$=\sqrt{100}-\sqrt{1}$$

$$=10-1=9$$ 달 ④

34 $a_n=\dfrac{1}{\sqrt{n+1}+\sqrt{n+2}}$

$$=\frac{\sqrt{n+1}-\sqrt{n+2}}{(\sqrt{n+1}+\sqrt{n+2})(\sqrt{n+1}-\sqrt{n+2})}$$

$$=\frac{\sqrt{n+1}-\sqrt{n+2}}{(n+1)-(n+2)}$$

$$=-(\sqrt{n+1}-\sqrt{n+2})$$

$$=\sqrt{n+2}-\sqrt{n+1}$$

첫째항부터 제n항까지의 합은

$$\sum_{k=1}^{n}(\sqrt{k+2}-\sqrt{k+1})$$

$$=(\sqrt{3}-\sqrt{2})+(\sqrt{4}-\sqrt{3})+\cdots+(\sqrt{n+2}-\sqrt{n+1})$$

$$=\sqrt{n+2}-\sqrt{2}=\sqrt{2}$$

에서 $\sqrt{n+2}=2\sqrt{2}$

$n+2=8$

$$\therefore n=6$$ 달 ②

35
$$\sum_{k=1}^{n}\log_3\frac{\sqrt{2k+1}}{\sqrt{2k-1}}$$

$$=\log_3\frac{\sqrt{3}}{\sqrt{1}}+\log_3\frac{\sqrt{5}}{\sqrt{3}}+\log_3\frac{\sqrt{7}}{\sqrt{5}}+\cdots+\log_3\frac{\sqrt{2n+1}}{\sqrt{2n-1}}$$

$$=\log_3\left(\frac{\sqrt{3}}{\sqrt{1}}\times\frac{\sqrt{5}}{\sqrt{3}}\times\frac{\sqrt{7}}{\sqrt{5}}\times\cdots\times\frac{\sqrt{2n+1}}{\sqrt{2n-1}}\right)$$

$$=\log_3\sqrt{2n+1}=2$$

$\sqrt{2n+1}=3^2=9$이므로

$2n+1=81$

$$\therefore n=40$$ 달 40

36 $1\times2+2\times4+3\times8+\cdots+9\times2^9$을 S라 하면

$$\begin{aligned}S&=1\times2+2\times4+3\times8+\cdots+9\times2^9\\-)2S&=\qquad\quad 1\times4+2\times8+\cdots+8\times2^9+9\times2^{10}\\\hline -S&=2+4+8+\cdots+2^9-9\times2^{10}\end{aligned}$$

$$=\frac{2(2^9-1)}{2-1}-9\times2^{10}$$

$$=2^{10}-2-9\times2^{10}$$

$$=-8\times2^{10}-2=-2^{13}-2$$

$$\therefore S=2^{13}+2$$ 달 ③

37 $1 \times \dfrac{1}{2} + 3 \times \dfrac{1}{4} + 5 \times \dfrac{1}{8} + \cdots + 15 \times \left(\dfrac{1}{2}\right)^8$ 을 S라 하면

$$S = 1 \times \dfrac{1}{2} + 3 \times \dfrac{1}{4} + 5 \times \dfrac{1}{8} + \cdots + 15 \times \left(\dfrac{1}{2}\right)^8$$

$$-) \ \dfrac{1}{2}S = \qquad 1 \times \dfrac{1}{4} + 3 \times \dfrac{1}{8} + \cdots + 13 \times \left(\dfrac{1}{2}\right)^8 + 15 \times \left(\dfrac{1}{2}\right)^9$$

$$\dfrac{1}{2}S = \dfrac{1}{2} + 2\left\{\dfrac{1}{4} + \dfrac{1}{8} + \cdots + \left(\dfrac{1}{2}\right)^8\right\} - 15 \times \left(\dfrac{1}{2}\right)^9$$

$$= \dfrac{1}{2} + 2 \times \dfrac{\dfrac{1}{4}\left\{1 - \left(\dfrac{1}{2}\right)^7\right\}}{1 - \dfrac{1}{2}} - 15 \times \left(\dfrac{1}{2}\right)^9$$

$$= \dfrac{1}{2} + 1 - \left(\dfrac{1}{2}\right)^7 - 15 \times \left(\dfrac{1}{2}\right)^9$$

$$= \dfrac{3}{2} - 19 \times \left(\dfrac{1}{2}\right)^9$$

$$\therefore S = 3 - \dfrac{19}{2^8}$$

따라서 $a = 3$, $b = 8$이므로

$a + b = 11$ 답 11

38 $\displaystyle\sum_{k=1}^{10}(k+1)3^k$ 을 S라 하면

$$S = 2 \times 3 + 3 \times 3^2 + 4 \times 3^3 + \cdots + 11 \times 3^{10}$$

$$-) \ 3S = \qquad 2 \times 3^2 + 3 \times 3^3 + \cdots + 10 \times 3^{10} + 11 \times 3^{11}$$

$$-2S = 6 + 3^2 + 3^3 + \cdots + 3^{10} - 11 \times 3^{11}$$

$$= 3 + (3 + 3^2 + 3^3 + \cdots + 3^{10}) - 11 \times 3^{11}$$

$$= 3 + \dfrac{3(3^{10} - 1)}{3 - 1} - 11 \times 3^{11} = \dfrac{3}{2} - \dfrac{7}{2} \times 3^{12}$$

$$\therefore S = \dfrac{7}{4} \times 3^{12} - \dfrac{3}{4}$$

따라서 $\alpha = \dfrac{7}{4}$, $\beta = -\dfrac{3}{4}$이므로

$\alpha - \beta = \dfrac{5}{2}$ 답 ⑤

39 주어진 수열을 다음과 같이 분자와 분모의 합이 같은 것끼리 묶어 군수열로 나타내면

$$\left(\dfrac{1}{1}\right), \left(\dfrac{1}{2}, \dfrac{2}{1}\right), \left(\dfrac{1}{3}, \dfrac{2}{2}, \dfrac{3}{1}\right), \left(\dfrac{1}{4}, \dfrac{2}{3}, \dfrac{3}{2}, \dfrac{4}{1}\right), \cdots$$

이 수열은 제n군의 항의 개수가 n이므로 제1군부터 제n군까지의 항의 개수는

$$\sum_{k=1}^{n}k = \dfrac{n(n+1)}{2}$$

$\dfrac{4}{6}$는 분모와 분자의 합이 10이므로 제9군의 4번째 항이다.

따라서 $\dfrac{8 \times 9}{2} + 4 = 40$이므로 $\dfrac{4}{6}$는 제40항이다.   답 ①

40 수열 1, 3, 5, 7, $\cdots$에서 299는 제150항이다. ($\because 2n-1 = 299$)

이 수열은 제n군의 항의 개수가 n이므로 제1군부터 제n군까지의 항의 개수는

$$\sum_{k=1}^{n}k = \dfrac{n(n+1)}{2} \qquad \cdots\cdots ㉠$$

㉠에서 $n = 16$일 때 136, $n = 17$일 때 153

이므로 제150항인 299는 제17군의 14번째 항이다.

답 제17군의 14번째 항

41 주어진 점을 다음과 같이 x좌표와 y좌표의 합이 같은 것끼리 묶어 군수열로 나타내면

$\{P_1(1, 1)\}$,

$\{P_2(2, 1), P_3(1, 2)\}$,

$\{P_4(3, 1), P_5(2, 2), P_6(1, 3)\}$,

$\vdots$

이 수열은 제n군의 항의 개수가 n이므로 제1군부터 제n군까지의 항의 개수는

$$\sum_{k=1}^{n}k = \dfrac{n(n+1)}{2}$$

이므로 $\dfrac{13 \times 14}{2} = 91$에서 제100항은 제14군의 9번째 항이다.

제14군은 x좌표와 y좌표의 합이 15이므로 제100항은 점 $P_{100}(6, 9)$

따라서 원점과 점 $P_{100}(6, 9)$ 사이의 거리는

$$\sqrt{6^2 + 9^2} = \sqrt{117} = 3\sqrt{13}$$ 답 ⑤

42 $\{a_n\} : 1, 2, 5, 8, \cdots$이므로

n이 홀수일 때, $a_n = \dfrac{n^2 + 1}{2}$

n이 짝수일 때, $a_n = \dfrac{n^2}{2}$

$$\therefore \sum_{n=1}^{20}a_n = \sum_{n=1}^{10}a_{2n-1} + \sum_{n=1}^{10}a_{2n}$$

$$= \sum_{n=1}^{10}\dfrac{(2n-1)^2 + 1}{2} + \sum_{n=1}^{10}\dfrac{(2n)^2}{2}$$

$$= \sum_{n=1}^{10}(2n^2 - 2n + 1) + \sum_{n=1}^{10}2n^2$$

$$= \sum_{n=1}^{10}(4n^2 - 2n + 1)$$

$$= 4 \times \dfrac{10 \times 11 \times 21}{6} - 2 \times \dfrac{10 \times 11}{2} + 10$$

$$= 1440$$ 답 ①

43

그림에서 $\overline{AB} = c$, $\overline{BC} = a$라 하면 $a^2 + c^2 = 1$이고,

$$\overline{BP_1}^2 = \left(\dfrac{1}{10}a\right)^2 + \left(\dfrac{9}{10}c\right)^2$$

$$\overline{BP_2}^2 = \left(\dfrac{2}{10}a\right)^2 + \left(\dfrac{8}{10}c\right)^2$$

$$\vdots$$

$$\overline{BP_9}^2 = \left(\dfrac{9}{10}a\right)^2 + \left(\dfrac{1}{10}c\right)^2$$

$$\therefore \overline{BP_1}^2 + \overline{BP_2}^2 + \cdots + \overline{BP_9}^2$$

$$= \left\{\left(\dfrac{1}{10}\right)^2 + \left(\dfrac{2}{10}\right)^2 + \cdots + \left(\dfrac{9}{10}\right)^2\right\}(a^2 + c^2)$$

$$= \sum_{k=1}^{9}\left(\dfrac{k}{10}\right)^2$$

$$= \dfrac{1}{100} \times \dfrac{9 \times 10 \times 19}{6}$$

$$= \dfrac{57}{20}$$ 답 ①

44 $a_1, a_2, a_3, \cdots, a_n$ 중에서 1의 개수를 x, 2의 개수를 y라 하면

$$\sum_{k=1}^{n} a_k = x + 2y = 40 \qquad \cdots\cdots \text{㉠}$$

$$\sum_{k=1}^{n} a_k^2 = x + 4y = 70 \qquad \cdots\cdots \text{㉡}$$

㉠, ㉡을 연립하여 풀면 $x = 10$, $y = 15$

$$\therefore \sum_{k=1}^{n} a_k^3 = x + 8y = 10 + 120 = 130 \qquad \text{답 } 130$$

45 $\sum_{k=1}^{20} (a_k + a_{k+1})$

$= (a_1 + a_2) + (a_2 + a_3) + \cdots + (a_{20} + a_{21})$

$= a_1 + 2(a_2 + a_3 + \cdots + a_{20}) + a_{21} = 40 \qquad \cdots\cdots \text{㉠}$

$\sum_{k=1}^{10} (a_{2k-1} + a_{2k})$

$= (a_1 + a_2) + (a_3 + a_4) + \cdots + (a_{19} + a_{20}) = 30 \qquad \cdots\cdots \text{㉡}$

㉠ $-$ ㉡을 하면 $a_2 + a_3 + \cdots + a_{20} + a_{21} = 10$

따라서 $a_2 + a_3 + \cdots + a_{20} = 10 - a_{21}$을 ㉠에 대입하면

$a_1 + 2(10 - a_{21}) + a_{21} = 40$, $a_1 - a_{21} = 20$

$$\therefore a_{21} - a_1 = -20 \qquad \text{답 } -20$$

46 겹쳐지는 두 수의 곱의 합은

$1 \times 6 + 3 \times 8 + 5 \times 10 + \cdots + 15 \times 20$

$= \sum_{k=1}^{8} (2k-1)(2k+4) = \sum_{k=1}^{8} (4k^2 + 6k - 4)$

$= 4 \times \dfrac{8 \times 9 \times 17}{6} + 6 \times \dfrac{8 \times 9}{2} - 4 \times 8 = 1000 \qquad \text{답 } ④$

47 $f(n) = (-1)^{n+1} \cos \dfrac{n\pi}{3}$로 놓으면 음이 아닌 정수 k에 대하여

(i) $n = 6k$일 때

$f(6k) = (-1)^{6k+1} \cos 2k\pi$

$\qquad = (-1) \times 1 = -1$

(ii) $n = 6k+1$일 때

$f(6k+1) = (-1)^{6k+2} \cos\left(2k\pi + \dfrac{\pi}{3}\right)$

$\qquad = 1 \times \dfrac{1}{2} = \dfrac{1}{2}$

(iii) $n = 6k+2$일 때

$f(6k+2) = (-1)^{6k+3} \cos\left(2k\pi + \dfrac{2}{3}\pi\right)$

$\qquad = (-1) \times \left(-\dfrac{1}{2}\right) = \dfrac{1}{2}$

(iv) $n = 6k+3$일 때

$f(6k+3) = (-1)^{6k+4} \cos(2k\pi + \pi)$

$\qquad = 1 \times (-1) = -1$

(v) $n = 6k+4$일 때

$f(6k+4) = (-1)^{6k+5} \cos\left(2k\pi + \dfrac{4}{3}\pi\right)$

$\qquad = (-1) \times \left(-\dfrac{1}{2}\right) = \dfrac{1}{2}$

(vi) $n = 6k+5$일 때

$f(6k+5) = (-1)^{6k+6} \cos\left(2k\pi + \dfrac{5}{3}\pi\right)$

$\qquad = 1 \times \dfrac{1}{2} = \dfrac{1}{2}$

(i) ~ (vi)에서

$$\sum_{n=0}^{5} f(n) = \sum_{n=6}^{11} f(n) = \cdots = \sum_{n=90}^{95} f(n) = 0$$

$$\therefore \sum_{n=0}^{100} f(n) = \sum_{n=96}^{100} f(n)$$

$$= f(96) + f(97) + f(98) + f(99) + f(100)$$

$$= -1 + \dfrac{1}{2} + \dfrac{1}{2} - 1 + \dfrac{1}{2} = -\dfrac{1}{2} \qquad \text{답 } ②$$

48 수열 $\left\{\dfrac{a_n}{n}\right\}$의 첫째항부터 제$n$항까지의 합을 S_n이라 하면

$\sum_{k=1}^{n} \dfrac{a_k}{k} = S_n = n^2 + 1$이므로

(i) $n \geq 2$일 때,

$\dfrac{a_n}{n} = S_n - S_{n-1} = (n^2 + 1) - \{(n-1)^2 + 1\} = 2n - 1$

$\therefore a_n = n(2n-1)$

(ii) $n = 1$일 때,

$a_1 = S_1 = 1^2 + 1 = 2$

$a_1 = 2$는 $a_n = n(2n-1)$에 $n = 1$을 대입한 것과 같지 않다.

$\therefore a_n = n(2n-1) \ (n \geq 2)$, $a_1 = 2$

$\therefore \sum_{k=1}^{10} a_k = a_1 + \sum_{k=2}^{10} a_k = 2 + \sum_{k=2}^{10} k(2k-1)$

$= 2 + \sum_{k=1}^{10} (2k^2 - k) - 1$

$= 1 + 2 \times \dfrac{10 \times 11 \times 21}{6} - \dfrac{10 \times 11}{2}$

$= 716 \qquad \text{답 } ⑤$

49 그림과 같이 어두운 부분의 세로의 길이는 정사각형 A_n의 세로의 길이인 $\dfrac{n}{2}$이고, 가로의 길이는

$\dfrac{3n}{2} - (n+1) = \dfrac{n-2}{2}$

$\therefore a_n = \dfrac{n-2}{2} \times \dfrac{n}{2} = \dfrac{(n-2)n}{4} \ (n \geq 3)$

$\therefore \sum_{n=3}^{10} \dfrac{1}{a_n} = \sum_{n=3}^{10} \dfrac{4}{(n-2)n} = 4 \sum_{n=3}^{10} \dfrac{1}{(n-2)n}$

$= 4 \times \dfrac{1}{2} \sum_{n=3}^{10} \left(\dfrac{1}{n-2} - \dfrac{1}{n}\right)$

$= 2\left\{\left(1 - \dfrac{1}{3}\right) + \left(\dfrac{1}{2} - \dfrac{1}{4}\right) + \left(\dfrac{1}{3} - \dfrac{1}{5}\right) + \cdots\right.$

$\left. + \left(\dfrac{1}{7} - \dfrac{1}{9}\right) + \left(\dfrac{1}{8} - \dfrac{1}{10}\right)\right\}$

$= 2\left(1 + \dfrac{1}{2} - \dfrac{1}{9} - \dfrac{1}{10}\right) = \dfrac{116}{45}$

$\text{답 } ②$

50 $a_n = 2\sqrt{(n+1)^2 - n^2} = 2\sqrt{2n+1}$ 이므로

$\dfrac{1}{a_n + a_{n-1}} = \dfrac{1}{2\sqrt{2n+1} + 2\sqrt{2n-1}}$

$= \dfrac{1}{2} \times \dfrac{\sqrt{2n+1} - \sqrt{2n-1}}{2}$

$= \dfrac{\sqrt{2n+1} - \sqrt{2n-1}}{4}$

$$\therefore \sum_{n=2}^{37}\frac{1}{a_n+a_{n-1}}=\frac{1}{4}\sum_{n=2}^{37}(\sqrt{2n+1}-\sqrt{2n-1})$$
$$=\frac{1}{4}\{(\sqrt5-\sqrt3)+(\sqrt7-\sqrt5)+\cdots$$
$$+(\sqrt{75}-\sqrt{73})\}$$
$$=\frac{1}{4}(\sqrt{75}-\sqrt3)$$
$$=\frac{1}{4}(5\sqrt3-\sqrt3)=\sqrt3 \qquad \text{답}\ \sqrt3$$

51 주어진 수열을 다음과 같이 묶어 군수열로 나타내면
$(1),\ (3,\ 1),\ (3^2,\ 3,\ 1),\ (3^3,\ 3^2,\ 3,\ 1),\ (3^4,\ 3^3,\ 3^2,\ 3,\ 1),\ \cdots$
이 수열은 제n군의 항의 개수가 n이므로 제1군부터 제n군까지
의 항의 개수를 a_n이라 하면
$$a_n=\sum_{k=1}^{n}k=\frac{n(n+1)}{2}$$
한편, 제n군의 합을 b_n이라 하면
$$b_n=3^{n-1}+3^{n-2}+\cdots+3+1=\frac{3^n-1}{3-1}=\frac{1}{2}(3^n-1)$$
$a_{10}=\dfrac{10\times11}{2}=55$이므로 제55항은 제10군의 마지막항이다.

즉, 첫째항부터 제55항까지의 합은 제1군부터 제10군까지의
합이므로
$$\frac{1}{2}\sum_{k=1}^{10}(3^k-1)=\frac{1}{2}\left\{\frac{3(3^{10}-1)}{3-1}-10\right\}$$
$$=\frac{1}{4}(3^{11}-23) \qquad \text{답}\ ③$$

52 수열 $\{a_n\}$은 첫째항이 2, 공비가 2인 등비수열이므로
$$a_n=2\times2^{n-1}=2^n$$
점 $P(b_k,\ b_k^{\ 2})$을 지나고 기울기가 a_k인 직선의 방정식은
$$y=a_k(x-b_k)+b_k^{\ 2}$$
이므로 $a_k(x-b_k)+b_k^{\ 2}=x^2$에서
$$x^2-a_kx+a_kb_k-b_k^{\ 2}=0,\ (x-b_k)(x+b_k-a_k)=0$$
$$\therefore x=b_k\ \text{또는}\ x=a_k-b_k$$
따라서 $b_{k+1}=a_k-b_k$에서 $b_{k+1}+b_k=a_k$이므로
$$\sum_{k=1}^{20}b_k=(b_1+b_2)+(b_3+b_4)+(b_5+b_6)+\cdots+(b_{19}+b_{20})$$
$$=a_1+a_3+a_5+\cdots+a_{19}=\sum_{k=1}^{10}a_{2k-1}=\sum_{k=1}^{10}2^{2k-1}$$
$$=\frac{1}{2}\times\sum_{k=1}^{10}4^k=\frac{1}{2}\times\frac{4(4^{10}-1)}{4-1}=\frac{2}{3}(4^{10}-1)$$
$$\text{답}\ ①$$

53 $a_n=2^{n-1}$이므로
$$a_1=1\Longleftrightarrow b_1=1$$
$$a_2=2\Longleftrightarrow b_2=2$$
$$a_3=4\Longleftrightarrow b_4=3$$
$$a_4=8\Longleftrightarrow b_8=4$$
$$\vdots$$
$$a_{10}=512\Longleftrightarrow b_{512}=10$$
즉, $n=2^{k-1}$일 때 $b_n=k$이고, 그 외의 경우에는 $b_n=0$이다.
$$\therefore \sum_{k=1}^{1000}b_k=b_1+b_2+b_4+b_8+b_{16}+b_{32}+b_{64}+b_{128}+b_{256}+b_{512}$$
$$=1+2+3+\cdots+10=55 \qquad \text{답}\ 55$$

54 자연수 n에 대하여 $f(n)$의 값은 순서대로 다음과 같다.
$$f(1)=[\log_3 1]=[0]=0$$
$$f(2)=[\log_3 2]=0\ (\because 0\le\log_3 2<1)$$
$$f(3)=[\log_3 3]=[1]=1$$
$$f(4)=[\log_3 4]=1\ (\because 1\le\log_3 4<2)$$
$$\vdots$$
$$f(8)=[\log_3 8]=1\ (\because 1\le\log_3 8<2)$$
$$f(9)=[\log_3 9]=[2]=2$$
$$f(10)=[\log_3 10]=2\ (\because 2\le\log_3 10<3)$$
$$\vdots$$
$$f(26)=[\log_3 26]=2\ (\because 2\le\log_3 26<3)$$
$$f(27)=[\log_3 27]=[3]=3$$
$$\vdots$$
즉, $n=3^m-1$ (m은 자연수)일 때
$f(n)<f(n+1)$이고, 그 외의 경우에는 전부
$f(n)=f(n+1)$이다.
$3^4-1<200<3^5-1$이므로
$$\sum_{k=1}^{200}a_k=(3-1)+(3^2-1)+(3^3-1)+(3^4-1)$$
$$=116 \qquad \text{답}\ ④$$

55 그림과 같이 곡선 $y=\sqrt{x}$를 이용하여 $n=1,\ 2,\ 3,\ \cdots$일 때
점 P_n의 좌표를 나열하면 다음과 같다.

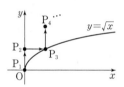

$$(0,\ 0) \qquad\qquad\qquad\qquad :1\text{개}$$
$$\to(0,\ 1)\to(1,\ 1) \qquad\qquad :2\text{개}$$
$$\to(1,\ 2)\to(2,\ 2)\to(3,\ 2)\to(4,\ 2) \quad :4\text{개}$$
$$\to(4,\ 3)\to(5,\ 3)\to\cdots\to(9,\ 3) \quad :6\text{개}$$
$$\to(9,\ 4)\to(10,\ 4)\to\cdots\to(16,\ 4) \quad :8\text{개}$$
$$\to(16,\ 5)\to(17,\ 5)\to\cdots\to(25,\ 5) \quad :10\text{개}$$
$$\vdots$$
$1+(2+4+6+8+\cdots+18)=1+2\times\dfrac{9\times10}{2}=91$이므로

P_{91}의 좌표는 $(81,\ 9)$이다.
따라서 점 P_{100}의 좌표는 $(81+8,\ 10)$, 즉 $(89,\ 10)$이다.
$$\therefore x_{100}+y_{100}=89+10=99 \qquad \text{답}\ 99$$

56 n으로 나누었을 때 몫과 나머지가 같은 자연수는
$n+1,\ 2n+2,\ 3n+3,\ 4n+4,\ \cdots,\ (n-1)n+(n-1)$의
$n-1$개이다.
$$\therefore a_n=\sum_{k=1}^{n-1}(kn+k)=(n+1)\sum_{k=1}^{n-1}k$$
$$=(n+1)\times\frac{(n-1)n}{2}$$
$a_n>500$에서
$$\frac{(n-1)n(n+1)}{2}>500,\ (n-1)n(n+1)>1000$$
$n=10$일 때, $9\times10\times11=990<1000$
$n=11$일 때, $10\times11\times12=1320>1000$
이므로 구하는 자연수 n의 최솟값은 11이다. $\qquad \text{답}\ 11$

57 $0 \leq x \leq 2$에서 함수 $g(x)=x+f(x)$는
$$g(x)=\begin{cases} 1 & (0 \leq x \leq 1) \\ 2x-1 & (1 < x \leq 2) \end{cases}$$
이고, 모든 실수 x에 대하여
$$g(x+2)=(x+2)+f(x+2)$$
$$=x+2+f(x)=g(x)+2$$
이므로 제1사분면에서 함수 $y=g(x)$의 그래프는 그림과 같다.

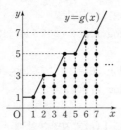

a, b는 자연수이므로 순서쌍 (a, b)는 그림에서 x좌표와 y좌표가 모두 자연수인 점으로 나타내어진다. 또 $a=n$일 때 주어진 조건을 만족시키는 순서쌍 (a, b)의 개수는 $g(n)$과 같다.
따라서
$a_1=g(1)+g(2)+g(3)=1+3+3=7,$
$a_2=g(2)+g(3)+g(4)=3+3+5=11,$
$a_3=g(3)+g(4)+g(5)=3+5+5=13,$
$a_4=g(4)+g(5)+g(6)=5+5+7=17,$
$a_5=g(5)+g(6)+g(7)=5+7+7=19,$
$a_6=g(6)+g(7)+g(8)=7+7+9=23,$
$a_7=g(7)+g(8)+g(9)=7+9+9=25,$
$a_8=g(8)+g(9)+g(10)=9+9+11=29$
$\quad\vdots$
여기서
$a_3-a_1=a_5-a_3=a_7-a_5=\cdots=6,$
$a_4-a_2=a_6-a_4=a_8-a_6=\cdots=6$이므로
$a_{2n-1}=a_1+6(n-1)=7+6(n-1)=6n+1,$
$a_{2n}=a_2+6(n-1)=11+6(n-1)=6n+5$
$$\therefore \sum_{k=1}^{15} a_k = \sum_{k=1}^{8} a_{2k-1} + \sum_{k=1}^{7} a_{2k} = \sum_{k=1}^{8}(6k+1) + \sum_{k=1}^{7}(6k+5)$$
$$=\left(6 \times \frac{8 \times 9}{2}+1 \times 8\right)+\left(6 \times \frac{7 \times 8}{2}+5 \times 7\right)$$
$$=427 \qquad\qquad \boxed{달} 427$$

---

13 수학적 귀납법

01 $a_1=2$, $a_{n+1}=a_n-2$이므로 수열 $\{a_n\}$은 첫째항이 2, 공차가 -2인 등차수열이다.
$$\therefore a_n=2+(n-1) \times (-2)$$
$$=-2n+4$$
$$\therefore a_{10}=-2 \times 10+4=-16 \qquad \boxed{달} -16$$

02 $2a_{n+1}=a_n+a_{n+2}$이므로 수열 $\{a_n\}$은 등차수열이고 첫째항을 a, 공차를 d라 하면
$$d=a_3-a_2=2-(-1)=3$$
$$a_2=a+d=a+3=-1 \qquad \therefore a=-4$$
$$\therefore a_n=-4+(n-1) \times 3=3n-7$$
$$\therefore a_{20}=3 \times 20-7=53 \qquad \boxed{달} 53$$

03 $a_1=3$, $a_{n+1}=4a_n$이므로 수열 $\{a_n\}$은 첫째항이 3, 공비가 4인 등비수열이다.
$$\therefore a_n=3 \times 4^{n-1}$$
$$\therefore a_6=3 \times 4^5=3 \times 2^{10} \qquad \boxed{달} ③$$

04 $\dfrac{a_{n+2}}{a_{n+1}}=\dfrac{a_{n+1}}{a_n}$이므로 수열 $\{a_n\}$은 등비수열이다.
공비를 r $(r>0)$라 하면 첫째항이 2이므로
$$a_n=2 \times r^{n-1}$$
$$a_3=2 \times r^2=50 \qquad \therefore r=5 \ (\because r>0)$$
$$\therefore \frac{a_{11}}{a_6}=\frac{2 \times 5^{10}}{2 \times 5^5}=5^5$$
$$\therefore p=5 \qquad\qquad \boxed{달} 5$$

05 $a_1=2$, $a_{n+1}=a_n+2n$이므로
$$a_2=a_1+2 \times 1=2+2=4$$
$$a_3=a_2+2 \times 2=4+4=8$$
$$a_4=a_3+2 \times 3=8+6=14$$
$$a_5=a_4+2 \times 4=14+8=22 \qquad \boxed{달} 22$$

06 $a_1=1$, $a_{n+1}=2^n a_n$에서 n 대신에 $1, 2, 3, \cdots, n-1$을 차례로 대입하여 변끼리 곱하면
$$a_2=2^1 a_1$$
$$a_3=2^2 a_2$$
$$a_4=2^3 a_3$$
$$\vdots$$
$$\times \underline{) \ a_n=2^{n-1} a_{n-1}}$$
$$a_n=a_1 \times 2 \times 2^2 \times 2^3 \times \cdots \times 2^{\boxed{n-1}}$$
$$=1 \times 2 \times 2^2 \times 2^3 \times \cdots \times 2^{\boxed{n-1}}$$
$$=2^{0+1+2+\cdots+(n-1)}$$
$$=2^{\frac{n(n-1)}{2}}$$
$$\therefore a_n=2^{\boxed{\frac{n(n-1)}{2}}} \qquad \boxed{달} n-1, \ n-1, \ \frac{n(n-1)}{2}$$

07 $a_1=2$, $a_{n+1}=3a_n+2$에서
$$a_2=3a_1+2=3 \times 2+2=8$$

$a_3 = 3a_2 + 2 = 3 \times 8 + 2 = 26$

$a_4 = 3a_3 + 2 = 3 \times 26 + 2 = 80$ **달** 80

다른 풀이

$a_{n+1} = 3a_n + 2$에서 $a_{n+1} + 1 = 3(a_n + 1)$

$a_n + 1 = b_n$으로 놓으면

$b_{n+1} = 3b_n$, $b_1 = a_1 + 1 = 3$

즉, 수열 $\{b_n\}$은 첫째항이 3, 공비가 3인 등비수열이므로

$b_n = 3 \times 3^{n-1} = 3^n$

따라서 $a_n = 3^n - 1$이므로

$a_4 = 3^4 - 1 = 80$

08 $\dfrac{1}{a_{n+1}} = \dfrac{1}{a_n} + 2$에서 수열 $\left\{\dfrac{1}{a_n}\right\}$은 첫째항이 $\dfrac{1}{a_1} = 1$, 공차가 2인 등차수열이므로

$\dfrac{1}{a_n} = 1 + (n-1) \times 2$

$\quad = 2n - 1$

$\therefore \dfrac{1}{a_5} = 2 \times 5 - 1 = 9$ **달** 9

09 $a_1 = 3$, $a_{n+1} = a_n + 3$이므로 수열 $\{a_n\}$은 첫째항이 3, 공차가 3인 등차수열이다.

$\therefore a_n = 3 + (n-1) \times 3 = 3n$

$\therefore \displaystyle\sum_{k=1}^{9} \frac{1}{a_k a_{k+1}} = \sum_{k=1}^{9} \frac{1}{3k \times 3(k+1)}$

$\quad = \dfrac{1}{9} \displaystyle\sum_{k=1}^{9} \frac{1}{k(k+1)} = \frac{1}{9} \sum_{k=1}^{9} \left(\frac{1}{k} - \frac{1}{k+1}\right)$

$\quad = \dfrac{1}{9}\left\{\left(\dfrac{1}{1} - \dfrac{1}{2}\right) + \left(\dfrac{1}{2} - \dfrac{1}{3}\right) + \cdots + \left(\dfrac{1}{9} - \dfrac{1}{10}\right)\right\}$

$\quad = \dfrac{1}{9}\left(1 - \dfrac{1}{10}\right) = \dfrac{1}{10}$

    달 $\dfrac{1}{10}$

10 $a_{n+1} = a_n + 1$이므로 수열 $\{a_n\}$은 첫째항이 30, 공차가 1인 등차수열이다.

$\therefore a_n = 30 + (n-1) \times 1$

$\quad = n + 29$

따라서 총 좌석 수는

$\displaystyle\sum_{k=1}^{15} (k + 29) = \frac{15 \times 16}{2} + 29 \times 15$

$\quad = 555$ **달** ④

11 $a_{n+1} = \sqrt{a_n a_{n+2}}$의 양변을 제곱하면 $a_{n+1}{}^2 = a_n a_{n+2}$이므로 수열 $\{a_n\}$은 등비수열이다. 공비를 r라 하면 첫째항은 3이므로

$a_4 = 3 \times r^3 = 24$, $r^3 = 8$ $\therefore r = 2$

$\therefore a_n = 3 \times 2^{n-1}$

$\displaystyle\sum_{n=1}^{10} a_n = \sum_{n=1}^{10} 3 \times 2^{n-1}$

$\quad = \dfrac{3(2^{10} - 1)}{2 - 1}$

$\quad = 3(2^{10} - 1)$

$\quad = 3 \times 2^{10} - 3$ **달** ③

12 $a_1 = 2$, $a_{n+1} = a_n + 2^{n-1}$에서 n 대신에 $1, 2, 3, \cdots, n-1$을 차례로 대입하여 변끼리 더하면

$a_2 = a_1 + 1$

$a_3 = a_2 + 2$

$a_4 = a_3 + 2^2$

$\vdots$

$+ \ ) \ \underline{a_n = a_{n-1} + 2^{n-2}}$

$a_n = a_1 + \displaystyle\sum_{k=1}^{n-1} 2^{k-1}$

$\quad = 2 + \dfrac{2^{n-1} - 1}{2 - 1} = 2^{n-1} + 1$

$\therefore a_{10} = 2^9 + 1 = 513$ **달** 513

13 $a_1 = \dfrac{1}{2}$, $a_{n+1} = a_n + \dfrac{1}{(2n-1)(2n+1)}$에서

n 대신에 $1, 2, 3, \cdots, n-1$을 차례로 대입하여 변끼리 더하면

$a_2 = a_1 + \dfrac{1}{1 \times 3}$

$a_3 = a_2 + \dfrac{1}{3 \times 5}$

$a_4 = a_3 + \dfrac{1}{5 \times 7}$

$\vdots$

$+ \ ) \ \ a_n = a_{n-1} + \dfrac{1}{(2n-3)(2n-1)}$

$\overline{a_n = a_1 + \left(\dfrac{1}{1 \times 3} + \dfrac{1}{3 \times 5} + \dfrac{1}{5 \times 7} + \cdots \right.}$

$\left. \qquad\qquad\qquad + \dfrac{1}{(2n-3)(2n-1)}\right)$

$\quad = \dfrac{1}{2} + \dfrac{1}{2}\left\{\left(\dfrac{1}{1} - \dfrac{1}{3}\right) + \left(\dfrac{1}{3} - \dfrac{1}{5}\right) + \left(\dfrac{1}{5} - \dfrac{1}{7}\right) + \cdots \right.$

$\left. \qquad\qquad\qquad + \left(\dfrac{1}{2n-3} - \dfrac{1}{2n-1}\right)\right\}$

$\quad = \dfrac{1}{2} + \dfrac{1}{2}\left(1 - \dfrac{1}{2n-1}\right) = \dfrac{4n-3}{4n-2}$

$a_k = \dfrac{4k-3}{4k-2} = \dfrac{37}{38}$이므로

$k = 10$ **달** 10

14 $a_1 = 1$, $a_{n+1} = a_n + f(n)$에서 n 대신에 $1, 2, 3, \cdots, 99$를 차례로 대입하여 변끼리 더하면

$a_2 = a_1 + f(1)$

$a_3 = a_2 + f(2)$

$a_4 = a_3 + f(3)$

$\vdots$

$+ \ ) \ \underline{a_{100} = a_{99} + f(99)}$

$a_{100} = a_1 + \displaystyle\sum_{k=1}^{99} f(k)$

$\quad = 1 + (99^2 - 1) = 99^2$ **달** ①

15 $a_1 = 1$, $(2n-1)a_{n+1} = (2n+1)a_n$에서

$a_{n+1} = \dfrac{2n+1}{2n-1} a_n$이므로

$a_2 = \dfrac{3}{1} a_1 = 3$

$a_3 = \dfrac{5}{3}a_2 = 5$

$a_4 = \dfrac{7}{5}a_3 = 7$

$a_5 = \dfrac{9}{7}a_4 = 9$ 답 ②

16 $a_1 = 1$, $a_{n+1} = 3^n a_n$에서 n 대신에 $1, 2, 3, \cdots, n-1$을 차례로 대입하여 변끼리 곱하면

$a_2 = 3^1 a_1$

$a_3 = 3^2 a_2$

$a_4 = 3^3 a_3$

    $\vdots$

$\times\ \bigg)\ a_n = 3^{n-1} a_{n-1}$

$\overline{}$

$a_n = 3 \times 3^2 \times 3^3 \times \cdots \times 3^{n-1} \times a_1$

$\quad = 3^{1+2+3+\cdots+(n-1)} \ (\because a_1 = 1)$

$\quad = 3^{\frac{(n-1)n}{2}} = 3^{45}$

따라서 $\dfrac{(n-1)n}{2} = 45$에서

$(n-1)n = 90$

$\therefore n = 10$ 답 10

17 $a_1 = 1$, $(n+2)^2 a_{n+1} = n(n+1) a_n$에서

$a_{n+1} = \dfrac{n(n+1)}{(n+2)^2} a_n$이므로 n 대신에 $1, 2, 3, \cdots, n-1$을 차례로 대입하여 변끼리 곱하면

$a_2 = \dfrac{1 \times 2}{3^2} a_1$

$a_3 = \dfrac{2 \times 3}{4^2} a_2$

$a_4 = \dfrac{3 \times 4}{5^2} a_3$

    $\vdots$

$\times\ \bigg)\ a_n = \dfrac{(n-1) \times n}{(n+1)^2} a_{n-1}$

$\overline{}$

$a_n = \dfrac{1 \times 2}{3^2} \times \dfrac{2 \times 3}{4^2} \times \dfrac{3 \times 4}{5^2} \times \cdots \times$

$\qquad\qquad \dfrac{(n-2)(n-1)}{n^2} \times \dfrac{(n-1) \times n}{(n+1)^2} \times a_1$

$\quad = \dfrac{4}{n(n+1)^2}$

$\therefore a_{15} = \dfrac{4}{15 \times 16^2} = \dfrac{1}{960}$

따라서 $p = 960$, $q = 1$이므로

$p + q = 961$ 답 961

18 $a_1 = 2$, $a_{n+1} = 2a_n + 2$에서

$a_2 = 2a_1 + 2 = 2 \times 2 + 2 = 2^2 + 2$

$a_3 = 2a_2 + 2 = 2(2^2 + 2) + 2 = 2^3 + 2^2 + 2$

$a_4 = 2a_3 + 2 = 2(2^3 + 2^2 + 2) + 2 = 2^4 + 2^3 + 2^2 + 2$

    $\vdots$

$\therefore a_{10} = 2^{10} + 2^9 + 2^8 + \cdots + 2$

$\qquad = \dfrac{2(2^{10} - 1)}{2 - 1} = 2^{11} - 2 = 2046$ 답 ③

다른 풀이

$a_{n+1} = 2a_n + 2$에서 $a_{n+1} + 2 = 2(a_n + 2)$이므로 수열 $\{a_n + 2\}$는 첫째항이 $a_1 + 2 = 4$, 공비가 2인 등비수열이다.

즉, $a_n + 2 = 4 \times 2^{n-1} = 2^{n+1}$이므로

$a_n = 2^{n+1} - 2$

$\therefore a_{10} = 2^{11} - 2 = 2046$

19 $a_{n+1} - 3a_n + 4 = 0$에서 $a_{n+1} = 3a_n - 4$이므로

$a_{n+1} = 3a_n - 4$를 $a_{n+1} - \alpha = 3(a_n - \alpha)$라 하면

$a_{n+1} = 3a_n - 2\alpha$이므로

$2\alpha = 4$ $\therefore \alpha = 2$

$\therefore a_{n+1} - 2 = 3(a_n - 2)$

따라서 수열 $\{a_n - 2\}$는 첫째항이 $a_1 - 2 = 2$, 공비가 3인 등비수열이므로

$a_n - 2 = 2 \times 3^{n-1}$

$\therefore a_n = 2 \times 3^{n-1} + 2$ 답 $a_n = 2 \times 3^{n-1} + 2$

20 n번 시행 후 용기에 남아있는 물의 양을 a_n L라 하면

$a_1 = \dfrac{2}{3} \times 18 + 2 = 14$, $a_{n+1} = \dfrac{2}{3}a_n + 2$이므로

$a_2 = \dfrac{2}{3}a_1 + 2 = \dfrac{2}{3} \times 14 + 2 = \dfrac{34}{3}$

$a_3 = \dfrac{2}{3}a_2 + 2 = \dfrac{2}{3} \times \dfrac{34}{3} + 2 = \dfrac{86}{3^2}$

$a_4 = \dfrac{2}{3}a_3 + 2 = \dfrac{2}{3} \times \dfrac{86}{3^2} + 2 = \dfrac{226}{3^3}$

$a_5 = \dfrac{2}{3}a_4 + 2 = \dfrac{2}{3} \times \dfrac{226}{3^3} + 2 = \dfrac{452}{3^4} + 2$

$\quad = \dfrac{47}{3^4} + 7$

따라서 $a = 47 \ (\because 0 < a < 3^4)$, $b = 7$이므로

$a + b = 54$ 답 54

21 $a_1 = 1$, $a_2 = 4$, $a_{n+2} - 5a_{n+1} + 4a_n = 0$에서

$a_{n+2} = 5a_{n+1} - 4a_n$이므로

$a_3 = 5a_2 - 4a_1 = 5 \times 4 - 4 \times 1 = 16$

$a_4 = 5a_3 - 4a_2 = 5 \times 16 - 4 \times 4 = 64$

$a_5 = 5a_4 - 4a_3 = 5 \times 64 - 4 \times 16 = 256$

$\therefore a_5 = 256 = 2^8$ 답 ①

22 $a_{n+1} = \dfrac{2a_n}{a_n + 2}$의 양변을 역수를 취하면

$\dfrac{1}{a_{n+1}} = \dfrac{a_n + 2}{2a_n}$, 즉 $\dfrac{1}{a_{n+1}} = \dfrac{1}{a_n} + \dfrac{1}{2}$

$\dfrac{1}{a_n} = b_n$으로 놓으면 $b_1 = \dfrac{1}{a_1} = \dfrac{1}{2}$, $b_{n+1} = b_n + \dfrac{1}{2}$

따라서 수열 $\{b_n\}$은 첫째항이 $\dfrac{1}{2}$, 공차가 $\dfrac{1}{2}$인 등차수열이므로

$b_n = \dfrac{1}{2} + (n-1) \times \dfrac{1}{2} = \dfrac{n}{2}$

$\dfrac{2}{a_n} = 2b_n$이므로

$\therefore \displaystyle\sum_{k=1}^{10} \dfrac{2}{a_k} = \sum_{k=1}^{10} 2b_k = \sum_{k=1}^{10} k = \dfrac{10 \times 11}{2} = 55$ 답 55

23 $3a_n a_{n+1} = a_{n+1} - a_n$의 양변을 $a_n a_{n+1}$로 나누면

$3 = \dfrac{1}{a_n} - \dfrac{1}{a_{n+1}}$, 즉 $\dfrac{1}{a_{n+1}} - \dfrac{1}{a_n} = -3$

수열 $\left\{\dfrac{1}{a_n}\right\}$은 첫째항이 $\dfrac{1}{a_1} = 1$, 공차가 -3인 등차수열이므로

$\dfrac{1}{a_n} = 1 + (n-1) \times (-3) = -3n+4$

$\therefore a_n = \dfrac{1}{-3n+4}$

$\therefore a_{10} = \dfrac{1}{-3 \times 10 + 4} = -\dfrac{1}{26}$

답 $-\dfrac{1}{26}$

24 $a_1 = 2$, $a_{n+1} = \dfrac{a_n - 1}{a_n} = 1 - \dfrac{1}{a_n}$이므로

$a_2 = 1 - \dfrac{1}{a_1} = 1 - \dfrac{1}{2} = \dfrac{1}{2}$

$a_3 = 1 - \dfrac{1}{a_2} = 1 - 2 = -1$

$a_4 = 1 - \dfrac{1}{a_3} = 1 + 1 = 2$

$\vdots$

즉, 수열 $\{a_n\}$은 2, $\dfrac{1}{2}$, -1이 순서대로 반복된다.

$\therefore a_{102} \times a_{103} + a_{104} = a_{3 \times 34} \times a_{3 \times 34 + 1} + a_{3 \times 34 + 2}$

$= (-1) \times 2 + \dfrac{1}{2}$

$= -\dfrac{3}{2}$

답 ①

25 $a_n = \dfrac{1}{9}(10^n - 1)$에서

$a_1 = \dfrac{1}{9}(10 - 1) = 1$

$a_2 = \dfrac{1}{9}(10^2 - 1) = 11$

$a_3 = \dfrac{1}{9}(10^3 - 1) = 111$

$a_4 = \dfrac{1}{9}(10^4 - 1) = 1111$

$\vdots$

이므로 $a_9 = 111111111$

$b_1 = 1$, $b_{n+1} = b_n + a_{n+1}$에서

$b_2 = b_1 + a_2 = 1 + 11 = 12$

$b_3 = b_2 + a_3 = 12 + 111 = 123$

$b_4 = b_3 + a_4 = 123 + 1111 = 1234$

$\vdots$

이므로 $b_9 = 123456789$

$\therefore a + b = 9 + 45 = 54$

답 54

26 $a_1 = 6$, $a_{n+1} = \begin{cases} \dfrac{1}{2} a_n & (a_n \text{이 짝수}) \\ 3a_n + 1 & (a_n \text{이 홀수}) \end{cases}$에서

$a_2 = \dfrac{1}{2} \times 6 = 3$, $a_3 = 3 \times 3 + 1 = 10$, $a_4 = \dfrac{1}{2} \times 10 = 5$,

$a_5 = 3 \times 5 + 1 = 16$, $a_6 = \dfrac{1}{2} \times 16 = 8$,

$a_7 = \dfrac{1}{2} \times 8 = 4$, $a_8 = \dfrac{1}{2} \times 4 = 2$, $a_9 = \dfrac{1}{2} \times 2 = 1$,

$a_{10} = 3 \times 1 + 1 = 4$, $a_{11} = \dfrac{1}{2} \times 4 = 2$, $a_{12} = \dfrac{1}{2} \times 2 = 1$, $\cdots$

즉, 수열 $\{a_n\}$은 $n \geq 7$일 때, 4, 2, 1이 순서대로 반복된다.

$50 = 6 + 3 \times 14 + 2$이므로

$a_{50} = 2$

답 2

참고

이러한 특징을 갖는 수열을 우박수열(hailstone sequence)이라고도 한다.

27 (i) $n = 1$일 때,

(좌변) $= \dfrac{1}{1 \times 3} = \dfrac{1}{3}$, (우변) $= \dfrac{1}{2+1} = \dfrac{1}{3}$

따라서 주어진 등식이 성립한다.

(ii) $n = k$일 때, 주어진 등식이 성립한다고 가정하면

$\dfrac{1}{1 \times 3} + \dfrac{1}{3 \times 5} + \cdots + \dfrac{1}{(2k-1)(2k+1)} = \boxed{\dfrac{k}{2k+1}}$

이 식의 양변에 $\dfrac{1}{(2k+1)(2k+3)}$을 더하면

$\dfrac{1}{1 \times 3} + \dfrac{1}{3 \times 5} + \cdots + \dfrac{1}{(2k-1)(2k+1)}$

$+ \dfrac{1}{(2k+1)(2k+3)}$

$= \dfrac{k}{2k+1} + \dfrac{1}{(2k+1)(2k+3)}$

$= \dfrac{k(2k+3)+1}{(2k+1)(2k+3)} = \dfrac{2k^2+3k+1}{(2k+1)(2k+3)}$

$= \dfrac{(2k+1)(k+1)}{(2k+1)(2k+3)} = \boxed{\dfrac{k+1}{2k+3}}$

따라서 $n = k+1$일 때에도 주어진 등식이 성립한다.

(i), (ii)에 의하여 주어진 등식은 모든 자연수 n에 대하여 성립한다.

(가): $\dfrac{k}{2k+1}$, (나): $\dfrac{k+1}{2k+3}$이므로

$f(k) = \dfrac{k}{2k+1}$, $g(k) = \dfrac{k+1}{2k+3}$

$\therefore f(2) + g(1) = \dfrac{2}{5} + \dfrac{2}{5} = \dfrac{4}{5}$

답 $\dfrac{4}{5}$

28 (i) $n = 1$일 때,

(좌변) $= \dfrac{1}{2 \times 3} = \dfrac{1}{6}$, (우변) $= \dfrac{1}{2 \times 1 + 4} = \dfrac{1}{6}$

따라서 주어진 등식이 성립한다.

(ii) $n = k$일 때, 주어진 등식이 성립한다고 가정하면

$\dfrac{1}{2 \times 3} + \dfrac{1}{3 \times 4} + \cdots + \dfrac{1}{(k+1)(k+2)} = \dfrac{k}{2k+4}$

이 식의 양변에 $\dfrac{1}{(k+2)(k+3)}$을 더하면

$\dfrac{1}{2 \times 3} + \dfrac{1}{3 \times 4} + \cdots + \dfrac{1}{(k+1)(k+2)} + \dfrac{1}{(k+2)(k+3)}$

$= \dfrac{k}{2k+4} + \dfrac{1}{(k+2)(k+3)} = \dfrac{k(k+3)+2}{2(k+2)(k+3)}$

$= \dfrac{k^2+3k+2}{2(k+2)(k+3)} = \dfrac{(k+1)(k+2)}{2(k+2)(k+3)}$

$= \dfrac{k+1}{2(k+1)+4}$

따라서 $n = k+1$일 때에도 주어진 등식은 성립한다.

(ⅰ), (ⅱ)에 의하여 주어진 등식은 모든 자연수 n에 대하여 성립한다.　　　　　　　　　　**탑** 풀이 참조

29 (ⅰ) $n=2$일 때,
(좌변)$-$(우변)$=(1+x)^2-(1+2x)=\boxed{x^2}>0$
따라서 주어진 부등식이 성립한다.
(ⅱ) $n=k\ (k\ge2)$일 때, 주어진 부등식이 성립한다고 가정하면
$(1+x)^k>1+kx$
이 식의 양변에 $1+x$를 곱하면 $1+x>0$이므로
$(1+x)^{k+1}>(1+kx)(1+x)$
$\qquad\qquad=\boxed{1+(k+1)x}+kx^2$
$\qquad\qquad>\boxed{1+(k+1)x}$
따라서 $n=k+1$일 때에도 주어진 부등식이 성립한다.
(ⅰ), (ⅱ)에 의하여 주어진 부등식은 2 이상의 모든 자연수에 대하여 성립한다.
$\therefore$ (가): x^2, (나): $1+(k+1)x$　　　**탑** ⑤

30 (ⅰ) $n=2$일 때,
(좌변)$=1+\dfrac{1}{2^2}=\dfrac{5}{4}$, (우변)$=2-\dfrac{1}{2}=\dfrac{3}{2}$
따라서 주어진 부등식이 성립한다.
(ⅱ) $n=k\ (k\ge2)$일 때, 주어진 부등식이 성립한다고 가정하면
$1+\dfrac{1}{2^2}+\dfrac{1}{3^2}+\cdots+\dfrac{1}{k^2}<2-\dfrac{1}{k}$
이 식의 양변에 $\dfrac{1}{(k+1)^2}$을 더하면
$1+\dfrac{1}{2^2}+\dfrac{1}{3^2}+\cdots+\dfrac{1}{k^2}+\dfrac{1}{(k+1)^2}$
$<2-\dfrac{1}{k}+\dfrac{1}{(k+1)^2}$
$\left\{2-\dfrac{1}{k}+\dfrac{1}{(k+1)^2}\right\}-\left(2-\dfrac{1}{k+1}\right)$
$=-\dfrac{1}{k}+\dfrac{1}{k+1}+\dfrac{1}{(k+1)^2}$
$=-\dfrac{1}{k(k+1)^2}<0$
$\therefore 1+\dfrac{1}{2^2}+\dfrac{1}{3^2}+\cdots+\dfrac{1}{k^2}+\dfrac{1}{(k+1)^2}<2-\dfrac{1}{k+1}$
따라서 $n=k+1$일 때에도 주어진 부등식이 성립한다.
(ⅰ), (ⅱ)에 의하여 주어진 부등식은 2 이상의 모든 자연수에 대하여 성립한다.　　　　　　　　　　**탑** 풀이 참조

31 $S_{n+1}-S_{n-1}=a_{n+1}+a_n$이므로 주어진 식은 $n\ge2$일 때,
$(a_{n+1}+a_n)^2=4a_na_{n+1}+9$, $(a_{n+1}-a_n)^2=9$
$\therefore a_{n+1}-a_n=3\ (\because a_{n+1}>a_n)$
$a_2-a_1=5-2=3$이므로
$a_{n+1}-a_n=3\ (n\ge1)$
즉, 수열 $\{a_n\}$은 첫째항이 2, 공차가 3인 등차수열이므로
$S_{20}=\dfrac{20(2\times2+19\times3)}{2}=610$　　　**탑** ⑤

32 점 $P_{n+1}(x_{n+1},\ y_{n+1})$은 직선 $y=-\dfrac{2}{3}x+2$ 위에 있으므로
$y_{n+1}=-\dfrac{2}{3}x_{n+1}+2$　　　……㉠

점 Q_n의 좌표는 $(x_{n+1},\ y_n)$이고, 직선 $y=x$ 위에 있으므로
$y_n=x_{n+1}$　　　……㉡
㉠, ㉡에서 $y_{n+1}=-\dfrac{2}{3}y_n+2$
$y_{n+1}-a=-\dfrac{2}{3}(y_n-a)$에서 $y_{n+1}=-\dfrac{2}{3}y_n+\dfrac{5}{3}a$
따라서 $\dfrac{5}{3}a=2$이므로 $a=\dfrac{6}{5}$　　　**탑** $\dfrac{6}{5}$

33 $a_1=1,\ a_{n+1}=\dfrac{2a_n}{4a_n+3}$에서
$a_2=\dfrac{2a_1}{4a_1+3}=\dfrac{2\times1}{4\times1+3}=\dfrac{2}{7}$
$a_3=\dfrac{2a_2}{4a_2+3}=\dfrac{2\times\dfrac{2}{7}}{4\times\dfrac{2}{7}+3}=\dfrac{2\times2}{4\times2+3\times7}=\dfrac{4}{29}$
$a_4=\dfrac{2a_3}{4a_3+3}=\dfrac{2\times\dfrac{4}{29}}{4\times\dfrac{4}{29}+3}=\dfrac{2\times4}{4\times4+3\times29}=\dfrac{8}{103}$
$a_5=\dfrac{2a_4}{4a_4+3}=\dfrac{2\times\dfrac{8}{103}}{4\times\dfrac{8}{103}+3}=\dfrac{2\times8}{4\times8+3\times103}=\dfrac{16}{341}$
$\therefore p=341$　　　　　　　　　　**탑** 341

다른 풀이
$a_{n+1}=\dfrac{2a_n}{4a_n+3}$의 양변을 역수를 취하면
$\dfrac{1}{a_{n+1}}=\dfrac{4a_n+3}{2a_n}=2+\dfrac{3}{2}\times\dfrac{1}{a_n}$
$\dfrac{1}{a_n}=b_n$으로 놓으면 $b_1=\dfrac{1}{a_1}=1$, $b_{n+1}=\dfrac{3}{2}b_n+2$
$b_2=\dfrac{3}{2}b_1+2=\dfrac{3}{2}\times1+2=\dfrac{7}{2}$
$b_3=\dfrac{3}{2}b_2+2=\dfrac{3}{2}\times\dfrac{7}{2}+2=\dfrac{29}{4}$
$b_4=\dfrac{3}{2}b_3+2=\dfrac{3}{2}\times\dfrac{29}{4}+2=\dfrac{103}{8}$
$b_5=\dfrac{3}{2}b_4+2=\dfrac{3}{2}\times\dfrac{103}{8}+2=\dfrac{341}{16}$
$\therefore a_5=\dfrac{16}{341}$　　$\therefore p=341$

34 $a_1=1<2$
$a_2=\sqrt[3]{2}\,a_1=\sqrt[3]{2}\times1=\sqrt[3]{2}<2$
$a_3=\sqrt[3]{2}\,a_2=\sqrt[3]{2}\times\sqrt[3]{2}=\sqrt[3]{4}<2$
$a_4=\sqrt[3]{2}\,a_3=\sqrt[3]{2}\times\sqrt[3]{4}=2\ge2$
$a_5=\dfrac{1}{2}a_4=\dfrac{1}{2}\times2=1<2$
$\qquad\vdots$
즉, 수열 $\{a_n\}$은 $1,\ \sqrt[3]{2},\ \sqrt[3]{4},\ 2$가 순서대로 반복된다.
$\therefore a_{115}=a_{4\times28+3}=a_3=\sqrt[3]{4}$　　　**탑** ④

35 $3a_{n+2}-2a_{n+1}-a_n=0$에서
$3a_{n+2}-3a_{n+1}=-(a_{n+1}-a_n)$
$\therefore a_{n+2}-a_{n+1}=-\dfrac{1}{3}(a_{n+1}-a_n)$
$a_{n+1}-a_n=b_n$으로 놓으면 $b_{n+1}=-\dfrac{1}{3}b_n$이므로

수열 $\{b_n\}$은 첫째항이 $a_2-a_1=2$, 공비가 $-\dfrac{1}{3}$인 등비수열이다.

$$\therefore b_n=2\times\left(-\dfrac{1}{3}\right)^{n-1}$$

$$\therefore b_5=2\times\left(-\dfrac{1}{3}\right)^4=\dfrac{2}{81}$$ 　답 $\dfrac{2}{81}$

36 $a_1=2$, $a_n+a_{n+1}=3n$에서 $a_{n+1}=3n-a_n$이므로

$a_2=3\times1-a_1=3-2=1$

$a_3=3\times2-a_2=6-1=5$

$a_4=3\times3-a_3=9-5=4$

$a_5=3\times4-a_4=12-4=8$

$a_6=3\times5-a_5=15-8=7$

$\vdots$

$a_{2n-1}=2+(n-1)\times3=3n-1$

$a_{2n}=1+(n-1)\times3=3n-2$

$\therefore P-Q=(a_1+a_3+a_5+a_7+\cdots+a_{19})$

$\qquad\qquad\qquad -(a_2+a_4+a_6+a_8+\cdots+a_{20})$

$\qquad=\displaystyle\sum_{k=1}^{10}a_{2k-1}-\sum_{k=1}^{10}a_{2k}$

$\qquad=\displaystyle\sum_{k=1}^{10}\{3k-1-(3k-2)\}=\sum_{k=1}^{10}1=10$ 　답 10

37 $a_1=1$, $\dfrac{1}{a_{n+1}}=\dfrac{1}{a_n}+d$에서 수열 $\left\{\dfrac{1}{a_n}\right\}$은 첫째항이 $\dfrac{1}{a_1}=1$,

공차가 d인 등차수열이다.

$$\therefore \dfrac{1}{a_n}=1+(n-1)d$$

$a_{11}=\dfrac{1}{21}$에서 $\dfrac{1}{a_{11}}=21$이므로

$1+10d=21$ 　$\therefore d=2$

$\dfrac{1}{a_{n+1}}-\dfrac{1}{a_n}=\dfrac{a_n-a_{n+1}}{a_na_{n+1}}=2$이므로

$a_na_{n+1}=\dfrac{a_n-a_{n+1}}{2}$

$\therefore \displaystyle\sum_{n=1}^{10}a_na_{n+1}=\sum_{n=1}^{10}\dfrac{a_n-a_{n+1}}{2}$

$\qquad\qquad\quad=\dfrac{1}{2}\displaystyle\sum_{n=1}^{10}(a_n-a_{n+1})$

$\qquad\qquad\quad=\dfrac{1}{2}\{(a_1-a_2)+(a_2-a_3)+\cdots+(a_{10}-a_{11})\}$

$\qquad\qquad\quad=\dfrac{1}{2}(a_1-a_{11})$

$\qquad\qquad\quad=\dfrac{1}{2}\left(1-\dfrac{1}{21}\right)=\dfrac{10}{21}$ 　답 $\dfrac{10}{21}$

38 조건 (나)에서

$a_1+2a_2+\cdots+(n-1)a_{n-1}+na_n=\dfrac{1}{2}n(n+1)a_{n+1}+1$

$\qquad\qquad\qquad\qquad\qquad\qquad\qquad\qquad \cdots\cdots \ominus$

$a_1+2a_2+\cdots+(n-1)a_{n-1}=\dfrac{1}{2}(n-1)na_n+1$ $\cdots\cdots \ominus\ominus$

$\ominus-\ominus\ominus$을 하면

$na_n=\dfrac{1}{2}\{n(n+1)a_{n+1}-(n-1)na_n\}$

$n\left\{\dfrac{1}{2}(n+1)a_n-\dfrac{1}{2}(n+1)a_{n+1}\right\}=0$

$\therefore a_{n+1}=a_n \ (n\geq2)$

$a_1=a_2+1$에서 $a_2=a_1-1=9$

따라서 구하는 수열은 $a_1=10$, $a_n=9 \ (n\geq2)$

$\therefore a_{100}=9$ 　답 9

39 흰 바둑돌끼리는 이웃할 수 없으므로 바둑돌 n개를 일렬로 나열하는 방법의 수 a_n은 다음 두 가지 방법의 수의 합이다.

(i) ●로 시작하는 경우 : ●$\underbrace{\times\times\times\cdots\times}_{(n-1)개}$의 꼴

　➡ ●의 뒤에 $(n-1)$개를 나열하면 되므로 경우의 수는

　　a_{n-1}

(ii) ○●로 시작하는 경우 : ○●$\underbrace{\times\times\times\cdots\times}_{(n-2)개}$의 꼴

　➡ ●의 뒤에 $(n-2)$개를 나열하면 되므로 경우의 수는

　　a_{n-2}

따라서 (i), (ii)에서

$a_n=a_{n-1}+a_{n-2} \ (n\geq3)$

$a_1=2$, $a_2=3$, $a_n=a_{n-1}+a_{n-2} \ (n\geq3)$이므로

$a_3=a_2+a_1=3+2=5$, $a_4=a_3+a_2=5+3=8$

$a_5=a_4+a_3=8+5=13$, $a_6=a_5+a_4=13+8=21$

$a_7=a_6+a_5=21+13=34$, $a_8=a_7+a_6=34+21=55$

$a_9=a_8+a_7=55+34=89$, $a_{10}=a_9+a_8=89+55=144$

　답 ④

40 (i) $n=1$일 때, (좌변)$=2$, (우변)$=2$

　따라서 주어진 등식이 성립한다.

(ii) $n=m$일 때, 주어진 등식이 성립한다고 가정하면

$\displaystyle\sum_{k=1}^{m}(5k-3)\left(\dfrac{1}{k}+\dfrac{1}{k+1}+\dfrac{1}{k+2}+\cdots+\dfrac{1}{m}\right)$

$=\dfrac{m(5m+3)}{4}$

$n=m+1$일 때,

$\displaystyle\sum_{k=1}^{m+1}(5k-3)\left(\dfrac{1}{k}+\dfrac{1}{k+1}+\dfrac{1}{k+2}+\cdots+\dfrac{1}{m+1}\right)$

$=\displaystyle\sum_{k=1}^{m}(5k-3)\left(\dfrac{1}{k}+\dfrac{1}{k+1}+\dfrac{1}{k+2}+\cdots+\dfrac{1}{m+1}\right)$

$\qquad\qquad\qquad\qquad\qquad +\{5(m+1)-3\}\dfrac{1}{m+1}$

$=\displaystyle\sum_{k=1}^{m}(5k-3)\left(\dfrac{1}{k}+\dfrac{1}{k+1}+\dfrac{1}{k+2}+\cdots+\dfrac{1}{m+1}\right)$

$\qquad\qquad\qquad\qquad\qquad +\dfrac{\boxed{5m+2}}{m+1}$

$=\displaystyle\sum_{k=1}^{m}(5k-3)\left\{\left(\dfrac{1}{k}+\dfrac{1}{k+1}+\dfrac{1}{k+2}+\cdots+\dfrac{1}{m}\right)\right.$

$\qquad\qquad\qquad\qquad\left.+\dfrac{1}{m+1}\right\}+\dfrac{5m+2}{m+1}$

$=\displaystyle\sum_{k=1}^{m}(5k-3)\left(\dfrac{1}{k}+\dfrac{1}{k+1}+\cdots+\dfrac{1}{\boxed{m}}\right)$

$\qquad\qquad +\dfrac{1}{m+1}\displaystyle\sum_{k=1}^{m}(5k-3)+\dfrac{\boxed{5m+2}}{m+1}$

$=\dfrac{m(5m+3)}{4}+\dfrac{1}{m+1}\displaystyle\sum_{k=1}^{m+1}\left(\boxed{5k-3}\right)$

$=\dfrac{(m+1)(5m+8)}{4}$

따라서 $n=m+1$일 때에도 주어진 등식이 성립한다.

(i), (ii)에 의하여 주어진 등식은 모든 자연수 n에 대하여 성립한다.

(가) : $5m+2$, (나) : m, (다) : $5k-3$이므로

$f(m)=5m+2$, $g(m)=m$, $h(k)=5k-3$

$\therefore f(2)+g(3)+h(4)=12+3+17=32$ 답 32

41 모든 자연수 n에 대하여

$a_n=\dfrac{1}{n+1}+\dfrac{1}{n+2}+\cdots+\dfrac{1}{3n+1}$ 이라 할 때, $a_n>1$임을 보이면 된다.

(i) $n=1$일 때, $a_1=\dfrac{1}{2}+\dfrac{1}{3}+\dfrac{1}{4}>1$

따라서 주어진 부등식이 성립한다.

(ii) $n=k$일 때, 주어진 부등식이 성립한다고 가정하면

$a_k=\dfrac{1}{k+1}+\dfrac{1}{k+2}+\cdots+\dfrac{1}{3k+1}>1$

$n=k+1$일 때,

$a_{k+1}=\dfrac{1}{k+2}+\dfrac{1}{k+3}+\cdots+\dfrac{1}{3k+4}$

$=\left(\dfrac{1}{k+1}+\dfrac{1}{k+2}+\cdots+\dfrac{1}{3k+1}\right)$

$\qquad+\left(\dfrac{1}{3k+2}+\dfrac{1}{3k+3}+\dfrac{1}{3k+4}\right)-\dfrac{1}{k+1}$

$=a_k+\left(\dfrac{1}{3k+2}+\dfrac{1}{3k+3}+\dfrac{1}{3k+4}\right)-\boxed{\dfrac{1}{k+1}}$

한편 $(3k+2)(3k+4)=9k^2+18k+8$

$\boxed{<}\,9k^2+18k+9=(3k+3)^2$

이므로

$\dfrac{1}{3k+2}+\dfrac{1}{3k+4}=\dfrac{6k+6}{(3k+2)(3k+4)}$

$\qquad\qquad\qquad>\dfrac{6k+6}{(3k+3)^2}=\dfrac{2(3k+3)}{(3k+3)^2}=\boxed{\dfrac{2}{3k+3}}$

$\therefore a_{k+1}>a_k+\left(\dfrac{1}{3k+3}+\boxed{\dfrac{2}{3k+3}}\right)-\boxed{\dfrac{1}{k+1}}>1$

따라서 $n=k+1$일 때도 주어진 부등식이 성립한다.

(i), (ii)에 의하여 모든 자연수 n에 대하여 주어진 부등식은 성립한다.

$\therefore$ (가) : $\dfrac{1}{k+1}$, (나) : $<$, (다) : $\dfrac{2}{3k+3}$ 답 ②

42 $\overline{P_nP_{n+1}}=a_n$이라 하면 $a_n=\dfrac{n-1}{n+1}a_{n-1}$이므로 n 대신에 2, 3, 4, $\cdots$, n을 차례로 대입하여 변끼리 곱하면

$a_2=\dfrac{1}{3}a_1$

$a_3=\dfrac{2}{4}a_2$

$a_4=\dfrac{3}{5}a_3$

$\qquad\vdots$

$\times\Big)\ a_n=\dfrac{n-1}{n+1}a_{n-1}$

$\overline{}$

$a_n=a_1\times\dfrac{1}{3}\times\dfrac{2}{4}\times\dfrac{3}{5}\times\cdots\times\dfrac{n-2}{n}\times\dfrac{n-1}{n+1}$

$\quad=\dfrac{2}{n(n+1)}$

따라서 $S_n=\dfrac{1}{2}a_n=\dfrac{1}{n(n+1)}$이므로

$\displaystyle\sum_{k=1}^{50}S_k=\sum_{k=1}^{50}\left(\dfrac{1}{k}-\dfrac{1}{k+1}\right)=\dfrac{50}{51}$

$\therefore p+q=101$ 답 101

43 50 %의 소금물 100 g과 10 %의 소금물 100 g을 섞은 농도 a_1은

$a_1=\dfrac{50+10}{200}\times100=30$

$a_n(\%)$의 소금물 100 g에 10 %의 소금물 100 g을 섞은 농도 $a_{n+1}(\%)$은

$a_{n+1}=\dfrac{a_n+10}{200}\times100=\dfrac{1}{2}a_n+5$

$a_{n+1}-\alpha=\dfrac{1}{2}(a_n-\alpha)$에서

$a_{n+1}=\dfrac{1}{2}a_n+\dfrac{1}{2}\alpha$이므로 $\alpha=10$

$\therefore a_{n+1}-10=\dfrac{1}{2}(a_n-10)$

수열 $\{a_n-10\}$은 첫째항이 $a_1-10=20$, 공비가 $\dfrac{1}{2}$인 등비수열이므로

$a_n-10=20\times\left(\dfrac{1}{2}\right)^{n-1}$, 즉 $a_n=10+20\times\left(\dfrac{1}{2}\right)^{n-1}$

$\therefore a_{10}=10+20\times\left(\dfrac{1}{2}\right)^9=5\left(2+\dfrac{1}{2^7}\right)$

따라서 $p=5$, $q=7$이므로

$p+q=12$ 답 12

memo

memo

아름다운 샘 BOOK LIST

개념기본서 수학의 기본을 다지는 최고의 수학 개념기본서

❖ 수학의 샘

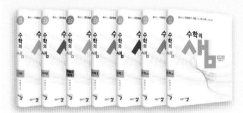

- 수학(상)
- 수학(하)
- 수학 I
- 수학 II
- 확률과 통계
- 미적분
- 기하

문제기본서 {기본, 유형}, {유형, 심화}로 구성된 수준별 문제기본서

❖ 아샘 Hi Math

- 수학(상)
- 수학(하)
- 수학 I
- 수학 II
- 확률과 통계
- 미적분
- 기하

❖ 아샘 Hi High

- 수학(상)
- 수학(하)
- 수학 I
- 수학 II
- 확률과 통계
- 미적분

예비 고1 교재 고교 수학의 기본을 다지는 참 쉬운 기본서

❖ 그래 할 수 있어

- 수학(상)
- 수학(하)

단기 특강 교재 유형을 다지는 단기특강 교재

❖ 10&2

- 수학(상)
- 수학(하)
- 수학 I
- 수학 II

수능 기출유형 문제집 수능 대비하는 수준별·유형별 문제집

❖ 짱 쉬운 유형 / 확장판

- 수학 I
- 수학 II
- 확률과 통계
- 미적분
- 기하

- 수학 I
- 수학 II
- 확률과 통계

❖ 짱 중요한 유형

- 수학 I
- 수학 II
- 확률과 통계
- 미적분
- 기하

❖ 짱 어려운 유형

- 수학 I
- 수학 II
- 확률과 통계
- 미적분
- 기하

수능 실전모의고사 수능 대비 파이널 실전모의고사

❖ 짱 Final 실전모의고사

- 수학 영역

내신 기출유형 문제집 내신 대비하는 수준별·유형별 문제집

❖ 짱 쉬운 내신   ❖ 짱 중요한 내신

- 수학(상)
- 수학(하)

- 수학(상)
- 수학(하)

중간·기말고사 교재 학교 시험 대비 실전모의고사

❖ 아샘 내신 FINAL (고1 수학, 고2 수학 I, 고2 수학 II)

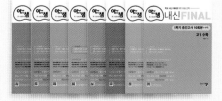

- 1학기 중간고사
- 1학기 기말고사
- 2학기 중간고사
- 2학기 기말고사

최상위권 유형별
문제기본서 하이 하이
Hi High
수학 I

펴낸이 (주)아름다운샘

펴낸곳 (주)아름다운샘

등록번호 제324-2013-41호

주소 서울시 강동구 상암로 257, 진승빌딩 3F

전화 02-892-7878

팩스 02-892-7874

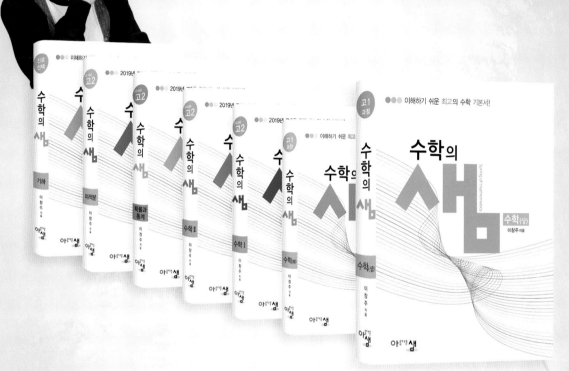

아름다운 샘에서 장학금을 드립니다.

수학의 샘 시리즈를 통하여 얻어지는 저자 수익금 중 10%를 열심히 공부하고자 하나 형편이 어려운 학생들을 위하여 장학금으로 지급하고자 합니다.

접수방법

하나. 주위에 열심히 공부하고자 하나 형편이 어려운 학생(고1, 고2 대상)을 찾습니다.

둘. 그 학생의 인적사항(성명, 학교, 전화번호)을 알아내어 학교 수학선생님께 달려가 추천서를 받습니다.

셋. 우편 또는 메일을 통해 인적사항과 추천 사유를 적고 추천서를 첨부하여 아름다운샘으로 보냅니다.

접수처

주소 (05272) 서울시 강동구 상암로 257, 진승빌딩 3F
수학의 샘 시리즈 담당자 앞

e-mail assam7878@hanmail.net

※소정의 심사를 거쳐 선정된 학생에게 장학금을 지급하고자 합니다.
※제출된 서류는 심사 후 폐기 처분합니다.